CONCISE ATLAS *of the* WORLD

AA

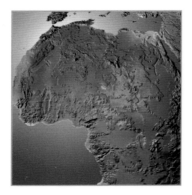

Contents

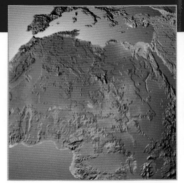

**1st edition May 2008 for
the Automobile Association**

Published by Automobile Association Developments
Limited whose registered office is Fanum House,
Basing View, Basingstoke RG21 4EA, UK.
Registered number 1878835.

Hema Maps Pty Ltd.
PO Box 4365 Eight Mile Plains, Brisbane
QLD 4113 Australia
Ph: +61 7 3340 0000 Fax: +61 7 3340 0099
Web: www.hemamaps.com
E-mail: manager@hemamaps.com.au

ISBN: 978 0 7495 5811 6 (black cover)
ISBN: 978 0 7495 5815 4 (blue cover)

Printed in U.A.E. by Oriental Press, Dubai.

Wherever possible the latest comparable data has
been used in the compilation of the 'World flags and
statistics' section.

The Map section uses local spellings. The 'World flags
and statistics' section uses the conventional English
translation where it is different from the local form
of the name.

Legend and key map	4
World flags and statistics	6
World: Political	30

EUROPE

Europe: Political	32
Scandinavia	34
Central Europe	36
Germany	38
Benelux	40
British Isles	42
France	44
Spain and Portugal	46
The Alpine States	48
Italy	50
The Balkans	52
Greece and Western Turkey	54
European Russia	56

ASIA

Asia: Political	58
Northwest Asia	60
Northeast Asia	62
Eastern China	64
Japan and Korea	66
Southeast Asia	68
Malaysia and Indonesia	70
Southern Asia	72
The Middle East	74
Turkey	76
Israel and the Gulf States	78

AFRICA

Africa: Political	80
Northeast Africa	82
Northwest Africa	84
West Africa	86
Central Africa	88
Southern Africa	90

OCEANIA

Oceania: Political	92
Australia	94
New Zealand	96

NORTH AMERICA

North America: Political	98
Canada	100
United States	102
Northwest United States	104
Northeast United States	106
Southeast United States	108
Southwest United States	110
Central America & the Caribbean	112

SOUTH AMERICA

South America: Political	114
Northern South America	116
Southern South America	118
Arctic Ocean and Antarctica	120
Index to country maps	121
Index	122

Legend and key map

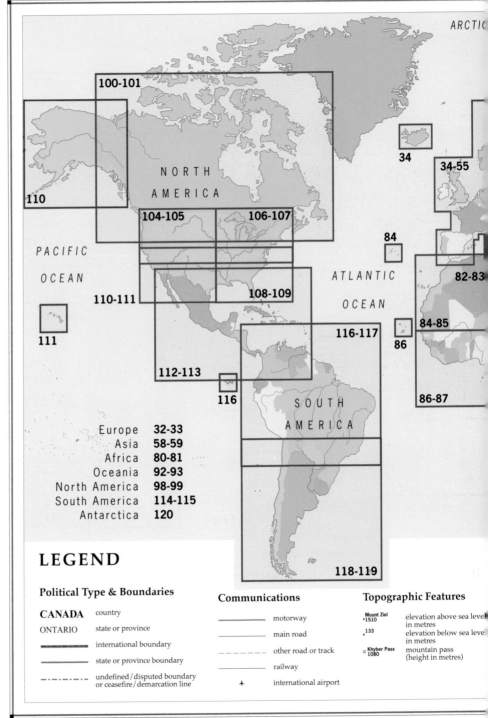

ARCTIC

100-101

NORTH AMERICA

110

PACIFIC

OCEAN

104-105

106-107

110-111

108-109

111

112-113

116

ATLANTIC

OCEAN

116-117

SOUTH AMERICA

34

34-55

84

82-83

84-85

86

86-87

Europe **32-33**
Asia **58-59**
Africa **80-81**
Oceania **92-93**
North America **98-99**
South America **114-115**
Antarctica **120**

118-119

LEGEND

Political Type & Boundaries

CANADA   country

ONTARIO   state or province

───────   international boundary

───────   state or province boundary

─·─·─·─   undefined/disputed boundary or ceasefire/demarcation line

Communications

───────   motorway

───────   main road

─ ─ ─ ─   other road or track

───────   railway

✈   international airport

Topographic Features

Mount Ziel
•1510   elevation above sea level in metres

‚133   elevation below sea level in metres

≍ **Khyber Pass**
1080   mountain pass (height in metres)

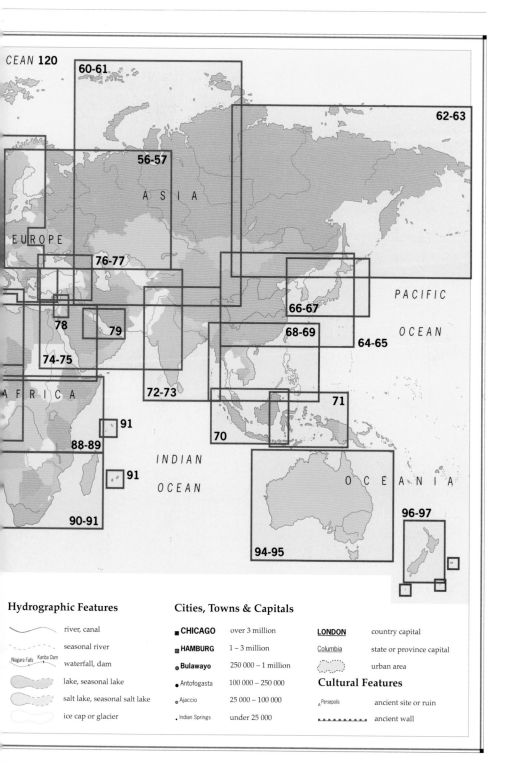

CEAN **120**

60-61

62-63

56-57

A S I A

E U R O P E

76-77

78

79

74-75

A F R I C A

72-73

PACIFIC

OCEAN

66-67

68-69

64-65

71

70

91

88-89

INDIAN

91

OCEAN

O C E A N I A

90-91

96-97

94-95

Hydrographic Features

~~~~~~~~~~~ river, canal

- - - - - - - seasonal river

Niagara Falls Kariba Dam waterfall, dam

lake, seasonal lake

salt lake, seasonal salt lake

ice cap or glacier

Cities, Towns & Capitals

■ **CHICAGO** over 3 million

▪ **HAMBURG** 1 – 3 million

● **Bulawayo** 250 000 – 1 million

● Antofogasta 100 000 – 250 000

● Ajaccio 25 000 – 100 000

▪ Indian Springs under 25 000

LONDON country capital

Columbia state or province capital

urban area

Cultural Features

⌃Persepolis ancient site or ruin

•••••••••••• ancient wall

AFGHANISTAN

Capital:	Kabul
Area:	647,500 km²
Population:	31,056,997
Currency:	Afghani (AFA)
Main Religions:	Sunni Muslim 80%, Shi'a Muslim 19%, other 1%
Main Languages:	Pashtu 35%, Afghan Persian (Dari) 50%, Turkic languages 11%, 30 minor languages 4%
Int Dial Code:	93
Map Page:	75

ALBANIA

Capital:	Tirana
Area:	28,748 km²
Population:	3,581,655
Currency:	Lek (ALL)
Main Religions:	Muslim 70%, Albanian Orthodox 20%, Roman Catholic 10%
Main Languages:	Albanian (Tosk is the official dialect), Greek
Int Dial Code:	355
Map Page:	54

ALGERIA

Capital:	Algiers
Area:	2,381,740 km²
Population:	32,930,091
Currency:	Algerian dinar (DZD)
Main Religions:	Sunni Muslim 99%, Christian and Jewish 1%
Languages:	Arabic (official), French, Berber dialects
Int Dial Code:	213
Map Page:	85

ANDORRA

Capital:	Andorra la Vella
Area:	468 km²
Population:	71,201
Currency:	Euro (EUR)
Main Religions:	Roman Catholic
Main Languages:	Catalan (official), French, Castilian
Int Dial Code:	376
Map Page:	47

ANGOLA

Capital:	Luanda
Area:	1,246,700 km²
Population:	12,127,071
Currency:	Kwanza (AOA)
Main Religions:	Indigenous beliefs 47%, Roman Catholic 38%, Protestant 15%
Main Languages:	Portuguese (official), Bantu and other African languages
Int Dial Code:	244
Map Page:	80

ANTIGUA AND BARBUDA

Capital:	Saint John's
Area:	442.6 km²
	(Antigua 281 km²; Barbuda 161 km)
Population:	67,000
Currency:	East Caribbean dollar (XCD)
Main Religions:	Anglican (predominant), Protestant, Roman Catholic
Main Languages:	English (official), local dialects
Int Dial Code:	1 + 268
Map Page:	113

ARGENTINA

Capital:	Buenos Aires
Area:	2,766,890 km²
Population:	39,921,833
Currency:	Argentine Peso (ARS)
Main Religions:	Roman Catholic 92%, Protestant 2%, Jewish 2%, other 4%
Main Languages:	Spanish (official), English, Italian, German, French
Int Dial Code:	54
Map Page:	118

ARMENIA

Capital:	Yerevan
Area:	29,800 km²
Population:	2,976,372
Currency:	Dram (AMD)
Main Religions:	Armenian Orthodox 94%
Main Languages:	Armenian 96%, Russian 2%, other 2%
Int Dial Code:	374
Map Page:	77

AUSTRALIA

Capital:	Canberra
Area:	7,686,850 km^2
Population:	20,264,082
Currency:	Australian dollar (AUD)
Main Religions:	Anglican 26.1%, Roman Catholic 26%, other Christian 24.3%, non-Christian 11%
Main Languages:	English, native languages
Int Dial Code:	61
Map Page:	94

AUSTRIA

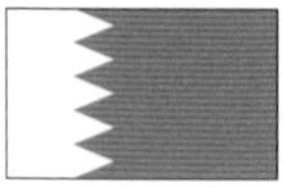

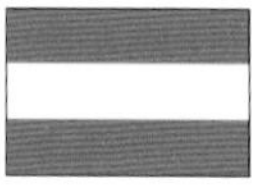

Capital:	Vienna
Area:	83,870 km^2
Population:	8,192,800
Currency:	Euro (EUR)
Main Religions:	Roman Catholic 74%, Protestant 5%, Muslim and other 21%
Main Languages:	German
Int Dial Code:	43
Map Page:	49

AZERBAIJAN

Capital:	Baku
Area:	86,600 km^2
Population:	7,961,619
Currency:	Azerbaijani manat (AZM)
Main Religions:	Muslim 93.4%, Russian Orthodox 2.5%, Armenian Orthodox 2.3%, other 1.8%
Main Languages:	Azerbaijani (Azeri) 89%, Russian 3%, Armenian 2%
Int Dial Code:	994
Map Page:	77

BAHAMAS, THE

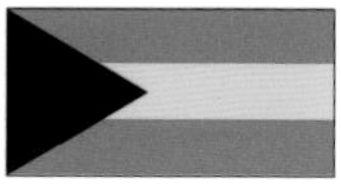

Capital:	Nassau
Area:	13,940 km^2
Population:	303,770
Currency:	Bahamian dollar (BSD)
Main Religions:	Baptist 35%, Anglican 15%, Roman Catholic 13%, Pentecostal 8%, Methodist 4%, Church of God 5%
Main Languages:	English, Creole
Int Dial Code:	1 + 242
Map Page:	109

BAHRAIN

Capital:	Manama
Area:	665 km^2
Population:	698,595
Currency:	Bahraini dinar (BHD)
Main Religions:	Muslim 81% (Shi'a & Sunni), Christian 9%
Main Languages:	Arabic, English, Farsi, Urdu
Int Dial Code:	973
Map Page:	79

BANGLADESH

Capital:	Dhaka
Area:	144,000 km^2
Population:	147,365,352
Currency:	Taka (BDT)
Main Religions:	Muslim 83%, Hindu 16%, other 1%
Main Languages:	Bangla (official, also known as Bengali), English
Int Dial Code:	880
Map Page:	72

BARBADOS

Capital:	Bridgetown
Area:	431 km^2
Population:	279,912
Currency:	Barbadian dollar (BBD)
Main Religions:	Protestant 67% (Anglican 40%, Pentecostal 8%, Methodist 7%, other 12%), Roman Catholic 4%
Main Languages:	English
Int Dial Code:	1 + 246
Map Page:	113

BELARUS

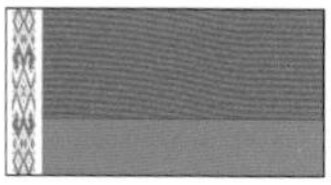

Capital:	Minsk
Area:	207,600 km^2
Population:	10,293,011
Currency:	Belarusian ruble (BYB/BYR)
Main Religions:	Eastern Orthodox 80%, other (including Roman Catholic, Protestant, Jewish, and Muslim) 20%
Main Languages:	Byelorussian, Russian
Int Dial Code:	375
Map Page:	56

BELGIUM

Capital:	Brussels
Area:	30,528 km²
Population:	10,379,067
Currency:	Euro (EUR)
Main Religions:	Roman Catholic 75%, Protestant or other 25%
Main Languages:	Dutch 60%, French 40%, legally bilingual (Dutch and French)
Int Dial Code:	32
Map Page:	41

BELIZE

Capital:	Belmopan
Area:	22,966 km²
Population:	287,730
Currency:	Belizean dollar (BZD)
Main Religions:	Roman Catholic 50%, Protestant 27%
Main Languages:	English (official), Spanish, Mayan, Garifuna , Creole
Int Dial Code:	501
Map Page:	112

BENIN

Capital:	Porto-Novo
Area:	112,620 km²
Population:	7,862,944
Currency:	Communaute Financiere Africaine franc (XOF)
Main Religions:	Indigenous beliefs 50%, Christian 30%, Muslim 20%
Main Languages:	French (official), Fon and Yoruba, tribal languages
Int Dial Code:	229
Map Page:	87

BHUTAN

Capital:	Thimphu
Area:	47,000 km²
Population:	2,279,723
Currency:	Ngultrum (BTN); Indian rupee (INR)
Main Religions:	Lamaistic Buddhist 75%, Hinduism 25%
Main Languages:	Dzongkha (official), Bhotes speak various Tibetan dialects, Nepalese dialects
Int Dial Code:	975
Map Page:	72

BOLIVIA

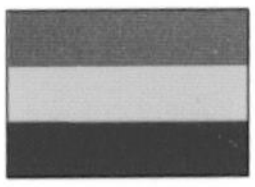

Capital:	La Paz (seat of government); Sucre (legal capital and seat of judiciary)
Area:	1,098,580 km²
Population:	8,989,046
Currency:	Boliviano (BOB)
Main Religions:	Roman Catholic 95%, Protestant
Main Languages:	Spanish (official), Quechua (official), Aymara
Int Dial Code:	591
Map Page:	116

BOSNIA-HERZEGOVINA

Capital:	Sarajevo
Area:	51,129 km²
Population:	4,498,976
Currency:	Marka (BAM)
Main Religions:	Muslim 40%, Orthodox 31%, Roman Catholic 15%, Protestant 4%, other 10%
Main Languages:	Croatian, Serbian, Bosnian
Int Dial Code:	387
Map Page:	52

BOTSWANA

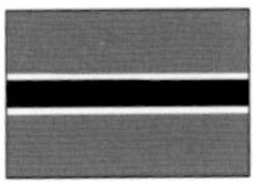

Capital:	Gaborone
Area:	600,370 km²
Population:	1,639,833
Currency:	Pula (BWP)
Main Religions:	Christian 72%, Badimo 6%
Main Languages:	Setswana, Kalanga, Sekgalagadi, English
Int Dial Code:	267
Map Page:	90

BRAZIL

Capital:	Brasilia
Area:	8,511,965 km²
Population:	188,078,227
Currency:	Real (BRL)
Main Religions:	Roman Catholic (nominal) 74%, Protestant 15%
Main Languages:	Portuguese (official), Spanish, English, French
Int Dial Code:	55
Map Page:	117

BRUNEI

Capital:	Bandar Seri Begawan
Area:	5,770 km²
Population:	379,444
Currency:	Bruneian dollar (BND)
Main Religions:	Muslim (official) 67%, Buddhist 13%, Christian 10%, indigenous beliefs and other 10%
Main Languages:	Malay (official), English, Chinese
Int Dial Code:	673
Map Page:	70

BULGARIA

Capital:	Sofia
Area:	110,910 km²
Population:	7,385,367
Currency:	Lev (BGL)
Main Religions:	Bulgarian Orthodox 82.6%, Muslim 13%, Roman Catholic 1.5%, Uniate Catholic 0.2%, Jewish 0.8%
Main Languages:	Bulgarian, Turkish
Int Dial Code:	359
Map Page:	53

BURKINA

Capital:	Ouagadougou
Area:	274,200 km²
Population:	13,902,972
Currency:	Communaute Financiere Africaine franc (XOF)
Main Religions:	Indigenous beliefs 40%, Muslim 50%, Christian 10%
Main Languages:	French (official), native African languages belonging to Sudanic family spoken by 90% of the population
Int Dial Code:	226
Map Page:	86

BURUNDI

Capital:	Bujumbura
Area:	27,830 km²
Population:	8,090,068
Currency:	Burundi franc (BIF)
Main Religions:	Christian 67% (Roman Catholic 62%, Protestant 5%), indigenous beliefs 23%, Muslim 10%
Main Languages:	Kirundi (official), French (official), Swahili
Int Dial Code:	257
Map Page:	88

CAMBODIA

Capital:	Phnom Penh
Area:	181,040 km²
Population:	13,881,427
Currency:	Riel (KHR)
Main Religions:	Theravada Buddhist 95%, other 5%
Main Languages:	Khmer (official) 95%, French, English
Int Dial Code:	855
Map Page:	68

CAMEROON

Capital:	Yaoundé
Area:	475,440 km²
Population:	17,340,702
Currency:	Communaute Financiere Africaine franc (XAF)
Main Religions:	Indigenous beliefs 40%, Christian 40%, Muslim 20%
Main Languages:	24 major African language groups, English (official), French (official)
Int Dial Code:	237
Map Page:	87

CANADA

Capital:	Ottawa
Area:	9,984,670 km²
Population:	33,098,932
Currency:	Canadian dollar (CAD)
Main Religions:	Roman Catholic 42%, Protestant 23%, other 18%
Main Languages:	English 59.3% (official), French 23.2% (official), other 17.5%
Int Dial Code:	1
Map Page:	100

CAPE VERDE

Capital:	Praia
Area:	4,033 km²
Population:	420,979
Currency:	Cape Verdean escudo (CVE)
Main Religions:	Roman Catholic, Protestant
Main Languages:	Portuguese, Crioulo
Int Dial Code:	238
Map Page:	86

CENTRAL AFRICAN REPUBLIC

Capital:	Bangui
Area:	622,984 km²
Population:	4,303,356
Currency:	Communaute Financiere Africaine franc (XAF)
Main Religions:	Indigenous beliefs 35%, Protestant 25%, Roman Catholic 25%, Muslim 15%
Main Languages:	French (official), Sangho , Arabic, Hunsa, Swahili
Int Dial Code:	236
Map Page:	88

CHAD

Capital:	N'Djamena
Area:	1.284 million km²
Population:	9,944,201
Currency:	Communaute Financiere Africaine franc (XAF)
Main Religions:	Muslim 50%, Christian 35%, indigenous beliefs 25%
Main Languages:	French (official), Arabic (official), Sara and Sango, over 100 different languages and dialects
Int Dial Code:	235
Map Page:	82

CHILE

Capital:	Santiago
Area:	756,950 km²
Population:	16,134,219
Currency:	Chilean peso (CLP)
Main Religions:	Roman Catholic 89%, Protestant 11%
Main Languages:	Spanish
Int Dial Code:	56
Map Page:	118

CHINA

Capital:	Beijing
Area:	9,596,960 km²
Population:	1,313,973,713
Currency:	Yuan (CNY)
Main Religions:	Daoist (Taoist), Buddhist, Christian 3-4%, Muslim 1-2%
Main Languages:	Standard Chinese or Mandarin (Putonghua), Yue (Cantonese), Wu (Shanghaiese), Minbei (Fuzhou), Minnan (Hokkien-Taiwanese), Xiang, Gan, Hakka
Int Dial Code:	86
Map Page:	64

COLOMBIA

Capital:	Bogota
Area:	1,138,910 km²
Population:	43,593,035
Currency:	Colombian peso (COP)
Main Religions:	Roman Catholic 90%
Main Languages:	Spanish
Int Dial Code:	57
Map Page:	116

COMOROS

Capital:	Moroni
Area:	2,170 km²
Population:	690,948
Currency:	Comoran franc (KMF)
Main Religions:	Sunni Muslim 98%, Roman Catholic 2%
Main Languages:	Arabic (official), French (official), Comoran
Int Dial Code:	269
Map Page:	91

CONGO

Capital:	Brazzaville
Area:	342,000 km²
Population:	3,702,314
Currency:	Communaute Financiere Africaine franc (XAF)
Main Religions:	Christian 50%, Animist 48%, Muslim 2%
Main Languages:	French (official), Lingala and Monokutuba
Int Dial Code:	242
Map Page:	87

CONGO, DEMOCRATIC REP. OF THE

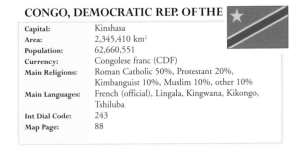

Capital:	Kinshasa
Area:	2,345,410 km²
Population:	62,660,551
Currency:	Congolese franc (CDF)
Main Religions:	Roman Catholic 50%, Protestant 20%, Kimbanguist 10%, Muslim 10%, other 10%
Main Languages:	French (official), Lingala, Kingwana, Kikongo, Tshiluba
Int Dial Code:	243
Map Page:	88

COSTA RICA

Capital:	San José
Area:	51,100 km²
Population:	4,075,261
Currency:	Costa Rican colon (CRC)
Main Religions:	Roman Catholic 76.3%, Evangelical 13.7%,other Protestant 0.7%, Jehovah's Witnesses 1.3%,
Main Languages:	Spanish (official), English spoken around Puerto Limon
Int Dial Code:	506
Map Page:	113

CYPRUS

Capital:	Nicosia
Area:	9,250 km² (3,355 km² in the Turkish Cypriot area)
Population:	784,301
Currency:	Cypriot pound (CYP); Turkish new lira (YTL)
Main Religions:	Greek Orthodox 78%, Muslim 18%
Main Languages:	Greek, Turkish, English
Int Dial Code:	357
Map Page:	76

COTE D'IVOIRE

Capital:	Yamoussoukro - capital since 1983, Abidjan is the administrative center
Area:	322,460 km²
Population:	17,654,843
Currency:	Communaute Financiere Africaine franc (XOF)
Main Religions:	Muslim 35%, Indigenous 25%, Christian 20%
Main Languages:	French (official), 60 native dialects
Int Dial Code:	225
Map Page:	86

CZECH REPUBLIC

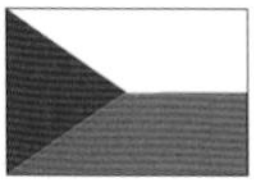

Capital:	Prague
Area:	78,866 km²
Population:	10,235,455
Currency:	Czech koruna (CZK)
Main Religions:	Roman Catholic 26.8%, Protestant 2.1%, Orthodox 3%
Main Languages:	Czech
Int Dial Code:	420
Map Page:	37

CROATIA

Capital:	Zagreb
Area:	56,542 km²
Population:	4,494,749
Currency:	Kuna (HRK)
Main Religions:	Roman Catholic 87.8%, Orthodox 4.4%
Main Languages:	Croatian 96%, other 4% (Italian, Hungarian, Czech)
Int Dial Code:	385
Map Page:	52

DENMARK

Capital:	Copenhagen
Area:	43,094 km²
Population:	5,450,661
Currency:	Danish krone (DKK)
Main Religions:	Evangelical Lutheran 95%, other Protestant and Roman Catholic 3%, Muslims 2%
Main Languages:	Danish, Faroese, Greenlandic, German, English
Int Dial Code:	45
Map Page:	35

CUBA

Capital:	Havana
Area:	110,860 km²
Population:	11,382,820
Currency:	Cuban peso (CUP) and convertible Peso (CUC)
Main Religions:	Roman Catholic 85%, Protestants, Jehovah's Witnesses, Jews
Main Languages:	Spanish
Int Dial Code:	53
Map Page:	113

DJIBOUTI

Capital:	Djibouti
Area:	23,000 km²
Population:	486,530
Currency:	Djiboutian franc (DJF)
Main Religions:	Muslim 94%, Christian 6%
Main Languages:	French (official), Arabic (official), Somali, Afar
Int Dial Code:	253
Map Page:	83

DOMINICA

Capital:	Roseau
Area:	754 km²
Population:	68,910
Currency:	East Caribbean dollar (XCD)
Main Religions:	Roman Catholic 77%, Protestant 15% (Methodist 5%, Pentecostal 3%, Seventh-Day Adventist 3%, Baptist 2%, other 2%), none 2%, other 6%
Main Languages:	English (official), French patois
Int Dial Code:	1 + 767
Map Page:	113

DOMINICAN REPUBLIC

Capital:	Santo Domingo
Area:	48,730 km²
Population:	9,183,984
Currency:	Dominican peso (DOP)
Main Religions:	Roman Catholic 95%
Main Languages:	Spanish
Int Dial Code:	1 + 809
Map Page:	113

EAST TIMOR

Capital:	Dili
Area:	15,007 km²
Population:	1,062,777
Currency:	US dollar
Main Religions:	Roman Catholic, Muslim
Main Languages:	Tetum, Portugese, Indonesian, English
Int Dial Code:	670
Map Page:	71

ECUADOR

Capital:	Quito
Area:	283,560 km²
Population:	13,547,510
Currency:	US dollar (USD)
Main Religions:	Roman Catholic 95%
Main Languages:	Spanish (official), Amerindian languages (especially Quechua)
Int Dial Code:	593
Map Page:	116

EGYPT

Capital:	Cairo
Area:	1,001,450 km²
Population:	78,887,007
Currency:	Egyptian pound (EGP)
Main Religions:	Muslim (mostly Sunni) 90%, Coptic Christian and other 6%
Main Languages:	Arabic (official), English and French
Int Dial Code:	20
Map Page:	82

EL SALVADOR

Capital:	San Salvador
Area:	21,040 km²
Population:	6,822,378
Currency:	Salvadoran colon (SVC); US dollar (USD)
Main Religions:	Roman Catholic 83%
Main Languages:	Spanish, Nahua
Int Dial Code:	503
Map Page:	112

EQUATORIAL GUINEA

Capital:	Malabo
Area:	28,051 km²
Population:	540,109
Currency:	Communaute Financiere Africaine franc (XAF)
Main Religions:	Christian (predominantly Roman Catholic)
Main Languages:	Spanish (official), French (official), Pidgin English, Fang, Bubi, Ibo
Int Dial Code:	240
Map Page:	87

ERITREA

Capital:	Asmara
Area:	121,320 km²
Population:	4,786,994
Currency:	Nakfa (ERN)
Main Religions:	Muslim, Coptic Christian, Roman Catholic, Protestant
Main Languages:	Afar, Amharic, Arabic, Tigre and Kunama, Tigrinya, other Cushitic languages
Int Dial Code:	291
Map Page:	83

ESTONIA

Capital: Tallinn
Area: 45,226 km^2
Population: 1,324,333
Currency: Estonian kroon (EEK)
Main Religions: Evangelical Lutheran, Russian Orthodox, Estonian Orthodox, Baptist, Methodist, Seventh-Day Adventist
Main Languages: Estonian (official), Russian, Ukrainian, English, Finnish
Int Dial Code: 372
Map Page: 35

ETHIOPIA

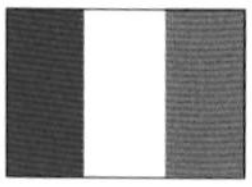

Capital: Addis Ababa
Area: 1,127,127 km^2
Population: 74,777,981
Currency: Birr (ETB)
Main Religions: Muslim 45%-50%, Ethiopian Orthodox 35%-40%, animist 12%, other 3%-8%
Main Languages: Amharic, Tigrinya, Oromigna, Guaragigna, Somali, Arabic , English
Int Dial Code: 251
Map Page: 89

FIJI

Capital: Suva
Area: 18,270 km^2
Population: 905,949
Currency: Fijian dollar (FJD)
Main Religions: Christian 52% (Methodist 37%, Roman Catholic 9%), Hindu 38%, Muslim 8%, other 2%
Main Languages: English (official), Fijian, Hindustani
Int Dial Code: 679
Map Page: 92

FINLAND

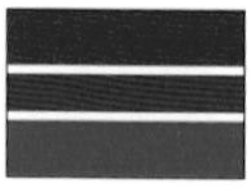

Capital: Helsinki
Area: 338,145 km^2
Population: 5,231,372
Currency: Euro (EUR)
Main Religions: Evangelical Lutheran 89%, Greek Orthodox 1%, none 9%, other 1%
Main Languages: Finnish 93.4% (official), Swedish 5.9% (official), small Lapp- and Russian-speaking minorities
Int Dial Code: 358
Map Page: 34

FRANCE

Capital: Paris
Area: 547,030 km^2
Population: 60,876,136
Currency: Euro (EUR)
Main Religions: Roman Catholic 90%, Protestant 2%, Jewish 1%, Muslim 3%, unaffiliated 4%
Main Languages: French 100%, Provencal, Breton, Alsatian, Corsican, Catalan, Basque, Flemish
Int Dial Code: 33
Map Page: 44

GABON

Capital: Libreville
Area: 267,667 km^2
Population: 1,424,906
Currency: Communaute Financiere Africaine franc (XAF)
Main Religions: Christian 55%-75%, Animist, Muslim less than 1%
Main Languages: French (official), Fang, Myene, Bapounou/Eschira, Bandjabi
Int Dial Code: 241
Map Page: 87

GAMBIA, THE

Capital: Banjul
Area: 11,300 km^2
Population: 1,641,564
Currency: Dalasi (GMD)
Main Religions: Muslim 90%, Christian 9%, Indigenous beliefs 1%
Main Languages: English (official), Mandinka, Wolof, Fula
Int Dial Code: 220
Map Page: 86

GEORGIA

Capital: T'bilisi
Area: 69,700 km^2
Population: 4,661,473
Currency: Lari (GEL)
Main Religions: Georgian Orthodox 65%, Muslim 11%, Russian Orthodox 10%, Armenian Apostolic 8%
Main Languages: Georgian 71% (official), Russian 9%, Armenian 7%
Int Dial Code: 995
Map Page: 77

GERMANY

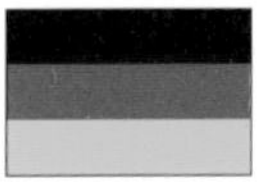

Capital:	Berlin
Area:	357,021 km^2
Population:	82,422,299
Currency:	Euro (EUR)
Main Religions:	Protestant 34%, Roman Catholic 34%, Muslim 3.7%, unaffiliated or other 28.3%
Main Languages:	German
Int Dial Code:	49
Map Page:	38

GHANA

Capital:	Accra
Area:	239,460 km^2
Population:	22,409,572
Currency:	Cedi (GHC)
Main Religions:	Indigenous beliefs 38%, Muslim 30%, Christian 24%, other 8%
Main Languages:	English (official), African languages (Akan, Moshi-Dagomba, Ewe, and Ga)
Int Dial Code:	233
Map Page:	86

GREECE

Capital:	Athens
Area:	131,940 km^2
Population:	10,688,058
Currency:	Euro (EUR)
Main Religions:	Greek Orthodox 98%, Muslim 1.3%, other 0.7%
Main Languages:	Greek 99% (official), English, French
Int Dial Code:	30
Map Page:	54

GRENADA

Capital:	Saint George's
Area:	344 km^2
Population:	89,703
Currency:	East Caribbean dollar (XCD)
Main Religions:	Roman Catholic 53%, Anglican 13.8%, other Protestant 33.2%
Main Languages:	English (official), French patois
Int Dial Code:	1 + 473
Map Page:	113

GUATEMALA

Capital:	Guatemala
Area:	108,890 km^2
Population:	12,293,545
Currency:	Quetzal (GTQ), US dollar (USD), others allowed
Main Religions:	Roman Catholic, Protestant, Indigenous Mayan beliefs
Main Languages:	Spanish 60%, Amerindian languages 40%
Int Dial Code:	502
Map Page:	112

GUINEA

Capital:	Conakry
Area:	245,857 km^2
Population:	9,690,222
Currency:	Guinean franc (GNF)
Main Religions:	Muslim 85%, Christian 8%, Indigenous beliefs 7%
Main Languages:	French (official), each ethnic group has its own language
Int Dial Code:	224
Map Page:	86

GUINEA-BISSAU

Capital:	Bissau
Area:	36,120 km^2
Population:	1,442,029
Currency:	Communaute Financiere Africaine franc (XOF)
Main Religions:	Indigenous beliefs 50%, Muslim 45%, Christian 5%
Main Languages:	Portuguese (official), Crioulo, African languages
Int Dial Code:	245
Map Page:	86

GUYANA

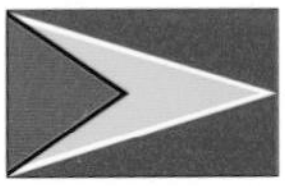

Capital:	Georgetown
Area:	214,970 km^2
Population:	767,245
Currency:	Guyanese dollar (GYD)
Main Religions:	Christian 50%, Hindu 35%, Muslim 10%, other 5%
Main Languages:	English, Amerindian dialects, Creole, Hindi, Urdu
Int Dial Code:	592
Map Page:	117

HAITI

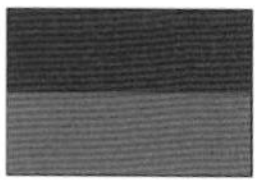

Capital:	Port-au-Prince
Area:	27,750 km²
Population:	8,308,504
Currency:	Gourde (HTG)
Main Religions:	Roman Catholic 80%, Protestant 16% (Baptist 10%, Pentecostal 4%, Adventist 1%, other 1%)
Main Languages:	French (official), Creole (official)
Int Dial Code:	509
Map Page:	113

HONDURAS

Capital:	Tegucigalpa
Area:	112,090 km²
Population:	7,326,496
Currency:	Lempira (HNL)
Main Religions:	Roman Catholic 97%, Protestant
Main Languages:	Spanish, Amerindian dialects
Int Dial Code:	504
Map Page:	112

HUNGARY

Capital:	Budapest
Area:	93,030 km²
Population:	9,981,334
Currency:	Forint (HUF)
Main Religions:	Roman Catholic 52%, Calvinist 16%
Main Languages:	Hungarian 98.2%, other 1.8%
Int Dial Code:	36
Map Page:	52

ICELAND

Capital:	Reykjavik
Area:	103,000 km²
Population:	299,388
Currency:	Icelandic krona (ISK)
Main Religions:	National Church of Iceland 82%, Free Lutheran 5%
Main Languages:	Icelandic
Int Dial Code:	354
Map Page:	34

INDIA

Capital:	New Delhi
Area:	3,287,590 km²
Population:	1,029,351,995
Currency:	Indian rupee (INR)
Main Religions:	Hindu 80.5%, Muslim 13.4%, Christian 2.3%, Sikh 1.9%, Buddhist, Jain, Parsi 2.5%
Main Languages:	English, Hindi 30%, Bengali, Telugu, Marathi, Tamil, Urdu, Gujarati, Malayalam, Kannada, Oriya, Punjabi
Int Dial Code:	91
Map Page:	72

INDONESIA

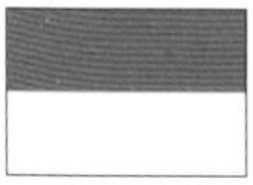

Capital:	Jakarta
Area:	1,919,440 km²
Population:	245,452,739
Currency:	Indonesian rupiah (IDR)
Main Religions:	Muslim 88%, Protestant 5%, Roman Catholic 3%, Hindu 2%, Buddhist 1%, other 1%
Main Languages:	Bahasa Indonesia (official), English, Dutch, local dialects
Int Dial Code:	62
Map Page:	70

IRAN

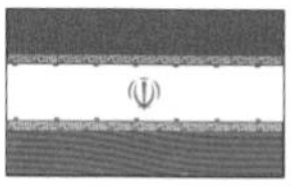

Capital:	Tehran
Area:	1.648 million km²
Population:	68,688,433
Currency:	Iranian rial (IRR)
Main Religions:	Shi'a Muslim 89%, Sunni Muslim 10%, Zoroastrian, Jewish, Christian, Baha'i 1%
Main Languages:	Persian and Persian dialects 58%, Turkic and Turkic dialects 26%, Kurdish 9%, Luri 2%, Balochi 1%
Int Dial Code:	98
Map Page:	74

IRAQ

Capital:	Baghdad
Area:	437,072 km²
Population:	26,783,383
Currency:	New Iraqi dinar (NID)
Main Religions:	Muslim 97% (Shi'a 60%-65%, Sunni 32%-37%), Christian or other 3%
Main Languages:	Arabic, Kurdish, Assyrian, Armenian
Int Dial Code:	964
Map Page:	74

IRELAND

Capital:	Dublin
Area:	70,280 km²
Population:	4,062,235
Currency:	Euro (EUR)
Main Religions:	Roman Catholic 88.4%, Church of Ireland 3%
Main Languages:	English, Irish (Gaelic)
Int Dial Code:	353
Map Page:	43

ISRAEL

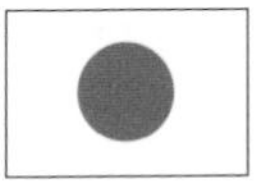

Capital:	Jerusalem
Area:	20,770 km²
Population:	6,352,117
Currency:	New Israeli shekel (ILS or NIS)
Main Religions:	Jewish 76.5%, Muslim 15.9%, Arab Christian 1.7%
Main Languages:	Hebrew (official), Arabic, English
Int Dial Code:	972
Map Page:	78

ITALY

Capital:	Rome
Area:	301,230 km²
Population:	58,133,509
Currency:	Euro (EUR)
Main Religions:	predominately Roman Catholic, Protestant, Jewish and Muslim
Main Languages:	Italian (official), German, French, Slovene
Int Dial Code:	39
Map Page:	50

JAMAICA

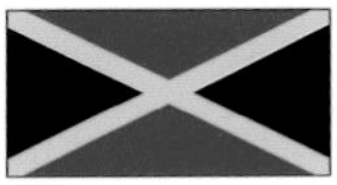

Capital:	Kingston
Area:	10,990 km²
Population:	2,758,124
Currency:	Jamaican dollar (JMD)
Main Religions:	Protestant 61.3%, Roman Catholic 4%, other 34.7%
Main Languages:	English, Creole
Int Dial Code:	1 + 876
Map Page:	113

JAPAN

Capital:	Tokyo
Area:	377,835 km²
Population:	127,463,611
Currency:	Yen (JPY)
Main Religions:	Shinto and Buddhist 84%, other 16% (including Christian 0.7%)
Main Languages:	Japanese
Int Dial Code:	81
Map Page:	67

JORDAN

Capital:	Amman
Area:	92,300 km²
Population:	5,906,760
Currency:	Jordanian dinar (JOD)
Main Religions:	Sunni Muslim 92%, Christian 6% (majority Greek Orthodox), other 2%
Main Languages:	Arabic (official), English
Int Dial Code:	962
Map Page:	78

KAZAKHSTAN

Capital:	Astana
Area:	2,717,300 km²
Population:	15,233,244
Currency:	Tenge (KZT)
Main Religions:	Muslim 47%, Russian Orthodox 44%, Protestant 2%, other 7%
Main Languages:	Kazakh (Qazaq, state language), Russian (official)
Int Dial Code:	7
Map Page:	61

KENYA

Capital:	Nairobi
Area:	582,650 km²
Population:	34,707,817
Currency:	Kenyan shilling (KES)
Main Religions:	Protestant 45%, Roman Catholic 33%, indigenous beliefs 10%, Muslim 10%
Main Languages:	English (official), Kiswahili (official)
Int Dial Code:	254
Map Page:	89

KIRIBATI

Capital:	Tarawa
Area:	811 km²
Population:	105,432
Currency:	Australian dollar (AUD)
Main Religions:	Roman Catholic 54%, Protestant (Congregational) 30%, Seventh-Day Adventist, Baha'i, Latter-day Saints and Church of God
Main Languages:	English (official), I-Kiribati
Int Dial Code:	686
Map Page:	93

KOSOVO

Capital:	Pristina
Area:	10,887 km²
Population:	1,900,000
Currency:	Euro (EUR)
Main Religions:	Muslim, Serbian Orthodox
Main Languages:	Albanian, Serbian
Int Dial Code:	381
Map Page:	52

KUWAIT

Capital:	Kuwait
Area:	17,820 km²
Population:	2,418,393
Currency:	Kuwaiti dinar (KWD)
Main Religions:	Muslim 85% (Sunni 70%, Shi'a 30%), Christian, Hindu, Parsi, and other 15%
Main Languages:	Arabic (official), English
Int Dial Code:	965
Map Page:	79

KYRGYZSTAN

Capital:	Bishkek
Area:	198,500 km²
Population:	5,213,898
Currency:	Kyrgyzstani som (KGS)
Main Religions:	Muslim 75%, Russian Orthodox 20%, other 5%
Main Languages:	Kirghiz (Kyrgyz) - official, Russian (official)
Int Dial Code:	996
Map Page:	61

LAOS

Capital:	Vientiane
Area:	236,800 km²
Population:	6,368,481
Currency:	Kip (LAK)
Main Religions:	Buddhist 60%, Animist and other 40%
Main Languages:	Lao (official), French, English
Int Dial Code:	856
Map Page:	68

LATVIA

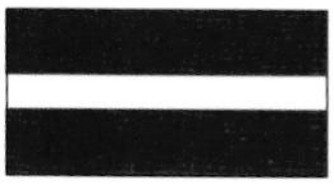

Capital:	Riga
Area:	64,589 km²
Population:	2,274,735
Currency:	Latvian lat (LVL)
Main Religions:	Lutheran, Roman Catholic, Russian Orthodox
Main Languages:	Latvian or Lettish (official), Lithuanian, Russian
Int Dial Code:	371
Map Page:	35

LEBANON

Capital:	Beirut
Area:	10,400 km²
Population:	3,874,050
Currency:	Lebanese pound (LBP)
Main Religions:	Muslim 59.7% (including Shi'a, Sunni, Druze, Isma'ilite, Alawite or Nusayri), Christian 39% (including Orthodox Christian, Catholic, Protestant)
Main Languages:	Arabic (official), French, English, Armenian
Int Dial Code:	961
Map Page:	78

LESOTHO

Capital:	Maseru
Area:	30,355 km²
Population:	2,022,331
Currency:	Loti (LSL); South African Rand (ZAR)
Main Religions:	Christian 80%, Indigenous beliefs 20%
Main Languages:	Sesotho (southern Sotho), English (official), Zulu, Xhosa
Int Dial Code:	266
Map Page:	90

LIBERIA

Capital:	Monrovia
Area:	111,370 km²
Population:	3,042,004
Currency:	Liberian dollar (LRD)
Main Religions:	Indigenous beliefs 40%, Christian 40%, Muslim 20%
Main Languages:	English 20% (official), ethnic group languages
Int Dial Code:	231
Map Page:	86

LIBYA

Capital:	Tripoli
Area:	1,759,540 km²
Population:	5,900,754
Currency:	Libyan dinar (LYD)
Main Religions:	Sunni Muslim 97%
Main Languages:	Arabic, Italian, English
Int Dial Code:	218
Map Page:	82

LIECHTENSTEIN

Capital:	Vaduz
Area:	160 km²
Population:	33,987
Currency:	Swiss franc (CHF)
Main Religions:	Roman Catholic 80%, Protestant 7.4%, unknown 7.7%, other 4.9%
Main Languages:	German (official), Alemannic dialect
Int Dial Code:	423
Map Page:	48

LITHUANIA

Capital:	Vilnius
Area:	65,200 km²
Population:	3,585,500
Currency:	Litas (LTL)
Main Religions:	Roman Catholic (primarily), Lutheran, Russian Orthodox, Protestant, Evangelical Christian Baptist, Muslim, Jewish
Main Languages:	Lithuanian (official), Polish, Russian
Int Dial Code:	370
Map Page:	35

LUXEMBOURG

Capital:	Luxembourg
Area:	2,586 km²
Population:	474,413
Currency:	Euro (EUR)
Main Religions:	Roman Catholic with Protestants, Jews, and Muslims
Main Languages:	Luxembourgish (national language), German (administrative language), French
Int Dial Code:	352
Map Page:	41

MACEDONIA

Capital:	Skopje
Area:	25,333 km²
Population:	2,050,554
Currency:	Macedonian denar (MKD)
Main Religions:	Macedonian Orthodox 67%, Muslim 30%, other 3%
Main Languages:	Macedonian 70%, Albanian 21%, Turkish 3%, Serbo-Croatian 3%, other 3%
Int Dial Code:	389
Map Page:	54

MADAGASCAR

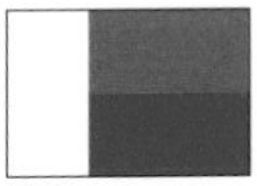

Capital:	Antananarivo
Area:	587,040 km²
Population:	18,595,469
Currency:	Madagascar Ariary (MGA)
Main Religions:	Indigenous beliefs 52%, Christian 41%, Muslim 7%
Main Languages:	French (official), Malagasy (official)
Int Dial Code:	261
Map Page:	91

MALAWI

Capital:	Lilongwe
Area:	118,480 km²
Population:	13,013,926
Currency:	Malawian kwacha (MWK)
Main Religions:	Christian 79.9%, Muslim 12.8%
Main Languages:	English (official), Chichewa (official)
Int Dial Code:	265
Map Page:	91

MALAYSIA

Capital:	Kuala Lumpur; Putrajaya is the federal government administration centre
Area:	329,750 km²
Population:	24,385,858
Currency:	Ringgit (MYR)
Main Religions:	Muslim, Budhist, Duoist, Hindu, Christian, Sikh, Shamanism
Main Languages:	Bahasa Melayu (official), English, Chinese dialects (Cantonese, Mandarin, Hokkien, Hakka, Hainan, Foochow), Tamil, Telugu, Malayalam, Panjabi, Thai
Int Dial Code:	60
Map Page:	70

MALDIVES

Capital: Male
Area: 300 km²
Population: 359,008
Currency: Rufiyaa (MVR)
Main Religions: Sunni Muslim
Main Languages: Maldivian Dhivehi (dialect of Sinhala, script derived from Arabic), English
Int Dial Code: 960
Map Page: 73

MALI

Capital: Bamako
Area: 1.24 million km²
Population: 11,716,829
Currency: Communaute Financiere Africaine franc (XOF)
Main Religions: Muslim 90%, Indigenous beliefs 9%, Christian 1%
Main Languages: French (official), Bambara 80%, numerous African languages
Int Dial Code: 223
Map Page: 84

MALTA

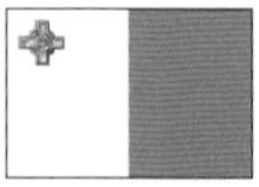

Capital: Valletta
Area: 316 km²
Population: 400,214
Currency: Maltese lira (MTL)
Main Religions: Roman Catholic 98%
Main Languages: Maltese (official), English (official)
Int Dial Code: 356
Map Page: 51

MARSHALL ISLANDS

Capital: Majuro
Area: 181 km²
Population: 60,422
Currency: US dollar (USD)
Main Religions: Christian (mostly Protestant)
Main Languages: English (official), two major Marshallese dialects from the Malayo-Polynesian family, Japanese
Int Dial Code: 692
Map Page: 92

MAURITANIA

Capital: Nouakchott
Area: 1,030,700 km²
Population: 3,177,388
Currency: Ouguiya (MRO)
Main Religions: Muslim 100%
Main Languages: Hasaniya Arabic (official), Pular, Soninke, Wolof, French
Int Dial Code: 222
Map Page: 84

MAURITIUS

Capital: Port Louis
Area: 2,040 km²
Population: 1240,827
Currency: Mauritian rupee (MUR)
Main Religions: Hindu 48%, Roman Catholic 23.6%, Muslim 16.6%, other christian 8.6%
Main Languages: English (official), Creole, French, Hindi, Urdu, Hakka, Bojpoori
Int Dial Code: 230
Map Page: 91

MEXICO

Capital: Mexico
Area: 1,972,550 km²
Population: 107,449,525
Currency: Mexican peso (MXN):
Main Religions: Nominally Roman Catholic 89%, Protestant 6%, other 5%
Main Languages: Spanish, Mayan, Nahuatl
Int Dial Code: 52
Map Page: 112

MICRONESIA, FED. STATES OF

Capital: Palikir
Area: 702 km²
Population: 108,004
Currency: US dollar (USD)
Main Religions: Roman Catholic 50%, Protestant 47%, other 3%
Main Languages: English (official), Trukese, Pohnpeian, Yapese, Kosrean
Int Dial Code: 691
Map Page: 92

MOLDOVA

Capital:	Chisinau
Area:	33,843 km²
Population:	4,466,706
Currency:	Moldovan leu (MDL)
Main Religions:	Eastern Orthodox 98.5%, Jewish 1.5%, Baptist
Main Languages:	Moldovan (official), Russian, Gagauz (a Turkish dialect)
Int Dial Code:	373
Map Page:	53

MONACO

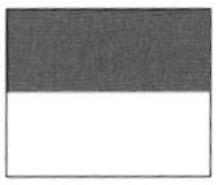

Capital:	Monaco
Area:	1.95 km²
Population:	32,543
Currency:	Euro (EUR)
Main Religions:	Roman Catholic 90%
Main Languages:	French (official), English, Italian, Monegasque
Int Dial Code:	377
Map Page:	48

MONGOLIA

Capital:	Ulaanbaatar
Area:	1.565 million km²
Population:	2,832,224
Currency:	Togrog/tugrik (MNT)
Main Religions:	Buddhist Lamaism 50%, Muslim, Shamanism, and Christian
Main Languages:	Khalkha Mongol 90%, Turkic, Russian
Int Dial Code:	976
Map Page:	59

MONTENEGRO

Capital:	Podgorica
Area:	14,026 km²
Population:	630,548
Currency:	Euro (EUR)
Main Religions:	Orthodox, Muslim, Roman Catholic
Main Languages:	Serbian, Montenegrin
Int Dial Code:	381 (shared with Serbia - new code expected)
Map Page:	52

MOROCCO

Capital:	Rabat
Area:	446,550 km²
Population:	30,645,300
Currency:	Moroccan dirham (MAD)
Main Religions:	Muslim 98.7%, Christian 1.1%, Jewish 0.2%
Main Languages:	Arabic (official), Berber dialects, French
Int Dial Code:	212
Map Page:	80

MOZAMBIQUE

Capital:	Maputo
Area:	801,590 km²
Population:	19,686,505
Currency:	Metical (MZM)
Main Religions:	Catholic 23.8%, Muslim 17.8%, Zionist Christian 17.5%
Main Languages:	Portuguese (official), indigenous dialects
Int Dial Code:	258
Map Page:	91

MYANMAR (BURMA)

Capital:	Naypyidaw
Area:	678,500 km²
Population:	47,382,633
Currency:	Kyat (MMK)
Main Religions:	Buddhist 89%, Christian 4% (Baptist 3%, Roman Catholic 1%), Muslim 4%, Animist 1%, other 2%
Main Languages:	Burmese
Int Dial Code:	95
Map Page:	68

NAMIBIA

Capital:	Windhoek
Area:	825,418 km²
Population:	2,044,147
Currency:	Namibian dollar (NAD); South African rand (ZAR)
Main Religions:	Christian 80% - 90% (Lutheran 50%), Indigenous beliefs 10%-20%
Main Languages:	English 7% (official), Afrikaans, German 32%, indigenous languages: Oshivambo, Herero, Nama
Int Dial Code:	264
Map Page:	90

NAURU

Capital:	no official capital; government offices in Yaren District
Area:	21 km²
Population:	13,287
Currency:	Australian dollar (AUD)
Main Religions:	Christian (66% Protestant, 33% Roman Catholic)
Main Languages:	Nauruan (official), English
Int Dial Code:	674
Map Page:	92

NEPAL

Capital:	Kathmandu
Area:	147,181 km²
Population:	28,287,147
Currency:	Nepalese rupee (NPR)
Main Religions:	Hinduism 80.6%, Buddhism 10.7%, Islam 4.2%,
Main Languages:	Nepali (official; spoken by 90% of the population), 30 major dialects, English
Int Dial Code:	977
Map Page:	72

NETHERLANDS

Capital:	Amsterdam; The Hague is the seat of government
Area:	41,526 km²
Population:	16,491,461
Currency:	Euro (EUR)
Main Religions:	Roman Catholic 31%, Protestant 21%, Muslim 4.4%, other 3.6%, unaffiliated 40%
Main Languages:	Dutch
Int Dial Code:	31
Map Page:	40

NEW ZEALAND

Capital:	Wellington
Area:	268,680 km²
Population:	4,076,140
Currency:	New Zealand dollar (NZD)
Main Religions:	Anglican 14.9%, Roman Catholic 12.4%, Presbyterian 10.9%, , Methodist 2.9%,
Main Languages:	English (official), Maori (official)
Int Dial Code:	64
Map Page:	96

NICARAGUA

Capital:	Managua
Area:	129,494 km²
Population:	5,570,129
Currency:	Gold cordoba (NIO)
Main Religions:	Roman Catholic 72.9%, Evangelical 15.1%
Main Languages:	Spanish (official)
Int Dial Code:	505
Map Page:	113

NIGER

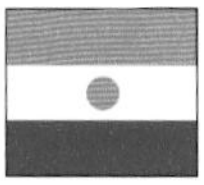

Capital:	Niamey
Area:	1.267 million km²
Population:	12,525,094
Currency:	Communaute Financiere Africaine franc (XOF)
Main Religions:	Muslim 80%, Indigenous beliefs and Christians
Main Languages:	French (official), Hausa, Djerma
Int Dial Code:	227
Map Page:	85

NIGERIA

Capital:	Abuja
Area:	923,768 km²
Population:	131,859,731
Currency:	Naira (NGN)
Main Religions:	Muslim 50%, Christian 40%, Indigenous beliefs 10%
Main Languages:	English (official), Hausa, Yoruba, Igbo (Ibo), Fulani
Int Dial Code:	234
Map Page:	87

NORTH KOREA

Capital:	P'yongyang
Area:	120,540 km²
Population:	23,113,019
Currency:	North Korean won (KPW)
Main Religions:	Buddhist and Confucianist, some Christian and syncretic Chondogyo (Religion of the Heavenly Way)
Main Languages:	Korean
Int Dial Code:	850
Map Page:	66

NORWAY

Capital:	Oslo
Area:	324,220 km²
Population:	4,610,820
Currency:	Norwegian krone (NOK)
Main Religions:	Church of Norway 85.7%, Roman Catholic 2.4%, Muslim 1.8%, Pentecostal 1%, other christian 2.4%
Main Languages:	Norwegian (official)
Int Dial Code:	47
Map Page:	34

OMAN

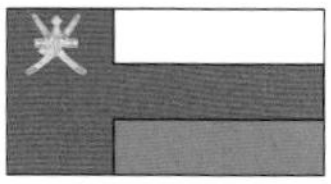

Capital:	Muscat
Area:	212,460 km²
Population:	3,102,229
Currency:	Omani rial (OMR)
Main Religions:	Ibadhi Muslim 75%, Sunni Muslim, Shi'a Muslim, Hindu
Main Languages:	Arabic (official), English, Baluchi, Urdu, Indian dialects
Int Dial Code:	968
Map Page:	75

PAKISTAN

Capital:	Islamabad
Area:	803,940 km²
Population:	165,803,560
Currency:	Pakistani rupee (PKR)
Main Religions:	Muslim 97% (Sunni 77%, Shi'a 20%)
Main Languages:	Punjabi 48%, Sindhi 12%, Siraiki 10%, Pashtu 8%, Urdu 8%, Balochi 3%, Hindko 2%, Brahui 1%
Int Dial Code:	92
Map Page:	75

PARAGUAY

Capital:	Asuncion
Area:	406,750 km²
Population:	6,506,464
Currency:	Guarani (PYG)
Main Religions:	Roman Catholic 90%, Mennonite, and other Protestant
Main Languages:	Spanish (official), Guarani (official)
Int Dial Code:	595
Map Page:	118

PALAU

Capital:	Koror
Area:	458 km²
Population:	20,579
Currency:	US dollar (USD)
Main Religions:	Christian (Catholics, Seventh-Day Adventists, Jehovah's Witnesses, Assembly of God, the Liebenzell Mission, and Latter-Day Saints), Modekngei 33%
Main Languages:	English and Palauan, Tobi and Angaur
Int Dial Code:	680
Map Page:	92

PERU

Capital:	Lima
Area:	1,285,220 km²
Population:	28,302,603
Currency:	Nuevo sol (PEN)
Main Religions:	Roman Catholic 90%
Main Languages:	Spanish (official), Quechua (official), Aymara
Int Dial Code:	51
Map Page:	116

PANAMA

Capital:	Panama
Area:	78,200 km²
Population:	3,191,319
Currency:	Balboa (PAB); US dollar (USD)
Main Religions:	Roman Catholic 85%, Protestant 15%
Main Languages:	Spanish (official), English 14%
Int Dial Code:	507
Map Page:	113

PHILIPPINES

Capital:	Manila
Area:	300,000 km²
Population:	89,468,677
Currency:	Philippine peso (PHP)
Main Religions:	Roman Catholic 83%, Protestant 9%, Muslim 5%
Main Languages:	Filipino, English, eight major dialects including Tagalog, Cebuano, Ilocan, Hiligaynon or Ilonggo and Bicol
Int Dial Code:	63
Map Page:	69

PAPUA NEW GUINEA

Capital:	Port Moresby
Area:	462,840 km²
Population:	5,670,544
Currency:	Kina (PGK)
Main Religions:	Roman Catholic 22%, Lutheran 16%, Presbyterian/Methodist/London Missionary Society 8%, Anglican 5%, Protestant 10%, Indigenous beliefs 34%
Main Languages:	English, Pidgin English, Motu
Int Dial Code:	675
Map Page:	92

POLAND

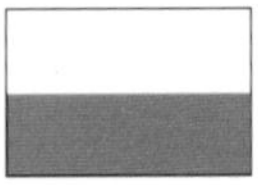

Capital:	Warsaw
Area:	312,685 km²
Population:	38,536,869
Currency:	Zloty (PLN)
Main Religions:	Roman Catholic 95%, Eastern Orthodox, Protestant, and other 5%
Main Languages:	Polish
Int Dial Code:	48
Map Page:	36

PORTUGAL

Capital:	Lisbon
Area:	92,391 km²
Population:	10,605,870
Currency:	Euro (EUR)
Main Religions:	Roman Catholic 94%, Protestant
Main Languages:	Portuguese, Mirandese
Int Dial Code:	351
Map Page:	46

RWANDA

Capital:	Kigali
Area:	26,338 km²
Population:	8,648,248
Currency:	Rwandan franc (RWF):
Main Religions:	Roman Catholic 52.7%, Protestant 24%, Adventist 10.4%, Muslim 1.9%, Indigenous beliefs 6.5%
Main Languages:	Kinyarwanda, Bantu vernacular, French, English
Int Dial Code:	250
Map Page:	88

QATAR

Capital:	Doha
Area:	11,437 km²
Population:	885,359
Currency:	Qatari rial (QAR)
Main Religions:	Muslim 95%
Main Languages:	Arabic (official), English
Int Dial Code:	974
Map Page:	79

SAINT KITTS AND NEVIS

Capital:	Basseterre
Area:	261 km²
	(Saint Kitts 168 km²; Nevis 93 km²)
Population:	39,129
Currency:	East Caribbean dollar (XCD)
Main Religions:	Anglican, other Protestant, Roman Catholic
Main Languages:	English
Int Dial Code:	1 + 869
Map Page:	113

ROMANIA

Capital:	Bucharest
Area:	237,500 km²
Population:	22,303,552
Currency:	Leu (ROL)
Main Religions:	Eastern Orthodox 86.8%, Protestant 7.5%, Roman Catholic 4.7%
Main Languages:	Romanian, Hungarian, German
Int Dial Code:	40
Map Page:	53

SAINT LUCIA

Capital:	Castries
Area:	616 km²
Population:	168,458
Currency:	East Caribbean dollar (XCD)
Main Religions:	Roman Catholic 67.5%, Seventh Day Adventist 8%, Pentecostal 5.7%, Anglican 2%, Evangelical 2%
Main Languages:	English (official), French patois
Int Dial Code:	1 + 758
Map Page:	113

RUSSIAN FEDERATION

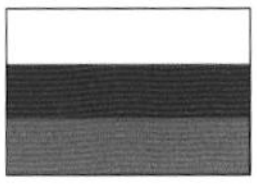

Capital:	Moscow
Area:	17,075,200 km²
Population:	142,893,540
Currency:	Russian ruble (RUR)
Main Religions:	Russian Orthodox, Muslim
Main Languages:	Russian
Int Dial Code:	7
Map Page:	58

SAINT VINCENT & THE GRENADINES

Capital:	Kingstown
Area:	389 km² (Saint Vincent 344 km²)
Population:	117,848
Currency:	East Caribbean dollar (XCD)
Main Religions:	Anglican 47%, Methodist 28%, Roman Catholic 13%, Seventh-Day Adventist, Hindu, other Protestant
Main Languages:	English, French patois
Int Dial Code:	1 + 784
Map Page:	113

SAMOA

Capital:	Apia
Area:	2,944 km²
Population:	176,908
Currency:	Tala (WST)
Main Religions:	Christian 99.7% (London Missionary Society; includes Congregational, Roman Catholic, Methodist, Latter-Day Saints, Seventh-Day Adventist)
Main Languages:	Samoan (Polynesian), English
Int Dial Code:	685
Map Page:	93

SAN MARINO

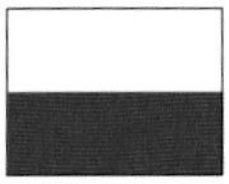

Capital:	San Marino
Area:	61.2 km²
Population:	29,251
Currency:	Euro (EUR)
Main Religions:	Roman Catholic
Main Languages:	Italian
Int Dial Code:	378
Map Page:	49

SÃO TOMÉ AND PRÍNCIPE

Capital:	Sao Tome
Area:	1,001 km²
Population:	193,413
Currency:	Dobra (STD)
Main Religions:	Christian 80% (Roman Catholic, Evangelical Protestant, Seventh-Day Adventist)
Main Languages:	Portuguese (official)
Int Dial Code:	239
Map Page:	87

SAUDI ARABIA

Capital:	Riyadh
Area:	1,960,582 km²
Population:	27,019,731
Currency:	Saudi riyal (SAR)
Main Religions:	Muslim 100%
Main Languages:	Arabic
Int Dial Code:	966
Map Page:	74

SENEGAL

Capital:	Dakar
Area:	196,190 km²
Population:	11,987,121
Currency:	Communaute Financiere Africaine franc (XOF)
Main Religions:	Muslim 92%, Indigenous beliefs 6%, Christian 2% (mostly Roman Catholic)
Main Languages:	French (official), Wolof, Pulaar, Jola, Mandinka
Int Dial Code:	221
Map Page:	86

SERBIA

Capital:	Belgrade
Area:	88,361 km²
Population:	9,396,411
Currency:	New Yugoslav dinar (YUM)
Main Religions:	Serbian Orthodox, Muslim, Roman Catholic, Protestant
Main Languages:	Serbian (official), Romanian, Hungarian, Slovak, Croatian, Albania
Int Dial Code:	381
Map Page:	52

SEYCHELLES

Capital	Victoria
Area:	455 km²
Population:	81,541
Currency:	Seychelles rupee (SCR)
Main Religions:	Roman Catholic 90%, Anglican 8%, other 2%
Main Languages:	English (official), French (official), Creole
Int Dial Code:	248
Map Page:	91

SIERRA LEONE

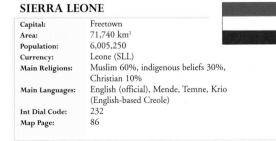

Capital:	Freetown
Area:	71,740 km²
Population:	6,005,250
Currency:	Leone (SLL)
Main Religions:	Muslim 60%, indigenous beliefs 30%, Christian 10%
Main Languages:	English (official), Mende, Temne, Krio (English-based Creole)
Int Dial Code:	232
Map Page:	86

SINGAPORE

Capital:	Singapore
Area:	692.7 km²
Population:	4,492,150
Currency:	Singapore dollar (SGD)
Main Religions:	Buddhist (Chinese), Muslim (Malays), Christian, Hindu, Sikh, Taoist, Confucianist
Main Languages:	Chinese (official), Malay (official and national), Tamil (official), English (official)
Int Dial Code:	65
Map Page:	70

SOMALIA

Capital:	Mogadishu
Area:	637,657 km²
Population:	8,863,338
Currency:	Somali shilling (SOS)
Main Religions:	Sunni Muslim
Main Languages:	Somali (official), Arabic, Italian, English
Int Dial Code:	252
Map Page:	89

SLOVAKIA

Capital:	Bratislava
Area:	48,845 km²
Population:	5,439,448
Currency:	Slovak koruna (SKK)
Main Religions:	Roman Catholic 60.3%, Atheist 9.7%, Protestant 8.4%, Orthodox 4.1%, other 17.5%
Main Languages:	Slovak (official), Hungarian
Int Dial Code:	421
Map Page:	37

SOUTH AFRICA, REPUBLIC OF

Capital:	Pretoria (executive); Bloemfontein (judicial); Cape Town (legislative)
Area:	1,219,912 km²
Population:	44,187,637
Currency:	Rand (ZAR)
Main Religions:	Christian 68%, Muslim 2%, Hindu 1.5%, Indigenous beliefs and Animist 28.5%
Main Languages:	IsiZulu, IsXhosa, Afrikaans, Sepedi, English, Setswana, Sesotho, Xitsonga
Int Dial Code:	27
Map Page:	90

SLOVENIA

Capital:	Ljubljana
Area:	20,273 km²
Population:	2,010,347
Currency:	Tolar (SIT)
Main Religions:	Catholic 57.8%, Muslim 2.4%, Orthodox 2.3% other christian 0.9%
Main Languages:	Slovenian 91%, Serbo-Croatian 6%, other 3%
Int Dial Code:	386
Map Page:	49

SOUTH KOREA

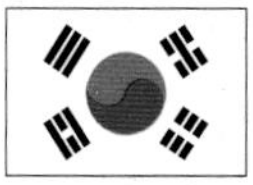

Capital:	Seoul
Area:	98,480 km²
Population:	48,846,823
Currency:	South Korean Won (KRW)
Main Religions:	Christian 26%, Buddhist 26%, Confucianist 1%,
Main Languages:	Korean, English
Int Dial Code:	82
Map Page:	66

SOLOMON ISLANDS

Capital:	Honiara
Area:	28,450 km²
Population:	552,438
Currency:	Solomon Islands dollar (SBD)
Main Religions:	Church of Melanesia 32.8%, Roman Catholic 19%, South Sea Evangelical 17%, Seventh-Day Adventist 11.2%, United Church 10.3%, Christian Fellowship Church 2.4%, other christian 4.4%
Int Dial Code:	677
Map Page:	92

SPAIN

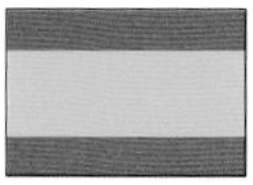

Capital:	Madrid
Area:	504,782 km²
Population:	40,397,842
Currency:	Euro (EUR)
Main Religions:	Roman Catholic 94%, other 6%
Main Languages:	Castilian Spanish (official) 74%, Catalan 17%, Galician 7%, Basque 2%
Int Dial Code:	34
Map Page:	46

SRI LANKA

Capital:	Sri Jayewardenepura Kotte
Area:	65,610 km²
Population:	20,222,240
Currency:	Sri Lankan rupee (LKR)
Main Religions:	Buddhist 70%, Hindu 15%, Christian 8%, Muslim 7%
Main Languages:	Sinhala 74%, Tamil 18%, other 8%
Int Dial Code:	94
Map Page:	73

SWEDEN

Capital:	Stockholm
Area:	449,964 km²
Population:	9,016,596
Currency:	Swedish krona (SEK)
Main Religions:	Lutheran 87%, Roman Catholic, Orthodox, Baptist, Muslim, Jewish, Buddhist
Main Languages:	Swedish
Int Dial Code:	46
Map Page:	34

SUDAN

Capital:	Khartoum
Area:	2,505,810 km²
Population:	41,236,378
Currency:	Sudanese dinar (SDD)
Main Religions:	Sunni Muslim 70%, indigenous beliefs 25%, Christian 5%
Main Languages:	Arabic, Nubian, Ta Bedawie, diverse dialects of Nilotic, Nilo-Hamitic, Sudanic languages, English
Int Dial Code:	249
Map Page:	82

SWITZERLAND

Capital:	Bern
Area:	41,290 km²
Population:	7,523,934
Currency:	Swiss franc (CHF)
Main Religions:	Roman Catholic 41.8%, Protestant 35.3%
Main Languages:	German (official) 63.7%, French (official) 19.2%, Italian (official) 7.6%, Romansch (official) 0.6%, other 8.9%
Int Dial Code:	41
Map Page:	48

SURINAME

Capital:	Paramaribo
Area:	163,270 km²
Population:	439,117
Currency:	Surinamese guilder (SRG)
Main Religions:	Hindu 27.4%, Muslim 19.6%, Roman Catholic 22.8%, Protestant 25.2%, Indigenous beliefs 5%
Main Languages:	Dutch (official), English, Sranang Tongo, Hindustani, Javanese
Int Dial Code:	597
Map Page:	117

SYRIA

Capital:	Damascus
Area:	185,180 km²
Population:	18,881,361
Currency:	Syrian pound (SYP)
Main Religions:	Sunni Muslim 74%, Alawite, Druze, and other Muslim sects 16%, Christian 10%, Jewish
Main Languages:	Arabic (official); Kurdish, Armenian, Aramaic, Circassian, French, English
Int Dial Code:	963
Map Page:	74

SWAZILAND

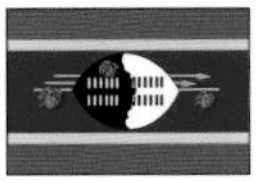

Capital:	Mbabane; Lobamba is the royal and legislative capital
Area:	17,363 km²
Population:	1,136,334
Currency:	Lilangeni (SZL)
Main Religions:	Zionist 40%, Roman Catholic 20%, Muslim 10%, Anglican, Bahai, Methodist, Morman, Jewish
Main Languages:	English (official), Swati (official)
Int Dial Code:	268
Map Page:	91

TAIWAN

Capital:	Taipei
Area:	35,980 km²
Population:	23,036,087
Currency:	Taiwan dollar (TWD)
Main Religions:	Buddhist, Confucian, and Taoist 93%, Christian 4.5%, other 2.5%
Main Languages:	Mandarin Chinese (official), Taiwanese (Min), Hakka dialects
Int Dial Code:	886
Map Page:	69

TAJIKISTAN

Capital:	Dushanbe
Area:	143,100 km²
Population:	7,320,815
Currency:	Somoni (SM)
Main Religions:	Sunni Muslim 85%, Shi'a Muslim 5%
Main Languages:	Tajik (official), Russian
Int Dial Code:	992
Map Page:	75

TONGA

Capital:	Nuku'alofa
Area:	748 km²
Population:	114,689
Currency:	Pa'anga (TOP)
Main Religions:	Christian (Free Wesleyan Church claims over 30,000 adherents)
Main Languages:	Tongan, English
Int Dial Code:	676
Map Page:	93

TANZANIA

Capital:	Dodoma
Area:	945,087 km²
Population:	37,445,392
Currency:	Tanzanian shilling (TZS)
Main Religions:	Christian 45%, Muslim 35%, indigenous beliefs 20%; Zanzibar - more than 99% Muslim
Main Languages:	Kiswahili or Swahili, Kiunguju, English, Arabic
Int Dial Code:	255
Map Page:	89

TRINIDAD AND TOBAGO

Capital:	Port-of-Spain
Area:	5,128 km²
Population:	1,065,842
Currency:	Trinidad and Tobago dollar (TTD)
Main Religions:	Roman Catholic 29.4%, Hindu 23.8%, Anglican 10.9%, Muslim 5.8%, Presbyterian 3.4%, other 26.7%
Main Languages:	English (official), Hindi, French, Spanish, Chinese
Int Dial Code:	1 + 868
Map Page:	113

THAILAND

Capital:	Bangkok
Area:	514,000 km²
Population:	64,631,595
Currency:	Baht (THB)
Main Religions:	Buddhism 95%, Muslim 3.8%, Christianity 0.5%, Hinduism 0.1%, other 0.6%
Main Languages:	Thai, English, ethnic and regional dialects
Int Dial Code:	66
Map Page:	68

TUNISIA

Capital:	Tunis
Area:	163,610 km²
Population:	10,175,014
Currency:	Tunisian dinar (TND)
Main Religions:	Muslim 98%, Christian 1%, Jewish and other 1%
Main Languages:	Arabic (official), French (commerce)
Int Dial Code:	216
Map Page:	85

TOGO

Capital:	Lome
Area:	56,785 km²
Population:	5,548,702
Currency:	Communaute Financiere Africaine franc (XOF)
Main Religions:	Indigenous beliefs 59%, Christian 29%, Muslim 12%
Main Languages:	French (official), Ewe and Mina, Kabye and Dagomba
Int Dial Code:	228
Map Page:	86

TURKEY

Capital:	Ankara
Area:	780,580 km²
Population:	70,413,958
Currency:	Turkish lira (TRL)
Main Religions:	Muslim 99.8% (mostly Sunni), other 0.2% (Christian and Jews)
Main Languages:	Turkish (official), Kurdish, Arabic, Armenian, Greek
Int Dial Code:	90
Map Page:	76

TURKMENISTAN

Capital:	Ashgabat
Area:	488,100 km²
Population:	5,042,920
Currency:	Turkmen manat (TMM)
Main Religions:	Muslim 89%, Eastern Orthodox 9%, unknown 2%
Main Languages:	Turkmen 72%, Russian 12%, Uzbek 9%, other 7%
Int Dial Code:	993
Map Page:	75

UNITED ARAB EMIRATES

Capital:	Abu Dhabi
Area:	82,880 km²
Population:	2,602,713
Currency:	Emirati dirham (AED)
Main Religions:	Muslim 96% (Shi'a 16%), Christian, Hindu, and other 4%
Main Languages:	Arabic (official), Persian, English, Hindi, Urdu
Int Dial Code:	971
Map Page:	74

TUVALU

Capital:	Funafuti
Area:	26 km²
Population:	11,810
Currency:	Australian dollar (AUD); also a Tuvaluan dollar
Main Religions:	Church of Tuvalu (Congregationalist) 97%, Seventh-Day Adventist 1.4%, Baha'i 1%, other 0.6%
Main Languages:	Tuvaluan, English
Int Dial Code:	688
Map Page:	92

UNITED KINGDOM

Capital:	London
Area:	244,820 km²
Population:	60,609,153
Currency:	British pound (GBP)
Main Religions:	Christian 71.6%, Muslim 2.7%, Hindu 1%
Main Languages:	English, Welsh, Scottish form of Gaelic
Int Dial Code:	44
Map Page:	42

UGANDA

Capital:	Kampala
Area:	236,040 km²
Population:	28,195,754
Currency:	Ugandan shilling (UGX)
Main Religions:	Roman Catholic 33%, Protestant 33%, Muslim 16%, Indigenous beliefs 18%
Main Languages:	English, Ganda or Luganda, other Niger-Congo languages, Nilo-Saharan languages, Swahili, Arabic
Int Dial Code:	256
Map Page:	88

UNITED STATES

Capital:	Washington, D.C.
Area:	9,631,420 km²
Population:	298,444,215
Currency:	US dollar (USD)
Main Religions:	Protestant 52%, Roman Catholic 24%, Jewish 1%, Muslim 1%
Main Languages:	English, Spanish
Int Dial Code:	1
Map Page:	102

UKRAINE

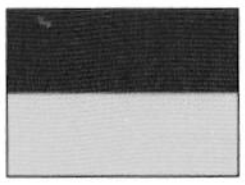

Capital:	Kiev (Kyiv)
Area:	603,700 km²
Population:	46,710,816
Currency:	Hryvnia (UAH)
Main Religions:	Ukrainian Orthodox - Moscow Patriarchate, Ukrainian Orthodox - Kiev Patriarchate
Main Languages:	Ukrainian, Russian, Romanian, Polish, Hungarian
Int Dial Code:	380
Map Page:	56

URUGUAY

Capital:	Montevideo
Area:	176,220 km²
Population:	3,431,932
Currency:	Uruguayan peso (UYU)
Main Religions:	Roman Catholic 66%, Protestant 2%, Jewish 1%, nonprofessing or other 31%
Main Languages:	Spanish, Portunol, or Brazilero
Int Dial Code:	598
Map Page:	119

UZBEKISTAN

Capital:	Tashkent (Toshkent)
Area:	447,400 km²
Population:	27,307,134
Currency:	Uzbekistani sum (UZS)
Main Religions:	Muslim 88% (mostly Sunnis), Eastern Orthodox 9%, other 3%
Main Languages:	Uzbek 74.3%, Russian 14.2%, Tajik 4.4%, other 7.1%
Int Dial Code:	998
Map Page:	61

VANUATU

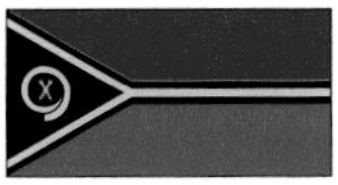

Capital:	Port-Vila
Area:	12,200 km²
Population:	208,869
Currency:	Vatu (VUV)
Main Religions:	Presbyterian 31.4%, Anglican 13.4%, Roman Catholic 13.1%, indigenous beliefs 5.6%
Main Languages:	English, French, Pidgin
Int Dial Code:	678
Map Page:	92

VATICAN CITY

Capital:	Vatican City
Area:	0.44 km²
Population:	932
Currency:	Euro (EUR)
Main Religions:	Roman Catholic
Main Languages:	Italian, Latin, French
Int Dial Code:	39
Map Page:	50

VENEZUELA

Capital:	Caracas
Area:	912,050 km²
Population:	25,730,435
Currency:	Bolivar (VEB)
Main Religions:	Roman Catholic 96%, Protestant 2%, other 2%
Main Languages:	Spanish (official), numerous indigenous dialects
Int Dial Code:	58
Map Page:	116

VIETNAM

Capital:	Hanoi
Area:	329,560 km²
Population:	84,402,966
Currency:	Dong (VND)
Main Religions:	Buddhist, Hoa Hao, Cao Dai, Christian (Roman Catholic, some Protestant), Indigenous beliefs, Muslim
Main Languages:	Vietnamese, English, French, Chinese, and Khmer
Int Dial Code:	84
Map Page:	68

YEMEN

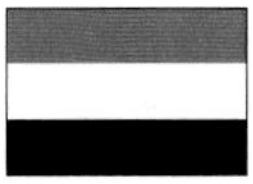

Capital:	Sanaa
Area:	527,970 km²
Population:	21,456,188
Currency:	Yemeni rial (YER)
Main Religions:	Muslim including Shaf'i (Sunni) and Zaydi (Shi'a), Jewish, Christian, and Hindu
Main Languages:	Arabic
Int Dial Code:	967
Map Page:	74

ZAMBIA

Capital:	Lusaka
Area:	752,614 km²
Population:	11,502,010
Currency:	Zambian kwacha (ZMK)
Main Religions:	Christian 50%-75%, Muslim and Hindu 24%-49%, Indigenous beliefs 1%
Main Languages:	English (official), Bemba, Kaonda, Lozi, Lunda, Luvale, Nyanja, Tonga, 70 other indigenous languages
Int Dial Code:	260
Map Page:	90

ZIMBABWE

Capital:	Harare
Area:	390,580 km²
Population:	12,236,805
Currency:	Zimbabwean dollar (ZWD)
Main Religions:	Syncretic (part Christian, part indigenous beliefs) 50%, Christian 25%, indigenous beliefs 24%, Muslim and other 1%
Main Languages:	English (official), Shona, Sindebele, tribal dialects
Int Dial Code:	263
Map Page:	90

Equatorial Scale 1 : 154 000 000

0   1000   2000   3000   4000 km

0   1000   2000 miles

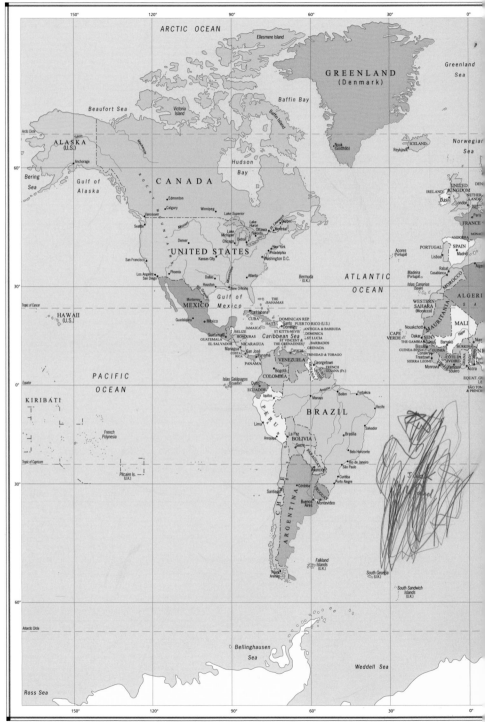

ARCTIC OCEAN

Ellesmere Island

GREENLAND
(Denmark)

Greenland
Sea

Baffin Bay

Beaufort Sea

Victoria
Island

Baffin Island

Arctic Circle

Norwegian
Sea

ALASKA
(U.S.)

Nuuk
(Godthåb)

ICELAND

ReykjavÍk

Anchorage

Hudson
Bay

Bering
Sea

Gulf of
Alaska

CANADA

Edmonton

UNITED
KINGDOM
IRELAND

Calgary

NETHER-
LANDS

Vancouver

Winnipeg

Lake Superior

Dublin

London

Seattle

Lake
Huron

Ottawa

Montreal

Paris

FRANCE

Denver

Lake
Michigan

Chicago

Detroit

Toronto

MONACO

San Francisco

Kansas City

New York
Philadelphia
Washington D.C.

Açores
(Portugal)

PORTUGAL

ANDORRA

SPAIN

Los Angeles
San Diego

Phoenix

UNITED STATES

Atlanta

Lisboa

Madrid

Dallas

Bermuda
(U.K.)

ATLANTIC
OCEAN

Madeira
(Portugal)

Rabat
Casablanca

Algi

Tropic of Cancer

HAWAII
(U.S.)

Houston

New Orleans

Islas Canarias
(Spain)

MOROCCO

ALGERI

Monterrey

Gulf of
Mexico

THE
BAHAMAS

WESTERN
SAHARA
(Morocco)

Guadalajara

MEXICO

La Habana

MAURITANIA

MALI

CUBA

Nouakchott

Mexico

HAITI

DOMINICAN REP.

Santo
Domingo

PUERTO RICO (U.S.)

Dakar

SEN

CAPE
VERDE

Guatemala

BELIZE

JAMAICA

ST KITTS-NEVIS

ANTIGUA & BARBUDA

Bamako

BURKINA

GUATEMALA

HONDURAS

DOMINICA

GUINEA-BISSAU

GUINEA

NI

EL SALVADOR

Caribbean Sea

ST LUCIA

THE GAMBIA

Bissau

Managua

NICARAGUA

ST VINCENT &
THE GRENADINES

BARBADOS

SIERRA LEONE

Conakry
Freetown

CÔTE D'
IVOIRE

Port

COSTA
RICA

San José

GRENADA

TRINIDAD & TOBAGO

Monrovia

Yamous
soukro

Accra

PANAMA

Caracas

VENEZUELA

Georgetown

FRENCH
GUIANA (Fr.)

EQUAT. GU
LI

SÃO TOM
& PRÍNCIP

COLOMBIA

Bogotá

PACIFIC

Islas Galápagos
(Ecuador)

Quito

ECUADOR

Amazon

Belém

Fortaleza

OCEAN

Iquitos

Manaus

Recife

KIRIBATI

Equator

PERU

BRAZIL

Lima

Brasília

Salvador

French
Polynesia

La Paz

BOLIVIA

Belo Horizonte

Arequipa

Sucre

Rio de Janeiro

Tropic of Capricorn

Pitcairn Is.
(U.K.)

PARAGUAY

Asunción

São Paulo

Curitiba
Porto Alegre

Santiago

Córdoba

CHILE

Buenos
Aires

Montevideo

ARGENTINA

Falkland
Islands
(U.K.)

South Georgia
(U.K.)

South Sandwich
Islands
(U.K.)

Antarctic Circle

Bellinghausen
Sea

Weddell Sea

Ross Sea

ARCTIC OCEAN
Zemlya Frantsa-Iosifa
Severnaya Zemlya
Svalbard (Norway)
Barents Sea
Novaya Zemlya
RUSSIA
FINLAND
Arkhangel'sk
Helsinki
Tallinn
Sankt-Peterburg
Moskva
Nizhny Novgorod
Yekaterinburg
Omsk
Samara
Yakutsk
Anadyr'
Bering Sea
Sea of Okhotsk
Petropavlovsk-Kamchatskiy
KAZAKHSTAN
Astana
Aral Sea
Caspian Sea
MONGOLIA
Ulaanbaatar
GOBI DESERT
Irkutsk
Ürümqi
Harbin
Vladivostok
Sapporo
JAPAN
Sea of Japan (East Sea)
NORTH KOREA
P'yŏngyang
Sŏul
SOUTH KOREA
Tōkyō
Ōsaka
PACIFIC OCEAN
CHINA
Beijing
Shenyang
Qingdao
Lanzhou
Shanghai
Wuhan
Chongqing
East China Sea
T'ai-pei
TAIWAN
Hong Kong
UKRAINE
Kyyiv
Kharkiv
Volgograd
MOLDOVA
ROMANIA
Bucureşti
Black Sea
TURKEY
Ankara
İstanbul
GREECE
Athína
CYPRUS
SYRIA
Dimashq
Baghdad
IRAQ
IRAN
Tehrān
LEB.
ISRAEL
'Ammān
JORDAN
KUWAIT
SAUDI ARABIA
Ar Riyāḑ
QATAR
BAHRAIN
Abū Ẓabī
Masqaţ
OMAN
YEMEN
Şan'ā'
Makkah
Red Sea
EGYPT
El Qâhira
LIBYA
SUDAN
El Khartum
CHAD
Ndjamena
ERITREA
Asmara
Adan
DJIBOUTI
Adis Abeba
ETHIOPIA
SOMALIA
Muqdisho
KENYA
Nairobi
UGANDA
Kisangani
CENTRAL AFRICAN REP.
Bangui
DEMOCRATIC REPUBLIC OF THE CONGO
Brazzaville
Kinshasa
Kananga
RW.
BUR.
Lake Victoria
TANZANIA
Dodoma
Dar es Salaam
SEYCHELLES
Moroni
COMOROS
ANGOLA
ZAMBIA
Lusaka
Lilongwe
MAL.
Harare
ZIMB.
MOZAMBIQUE
NAMIBIA
BOTSWANA
Gaborone
Pretoria (Tshwane)
Maputo
SWAZILAND
LESOTHO
Durban
SOUTH AFRICA
MADAGASCAR
Antananarivo
Réunion (France)
Port Louis
MAURITIUS
UZBEKISTAN
Tashkent
TURKMENISTAN
Ashgabat
Baki
AZER.
ARMENIA
GEORGIA
Bishkek
KYRGYZSTAN
Almaty
Dushanbe
TAJIKISTAN
AFGHANISTAN
Kabul
Islamabad
PAKISTAN
Karachi
New Delhi
Delhi
Kathmandu
NEPAL
BHT.
Dhaka
BANG.
Kolkata (Calcutta)
INDIA
Mumbai
Hyderabad
Chennai
Arabian Sea
Bay of Bengal
SRI LANKA
Colombo
Sri Jayewardenepura Kotte
MALDIVES
MYANMAR (BURMA)
Naypyidaw
Yangon
LAOS
Vientiane
Ha Noi
THAILAND
Krung Thep
CAMB.
Phnum Penh
VIETNAM
South China Sea
Manila
PHILIPPINES
Cebu
Davao
PALAU
BRUNEI
Bandar Seri Begawan
MALAYSIA
Kuala Lumpur
Putrajaya
SINGAPORE
Singapore
INDONESIA
Jakarta
Surabaya
Banjarmasin
Dili
E TIMOR
PAPUA NEW GUINEA
Port Moresby
Northern Mariana Islands (U.S.)
MARSHALL ISLANDS
FEDERATED STATES OF MICRONESIA
NAURU
SOLOMON ISLANDS
Honiara
KIRIBATI
TUVALU
VANUATU
FIJI
Suva
INDIAN OCEAN
AUSTRALIA
Brisbane
Perth
Sydney
Canberra
Adelaide
Melbourne
Tasmania
NEW ZEALAND
Auckland
Wellington
Christchurch
Tasman Sea
Chatham Island (N.Z.)
Îles Kerguélen (France)
SOUTHERN OCEAN
ANTARCTICA
Arctic Circle
Tropic of Cancer
Equator
Tropic of Capricorn
Antarctic Circle
30°
60°
90°
120°
150°
180°
0°
London Selected capital cities
Brisbane Other cities
Country Abbreviations
ALB. ALBANIA
AZER. AZERBAIJAN
BANG. BANGLADESH
BEL. BELGIUM
BHT. BHUTAN
BOS. BOSNIA AND HERZEGOVINA
BUR. BURUNDI
CAMB. CAMBODIA
CRO. CROATIA
EST. ESTONIA
HUNG. HUNGARY
KOS. KOSOVO
LAT. LATVIA
LEB. LEBANON
LITH. LITHUANIA
LUX. LUXEMBOURG
MAC. MACEDONIA
MAL. MALAWI
MON. MONTENEGRO
RUS. RUSSIA
RW. RWANDA
SEN. SENEGAL
SER. SERBIA
SL. SLOVENIA
SLOVAK. SLOVAKIA
SWITZ. SWITZERLAND
U.A.E. UNITED ARAB EMIRATES
ZIMB. ZIMBABWE

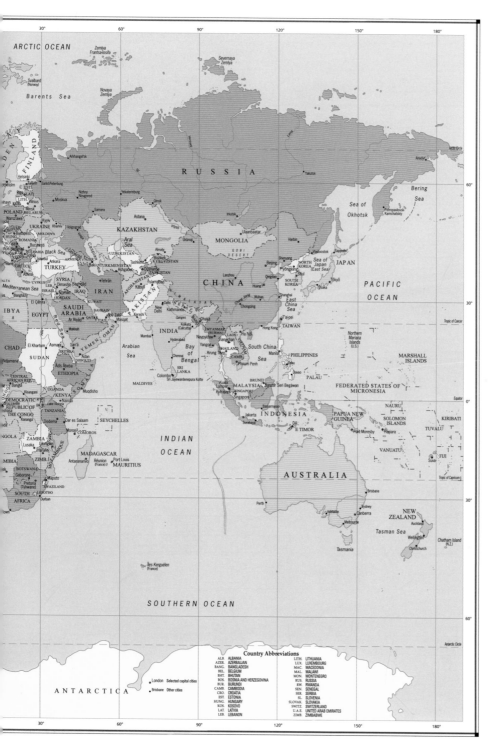

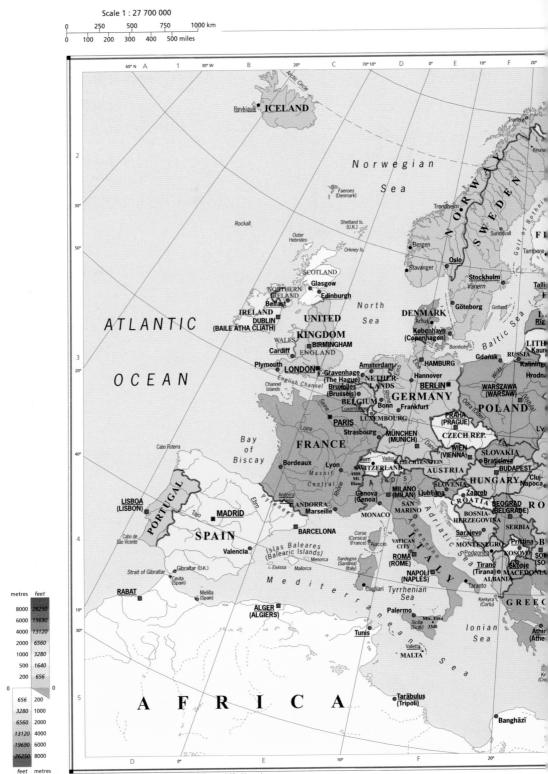

Europe

Scale 1 : 27 700 000

| 0 | 250 | 500 | 750 | 1000 km |
| 0 | 100 | 200 | 300 | 400 | 500 miles |

32

© Hema Maps Pty Ltd. Based on original data © Research Machines plc

Barents Sea

Vorkuta

O. Kolguyev

Murmansk

Surgut

NOVOSIBIRSK   Ob'

White
Sea

Arkhangel'sk

OMSK

Severnaya Dvina

Ladozhskoye
Ozero
(Lake Ladoga)

Onezhskoye
Ozero
(Lake Onega)

Kirov   PERM'   YEKATERINBURG

Astana

Vologda   CHELYABINSK

SANKT-PETERBURG
(ST. PETERSBURG)

R U S S I A

Rybinskoye
Vdkhr.

KAZAN'   UFA

NIZHNIY
NOVGOROD

MOSKVA
(MOSCOW)

Volga

SAMARA

MINSK

Prypyats'

B E L A R U S

KYYIV
(KIEV)

Don

KHARKIV

Dnieper

Donets

VOLGOGRAD

Volga

Aral Sea

U K R A I N E

DONETS'K

Astrakhan'

Ural

DNIPROPETROVS'K   ROSTOV-NA-DONU

Don

MOLDOVA

Chişinău

Stavropol'

Aktau

ODESA
(ODESSA)

Sea of
Azov

Krym'

Groznyy

Caspian Sea

Elbrus
5642

BUCUREŞTI
(BUCHAREST)

Sevastopol'

C a u c a s u s

Ashgabat
(Ashkhabad)

B l a c k   S e a

T'BILISI   BAKI
(BAKU)

MASHHAD

Burgas

Samsun

İSTANBUL

YEREVAN

Bursa   ANKARA

TEHRĀN
(TEHERAN)

İZMIR

Gaziantep   A S I A   A

Antalya

Rodos
(Rhodes)
(Greece)

Lefkosia
(Nicosia)

BAGHDĀD

BEYROUTH
(BEIRUT)

DIMASHQ
(DAMASCUS)

Yerushalayim
(Jerusalem)   AMMĀN

Al Kuwayt
(Kuwait)

P e r s i a n   G u l f

EL QĀHIRA
(CAIRO)

Nile

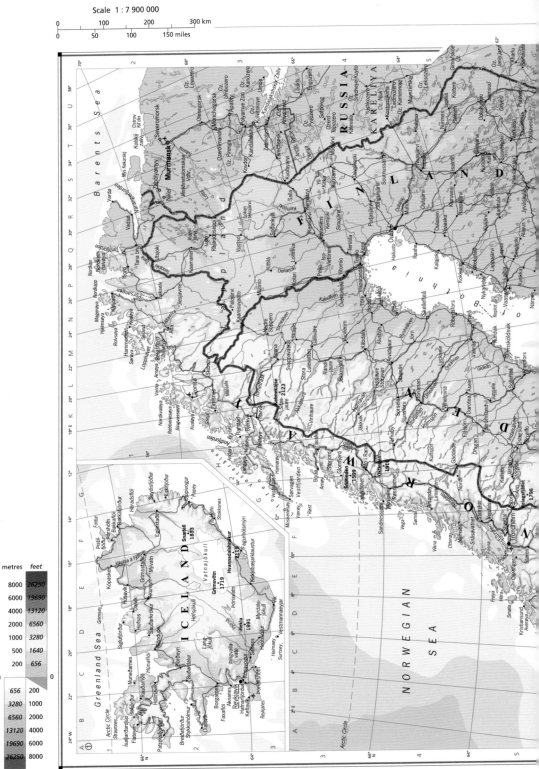

Scale 1 : 7 900 000

0 100 200 300 km

0 50 100 150 miles

metres	feet
8000	26250
6000	19690
4000	13120
2000	6560
1000	3280
500	1640
200	656
0	0
656	200
3280	1000
6560	2000
13120	4000
19690	6000
26250	8000
feet	metres

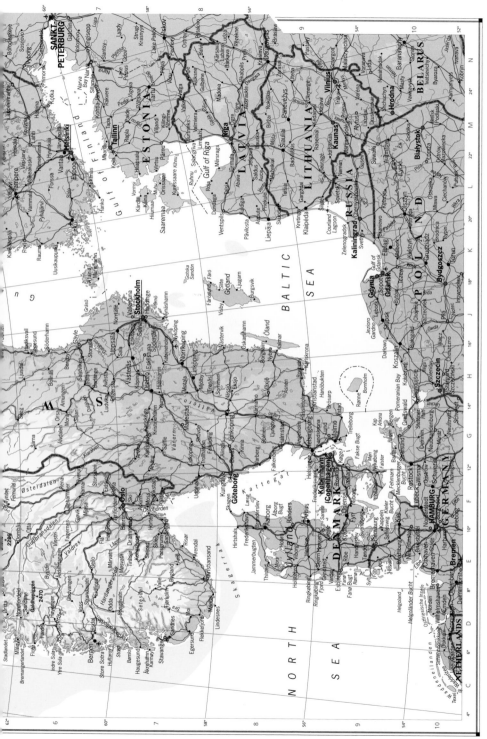

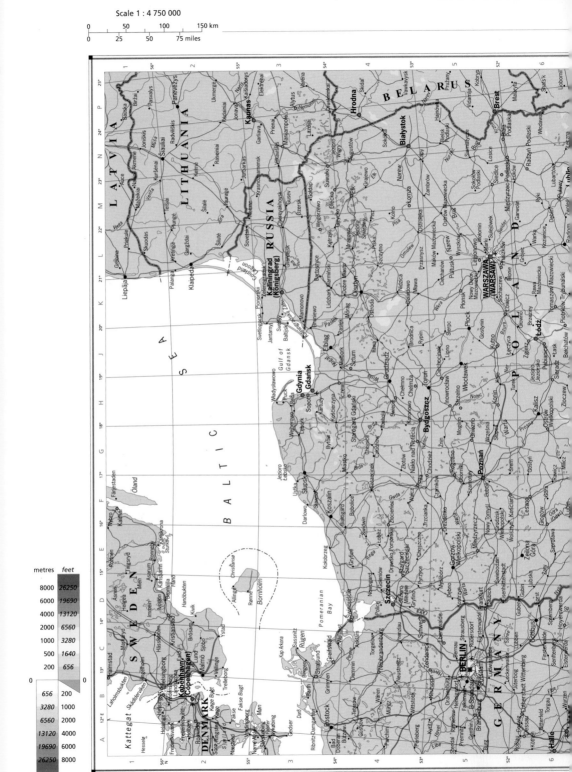

Scale 1 : 4 750 000

0	50	100	150 km
0	25	50	75 miles

metres	feet
8000	26250
6000	19690
4000	13120
2000	6560
1000	3280
500	1640
200	656
0	0
656	200
3280	1000
6560	2000
13120	4000
19690	6000
26250	8000
feet	metres

36

© Hema Maps Pty Ltd. Based on original data © Research Machines plc

CZECH REPUBLIC
SLOVAKIA
HUNGARY
AUSTRIA
UKRAINE
ROMANIA
SERBIA
CROATIA
SLOVENIA
ITALY
Carpathian Mountains
BUDAPEST
WIEN (VIENNA)
PRAHA (PRAGUE)
Bratislava
Ljubljana
Zagreb
Kraków
Brno
Ostrava
Košice
Debrecen
Cluj-Napoca
L'viv
Wrocław (Breslau)
Dresden
Chemnitz

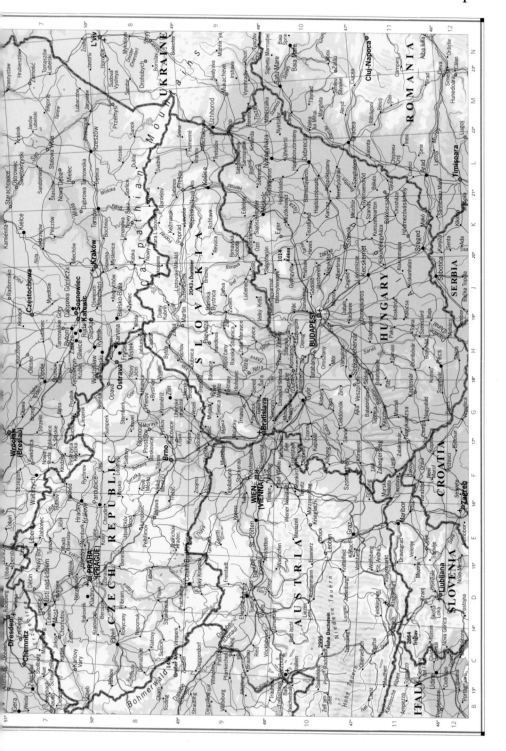

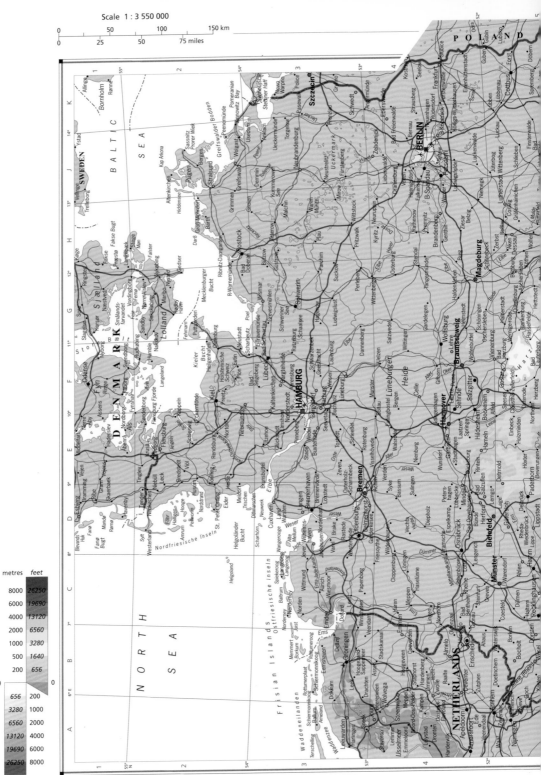

Scale 1 : 3 550 000

0	50	100	150 km	
0	25	50	75 miles	

metres *feet*

metres	feet
8000	26250
6000	19690
4000	13120
2000	6560
1000	3280
500	1640
200	656
0	0
656	200
3280	1000
6560	2000
13120	4000
19690	6000
26250	8000

feet metres

Germany

GERMANY
CZECH REPUBLIC
AUSTRIA
SWITZERLAND
FRANCE
BELGIUM
LUXEMBOURG
Dresden
Leipzig
Chemnitz
Erfurt
Jena
Kassel
Frankfurt
Wiesbaden
Mainz
Mannheim
Heidelberg
Karlsruhe
Stuttgart
Nürnberg
Regensburg
München (Munich)
Augsburg
Ulm
Ingolstadt
Würzburg
Bonn
Köln
Düsseldorf
Essen
Wuppertal
Koblenz
Saarbrücken
Freiburg
Strasbourg
Praha (Prague)
Plzeň
Salzburg
Zürich
Basel
Luxembourg
Metz
Nancy

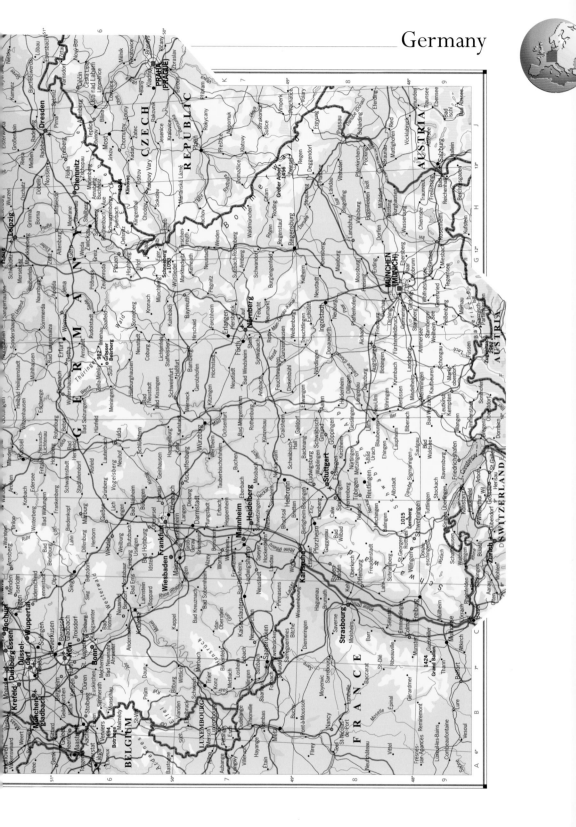

Scale 1 : 3 150 000

0   50   100   150 km
0 25   50   75 miles

UNITED
KINGDOM

NORTH

SEA

ENGLAND

LONDON

Strait of Dover

English Channel

Isle of Wight

South Downs

The Weald

Baie de la Seine

PARIS

metres	feet
8000	26250
6000	19690
4000	13120
2000	6560
1000	3280
500	1640
200	656
0	0
656	200
3280	1000
6560	2000
13120	4000
19690	6000
26250	8000

feet   metres

NETHERLANDS
BELGIUM
LUXEMBOURG
GERMANY
FRANCE
ARDENNES
Frisian Islands
Waddeneilanden
Waddenzee
IJsselmeer
Markermeer
Amsterdam
Rotterdam
's-Gravenhage (The Hague)
Utrecht
Groningen
Leeuwarden
Antwerpen (Antwerp)
Bruxelles (Brussels)
Gent
Liège
Namur
Charleroi
Maastricht
Eindhoven
Luxembourg
Metz
Nancy
Reims
Trier
Köln
Bonn
Düsseldorf
Duisburg
Essen
Dortmund
Bochum
Wuppertal
Münster
Bielefeld
Osnabrück
Oldenburg
Bremen
Frankfurt
Wiesbaden
Mainz
Mannheim
Karlsruhe
Saarbrücken
Koblenz
Aachen
Mönchengladbach
Eifel
Westerwald
Taunus
Botrange
694

Scale 1 : 4 750 000

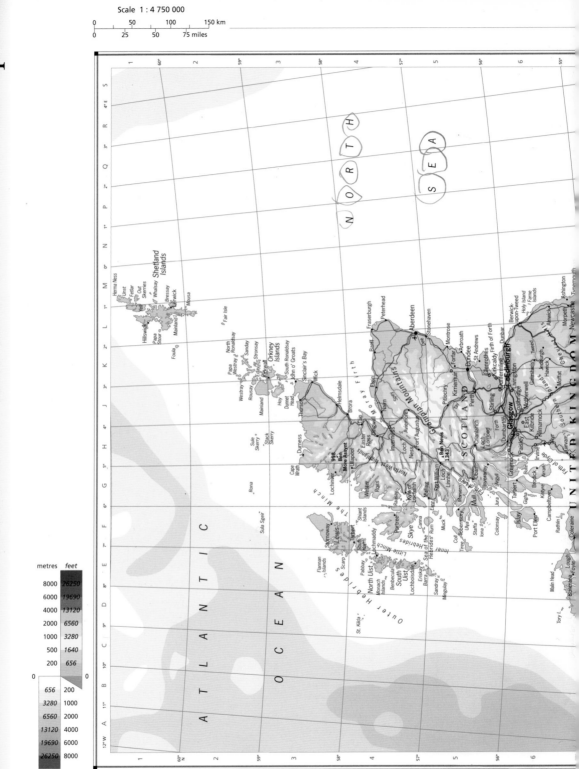

0 50 100 150 km

0 25 50 75 miles

metres | feet

8000 | 26250
6000 | 19690
4000 | 13120
2000 | 6560
1000 | 3280
500 | 1640
200 | 656
0 | 0
656 | 200
3280 | 1000
6560 | 2000
13120 | 4000
19690 | 6000
26250 | 8000

feet | metres

© Hema Maps Pty Ltd. Based on original data © Research Machines plc

ATLANTIC OCEAN
Celtic Sea
English Channel
IRISH SEA
St. George's Channel
Bristol Channel
NORTHERN IRELAND
IRELAND
ENGLAND
WALES
FRANCE
ISLE OF MAN (U.K.)
Channel Islands (U.K.)
Isle of Wight
Isles of Scilly
Cambrian Mountains
Lake District
Scafell Pike 978
Snowdon 1085
Strait of Dover
The Wash
Cardigan Bay
Baie de la Seine
LONDON
BIRMINGHAM
MANCHESTER
DUBLIN (BAILE ÁTHA CLIATH)
Belfast
Cardiff
Bristol
Liverpool
Leeds
Sheffield
Bradford
Nottingham
Leicester
Coventry
Wolverhampton
Stoke-on-Trent
Kingston upon Hull
Plymouth
Southampton
Portsmouth
Brighton
Norwich
Cork
Limerick
Galway
Waterford
Swansea
Le Havre
Rouen
Caen
Cherbourg
Amiens

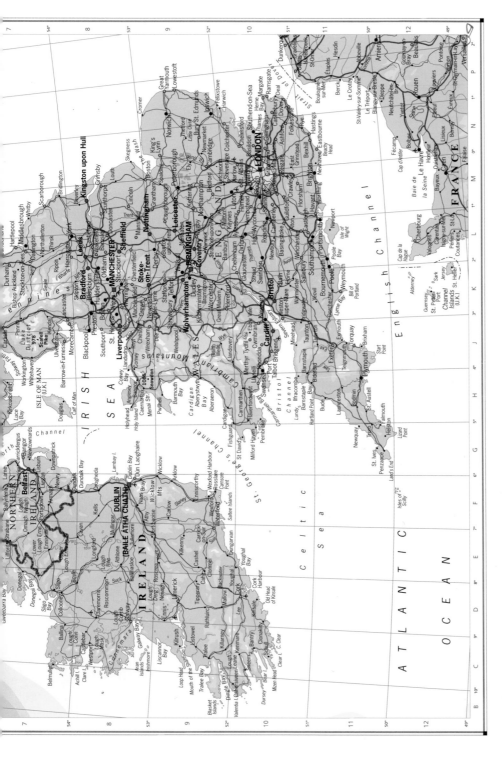

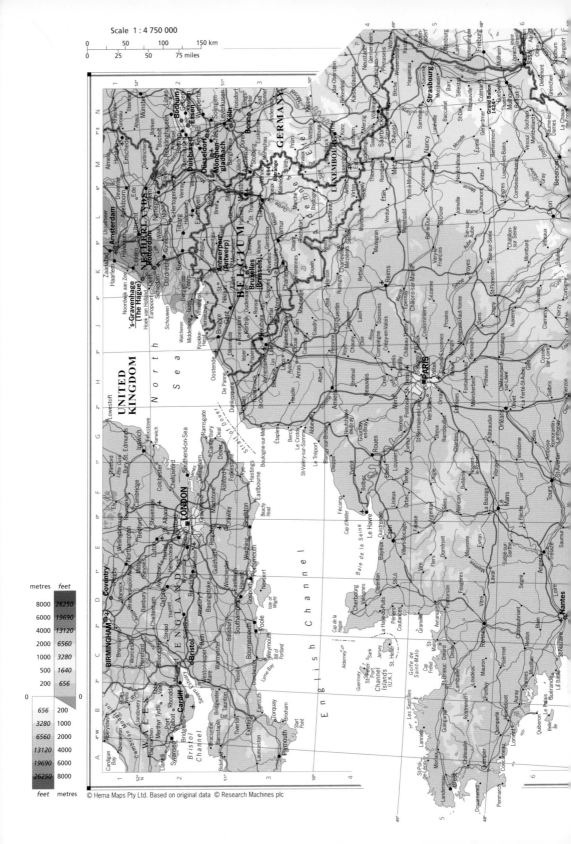

0

Scale 1 : 4 750 000
0 50 100 150 km
0 25 50 75 miles
metres feet
8000 26250
6000 19690
4000 13120
2000 6560
1000 3280
500 1640
200 656
656 200
3280 1000
6560 2000
13120 4000
19690 6000
26250 8000
feet metres
UNITED KINGDOM
WALES
ENGLAND
NETHERLANDS
BELGIUM
LUXEMBOURG
GERMANY
North Sea
English Channel
Bristol Channel
Strait of Dover
Channel Islands (U.K.)
Golfe de Saint-Malo
Baie de la Seine
Ardennes
Eifel
LONDON
PARIS
Amsterdam
's-Gravenhage (The Hague)
Rotterdam
Bruxelles (Brussels)
Antwerpen (Antwerp)
Luxembourg
Birmingham
Coventry
Bristol
Cardiff
Swansea
Southampton
Portsmouth
Brighton
Plymouth
Köln
Bonn
Düsseldorf
Duisburg
Essen
Bochum
Mönchen-gladbach
Saarbrücken
Strasbourg
Nantes
Rennes
Brest
Le Havre
Rouen
Caen
Lille
Reims
Metz
Nancy
Orléans
Tours
Dijon
Le Mans
Angers
Amiens
Calais
Dunkerque
Liège
Gent
Brugge
Mulhouse
Basel
Freiburg
Grand Ballon 1424
Botrange 694

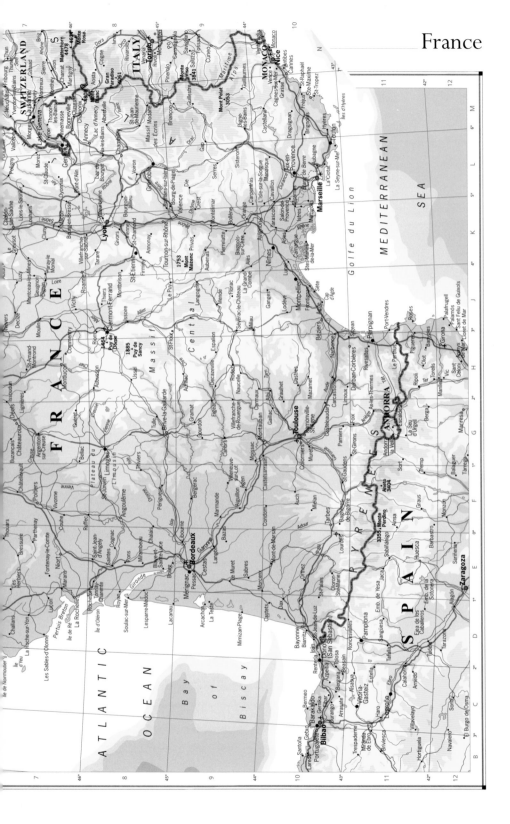

France

ATLANTIC OCEAN

Bay of Biscay

MEDITERRANEAN SEA

Golfe du Lion

SWITZERLAND

ITALY

MONACO

ANDORRA

SPAIN

FRANCE

Pyrénées

Massif Central

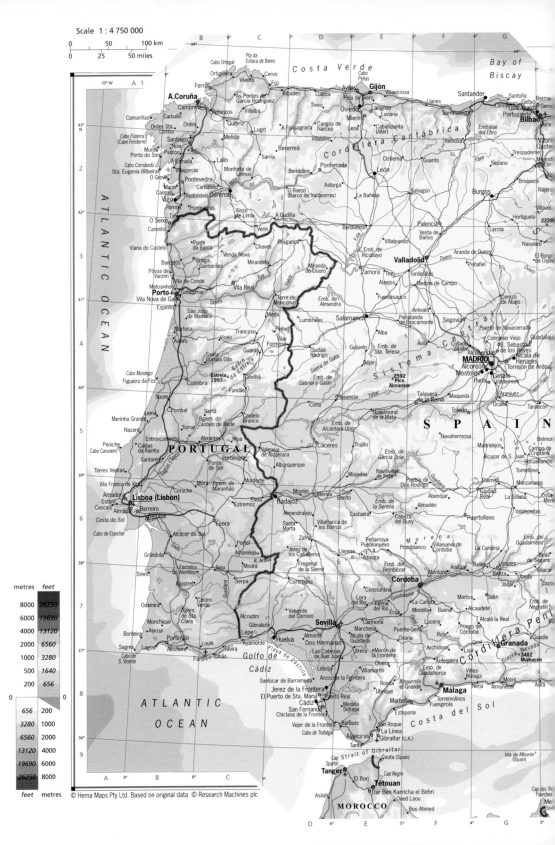

Scale 1 : 4 750 000

© Hema Maps Pty Ltd. Based on original data © Research Machines plc

FRANCE
ANDORRA
ALGERIA
PYRENEES
Golfe du Lion
Costa Brava
Costa Dorada
Costa Blanca
Golfo de Valencia
Islas Baleares (Balearic Islands)
Mediterranean Sea
Atlas Mountains
Mallorca
Menorca
Eivissa (Ibiza)
Formentera
Cabrera
Islas Columbretes
Bayonne
Biarritz
Irún
St-Jean-de-Luz
St-Palais
Orthez
Pau
Tarbes
Lourdes
Oloron-Ste-Marie
Donostia (San Sebastián)
Rentería
Azpeitia
Bergara
Tolosa
Beasain
Alsasua
Roncesvalles
Pamplona
Estella
Logroño
Tafalla
Calahorra
Arnedo
Ejea de los Caballeros
Tudela
Tarazona
Soria
Emb. de Yesa
Sangüesa
Jaca
Sabiñánigo
3355 Monte Perdido
Aneto 3404
Ainsa
Huesca
Emb. de la Sotonera
Graus
Barbastro
Monzón
Sariñena
Alagón
Zaragoza
Torrelapaja
El Burgo de Ebro
Fraga
Lleida
Cinca
Ebro
Calatayud
Aziza
Medinaceli
Jalón
Alcolea del Pinar
Daroca
Azaila
Caspe
Alcañiz
Gandesa
Calamocha
Molina de Aragón
Montalbán
Monreal del Campo
Guadalope
Morella
Teruel
Sierra de Gúdar
Cañaveras
Cuenca
Barracas
Muret
Castelnaudary
Carcassonne
Aude
Béziers
Agde
Sète
Cap d'Agde
Narbonne
Garonne
St-Gaudens
St-Girons
Bagnères-de-Bigorre
Pamiers
Foix
Limoux
Ariège
Ax-les-Thermes
Sigean
Rivesaltes
Perpignan
Têt
Port-Vendres
Le Perthus
Andorra la Vella
Les Escaldes
Sort
La Seu d'Urgell
Tremp
Ripoll
Figueres
Roses
Olot
Banyoles
Berga
Torelló
Manlleu
Ter
Vic
Girona
Palafrugell
Palamós
Sant Feliu de Guíxols
Lloret de Mar
Sant Celoni
Arenys de Mar
Balaguer
Manresa
Granollers
Tàrrega
Igualada
Terrassa
Sabadell
Mataró
Badalona
Sant Boi
BARCELONA
El Prat de Llobregat
Gavà
Sitges
Montblanc
Vilafranca del Penedès
Valls
Vilanova y la Geltrú
Reus
Tarragona
Cambrils
Tortosa
Cabo Tortosa
Amposta
Sant Carlos de la Ràpita
Vinaròs
Benicarló
Torreblanca
Onda
Vila-real
Castelló de la Plana
Borriana
La Vall d'Uixó
Sagunt
Burjassot
Paterna
Torrent
Valencia
Emb. de Contreras
Utiel
Requena
Motilla del Palancar
Cofrents
Júcar
Carlet
Algemes
Alzira
Cullera
Xàtiva
Gandia
Oliva
Dénia
Xàbia
Cabo de la Nao
Ontinyent
Alcoi
Almansa
Villena
Elda
Benidorm
La Vila Joiosa
Alicante
Santa Pola
Elche
Novelda
Aspe
Crevillent
Yecla
Jumilla
Hellín
Cieza
Albacete
Chinchilla de Monte-Aragón
La Roda
Munera
Alcaraz
Caravaca de la Cruz
Molina de Segura
Orihuela
Torrevieja
Alcantarilla
Murcia
Alhama de Murcia
Zarzadilla de Totana
Huéscar
Torre-Pacheco
La Unión
Cabo de Palos
Lorca
Cartagena
Golfo de Mazarrón
Huercal-Overa
Águilas
Albox
Vera
Carboneras
Níjar
Almería
Roquetas de Mar
Golfo de Almería
Cabo de Gata
Ciutadella
Mahón
Pollença
Cap de Formentor
Sóller
Sa Pobla
Inca
Artà
Palma
Manacor
Sa Dragonera
Llucmajor
Santanyí
Cap de ses Salines
San Juan Bautista
San Antonio Abad
Eivissa (Ibiza)
ALGER (ALGIERS)
Dellys
Tizi Ouzou
Aïn Taya
Rouiba
Thenia
Bou Ismaïl
Larba
Lakhdaria
Boufarik
Blida
Cherchell
Gouraya
Hadjout
Ténès
Bouira
Boghni
Aïn Bessem
Sour el Ghozlane
Médéa
Beni Slimane
Berrouaghia
Miliana
Khemis Miliana
Bouzghaïa
Chélif
Ech Chélif
Aïn-Tédelès
Bou Kadir
Bordj Bounaam
Theniet el Had
Ksar el Boukhari
Bougzoul
Aïn el Hadjel
Mostaganem
Arzew
Mers el Kébir
Oran
Gdyel
Relizane
Oued Tlélat
Mohammadia
Sig
Mascara
Cap Figalo
El Amria
Hammam Bou Hadjar
Beni Saf
Aïn Témouchent

Europe

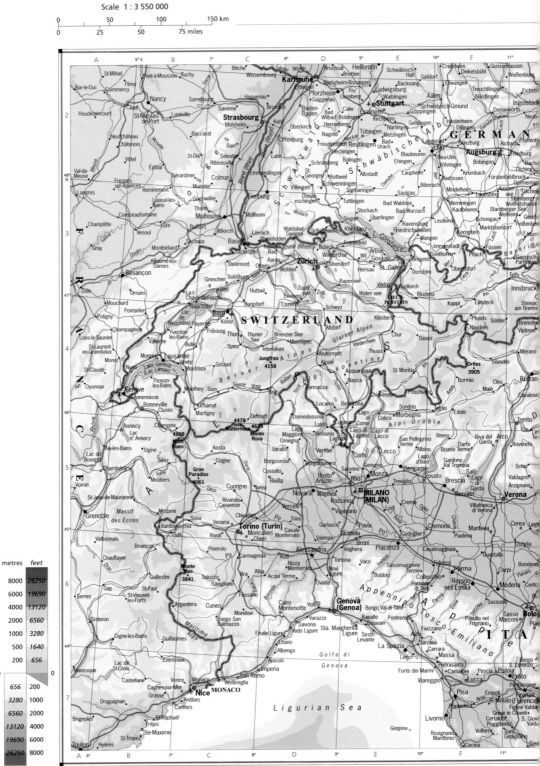

© Hema Maps Pty Ltd. Based on original data © Research Machines plc

CZECH REPUBLIC
AUSTRIA
SLOVAKIA
HUNGARY
SLOVENIA
CROATIA
BOSNIA-HERZEGOVINA
SAN MARINO
Adriatic Sea
Golfo di Venezia
Golfo di Trieste
Dinaric Alps
Niedere Tauern
Hohe Tauern
Karnische Alpen
Istra
Großglockner 3798
Triglav 2864
Snežnik 1796
Vaganski Vrh 1758
WIEN (VIENNA)
Bratislava
Ljubljana
Zagreb
Regensburg
Passau
Linz
Salzburg
Innsbruck
Graz
Klagenfurt
Maribor
Trieste
Venezia (Venice)
Rijeka
Zadar
Split
Ancona
Rimini
Ravenna
Győr
Banja Luka
Danube
Drava
Sava
Mur
12°
13°
14°
15°
16°
17°
H
J
K
L
M
N
49°
48°
47°
46°
45°
44°
2
3
4
5
6
7

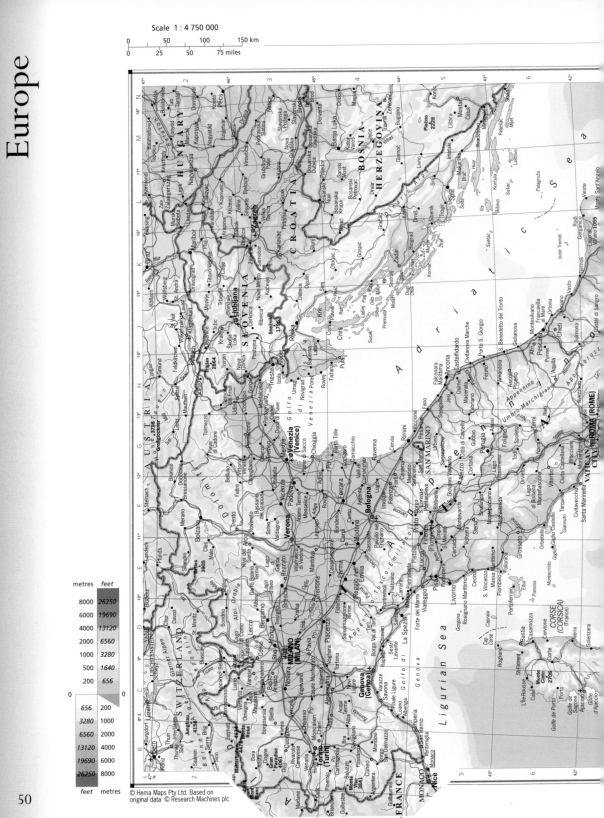

Europe

Scale 1 : 4 750 000

© Hema Maps Pty Ltd. Based on
original data © Research Machines plc

Italy

Tyrrhenian Sea
Ionian Sea
MEDITERRANEAN SEA
SICILIA (SICILY)
SARDEGNA (SARDINIA) (Italy)
TUNISIA
ALGERIA
MALTA
NAPOLI (NAPLES)
Palermo
Catania
Messina
Reggio di Calabria
Cagliari
Sassari
Bari
Taranto
Tunis
Bizerte
Valletta
Golfo di Taranto
Sicilian Channel
Malta Channel
Strait of Bonifacio
Isole Lipari
Isole Egadi
Isole Ponziane
Monte Etna 3323
Monte Pollino 2248
Punta La Marmora 1834
Vesuvio 1281
Monte Limbara 1359
Golfo di Salerno
Golfo di Gaeta
Golfo di Policastro
Golfo di Squillace
Golfo di Catania
Golfo di Gela
Golfo di Oristano
Golfo di Orosei
Golfo di Palmas
Golfe de Tunis
Golfe de Hammamet
Isola di Pantelleria (Italy)
Linosa (Italy)
Ustica
Stromboli
Salerno
Potenza
Cosenza
Catanzaro
Crotone
Lecce
Brindisi
Siracusa
Agrigento
Trapani
Marsala
Caltanissetta
Enna
Ragusa
Nuoro
Oristano
Olbia
Iglesias

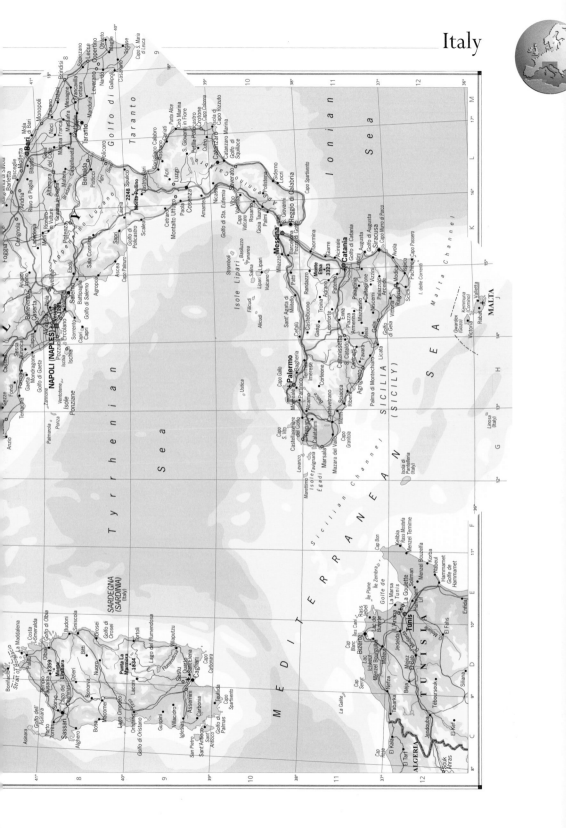

Scale 1 : 4 750 000

0   50   100   150 km

0   25   50   75 miles

metres	feet
8000	26250
6000	19690
4000	13120
2000	6560
1000	3280
500	1640
200	656
0	0
656	200
3280	1000
6560	2000
13120	4000
19690	6000
26250	8000
feet	metres

© Hema Maps Pty Ltd. Based on original data © Research Machines plc

The Balkans

UKRAINE
MOLDOVA
ROMANIA
BULGARIA
TURKEY
GREECE
BLACK SEA
Carpathian Mountains
Transylvanian Alps
Stara Planina
Rodopi Planina
Ludogori
Yıldız Dağları
Mouths of the Danube
Danube (Dunărea)
Danube (Dunav)
Marmara Denizi (Sea of Marmara)
Thrakiko Pelagos
Chişinău
BUCUREŞTI (BUCHAREST)
SOFIYA (SOFIA)
ODESA (ODESSA)
İSTANBUL
Cluj-Napoca
Iaşi
Braşov
Constanţa
Varna
Burgas
Plovdiv
Craiova
Ploieşti
Galaţi
Brăila
Ruse
Pleven
Shumen
Sliven
Stara Zagora
Edirne
Chernivtsi
Tiraspol
Bălţi
Suceava
Botoşani
Bacău
Sibiu
Piteşti
Buzău
Focşani
Târgu Mureş
Baia Mare
Satu Mare
Dobrich
Vidin
Kavala
Lacul Razim
Lacul Sinoie
Vârful Moldoveanu 2544
Musala 2925
Midzor 2169
K 23° L 24° M 25° N 26° P 27° Q
R 29° S 30° T
K 23° L 24° M 25° N 26° P 27° Q 28° R 29° S
48° 47° 46° 45° 44° 43° 42° 41°
2 3 4 5 6 7 8 9

Scale 1 : 4 750 000

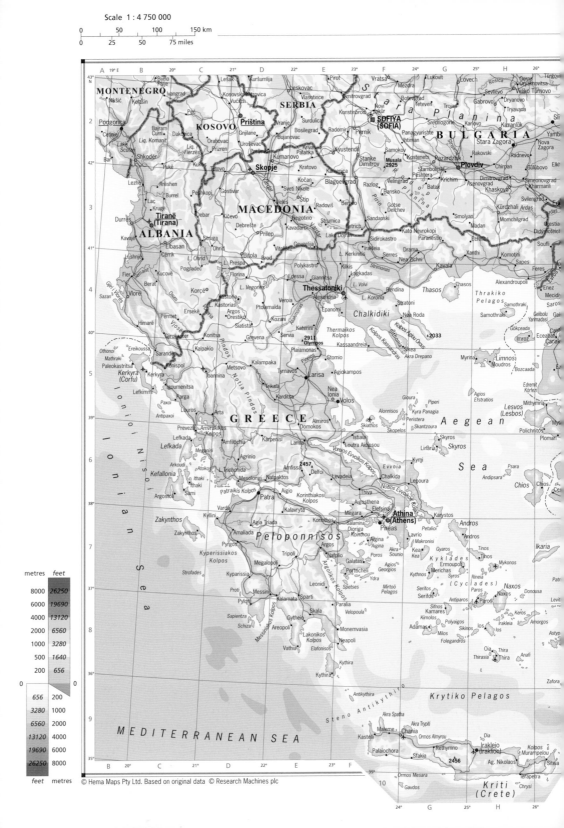

© Hema Maps Pty Ltd. Based on original data © Research Machines plc

BLACK SEA

TURKEY

ANATOLIA

MEDITERRANEAN SEA

İSTANBUL
Kartal
İzmit
Bursa
Eskişehir
ANKARA
İZMIR
Konya
Antalya
Denizli
İcel (Mersin)
CYPRUS
Lefkosia (Nicosia)

Varna
Burgas

55

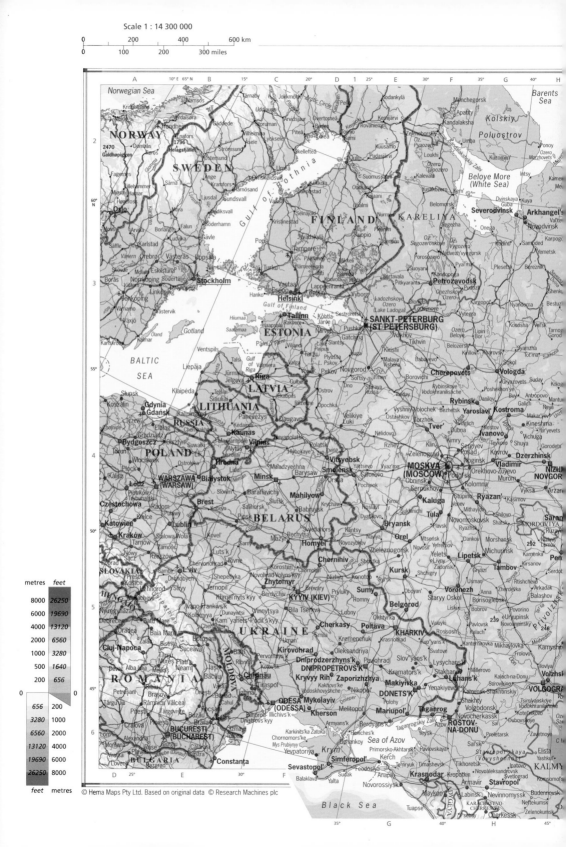

© Hema Maps Pty Ltd. Based on original data © Research Machines plc

RUSSIA
KOMI
UDMURTIYA
MARIY EL
CHUVASHIYA
TATARIYA
BASHKIRIYA
KAZAKHSTAN
URAL'SKIY KHREBET (URAL MOUNTAINS)
Zapadno-Sibirskaya Ravnina
(West Siberian Plain)
Timanskiy Kryazh
Prikaspiyskaya Nizmennost'
Caspian Sea
Aral Sea
Turgayskaya Stolovaya Strana
Peski Priaral'skiye Karakumy
Betpak-Dala
Mugodzhary
Ryn-Peski
Obskaya Guba
Cheshskaya Guba
O. Kolguyev
Arctic Circle
Vorkuta
Salekhard
Nadym
Novyy Urengoy
Urengoy
Noyabr'sk
Surgut
Nizhnevartovsk
Nefteyugansk
Khanty-Mansiysk
Syktyvkar
Ukhta
Pechora
Kotlas
Kirov
Izhevsk
PERM'
Solikamsk
Berezniki
Serov
Nizhniy Tagil
YEKATERINBURG
Tyumen'
Tobol'sk
Kurgan
OMSK
Petropavlovsk
CHELYABINSK
Zlatoust
Miass
Magnitogorsk
Sterlitamak
UFA
KAZAN'
Naberezhnyye Chelny
Yoshkar Ola
Ul'yanovsk
Tol'yatti
SAMARA
Syzran'
Orenburg
Orsk
Novotroitsk
Aktobe
Ural'sk
Atyrau
Astrakhan'
Kustanay
Rudnyy
Kokshetau
Astana
Zhezkazgan
Kzyl-Orda
Baykonur
Aral'sk
Balakovo
Saratov
Engel's
Volga
Ural
Irtysh
Ishim
Tobol
Ob'
45°
50°
55°
60°
65°
70°
75°
80°
85°
J
K
L
M
N
P
Q
R
1
2
3
4
5
6

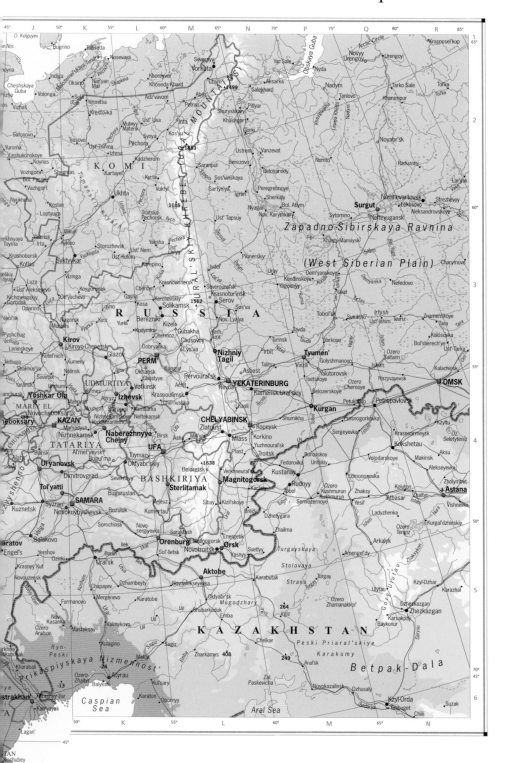

Asia

Scale 1 : 45 100 000

© Hema Maps Pty Ltd. Based on original data © Research Machines plc

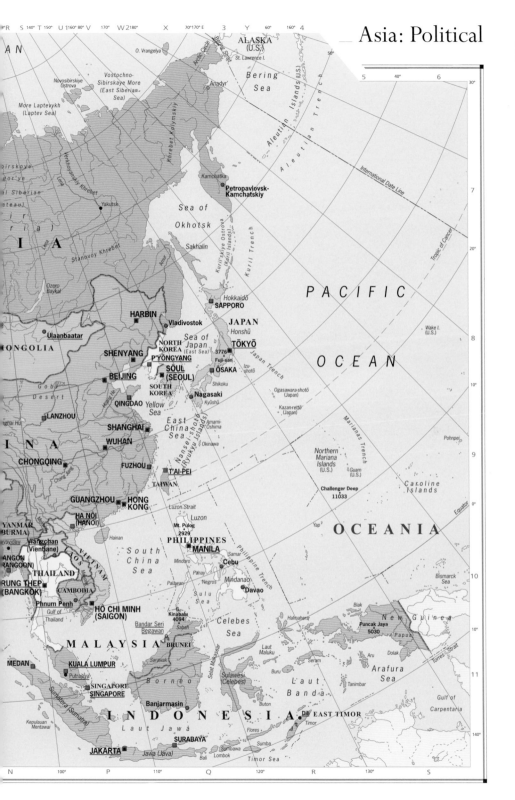

140° T 150° U 160° 80° V 170° W 180° X 170° E Y 160°

R S T U V W X Y 3 Z 4

AN

O. Vrangelya

Novosibirskiye
Ostrova

**ALASKA
(U.S.)**

Vostochno-
Sibirskaye More
(East Siberian
Sea)

*Bering
Sea*

Arctic Circle

St. Lawrence I.

Aleutian Islands (U.S.)

More Laptevykh
(Laptev Sea)

Anadyr'

5 40° 6 30°

International Date Line

Aleutian Trench

birskoye
'oz'ye
il Siberian
ateau)

Lena

Verkhoyanskiy Khrebet

Yakutsk

Kamchatka

Khrebet Kolymskiy

**Petropavlovsk-
Kamchatskiy**

7

r
r i a)

Sea of
Okhotsk

Kuril'skiye Ostrova
(Kuril Islands)

Tropic of Cancer

20°

Ozero
Baykal

Stanovoy Khrebet

Sakhalin

Kuril Trench

PACIFIC

Wake I.
(U.S.)

8

ONGOLIA

Ulaanbaatar

HARBIN

Vladivostok

Hokkaidō
SAPPORO

JAPAN
Honshū

OCEAN

SHENYANG

**NORTH
KOREA**

Sea of
Japan
(East Sea)

3776
Fuji-san

TŌKYŌ

Izu-
shotō

Japan Trench

10°

BEIJING

Gobi

Desert

P'YŎNGYANG

**SŎUL
(SEOUL)**

**SOUTH
KOREA**

ŌSAKA

Shikoku

Ogasawara-shotō
(Japan)

LANZHOU

shai Hu

Huang He

QINGDAO

Nagasaki

Yellow
Sea

Kyūshū

Amami-
Ōshima

Kazan-rettō
(Japan)

20°

SHANGHAI

East
China
Sea

Nansei-shotō
(Ryukyu Islands)

Marianas Trench

9

I N A

WUHAN

Okinawa

Pohnpei

CHONGQING

Chang Jiang

FUZHOU

T'AI-PEI

TAIWAN

Northern
Mariana
Islands
(U.S.)

Guam
(U.S.)

*Caroline
Islands*

0°

GUANGZHOU

**HONG
KONG**

Luzon Strait

Luzon

Challenger Deep
11033

Yap

OCEANIA

Equator

**HA NOI
(HANOI)**

Hainan

Mt. Pulog
2929

PHILIPPINES

MANILA

Samar

Philippine Trench

**YANMAR
BURMA)**

ngyidaw

Vientiane)

Viangchan
(Vientiane)

South
China
Sea

Mindoro

Cebu

Panay

Bismarck
Sea

10

ANGON
RANGOON)

THAILAND

Palawan

Negros

Mindanao

Davao

RUNG THEP
(BANGKOK)

CAMBODIA

Sulu
Sea

Biak

New Guinea

Phnum Penh

Gulf of
Thailand

**HÔ CHI MINH
(SAIGON)**

G.
Kinabalu
4094

Sabah

Halmahera

Puncak Jaya
5030

Papua

10°

MALAYSIA

BRUNEI

Bandar Seri
Begawan

Celebes
Sea

Laut
Maluku

Aru

Dolak

MEDAN

Sarawak

Selat Makassar

Sulawesi
(Celebes)

Seram

Torres Strait

Arafura
Sea

KUALA LUMPUR

Putrajaya

Borneo

Buru

Laut
Banda

Gulf of
Carpentaria

11

**SINGAPORE
SINGAPORE**

Sumatera (Sumatra)

Banjarmasin

Buton

Tanimbar

Kepulauan
Mentawai

I N D O N E S I A

Dili **EAST TIMOR**

Flores

Timor

JAKARTA

SURABAYA

Jawa (Java)

Bali

Sumbawa

Lombok

Sumba

Timor Sea

140°

N 100° P 110° Q 120° R 130° S

Scale 1 : 18 900 000

© Hema Maps Pty Ltd. Based on original data   © Research Machines plc

Northwest Asia

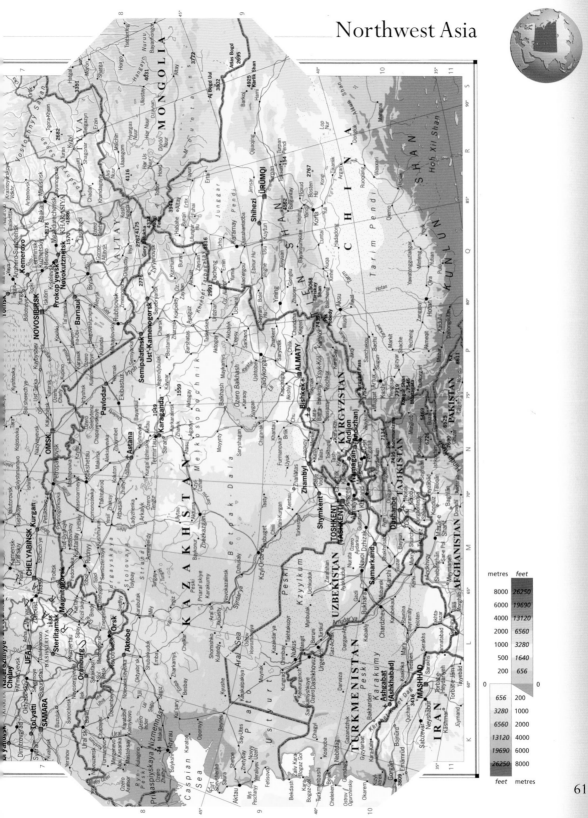

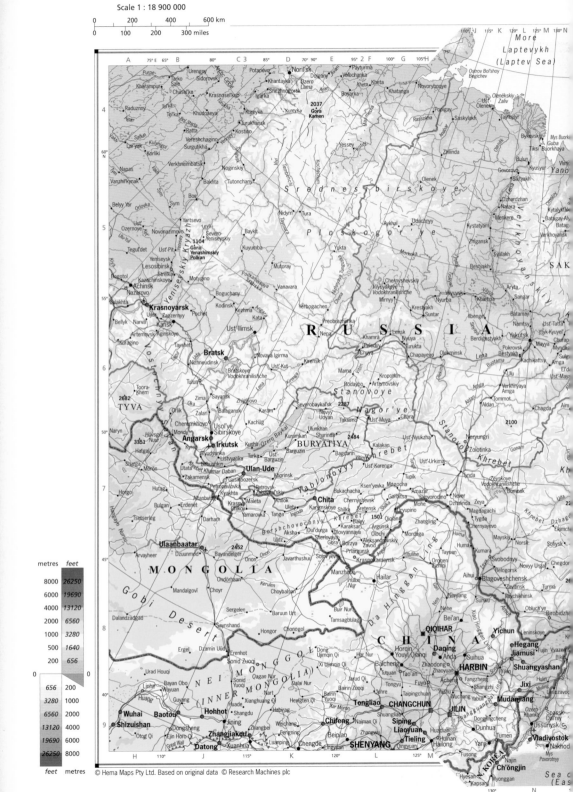

Scale 1 : 18 900 000

| 0 | 200 | 400 | 600 km |
| 0 | 100 | 200 | 300 miles |

metres	feet		feet	metres
8000	26250			
6000	19690			
4000	13120			
2000	6560			
1000	3280			
500	1640			
200	656			
0	0			
			656	200
			3280	1000
			6560	2000
			13120	4000
			19690	6000
			26250	8000

feet   metres

© Hema Maps Pty Ltd. Based on original data © Research Machines plc

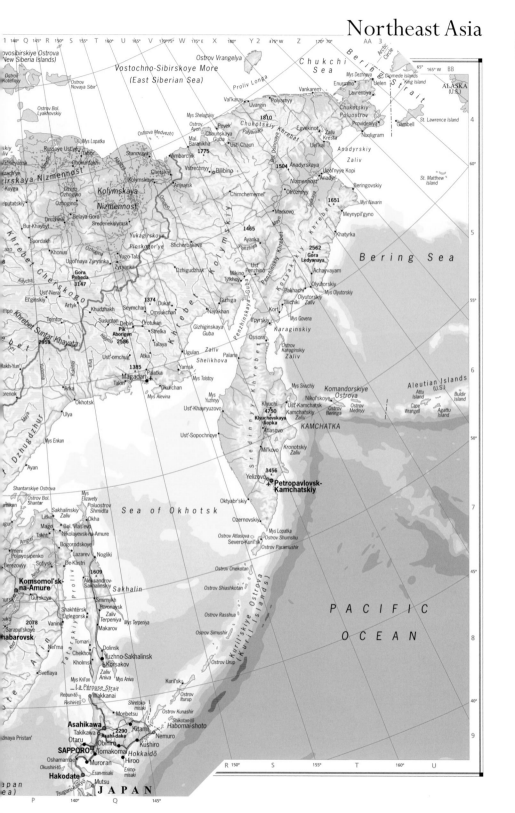

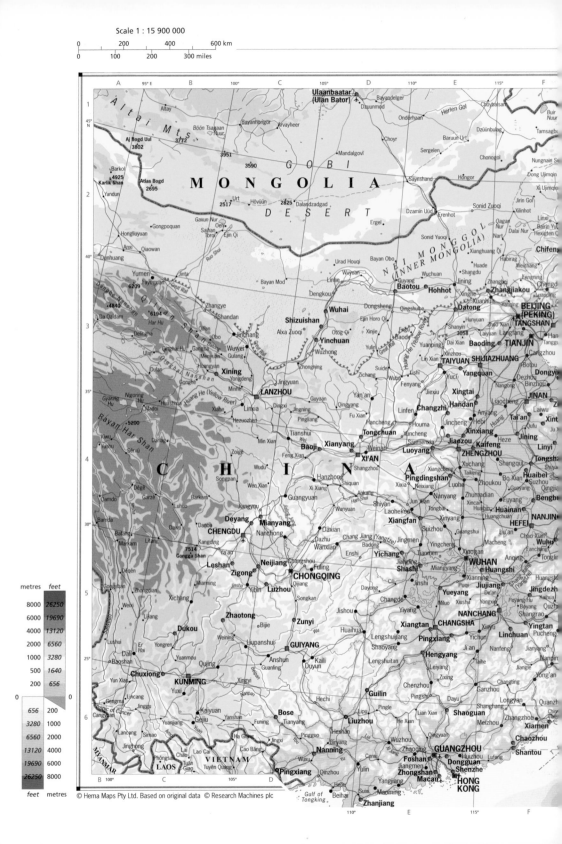

Scale 1 : 15 900 000

0   200   400   600 km
0   100   200   300 miles

© Hema Maps Pty Ltd. Based on original data © Research Machines plc

metres	feet
8000	26250
6000	19690
4000	13120
2000	6560
1000	3280
500	1640
200	656
0	0
656	200
3280	1000
6560	2000
13120	4000
19690	6000
26250	8000

feet   metres

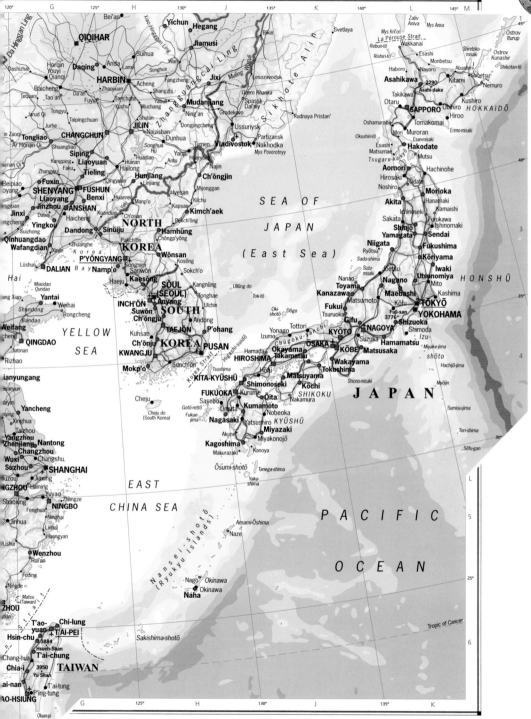

Eastern China

120° G 125° H 130° J 135° K 140° L 145° M

Da Hinggan Ling

Bei'an
QIQIHAR
Yichun
Hegang
Jiamusi
Svetlaya
Mys Kril'on
Zaliv
Aniva
Mys Aniva
45°
La Pérouse Strait
Rishiri-tō
Rebun-tō
Wakkanai
Ostrov
Iturup
Shiretoko-
misaki
Ostrov
Kunashir
Esashi
Monbetsu
Abashiri
Shikotan-tō
Nemuro

Xiao Hinggan Ling
Suihua
Dashizhan
Horqin
Youyi
Qianqi
Daqing
Anda
Lanxi
Jixi
Muling
Lesozavodsk
Bikin
Songhua
Ozero Khanka
Spassk-
Dal'niy
Asahikawa
2290
Asahi-dake
Kitami
Kushiro
HOKKAIDŌ

Baicheng
Tao'an
HARBIN
Acheng
Shangzhi
Sanchahe
Takikawa
Otaru
SAPPORO
Obihiro
Hiroo
Erimo-misaki

Tuquan
Da'an
Fuyu
Zhaoyuan
Wuchang
Shulan
Ning'an
Grodekovo
Rudnaya Pristan'
Oshamambe
Tomakomai

Jarud Qi
Jurhe
Taipingchuan
Yushu
Dongjingcheng
Mudanjiang
Ussuriysk
Mys Povorotnyy
Okushiri-tō
Mori
Muroran
Esan-misaki

in Zuoqi
Tongliao
CHANGCHUN
JILIN
Naizishan
Dunhua
Tumen
Vladivostok
Nakhodka
Esashi
Matsumae
Hakodate

Ar Horqin Qi
Shuangliao
Siping
Huadian
Antu
Najin
Mutsu
Aomori
Hachinohe

Kangping
Faku
Liaoyuan
Hailong
Yanji
Hunchun
Hamada
Hirosaki
Morioka

Beipiao
Zhangwu
Tieling
Qingyuan
Hunjiang
Linjiang
Ch'ŏngjin
Noshiro
Akita
Hanamaki
Kamaishi

Fuxin
SHENYANG
FUSHUN
Huanren
Manp'o
Hyesan
Myonggan
Sakata
Furukawa
Ishinomaki

ingyuan
oyang
Liaoyang
Benxi
Yalu
Kapsan
Kilchu
Shōjō
Yamagata
Sendai

Jinxi
Jinzhou
ANSHAN
Haicheng
Ch'osan
Pukch'ŏng
Chŏngp'yŏng
NORTH
Hamhŭng
Niigata
Ryōtsu
Fukushima

ngcheng
Dawa
Yingkou
Dandong
Sinŭiju
KOREA
Wŏnsan
Kōsong
Sado-shima
Kōriyama

Qinhuangdao
Wafangdian
Zhuanghe
Korea
Namp'o
PYONGYANG
Songnim
Sariwŏn
Sokch'o
Jōetsu
Toyama
Nagano
Utsunomiya
Iwaki

Hai
Lüshun
DALIAN
Bay
Haeju
Kaesŏng
Kangnŭng
Ullŭng do
Nanao
Noto-
misaki
Maebashi
Mito
Kashima

Miaodao
Qundao
Yantai
SŎUL
(SEOUL)
Anyang
Ch'ŏnan
Kangnŭng
Tonghae
Uljin
Tok-tō
Kanazawa
Matsumoto
Kōfu
TŌKYŌ
YOKOHAMA

Shandong
Weihai
Rongcheng
INCH'ŎN
Suwŏn
Andong
Oki-
shotō
Dōgo
Fukui
Gifu
Fuji-san
3776
NAGOYA
Shizuoka
Izu-
shotō

Weifang
Bandao
SOUTH
TAEJŎN
P'ohang
Yonago
Tottori
Tsuruoka
KYŌTO
Suzuka
Hamamatsu
Shimoda

YELLOW
QINGDAO
Kunsan
Ch'ŏnju
KOREA
Izumo
Chūgoku-sanchi
ŌSAKA
Matsusaka
Miyake-jima

Rizhao
KWANGJU
PUSAN
Hamada
KŌBE
Wakayama
shotō

ianyungang
Mokp'o
Suncheon
Higashi-suidō
Tsushima
HIROSHIMA
Honi
Takamatsu
Tokushima
Hachijō-jima

uanyun
Yancheng
Cheju
Korea Strait
Okayama
JAPAN

aiyin
oying
Xinghua
Goto-retto
Fukue-
jima
KITA-KYŪSHŪ
Shimonoseki
Kurume
Matsuyama
Kōchi
Nakamura
Shiono-misaki
Myōjin

Taizhou
Zhenjiang
Nantong
FUKUOKA
Sasebo
Ōita
SHIKOKU
Tori-shima

Wuxi
Changzhou
Changshu
Cheju do
(South Korea)
Onmuta
Kumamoto
Nobeoka
KYŪSHŪ
Sumisu-jima

Suzhou
Jiaxing
Nagasaki
Akune
Miyazaki

IGZHOU
SHANGHAI
Haining
Yuyao
Kagoshima
Miyakonojō
Kanoya
Sōfu-gan

Shaoxing
Zhongze
Makurazaki
Ōsumi-shotō
Tanega-shima
Yaku-
shima

Jinhua
Fenghua
NINGBO
Linhai
Huangyan
Ōsumi-shotō
EAST
CHINA SEA
PACIFIC

Lishui
Ninghai
Amami-Ōshima
Naze

Wenzhou
Rui'an
Nansei-shotō
(Ryukyu Islands)
OCEAN

Fuding
Nago
Okinawa
Okinawa

Ngde
Matsu
(Taiwan)
Naha
Tropic of Cancer

ZHOU
Chi-lung
T'ao-
yuan
T'AI-PEI
Sakishima-shotō

Hsin-chu
3884
Hsüeh Shan

Chang-hua
T'ai-chung

Chia-i
3950
Yü Shan
TAIWAN

ai-nan
T'ai-tung

AO-HSIUNG
P'ing-tung
Oluan-pi

G 125° H 130° J 135° K

120°

SEA OF JAPAN (East Sea)

HONSHŪ

YELLOW SEA

Hai Bay

3

4

5

6

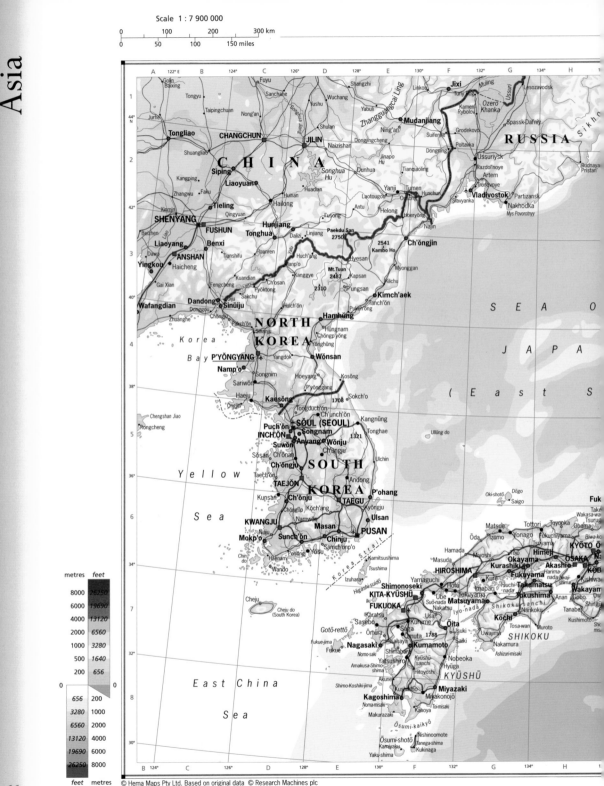

Asia

Scale 1 : 7 900 000

| 0 | 100 | 200 | 300 km |

| 0 | 50 | 100 | 150 miles |

metres	feet		
8000	26250		
6000	19690		
4000	13120		
2000	6560		
1000	3280		
500	1640		
200	656		
0	0		
656	200		
3280	1000		
6560	2000		
13120	4000		
19690	6000		
26250	8000		

feet   metres

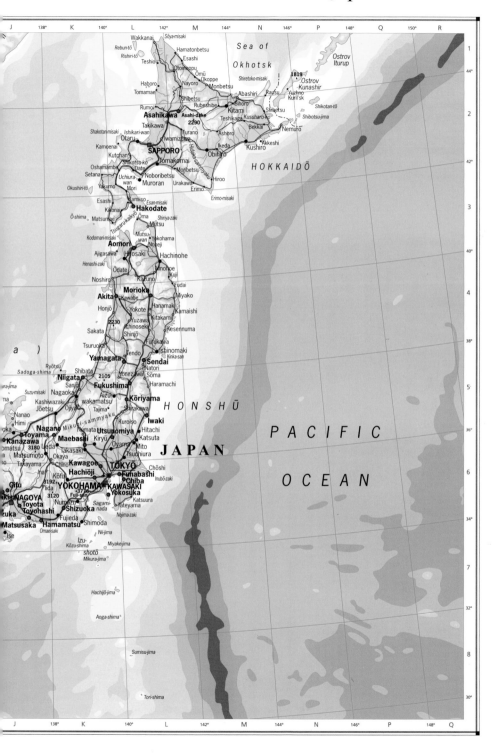

J 138° K 140° L 142° M 144° N 146° P 148° Q 150° R

Wakkanai
Rebun-tō
Rishiri-tō
Teshio
Soya-misaki
Hamatonbetsu
Esashi
Otoineppu
Ōmū
Okoppe
Monbetsu
Haboro
Nayoro
Tomamae
Shibetsu

Sea of Okhotsk

Ostrov Iturup

Abashiri
Shiretoko-misaki
Rausu
1819
Ostrov Kunashir
Rumoi
Asahikawa
Asahi-dake
2290
Kitami
Teshikaga
Kussharo-ko
Bihoro
Yuzhno-Kuril'sk
Takikawa
Turano
Ashoro
Shibetsu
Shikotan-tō
Shakotari-misaki
Ishikari-wan
Otaru
Iwamizawa
Ikeda
Kushiro
Akkeshi
Shibotsu-jima
Kamoenai
SAPPORO
Tomakomai
Obihiro
Nemuro
Kutchan
Date
Muroran
Hiroo
HOKKAIDŌ
Setana
Uchiura-wan
Noboribetsu
Urakawa
Okushiri-tō
Yakumo
Mori
Erimo
Erimo-misaki
Esashi
Kikonai
Kamiso
Esan-misaki
Hakodate
Ō-shima
Matsumae
Ōma
Mutsu
Shiriya-zaki
Kodomari-misaki
Tsugaru-kaikyō
Mutsu-wan
Yokohama
Noheji
Aomori
Hirosaki
Misawa
Hachinohe
Ajigasawa
Henashi-zaki
Ōdate
Inohoe
Kuji
Noshiro
Kazuno
Fudai
Akita
Morioka
Miyako
Kawabe
Honjō
Yokote
Hanamaki
Kamaishi
2230
Yuzawa
Kitakami
Sakata
Ichinoseki
Kesennuma
Shinjō
Tsuruoka
Furukawa
Tendo
Ishinomaki
Yamagata
Shibata
Natori
Kinka-san
Ryōtsu
Sendai
Sadoga-shima
Yonezawa
Sōma
Niigata
2105
Sanjo
Haramachi
Nagaoka
Aizu-wakamatsu
Fukushima
Kashiwazaki
Ojiya
Tajima
Kōriyama
Nanao
Jōetsu
Kuroiso
Nagano
Mikuni-sammyaku
Iwaki
Numata
Utsunomiya
Hitachi
Toyama
Kiryu
Hitachinaka
Kanazawa
3180 Ueda
Takasaki
Oyama
Mito
Tsuchiura
Komatsu
Matsumoto
Okaya
Kawagoe
HONSHŪ
Takayama
Ina
Maebashi
Chōshi
Kōfu
Hachiōji
TŌKYŌ
Funabashi
Gifu
3192 Iida
YOKOHAMA
KAWASAKI
Chiba
Inubō-zaki
NAGOYA
3120
Yokosuka
Numazu
Sagami-nada
Katsuura
Toyota
Shizuoka
Nojima-zaki
Toyohashi
Fujieda
Tateyama
Matsusaka
Hamamatsu
Shimoda
Ōmaesaki
Ise
Nii-jima
Izu-shotō
Kōzu-shima
Miyake-jima
Mikura-jima

JAPAN

PACIFIC OCEAN

Hachijō-jima

Aoga-shima

Sumisu-jima

Tori-shima

J 138° K 140° L 142° M 144° N 146° P 148° Q

44°
1
42°
2
40°
3
38°
4
5
36°
6
34°
7
32°
8
30°

Scale 1 : 15 900 000

0   200   400   600 km
0   100   200   300 miles

BHUTAN

INDIA

Tropic of Cancer

CHITTAGONG
BANGLADESH

MANDALAY

**MYANMAR
(BURMA)**

3053
Mt. Victoria

Bay of

Bengal

**YANGON
(RANGOON)**

Gulf of
Martaban

KUNMING

Chuxiong

GUIYANG

Zunyi

Huaihua

C H I

Guilin

Nanning

Pingxiang

Zhanjiang

**HA NÔI
(HANOI)**

HAI PHONG

Gulf of
Tongking

Haikou

Hainan

LAOS

**Viangchan
(Vientiane)**

Huê

Da Nàng

VIETNAM

THAILAND

Nakhon
Sawan

**Nakhon
Ratchasima**

**KRUNG THEP
(BANGKOK)**

CAMBODIA

Phnum Penh

**Buôn Mê
Thuột**

Nha Trar

**HÔ CHI MINH
(SAIGON)**

Gulf
of
Thailand

Andaman

Sea

Andaman Islands
(India)

Port Blair

Little Andaman

Mergui

Archipelago

Nicobar Islands
(India)

Great
Nicobar

Phuket

Nakhon Si Thammarat

Ban Hat Yai

George Town

Ipoh

KUALA LUMPUR

M A L A Y

Malay

Peninsula

Kepulauan
Natuna

Kepulauan
Anambas
(Indonesia)

INDIAN

OCEAN

SUMATRA
(SUMATRA)

MEDAN

3145
Gunung Leuser

Strait of Malacca

INDONESIA

SINGAPORE
SINGAPORE

Johor Bahru

metres   feet

metres	feet
8000	26250
6000	19690
4000	13120
2000	6560
1000	3280
500	1640
200	656
0	0
656	200
3280	1000
6560	2000
13120	4000
19690	6000
26250	8000

feet   metres

EAST CHINA
SEA

JAPAN

Xiangtan Xinyu **CHANGSHA** Shangrao **Wenzhou**
Lianyuan **Linchuan** Pucheng
Lengshuijiang Yichun **Pingxiang** Nanping Ningde Fuding
oyang Ji'an Jiangle
Taihe Yong'an **FUZHOU** Matsu
(Taiwan)
Hengyang Changting Putian
A Chenzhou Ganzhou Longyan **T'ao-** **Chi-lung**
Zixing **yuan** 3884 **T'AI-PEI**
Lian Xian Quanzhou Zhangzhou **Hsin-chu** Hsuen-Shan
He Xian **Shaoguan** Meizhou Chinmen
(Taiwan) **T'ai-chung**
Wuzhou Qingyuan **Xiamen** Chang-hua 3950 **TAIWAN**
Zhaoqing **Chaozhou** **Chia-i** Yu Shan
GUANGZHOU Huizhou **Shantou**
xi **Dongguan** Luteng **T'ai-nan** T'ai-tung
Zhongshan Foshan Shenzhen **KAO-HSIUNG** P'ing-tung
Macau HONG KONG
Yangjiang Oluan-pi

Nansei-shotō (Ryukyu Islands)

Nago
Okinawa
Naha

Sakishima-shotō

Tropic of Cancer

Luzon
Strait

Batan Islands
Basco

Dongsha Qundao
(Pratas)
(China)

PACIFIC

Balintang Channel
Babuyan Islands

OCEAN

Bangui Claveria San Vicente
Laoag Aparri
Kabugao Lal-lo
Vigari Bangued Tuguegarao
Santa Cruz *Luzon* Palanan
San Fernando Bontoc Ilagan
Baguio Mt. Pulog Santiago
2929
Alaminos Dagupan Casiguran
Lingayen **San Carlos** Baler
Tarlac Cabanatuan
Angeles Gapan
Olongapo Calagua Is.
MANILA QUEZON CITY Polillo Is.
Pasig Pandan
Nasugbu San Pablo Daet Cantanduanes
Batangas **Lucena** Lopez Naga Virac
Calapan Boac Pascual Legaspi
Mamburao Pinamalayan Sorsogon
Mindoro 2488 Bulan Catarman
Mount Baco Masbate Alen Samar
San Pedro *Masbate* Calbayog
Nabas Placer Cattalogan
Calamian Coron Borongan
Group Kalibo Tacloban
El Nido Bogo Leyte
Roxas Ormoc
Panay **Iloilo** Sogod
Palawan Roxas San Jose de **Bacolod** **Cebu** Libjo
Buenavista Bago Carcar Maasin Dinagat Dapa
Cauayan Bohol Surigao Madrid
Negros Bais Tagbilaran Butuan Tandag
Quezon Dumaguete Presperidad
Brooke's Point **PHILIPPINES** **Cagayan de Oro** Bislig
Dipolog 2560 Malaybalay
Bugsuk Manukan Iligan *Mindanao* Tagum
Balabac Liloy Pagadian
Balabac **Zamboanga** Sibuco Cotabato **Davao**
Strait Isabela 2954 Mati
Kudat Jolo Basilan Tacurong Mt. Apo
Langkon Pangutaran Palimbang Cape San Agustin
Kota Belud *Group* Jolo Polomoloc
4094 Ranau Sandakan **General Santos**
Kota Kinabalu Lahad Datu Glan
Beaufort *SABAH* Tungku Saragani Is.

Paracel Islands

S O U T H

C H I N A

S E A

Spratly
Islands

Sulu Sea

Moro
Gulf

Kepulauan
Nanusa

Beo
Kepulauan Talaud

Celebes

Sea

Tahuna Sangir

INDONESIA

Kepulauan
Sangir Morotai
Daruba
Laut Maluku

SIA

BRUNEI
Bandar Seri Begawan
Seria
Gunung Mulu
2371
Bared
Bintulu
Belaga
2499
SARAWAK
Sibu Tanjungselor
Sarikei **INDONESIA**
Kapit 2988 *KALIMANTAN*
nggang Sepinang
Muarawahau Sangkulirang

Kota Kinabalu
G. Kinabalu
Semporna
Tawau
Tarakan
Sulu Archipelago
Bongao
Panglima
Tawitawi
Kalabakan

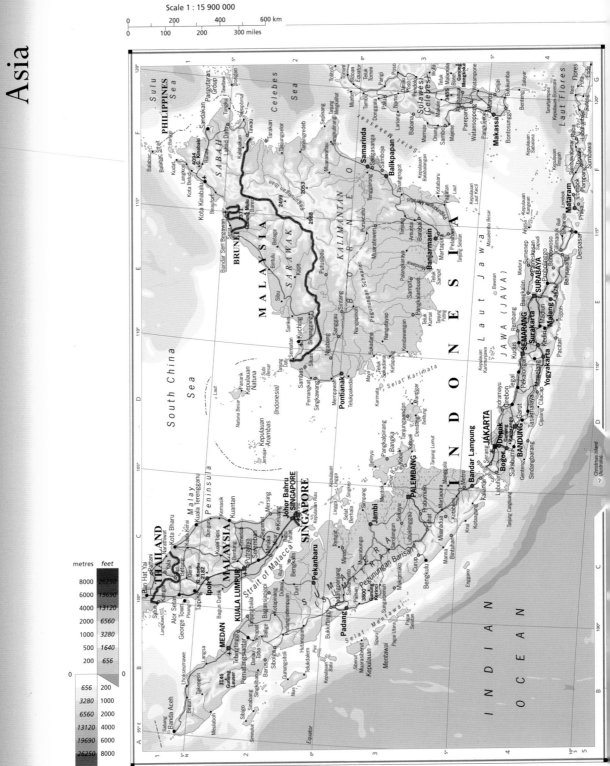

Asia

Scale 1 : 15 900 000

© Hema Maps Pty Ltd. Based on original data © Research Machines plc

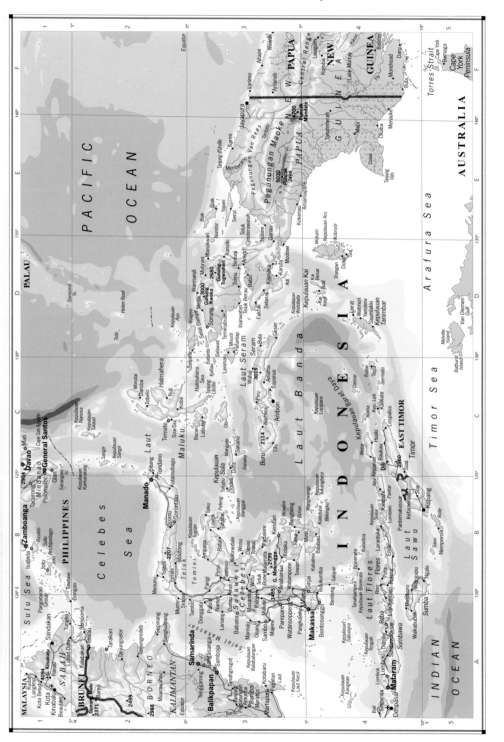

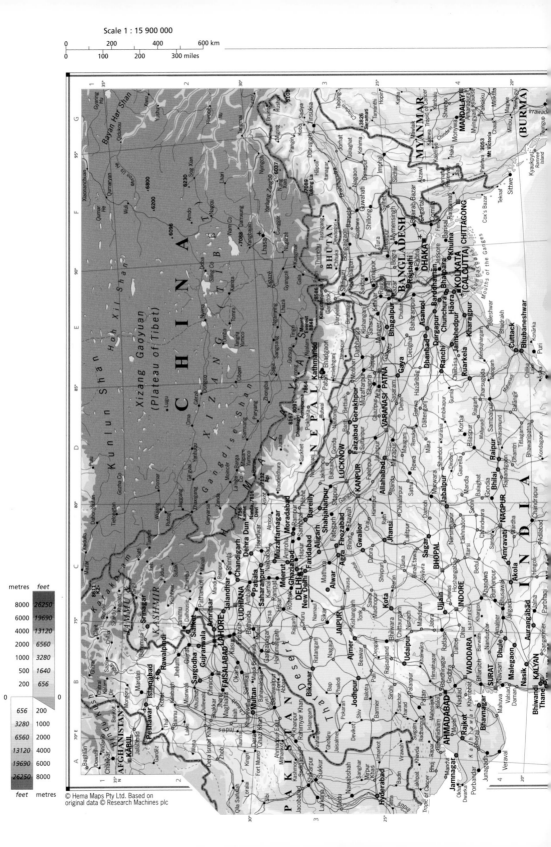

Scale 1 : 15 900 000

© Hema Maps Pty Ltd. Based on
original data © Research Machines plc

BAY OF BENGAL
ARABIAN SEA
INDIAN OCEAN
Coromandel Coast
Malabar Coast
Western Ghats
SRI LANKA
MALDIVES
Andaman Islands (India)
Nicobar Islands (India)
Laccadive Islands
Ten Degree Channel
Nine Degree Channel
Eight Degree Channel
One and Half Degree Channel
Equator
Palk Strait
Gulf of Mannar
Duncan Passage
Preparis South Channel
Preparis North Channel
Coco Channel
Mouths of the Irrawaddy
Mouths of the Krishna
Cape Comorin
Cape Negrais
CHENNAI (MADRAS)
BANGALORE
HYDERABAD
VISHAKHAPATNAM
PUNE
COIMBATORE
MADURAI
Colombo
Sri Jayewardenepura Kotte
Male
Port Blair
Pondicherry
Mangalore
Kochi (Cochin)
Thiruvananthapuram (Trivandrum)
Kozhikode (Calicut)
Tiruchchirappalli
Vijayawada
Rajahmundry
Kākināda
Nellore
Warangal
Guntur
Kurnool
Bellary
Hubli
Mysore
Salem
Erode
Vellore
Tirunelveli
Tuticorin
Jaffna
Trincomalee
Kandy
Galle
Matara
Batticaloa
Solapur
Gulbarga
Sangli
Kolhapur
Davangere
Tiruppur
Trichur
Kingston

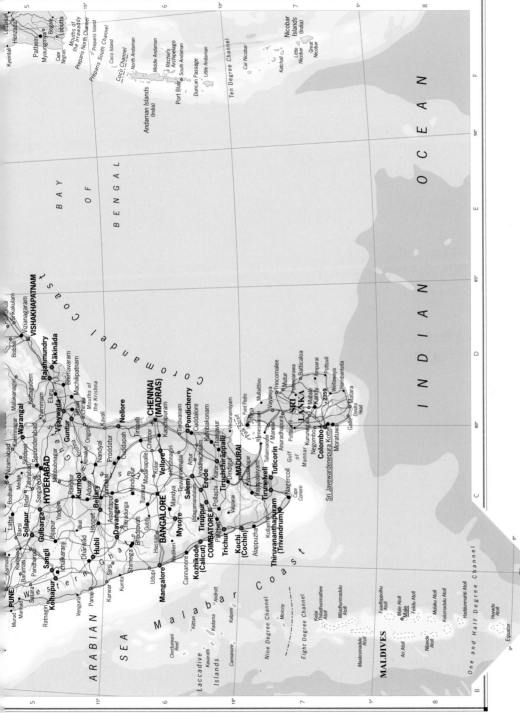

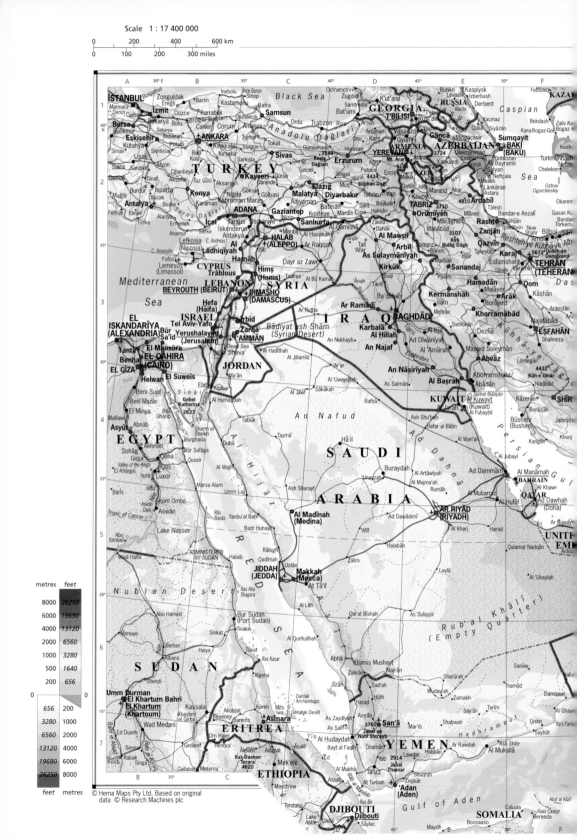

Scale 1 : 17 400 000

0 200 400 600 km

0 100 200 300 miles

metres feet
8000 26250
6000 19690
4000 13120
2000 6560
1000 3280
500 1640
200 656
0 0
656 200
3280 1000
6560 2000
13120 4000
19690 6000
26250 8000
feet metres

© Hema Maps Pty Ltd. Based on original data © Research Machines plc

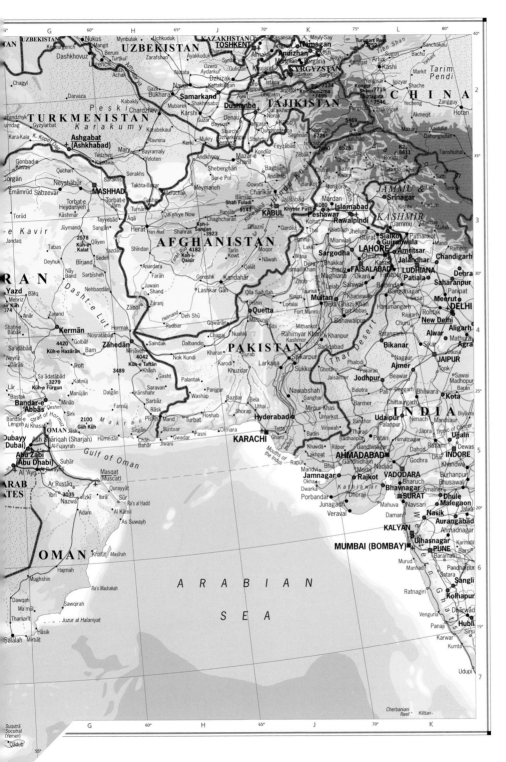

Asia

0   100   200   300 km
0   50   100   150 km

metres	feet
8000	26250
6000	19690
4000	13120
2000	6560
1000	3280
500	1640
200	656
0	0
656	200
3280	1000
6560	2000
13120	4000
19690	6000
26250	8000
feet	metres

ROMANIA
BUCUREŞTI
(BUCHAREST)
Bolintinu
Vale
Videle
Giurgiu
Tutrakan
Zimnicea
Alexandria
Ruse
Byala
Popovo
Razgrad
Veliko Tŭrnovo
Tŭrgovişte
Shumen
Trjavna
Provadiya

BULGARIA
Nova
Zagora
Stara
Zagora
Sliven
Yambol
Aytos
Kharmanli
Elkhovo
Grudovo

Edirne
Kırklareli
Uzunköprü
İpsala
Keşan
Malkara
Tekirdağ
Şarköy
Gelibolu
Çanakkale
Ezine
Edremit

Constanţa
Mangalia

Varna
Burgas
Pomorie
Burgaski Zaliv
Sozopol

Rezovo
İğneada
Kıyıköy
Saray
Karacaköy
Lüleburgaz
Çorlu
Sariyer
Yeşilköy
İSTANBUL

Marmara Denizi
Marmara Adası
Erdek
Bandırma
Gemlik
İznik Gölü
Bursa
İnegöl

BLACK   SEA

UKRAINE
Simferopol'
Sevastopol'
Yevpatoriya
Kerch
Feodosiya
Anapa
Sudak
Yalta
Alupka
Balaklava
Alushta
Krym'

İzmit
Düzce
Sakarya
Bolu
Adapazarı
Gerede
Kızılcahamam
2400
Köroğlu Dağları
Beypazarı

Zonguldak
Ereğli
Karasu
Karabük
Safranbolu
Bartın
Cide
İnebolu
Ayancık
Sinop
İnce Burun
Kastamonu
Taşköprü
Vezirköprü
Bafra Burun
Samsun
Batra
Alaçam
Terme
Çarşamba
Havza
Merzifon
Taşova
Amasya
Çorum
Turhal
Reşadiye
Tokat
Hafik
Yıldızeli
Sivas
Akdağmadeni
Ulaş
Kangal

ANATOLIA
Balıkesir
Dursunbey
Akhisar
Bergama
Ayvalık
Lesvos
Mytilini
Plomari
Aliaga
Manisa
İZMİR
Urla
Salihli
Kula
Turgutlu
Ödemiş
Samos
Aydın
Söke
Milas
Bodrum
Kalymnos

Tavşanlı
Kütahya
Uşak
Banaz
Sivrihisar
Emirdağ
Afyon
Sandıklı
Dinar
Eğridir
Gölü
Isparta
Burdur
Denizli
Kale
Muğla
Saraköy

Eskişehir
Polatlı
ANKARA
Balâ
Kaman
Kırıkkale
Yerköy
Kırşehir
Sarıkaya
Şereflikoçhisar
Kulu
Cihanbeyli
Aksaray
Nevşehir
Niğde

Kalecik
Çerikli
Sungurlu
Sorgun
Yozgat

TURKEY
Kayseri
Bünyan
Pınarbaşı
Gürün
Darende
Elbistan
Göksun
Kahraman Maraş
Gölbaşı

Tuz
Gölü
Yurlak

Konya
Beyşehir
Seydişehir
Bozkır
Karaman
Ulukışla
Ereğli
2288
Soylan
Kozan
Kadirli
Gaziantep
Osmaniye
Kilis
A'zâz
Afrîn

Antalya
Serik
Manavgat
Alanya
Antalya
Körfezi
Finike
Kumluca
Elmalı
Kalkan
Kaş
Megisti
(Greece)
Fethiye
Dalaman
Marmaris
Gökova Körfezi
Datça
Kos
Nisyros
Symi
Rodos
Lindos
Chalki
Tilos
Saria
Karpathos
Kattavia
Kasos

GREECE

Toros   Dağları
Manavgat
Ermenek
Mut
Silifke
Anamur
Karataş

İçel
(Mersin)
Tarsus
ADANA
İskenderun
Kırıkhan
Karaisalı
Antakya
Yayladağı
HALAB
(ALEPPO)
İdlib
Ma'arrat
an Nu'mân
C. Apostolos
Andreas
Aigialousa
Keryneia
Ammochostos
(Famagusta)
Al Lādhiqīyah
Jablah
Bāniyās
As Sa'a
Salamiya
Hamāh
S
Furqlus
Ḥimş
(Homs)
Tartūs
Tall
Kalakh
Al Hamīdīyah
Tripoli
Trâblous
(Tripoli)
3087
Qornet es
Saouda
2659
2628
Tall
Mūsā
3464
Al Qaryatayn
An Nabk
Jayrūd
Şab' Âb
DIMASHQ
(DAMASCUS)
BEYROUTH
(BEIRUT)
Saida
LEBANON
Qaraoun
Zahlu
Qaţana
Sôur

Lefkosia
(Nicosia)
C. Amautis
Polis
Olympus
Troodos
1952
Pafos
Lemesos
(Limassol)
Larnaka
Ammochostos
C. Greko
CYPRUS

MEDITERRANEAN   SEA

26° E
28°
30°
32°
34°
36°

© Hema Maps Pty Ltd. Based on original data © Research Machines plc

76

Scale 1 : 3 900 000

0   50   100   150 km

0   25   50   75 miles

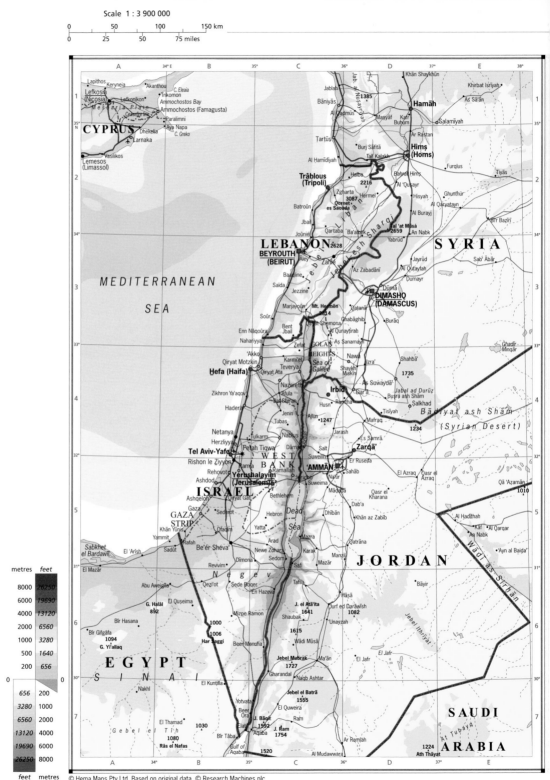

metres	feet
8000	26250
6000	19690
4000	13120
2000	6560
1000	3280
500	1640
200	656
0	0
656	200
3280	1000
6560	2000
13120	4000
19690	6000
26250	8000

feet   metres

© Hema Maps Pty Ltd. Based on original data © Research Machines plc

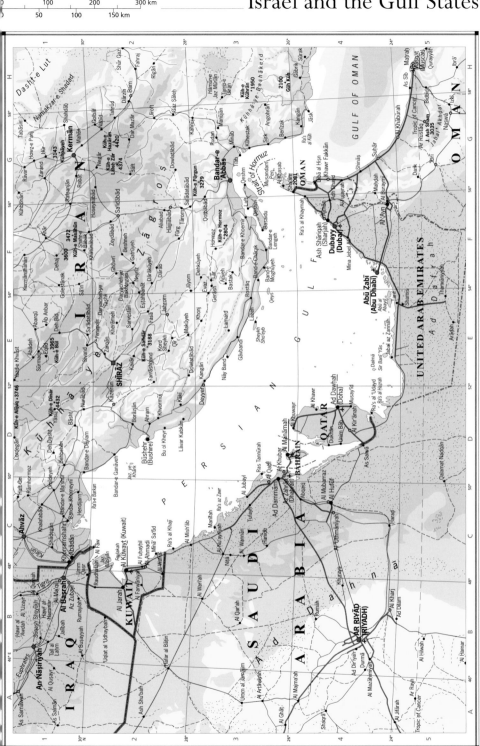

Africa

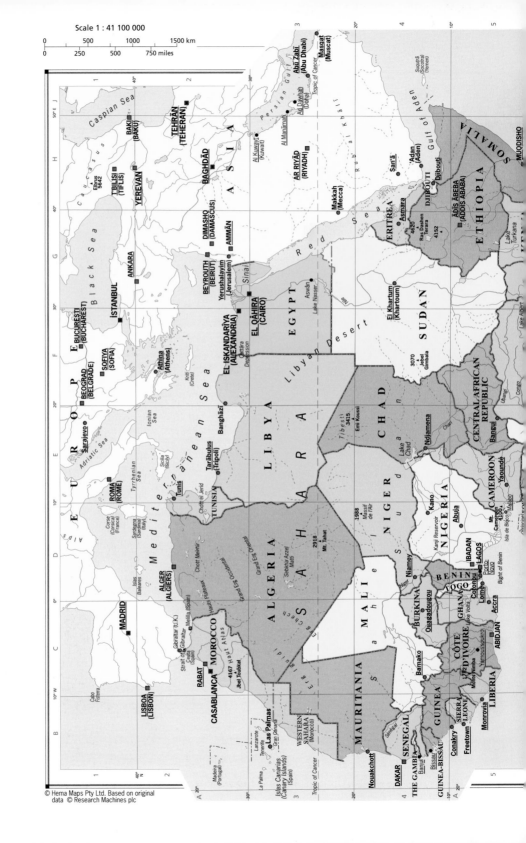

Scale 1 : 41 100 000

0   500   1000   1500 km
0   250   500   750 miles

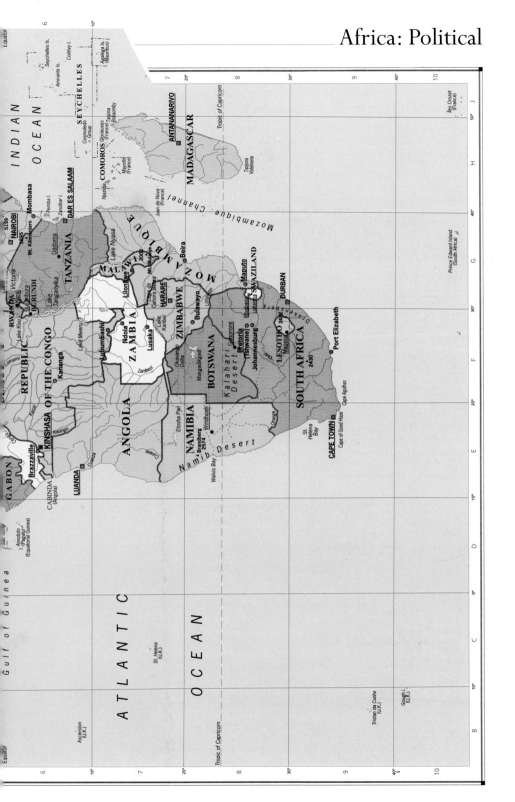

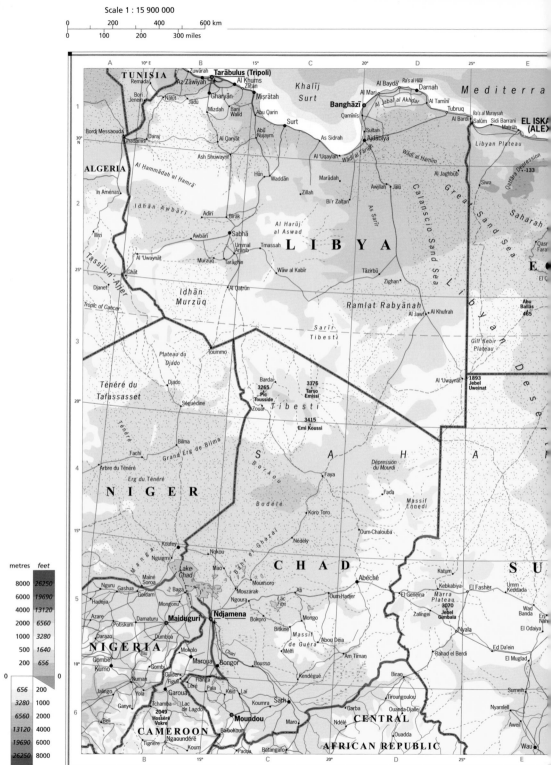

Africa

0 200 400 600 km

0 100 200 300 miles

TUNISIA
ALGERIA
LIBYA
NIGER
CHAD
NIGERIA
CAMEROON
CENTRAL AFRICAN REPUBLIC
SU
E
Tarābulus (Tripoli)
Zuwārah
Az Zāwiyah
Remada
Al Khums
Zlīṭan
Miṣrātah
Gharyān
Nālūt
Jādū
Bori Jenein
Mizdah
Bani Walid
Abu Qarin
Khalīj Surt
Surt
Abū Nujaym
Al Qaryāt
Ghadāmis
Bordj Messaouda
Ash Shuwayrif
As Sidrah
Al 'Uqaylah
Wādī al Fārigh
Ajdābiyā
Sultan
Qamīnis
Banghāzī
Al Marj
Al Jabal al Akhḍar
Al Baydā'
Ra's al Hilāl
Darnah
Al Tamīmī
Tubruq
Al Bardī
Ra's al Muraysah
Salūm
Sidi Barrani
Matrūḥ
EL ISKA (ALEX
Mediterra
Libyan Plateau
Qattāra Depression
-133
Siwa
Wādī al Hamīm
Al Jaghbūb
Al Ḥammādah al Ḥamrā'
Hūn
Waddān
Marādah
Zillah
Awjilah
Jālū
Bi'r Zaltan
In Aménas
Idhān Awbārī
Adīrī
Birāk
Al Harūj al Aswad
As Sarīr
Calanscio Sand Sea
Great Sand Sea
Saharah
Illizi
Awbārī
Sabhā
Ummal Aranib
Tmassah
Al 'Uwaynāt
Murzuq
Tarāghin
Tassili-n'Ajjer
Ghāt
Djanet
Wāw al Kabīr
Tāzirbū
Zighan
Libyan Desert
Idhān Murzūq
Al Qaṭrūn
Ramlat Rabyānah
Al Jawf
Al Khufrah
Abu Ballās 465
Tropic of Cancer
Sarīr Tibesti
Gilf Kebir Plateau
Plateau du Djado
Djado
Ténéré du Tafassasset
Bardai
3265 Pic Toussidé
3376 Tarso Emissi
Al 'Uwaynāt
1893 Jebel Uweinat
Séguédine
Zouar
Tibesti
3415 Emi Koussi
Ténéré
Bilma
Fachi
Grand Erg de Bilma
Arbre du Ténéré
Erg du Ténéré
Borkou
SAHARA
Dépression du Mourdi
Faya
Fada
Massif Ennedi
Bodélé
Koro Toro
Oum-Chalouba
Nédély
Bahr el Ghazal
Koufey
Nokou
Nguigmi
Lake Chad
Mao
Maïné Soroa
Moussoro
Abéché
Kutum
Nguru
Gashua
Geidam
Baga
Mouzarak
Ati
Oum-Hadjer
Kebkabiya
El Fasher
Umm Keddada
Hadejia
Mongonu
Ngoura
Lac Fitri
El Geneina
Marra Plateau
3070 Jebel Gimbala
Zalingei
Wad Banda
Azare
Damaturu
Maiduguri
Ndjamena
Bokoro
Mongo
Potiskum
Bitkine
Nyala
El Odaiya
Darazo
Dumboa
Massif de Guéra
Abou Déia
Mokolo
Biu
Mélfi
Chari
Rahad el Berdi
Ed Da'ein
Gombe
Maroua
Bongor
Bousso
Am Timan
El Muglad
Kumo
Gombi
Guider
Numan
Figuil
Flanga
Léré
Kendégué
Birao
Jalingo
Garoua
Pala
Kélo
Laï
Yola
Sumeih
Tiroungoulou
Ganye
Tchamba
Lac de Lagdo
Koumra
Sarh
Ouanda-Djallé
Nyamlell
Garba
2049 Hossére Vokre
Beli
Moundou
Maro
Ndélé
Aweil
Baïbokoum
Ngaoundéré
Tignère
Ouadda
Koum
Paoua
Batangafo
Wau

metres feet
8000 26250
6000 19690
4000 13120
2000 6560
1000 3280
500 1640
200 656
0 0
656 200
3280 1000
6560 2000
13120 4000
19690 6000
26250 8000
feet metres

© Hema Maps Pty Ltd. Based on original data © Research Machines plc

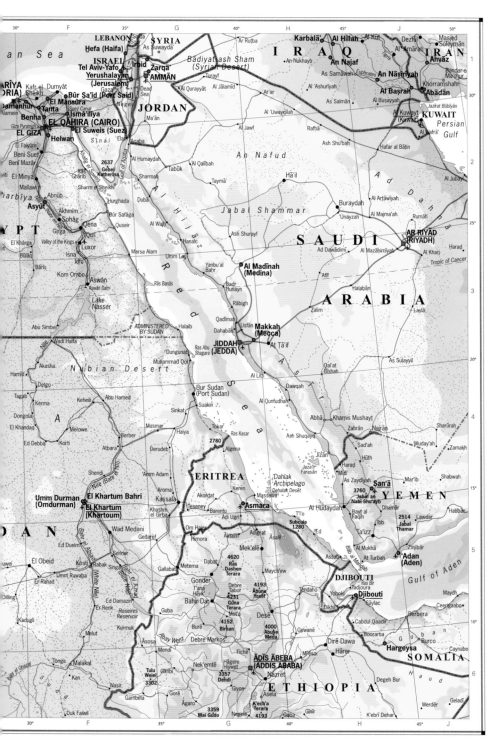

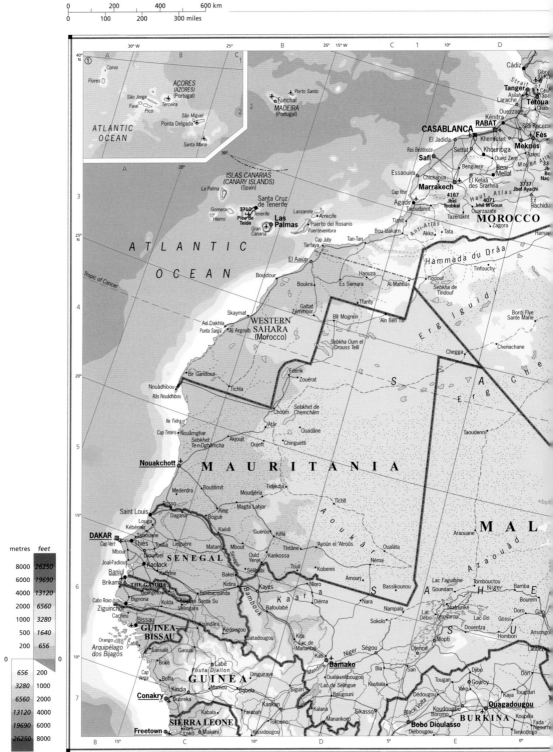

Africa

Scale 1 : 15 900 000

0   200   400   600 km
0   100   200   300 miles

© Hema Maps Pty Ltd. Based on original data © Research Machines plc

metres	feet
8000	26250
6000	19690
4000	13120
2000	6560
1000	3280
500	1640
200	656

0	0
656	200
3280	1000
6560	2000
13120	4000
19690	6000
26250	8000

feet   metres

Northwest Africa

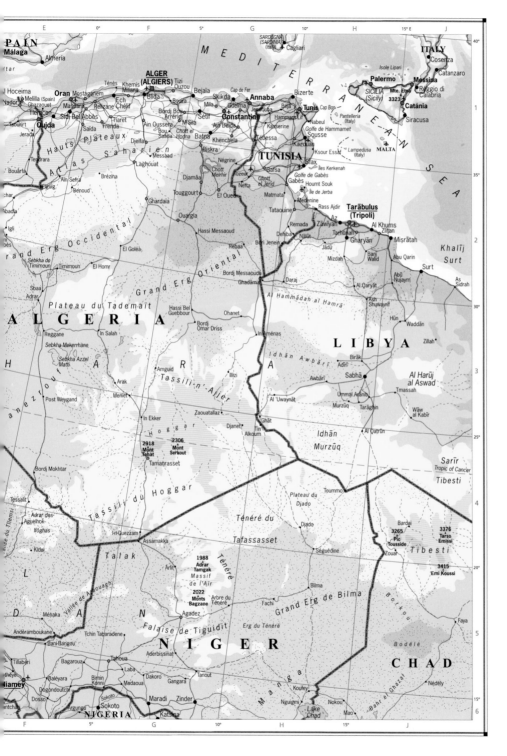

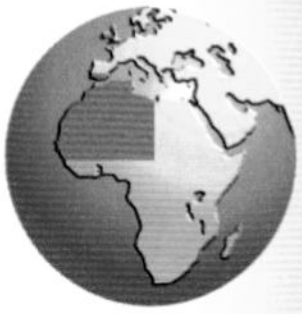

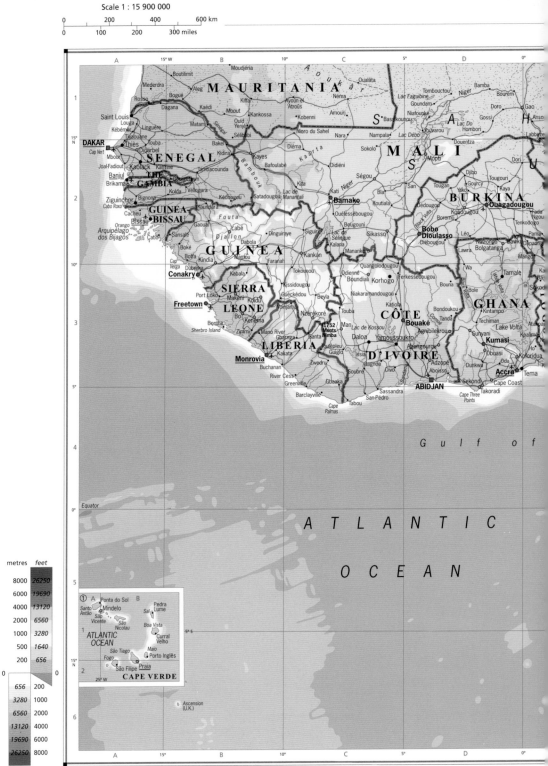

© Hema Maps Pty Ltd. Based on original data © Research Machines plc

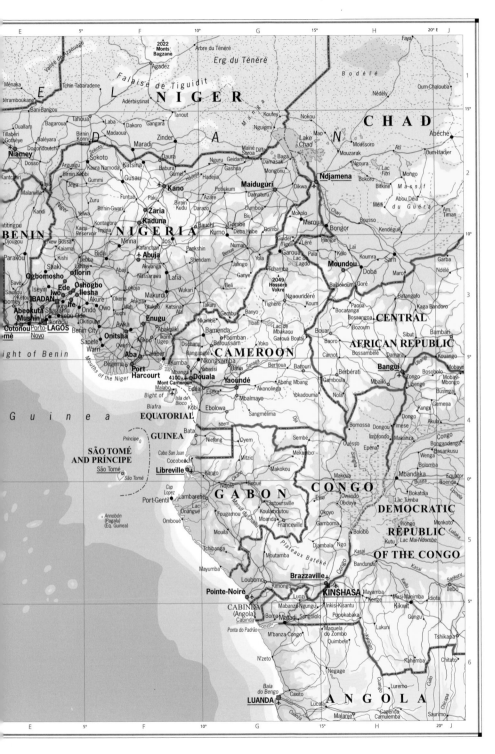

E   5°   F   10°   G   15°   H   20° E   J

2022 Monts Bagzane
Arbre du Ténéré
Erg du Ténéré
Faya

Vallée de l'Azaouagh
Falaise de Tiguidit
Agadez
B o d é l é
Oum-Chalouba

Ménaka
Tchin Tabaradene
Nédély

Jérambouékane
Bani-Bangou
N I G E R
Koufey
Nokou
Mao
CHAD
Abéché

Ouallam
Bagaroua
Tahoua
Laba
Dakoro
Gangará
Tanout
Nguigmi
Moussoro
Ati
Oum-Hadjer

Tillabéri
Gothèye
Baléyara
Birnin Konni
Madaoua
Zinder
Maïné Soroa
Lake Chad
Bokoro
Bitkine
Massif
Am Timan

Niamey
Dogondoutchi
Maradi
Nguru
Geidam
Damasak
Mongonu
Baga
Ngoura
Mongo
Melfi
Abou Deïa
du Guéra

Dosso
Argungu
Sokoto
Katsina
Daura
Gashua
Dikwa
Ndjamena
Bousso
Kendégué

Kantchari
Birnin Kebbi
Kaura Namoda
Gusau
Gümel
Hadejia
Maiduguri
Mokolo
Chari
Garba

Malanville
Gummi
Kano
Azare
Potiskum
Damaturu
Marqua
Bongor
Ndélé

Kandi
Zuru
Funtua
Paki
Birnin Kudu
Dumboa
Biu
Gombe
Bombi
Guider
Figuil
Léré
Pala
Kélo
Lai
Koumra
Sarh
Batangafo

B E N I N
Djougou
New Bossa
Kaiama
Minna
Abuja
Jos
Pankshin
Shendam
Numan
Yola
Garoua
Lac de Lagdo
Moundou
Dobá
Maro
Kaga Bandoro

Parakou
Shaki
Ilorin
Bida
Kafanchan
Benue
Jalingo
Tchamba
Baïbokoum
Goré
CENTRAL

Savé
Iseyin
Zaria
Kaduna
N I G E R I A
Lafia
Nassarawa
Ganye
2049 Hossèrè Vokre
Ngaoundéré
Koum
Paoua
Bocaranga
Bossangoa
Kaga Bandoro
Bambari
AFRICAN REPUBLIC

Ogbomosho
Ede
Oshogbo
Ilesha
Akure
Makurdi
Wukari
Takum
Tighere
Baïbokoum
Bozoum
Damara

Kétou
Iwo
Okene
Otukpo
Katsina Ala
Banyo
Lac de Mbakaou
Yoko
Bouar
Sibut
Bangui
Zongo
Bosobolo

BADAN
Ilé-Ife
Ondo
Owo
Ala
Gembu
Tibati
Garoua Boulaï
Baoro
Bertoua
Berbérati
Mbaïki
Libenge

Abeokuta
Mushin
Ikorodu
Benin City
Awka
Enugu
Nkambé
Foumban
Bafoussam
Bertoua
Batouri
Gamboula
Bangui

Cotonou
Porto Novo
LAGOS
Sapele
Warri
Onitsha
Aba
Ikom
Ugep
Bamenda
Bafia
Sanaga
Yoko
Carnot
Nola
Bossembélé
Mobaye

ight of Benin
CAMEROON
Dschang
Bangangte
Bafoussam
Bangui

Mouths of the Niger
Port Harcourt
Kumba
Nkongsamba
Mbabça
Abong Mbang
Yokadouma
Zongo
Mobayi-Mbongo
Businga

Degema
4100
Mont Cameroun
Malabo
Douala
Edéa
Eséka
Yaoundé
Akonolinga
Gamboula
Mbaïki
Gemena
Akula

Bight of Biafra
Isla de Bioco
Kribi
Mbalmayo
Dja
Nola
Bomossa
Dongou
Imése
Makanza
Boende

EQUATORIAL
Ebolowa
Sangmèlima
Ntem
Bata
Makoua
Mbandaka
Equateor
Lisala

G u i n e a
GUINEA
Nielang
Oyem
Sembé
Mékambo
Epéna
Bolomba
Lpmela

Príncipe
Cabo San Juan
Cocobeach
Mitzic
Ouésso
Impfondo
Wenga
Basankusu

SÃO TOMÉ AND PRÍNCIPE
São Tomé
Libreville
Kango
Okano
Boboué
Makokou
Makoua
Dongo
Akula
Bokatola

São Tomé
Cap Lopez
Port-Gentil
Lambaréné
G A B O N
CONGO
Ewo
Owando
Oboya
Makoua
Lac Tumba
Inongo
Monkoto

Annobón (Pagalú) (Eq. Guinea)
Lac Onangué
Lastourville
Koulamoutou
Moanda
Okoyo
Gamboma
Bolobo
DEMOCRATIC
Kutu
Lac Mai-Ndombe

Omboué
Mouila
Franceville
Djambala
Ngo
Kasai
REPUBLIC
Kasai
Idiofa

Tchibanga
Mbamba
Plateaux Batéké
Bandundu
OF THE CONGO
Kikwit
Sankuru
Ilebo

Mayumba
Loubomo
Kimongo
Luozi
Mayamba
Masi-Manimba
Gungu

Pointe-Noire
Brazzaville
KINSHASA
Menge
Kikwit
Idiofa

CABINDA (Angola)
Cabinda
Boma
Matadi
Songololo
Inkisi-Kisantu
Popokabaka
Lukeni
Tshikapa

Ponta do Padrão
M'banza Congo
Maquela do Zombo
Quimbele
Kahemba
Chitato

N'zeto
Negage
Luremo
Caixito
Cuilo

Baía do Bengo
Caxito
A N G O L A
Camabatela
Saurimo

LUANDA
Lucala
Malanje
Capenda Camulemba

E   5°   F   10°   G   15°   H   20°   J

Scale 1 : 15 900 000

© Hema Maps Pty Ltd. Based on original data © Research Machines plc

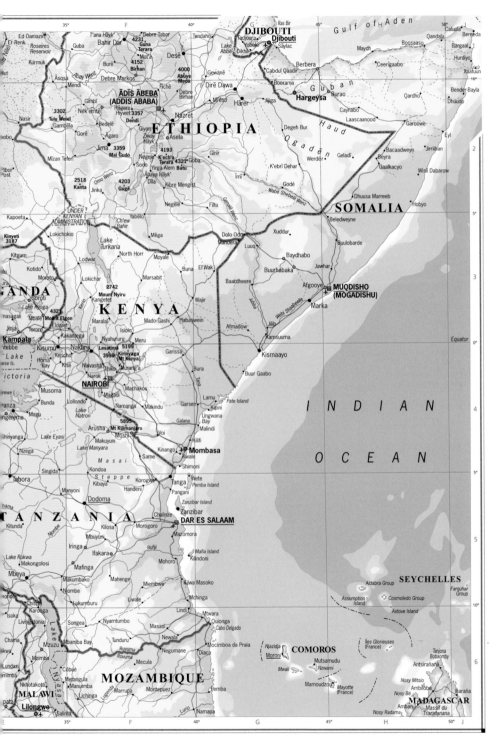

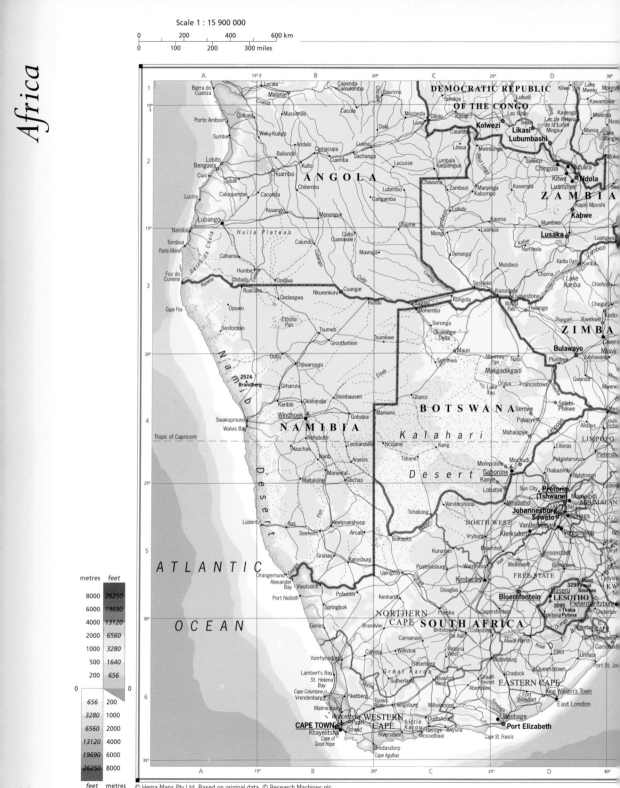

Scale 1 : 15 900 000

0	200	400	600 km
0	100	200	300 miles

metres	feet
8000	26250
6000	19690
4000	13120
2000	6560
1000	3280
500	1640
200	656
0	0
656	200
3280	1000
6560	2000
13120	4000
19690	6000
26250	8000
feet	metres

DEMOCRATIC REPUBLIC
OF THE CONGO

Kolwezi
Likasi
Lubumbashi

ZAMBIA
Ndola
Kitwe
Chingola
Mufulira
Kabwe
Lusaka

ANGOLA
Huambo
Lobito
Benguela
Lubango
Namibe
Tombua
Foz do Cunene

Huila Plateau

ZIMBA
Bulawayo
Victoria Falls

NAMIBIA
Windhoek
Walvis Bay
Swakopmund
2574 Brandberg

Tropic of Capricorn

BOTSWANA
Kalahari
Desert
Gaborone
Maun

Namib Desert

ATLANTIC

OCEAN

LIMPOPO

NORTH WEST

Pretoria (Tshwane)
Johannesburg
Soweto
Vereeniging

FREE STATE

Kimberley
Bloemfontein
LESOTHO
Maseru

NORTHERN CAPE

SOUTH AFRICA

EASTERN CAPE

WESTERN CAPE
CAPE TOWN
Cape of Good Hope
Cape Agulhas

Port Elizabeth
East London

Great Karoo
Little Karoo

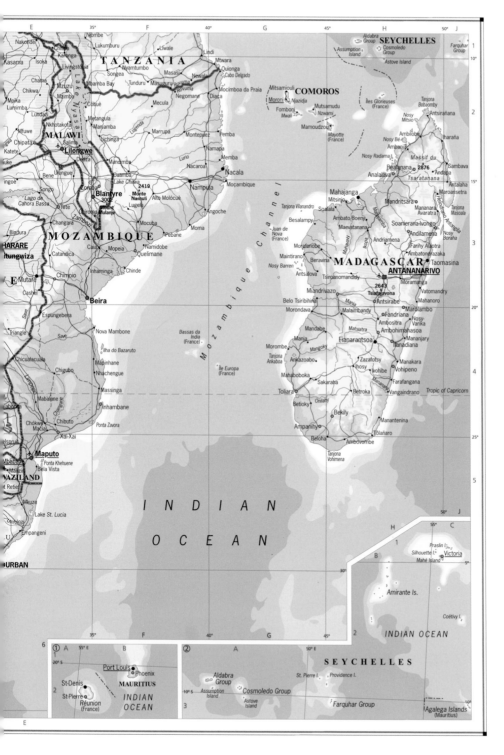

Scale 1 : 55 500 000

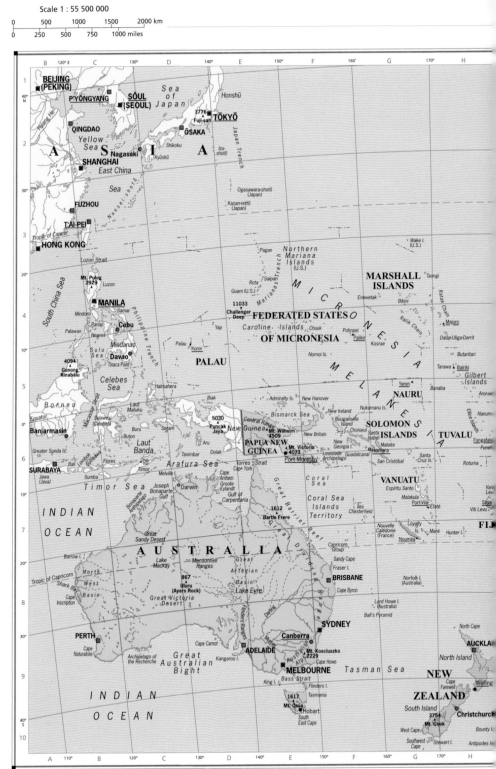

© Hema Maps Pty Ltd. Based on original data © Research Machines plc

NORTH
AMERICA

LOS ANGELES
SAN DIEGO

P A C I F I C

Guadalupe
(Mexico)

Tropic of Cancer

HAWAII
(U.S.)

Laysan I.

Necker I.

H a w a i i a n   I s l a n d s

Kauai
Oahu
Honolulu   Maui
Hawaii

Johnston I.
(U.S.)

Is. Revillagigedo
(Mexico)

O C E A N

N. W. Christmas Island Ridge

Palmyra I.
(U.S.)

Tabuaeran   Kiritimati

Howland (U.S.)
Baker (U.S.)

Jarvis
(U.S.)

Phoenix Islands

Birnie   Rawaki

KIRIBATI

Orona   Manra

Malden I.

Starbuck I.

Equator

P O L Y N E S I A

Atafu
Nukunonu   Tokelau
(New Zealand)

Tongareva

Swains I.   Danger Is.
Nassau   Manihiki

Vostok I.   Caroline I.

Nuku Hiva

Marquesas Islands

SAMOA   American
Samoa
Savaii   Apia
Upolu   Tutuila
Tafahi

Flint I.

Hive Oa

Rose I.

Suvorov I.

Motu One

Îles Palliser

Îles
Désappointement

Pukapuka

Cook Islands

(New Zealand)

TONGA

Niue   Palmerston I.
(New Zealand)

Aitutaki

Arch.
de la Société

Tahiti

Raroia

Ata

Rarotonga

French
P o l y n e s i a

Îles Duc de
Gloucester

Hao

Archipel des Tuamotu

Horizon Depth
10882

Mangaia

Îles
Maria

Rurutu

Tubuai

Raevavae

Mururoa

Mangareva

Groupe Actéon

Morane
Is.

Gambier
Is.

Tonga Trench

T u b u a i   I s l a n d s

Oeno

Tropic of Capricorn

Kermadec Trench

Rapa

Marotiri

Henderson I.

Pitcairn Is.   Ducie I.
(U.K.)

Easter I.
(Chile)

madec Islands
New Zealand)

S o u t h   W e s t

P a c i f i c

B a s i n

am Is.
ealand)

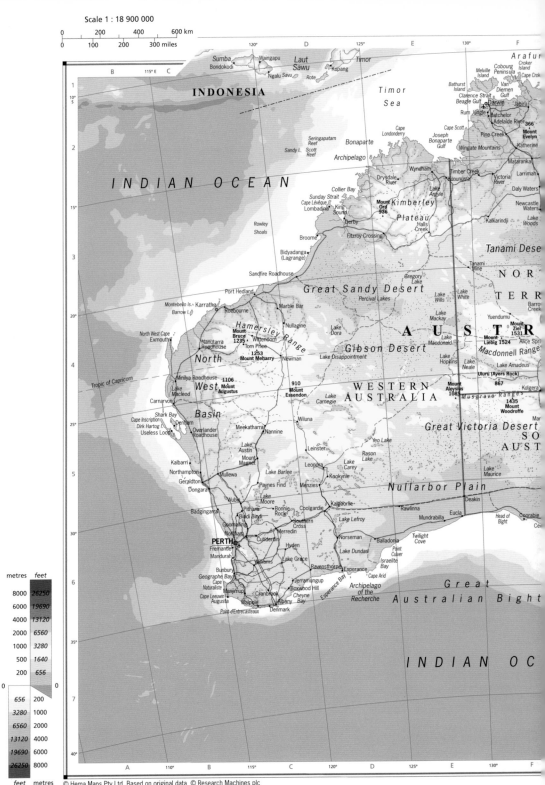

Oceania

Scale 1 : 18 900 000

INDONESIA

INDIAN OCEAN

Timor Sea

Arafura

Sumba
Waingapu
Bondokodi
Ngalu Savu
Rote
Kupang
Timor

Sandy I.
Seringapatam Reef
Scott Reef

Bonaparte Archipelago

Cape Londonderry

Cape Scott
Joseph Bonaparte Gulf

Wyndham

Cobourg Peninsula
Melville Island
Bathurst Island
Clarence Strait
Beagle Gulf
Rum Jungle
Darwin
Van Diemen Gulf
Jabiru
Batchelor
Adelaide River
366 Mount Evelyn
Katherine

Croker Island
Cape Wessel

Pine Creek
Wingate Mountains

Timber Creek
Kununurra
Victoria River
Larrimah
Daly Waters
Newcastle Waters

Matarankat

Drysdale River
Collier Bay
Sunday Strait
Cape Lévêque
Lombadina
King Sound
Derby
Mount Ord 936
Halls Creek

Lake Argyle
Kimberley Plateau

Kalkarindji
Lake Woods

Rowley Shoals
Broome
Fitzroy Crossing
Bidyadanga (Lagrange)

Tanami Desert

Sandfire Roadhouse

Gregory Lake
Tanami Mine

NOR TERR

Port Hedland

Great Sandy Desert

Percival Lakes

Lake Wills
Lake White
Yuendumu
Barro Creek

Montebello Is.
Karratha
Roebourne
Barrow I.
Marble Bar
Nullagine

Lake Mackay

North West Cape
Exmouth
Mount Bruce 1235
Wittenoom
Tom Price 1253
Mount Meharry 1244
Newman

Hamersley Range

Lake Dora

Gibson Desert

Lake Disappointment

Lake Macdonald

Mount Ziel 1531
Mount Liebig 1524
Alice Spring
Macdonnell Range

AUST R

Nanutarra Roadhouse

Minilya Roadhouse
1106 Mount Augustus

910 Mount Essendon

WESTERN AUSTRALIA

Lake Hopkins
Lake Neale
Lake Amadeus
Uluru (Ayers Rock) 867

Mount Aloysius 1085
Musgrave Range
1435 Mount Woodroffe

Kulgera

Mar

North West Basin

Lake Macleod

Carnarvon

Lake Carnegie

Great Victoria Desert

Lake Maurice

SO AUST

Shark Bay
Cape Inscription
Dirk Hartog I.
Useless Loop
Denham
Overlander Roadhouse
Meekatharra
Nannine
Wiluna
Leinster
Yeo Lake
Rason Lake
Lake Carey
Leonora

Kalbarri
Northampton
Geraldton
Dongara
Mullewa
Lake Austin
Mount Magnet
Lake Barlee
Menzies
Kookynie

Nullarbor Plain
Deakin

Wubin
Paynes Find
Coolgardie
Kalgoorlie
Rawlinna
Head of Bight
Coorabie
Cer

Badgingarra
Pithara
Bonnie Rock
Southern Cross
Lake Lefroy
Mundrabilla
Eucla

Goomalling
Bindi Bindi
Merredin
Norseman
Balladonia
Twilight Cove

PERTH
Fremantle
Mandurah
Northam
Cunderdin
Hyden
Lake Dundas
Point Culver
Israelite Bay

Bunbury
Geographe Bay
Cape Naturaliste
Manjimup
Cranbrook
Boxwood Hill
Cheyne
Williams
Lake Grace
Jerramungup
Ravensthorpe
Esperance
Cape Arid

Cape Leeuwin
Augusta
Walpole
Albany
Denmark
Point d'Entrecasteaux

Archipelago of the Recherche

Great Australian Bight

INDIAN OC

metres	feet
8000	26250
6000	19690
4000	13120
2000	6560
1000	3280
500	1640
200	656
0	0
656	200
3280	1000
6560	2000
13120	4000
19690	6000
26250	8000

feet metres

135° G 140° H 145° J 150° K 155° L

Cape Wessel
Wessel Islands
Nhulunbuy
Nangalala
Cape Arnhem
nhem
land
Numbulwar
Groote Eylandt
Bickerton Island
Roper Bar
Sir Edward Pellew Group
Borroloola
Cape Crawford
Wellesley Islands
Mornington I.
Bentinck I.
Karumba
Burketown
Normanton
 int Creek
Camooweal
Mount Isa
Cloncurry
ERN
ORY
Mulgrave I.
Moa (Banks Island)
Torres Strait
Prince of Wales Island
Bamaga Somerset
Duifken Point
Weipa
Albatross Bay
Aurukun
Cape York Peninsula
Cape Grenville
Cape Direction
Coen
Cape Melville
Silver Plains
Laura
Cooktown
Port Douglas
Cairns
Mareeba
Mount Garnet
Innisfail
Ingham
Townsville
Charters Towers
Richmond
Hughenden
Dalrymple Lake
McKinlay

PAPUA
NEW GUINEA
Port Moresby
D'Entrecasteaux Islands
Alotau
Louisiade Archipelago

CORAL SEA ISLANDS
CORAL SEA
Osprey Reef
Shark Reef
Bougainville Reef
Holmes Reefs
Diane Bank
TERRITORY
(Australia)
Willis Group
Magdelaine Cays
Diamond Islets
Turtle I.
Tregosse Islets

Cape Grenville
Princess Charlotte Bay
Cape Direction
Cape Flattery

1612 Mount Bartle Frere
Herald Cays
Flinders Reefs
Malay Reef

PACIFIC
OCEAN

Kowanyama
Croydon
Georgetown
Forsayth
Greenvale
Mutarnee
Halifax Bay
Ayr
Bowen
The Whitsundays
Proserpine
Repulse Bay
Mackay
Sarina

GREAT DIVIDING RANGE
Cato I.
Tropic of Capricorn

QUEENSLAND
Winton
Muttaburra
Longreach
Jericho
Emerald
Blackwater
Yeppoon
Rockhampton
Curtis I.
Gladstone
Capricorn Group
Clermont
Nebo
Broad Sound
Clairview
Townshend I.

Simpson Desert
Great
Artesian
Birdsville
Betoota
Windorah
Yaraka
Tambo
Springsure
Banana
Biloela
Eidsvold
Bundaberg
Sandy Cape
Hervey Bay
Fraser I.
Maryborough

LIA
Boulia
Barcaldine
Blackall
Jundah

Lake Eyre Basin
Sturt Stony Desert
Basin
Oodnadatta
Tirari Desert
Lake Eyre North
 coober Pedy
Lake Eyre South
Marree
Leigh Creek
Augathella
Charleville
Quilpie
Thargomindah
Cunnamulla
Muckadilla
Glenmorgan
St George
Moonie
Roma
Miles
Kingaroy
Gayndah
Gympie
Caloundra
Moreton I.
North Stradbroke I.
BRISBANE
Beenleigh
Surfers Paradise
Gold Coast
Cape Byron
Ballina

H
Grey Range
Hungerford
Tibooburra
Wanaarring
Enngonia
Bourke
Brewarrina
Moree
Goondiwindi
Boggabilla
Mungindi
Dirranbandi
Bongunya
Inglewood
Warwick
Stanthorpe
Tenterfield
Casino
Glen Innes
Grafton
Mount Roberts 1387

HLIA
Glendambo
Pimba
Lake Torrens
Marree
Lake Callabonna
White Cliffs
Wilcannia
Cobar
Coonabarabran
Gilgandra
Narrabri
Gunnedah
Tamworth
Black Sugarloaf 1494
Armidale
Round Mountain 1608
Coffs Harbour
Port Macquarie

Leigh Creek
Lake Frome
Louth
Nyngan
Quirindi
Singleton
Cessnock
Lord Howe I.
Ball's Pyramid

Lake Gairdner
Kingoonya
Whyalla
Gawler Ranges
Broken Hill
Menindee
Ivanhoe
Roto
Condobolin
Dubbo
Orange
1274
Lithgow
Katoomba
Newcastle
SYDNEY
Wollongong
Nowra

NEW
SOUTH
WALES
DIVIDING

Port Augusta
Iron Knob
Cowell
Burra
Orroroo
Morgan
Renmark
Mildura
Swan Hill
Balranald
Hay
Narrandera
Wagga Wagga
Finley
Albury
A.C.T.
Batemans Bay

Eyre Pen.
Lincoln
Cape Borda
Investigator Strait
Kangaroo I.
ADELAIDE
Victor Harbor
Kingscote
Murray Bridge
Murray River
Tailem Bend
Bordertown
Goolwa
West Wyalong
Cowra
1204
Cootamundra
Canberra
Yass
Cooma
2229 Mount Kosciuszko

Spencer Gulf
Gulf
Whyalla

Big Desert
Little Desert
Mount Gambier
Naracoorte
Hamilton
Hopetoun
Nhill
Horsham
Ararat
Ballarat
VICTORIA
Shepparton
Mount Bogong 1986
Omeo
Bombala
Eden
Cape Howe

Portland
Cape Nelson
Warrnambool
Geelong
MELBOURNE
Morwell
Korumburra
Sale
Bairnsdale
Port Albert
Wilson's Promontory
South East Point
Apollo Bay
Walkerville

TASMAN SEA

King Island
Currie
Bass Strait
Furneaux Group
Whitemark
Flinders I.
Cape Barren I.

TASMANIA
Cape Grim
Stanley
Burnie
Devonport
Queenstown
Mount Ossa 1617
Lake Gordon
George Town
Launceston
Swansea
Cape Forestier
Hobart
Dover
Port Arthur
Storm Bay
South West Cape
South East Cape

A.C.T. = Australian Capital Territory

Gulf of Carpentaria
Barkly Tableland
Simpson Desert

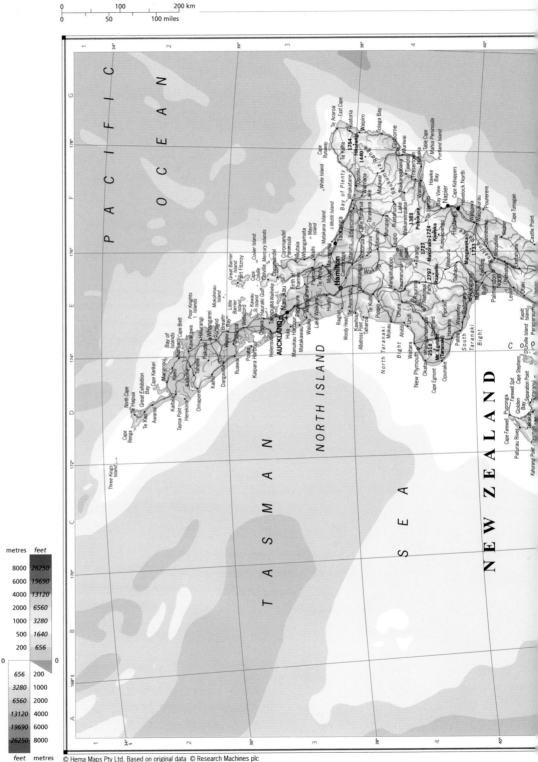

Scale 1 : 6 350 000

0	100	200 km
0	50	100 miles

metres / **feet**

metres	feet
8000	26250
6000	19690
4000	13120
2000	6560
1000	3280
500	1640
200	656
0	0

feet	metres
656	200
3280	1000
6560	2000
13120	4000
19690	6000
26250	8000

feet / **metres**

PACIFIC OCEAN

TASMAN SEA

NORTH ISLAND

NEW ZEALAND

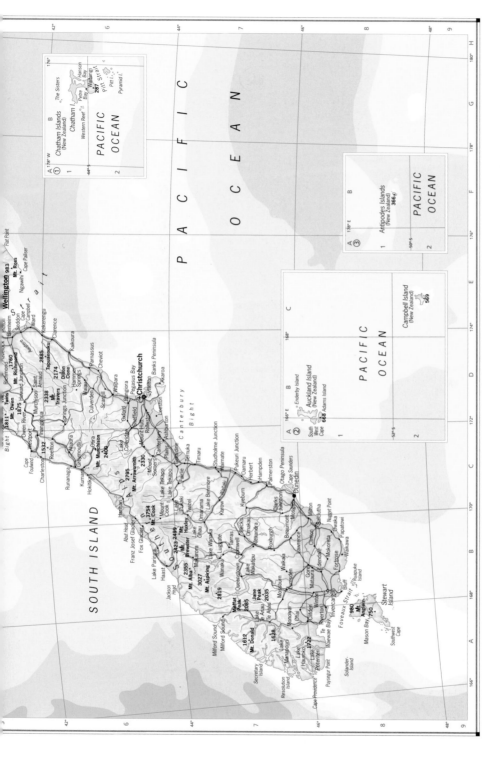

Chatham Islands
(New Zealand)

Chatham I.

Western Reef

The Sisters

Pitt Strait

Hanson Bay
Waitangi
Pitre Bay
287
Pitt I.
Pyramid I.

PACIFIC OCEAN

Antipodes Islands
(New Zealand)

366

PACIFIC OCEAN

Campbell Island
(New Zealand)

569

PACIFIC OCEAN

Auckland Island
(New Zealand)

668

Enderby Island

Adams Island

South West Cape

PACIFIC OCEAN

Wellington 983

Mt. Ross

SOUTH ISLAND

Christchurch

Mt. Cook 3754

Mt. Aspiring 3027

North America

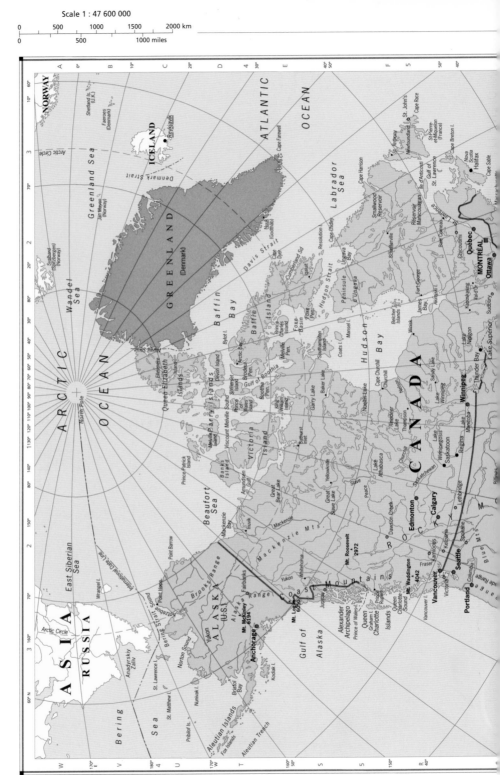

Scale 1 : 47 600 000

0 500 1000 1500 2000 km

0 500 1000 miles

© Hema Maps Pty Ltd. Based on original data © Research Machines plc

ATLANTIC OCEAN
PACIFIC OCEAN
UNITED STATES
MEXICO
SOUTH AMERICA
Gulf of Mexico
Caribbean Sea
Great Antilles
Lesser Antilles
THE BAHAMAS
CUBA
JAMAICA
HAITI
DOMINICAN REPUBLIC
BELIZE
GUATEMALA
HONDURAS
EL SALVADOR
NICARAGUA
COSTA RICA
PANAMA
NEW YORK
PHILADELPHIA
Baltimore
Washington D.C.
Virginia Beach
Raleigh
Charlotte
Cleveland
DETROIT
Columbus
Cincinnati
Atlanta
Savannah
Jacksonville
Tampa
Miami
Milwaukee
CHICAGO
Indianapolis
St. Louis
Nashville
Memphis
Knoxville
Mobile
New Orleans
Kansas City
Oklahoma City
Little Rock
DALLAS
Fort Worth
Austin
SAN ANTONIO
HOUSTON
Corpus Christi
Abilene
Denver
El Paso
Albuquerque
PHOENIX
Tucson
Las Vegas
Salt Lake City
Sioux Falls
Reno
Sacramento
San Francisco
San Jose
Fresno
LOS ANGELES
SAN DIEGO
Mexicali
Ensenada
Ciudad Juárez
Hermosillo
Ciudad Obregón
MONTERREY
Matamoros
Ciudad Madero
León
GUADALAJARA
MEXICO
Veracruz
Acapulco
Mérida
LA HABANA (HAVANA)
Santiago de Cuba
Nassau
PORT-AU-PRINCE
SANTO DOMINGO
San Juan
Kingston
Belmopan
GUATEMALA
San Salvador
Tegucigalpa
Managua
San José
Panamá
CARACAS
BARRANQUILLA
MEDELLÍN
BOGOTÁ
CALI
QUITO
GUAYAQUIL
Iquitos
Chiclayo
Islas Galápagos (Galapagos Is.) (Ecuador)
Islas Revillagigedo (Mexico)
Clipperton Island (France)
Tropic of Cancer
Equator
Sierra Madre Occidental
Sierra Madre del Sur
Rio Grande
Mississippi
Missouri
Bermuda (U.K.)
Puerto Rico (U.S.)
Middle America Trench
Puerto Rico Trench

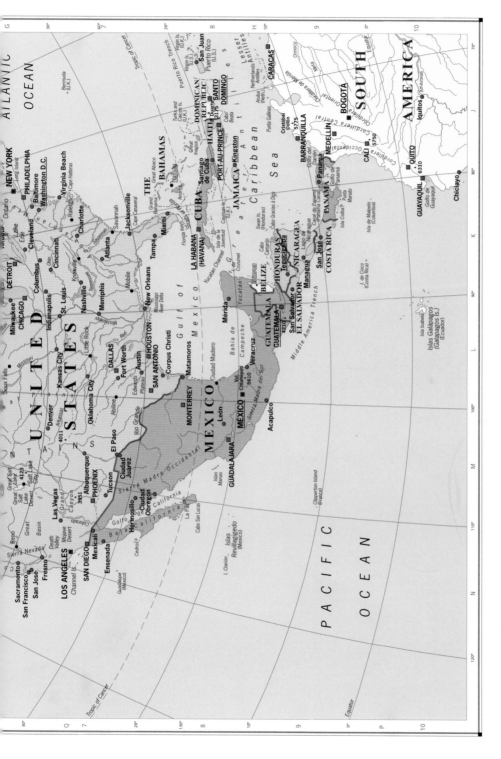

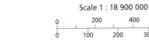

Scale 1 : 18 900 000

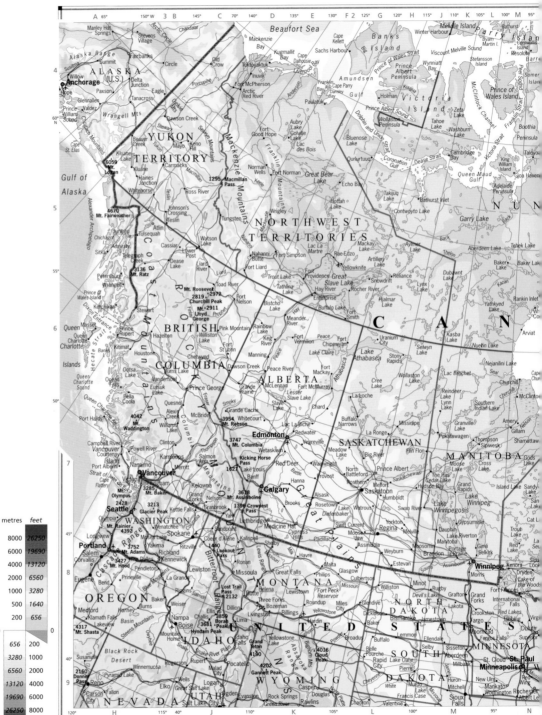

GREENLAND
(Denmark)
Baffin Bay
Davis Strait
Baffin Island
LABRADOR SEA
ATLANTIC OCEAN
NEWFOUNDLAND AND LABRADOR
LABRADOR
NEWFOUNDLAND
QUÉBEC
ONTARIO
NOVA SCOTIA
NEW BRUNSWICK
PRINCE EDWARD ISLAND
HUDSON BAY
Hudson Strait
Foxe Basin
Foxe Channel
Ungava Bay
James Bay
Péninsule d'Ungava
Devon Island
Lancaster Sound
Jones Sound
Bylot Island
Arctic Bay
Borden Peninsula
Pond Inlet
Buchan Gulf
Brodeur Peninsula
Scott Inlet
Cape Christian
Clyde River
Home Bay
Broughton Island
Cape Dyer
Cumberland Peninsula
Pangnirtung
Cumberland Sound
Cape Mercy
Igloolik
Rowley I.
Hall Beach
Melville Peninsula
Parry Bay
Prince Charles Island
Air Force I.
Nettilling Lake
Pelly Bay
Repulse Bay
Cape Dorchester
Cape Dominion
Bowman Bay
Amadjuak Lake
Hall Peninsula
Lemieux Islands
Iqaluit
Frobisher Bay
Loks Land
Resolution Island
Foxe Peninsula
Cape Dorset
Lake Harbour
Salisbury I.
Nottingham I.
Cap de Nouvelle-France
Southampton Island
Coral Harbour
Wager Bay
Roes Welcome Sound
Chesterfield Inlet
Fisher Strait
Evans Strait
Coats Island
Mansel Island
Ivujivik
Salluit
Kangiqsujuaq
Quaqtaq
Akpatok Island
Cape Chidley
Port Burwell
1729
Hebron
Cod Island
Nutak
Nain
Hopedale
Cape Harrison
Groswater Bay
Rigolet
Cartwright
Lake Melville
Port Hope Simpson
Battle Harbour
Belle Isle
Cape Bauld
St. Anthony
Strait of Belle Isle
Long Range Mts
Roddickton
White Bay
Notre Dame Bay
Fogo I.
Bonavista Bay
Gander
St. John's
Deer Lake
Grand Falls
Stephenville
Harbour Breton
Trepassey
Cape Race
Fortune Bay
Grand Bank
Cape Ray
Channel-Port aux Basques
St-Pierre-et-Miquelon (France)
Cabot Strait
Akulivik
Kangirsuk
Kangiqsualujjuaq
George
Puvurnituq
Lac Payne
Kuujjuaq
Ottawa Islands
Inukjuak
Lac Minto
King George Is.
Sleeper Is.
Nastapoka Is.
Belcher Islands
Lac à l'Eau Claire
Lac Bienville
Schefferville
Smallwood Reservoir
Churchill Falls
Churchill
St-Augustin
Petit Mécatina
Réservoir Caniapiscau
Labrador City
Wabush
Ashuanipi
Ashuanipi Lake
Kuujjuarapik
Rés. de La Grande 4
Rés. de La Grande 2
Rés. de La Grande 3
Réservoir Opinaca
Fort George
Eastmain
Monts Otish
1021
Réservoir Manicouagan
Havre-St-Pierre
Natashquan
Île d'Anticosti
Port-Menier
Sept-Îles
Gulf of St. Lawrence
Îles de la Madeleine
Péninsule de Gaspé
Matane
Manouane Lake
Manicouagan
Chute des Passes
Réservoir Pipmuacan
Les Escoumins
Baie du Poste
Mistassini
Lac Evans
Chibougamau
Fort Rupert
Rupert
Charlton I.
Akimiski Island
Attawapiskat
Ekwan
Albany
Big Trout Lake
Winisk
Winisk Lake
Fort Severn
Severn
Cape Henrietta Maria
Moosonee
Fort Hope
Lac St. Joseph
Armstrong
Nakina
Lake Nipigon
Longlac
Geraldton
Nipigon
Hearst
Kapuskasing
Cochrane
Amos
Missinaibi
Harricanaw
Coral
Marathon
Thunder Bay
Isle Royale
Lake Superior
Copper Harbor
Keweenaw Pen.
Timmins
Foleyet
Chapleau
Wawa
Kirkland Lake
Lake Abitibi
Rouyn
Val-d'Or
Senneterre
Réservoir Gouin
Miquelon
Lac St-Jean
Jonquière
Chicoutimi
Rimouski
Baie St. Paul
Montmagny
La Tuque
Québec
Lévis
Réservoir Cabonga
Mont-Laurier
Trois Rivières
Sorel
Sherbrooke
Cobalt
North Bay
Ottawa
MONTRÉAL
Cornwall
Granby
Sault Ste. Marie
Sudbury
Pembroke
Blind River
Manitoulin I.
Georgian Bay
Parry Sound
Huntsville
Smiths Falls
Plattsburgh
Ogdensburg
Burlington
Mt. Washington 1917
White Mts.
Kingston
Orillia
Tobermory
Peterborough
Watertown
Lake Huron
Owen Sound
Barrie
Oshawa
Toronto
Lake Ontario
Kitchener
Hamilton
Rochester
Syracuse
Utica
Albany
London
St. Catharines
Buffalo
Brantford
Lake Erie
Sarnia
Chatham
Windsor
DETROIT
Flint
Saginaw
Bay City
Lansing
Ann Arbor
Grand Rapids
Muskegon
Milwaukee
Lake Michigan
Sheboygan
Oshkosh
Appleton
Green Bay
Wausau
Marinette
Alpena
Traverse City
Mt. Pleasant
Escanaba
Manistique
Iron Mountain
Rhinelander
Ironwood
Marquette
Apostle Is.
MICHIGAN
WISCONSIN
NEW YORK
PENNSYLVANIA
Erie
Meadville
Jamestown
Binghamton
Scranton
Catskill Mts. 1295
Paterson
Newark
NEW YORK
Bridgeport
New Haven
Hartford
CONN.
Springfield
Worcester
Providence
RHODE ISLAND
New Bedford
Boston
MASS.
Cape Cod
Massachusetts Bay
Portsmouth
Concord
NEW HAMPSHIRE
VERMONT
MONTPELIER
Brattleboro
Long I.
1629
Portland
Lewiston
Augusta
MAINE
Jackman
Houlton
Presque Isle
Edmundston
Bathurst
St. Stephen
St. John
Fredericton
Moncton
Amherst
Truro
Charlottetown
Northumberland Strait
New Glasgow
Port Hawkesbury
Cape Breton Island
Sydney
Sable I.
Bay of Fundy
Dartmouth
Halifax
Bridgewater
Liverpool
Shelburne
Yarmouth
Cape Sable
Upernavik
Kangersuatsiaq (Prøven)
Upernavik Kujalleq
Svartenhuk Halvø
Uummannaq Fjord
Ukkusissat
Nuussuaq
Qeqertarsuatsiaq (Disko)
Ilulissat (Jakobshavn)
Qeqertarsuup Tunua (Disko Bugt)
Kangaatsiaq
Sisimiut (Holsteinsborg)
Maniitsoq (Sukkertoppen)
Napasoq
Nuuk (Godthåb)
Kangerluarsoruseq (Færingehavn)
Qeqertarsuatsiaat (Fiskenæsset)
Paamiut (Frederikshåb)
Ivittuut
Nanortalik
Nunarsuit
Arctic Circle
Tasiilaq (Angmagssalik)
Gyldenløues Fjord
Kong Frederick VI Kyst
Kangeq (Kap Cort Adelaer)
Lindenow Fjord
Uummannarsuaq (Kap Farvel)

Scale 1 : 21 200 000

0 200 400 600 km

0 100 200 300 miles

metres	feet
8000	26250
6000	19690
4000	13120
2000	6560
1000	3280
500	1640
200	656
0	0

feet	metres
656	200
3280	1000
6560	2000
13120	4000
19690	6000
26250	8000

ONTARIO
QUÉBEC
MAINE
MINNESOTA
WISCONSIN
MICHIGAN
IOWA
ILLINOIS
INDIANA
OHIO
PENNSYLVANIA
NEW YORK
MASS.
CONN.
R.I.
NEW HAMPSHIRE
VERMONT
NEW JERSEY
MARYLAND
DELAWARE
WEST VIRGINIA
VIRGINIA
KENTUCKY
MISSOURI
TENNESSEE
NORTH CAROLINA
SOUTH CAROLINA
ARKANSAS
MISSISSIPPI
ALABAMA
GEORGIA
LOUISIANA
FLORIDA
STATES
Lake Superior
Lake Michigan
Lake Huron
Lake Erie
Lake Ontario
Georgian Bay
Appalachian Mountains
ATLANTIC OCEAN
Gulf of Mexico
Straits of Florida
Yucatan Channel
Great Bahama Bank
Tropic of Cancer
THE BAHAMAS
CUBA
Thunder Bay
Duluth
St. Paul
Minneapolis
Milwaukee
CHICAGO
DETROIT
Toronto
Hamilton
London
Buffalo
Ottawa
MONTRÉAL
Québec
Cleveland
Pittsburgh
Columbus
Indianapolis
Cincinnati
Louisville
St. Louis
Kansas City
Nashville
Memphis
Atlanta
Birmingham
Charlotte
Richmond
Norfolk
Virginia Beach
Washington D.C.
Baltimore
PHILADELPHIA
NEW YORK
Newark
Boston
Providence
Hartford
New Haven
Albany
Syracuse
Rochester
Portland
Augusta
Jacksonville
Tampa
St. Petersburg
Orlando
Miami
Fort Lauderdale
Key West
New Orleans
Mobile
Baton Rouge
Tallahassee
Savannah
Charleston
Little Rock
Tulsa
Springfield
Des Moines
LA HABANA (HAVANA)
Camagüey
Holguín
Mérida
Cancún
Nassau
Freeport
Andros
Eleuthera
Great Abaco
Little Abaco
Grand Bahama
Cat I.
San Salvador
Great Inagua
Turks and Caicos Is. (U.K)
Cape Hatteras
Cape Fear
Cape Canaveral
1629
1295
1156

Scale 1 : 9 900 000

0 100 200 300 km

0 50 100 150 miles

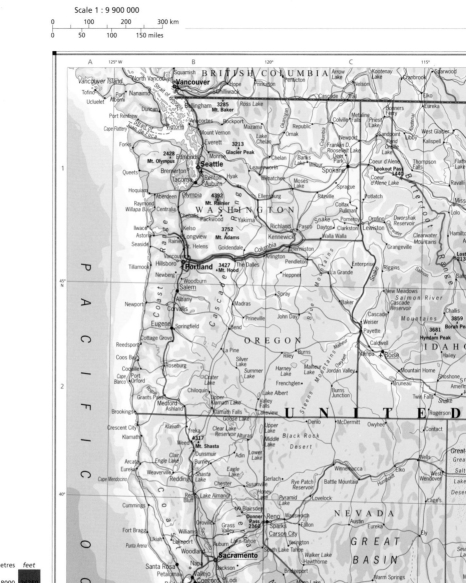
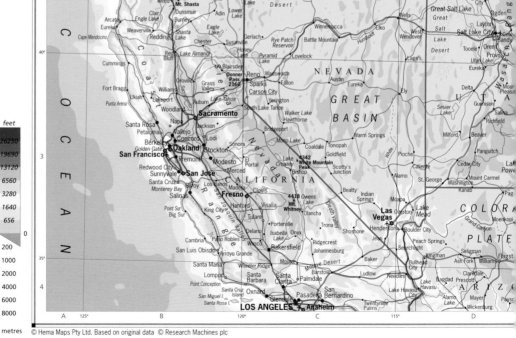

metres	feet
8000	26250
6000	19690
4000	13120
2000	6560
1000	3280
500	1640
200	656
0	0
656	200
3280	1000
6560	2000
13120	4000
19690	6000
26250	8000

feet   metres

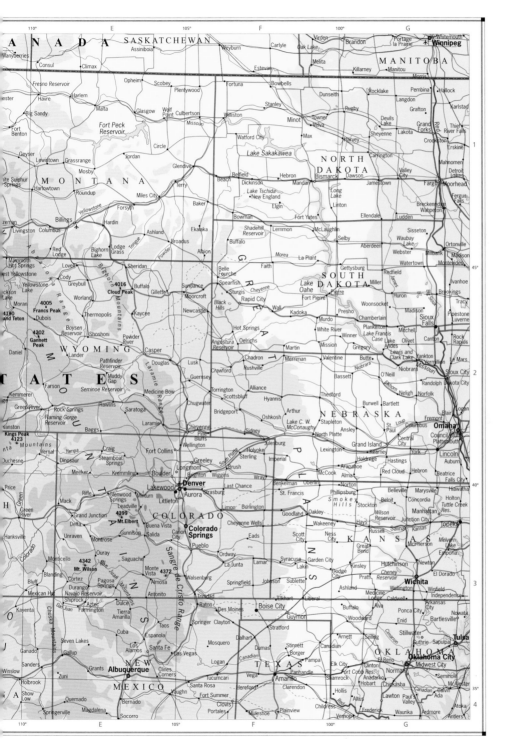

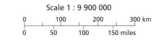

Scale 1 : 9 900 000

North America

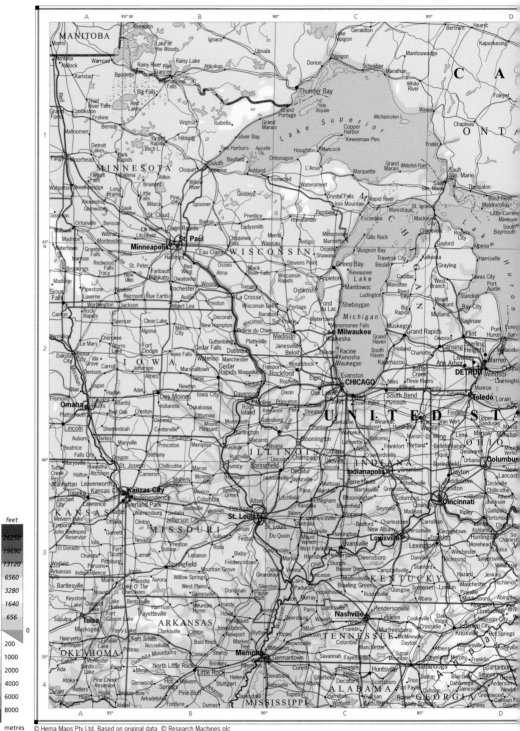

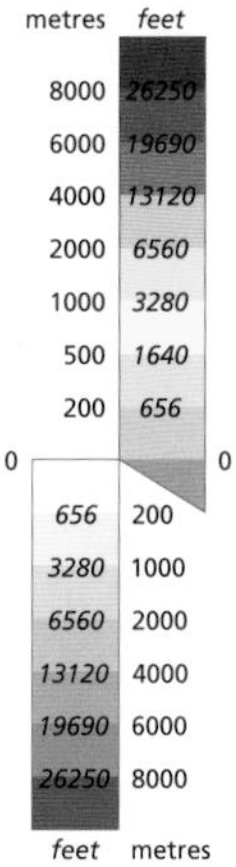

© Hema Maps Pty Ltd. Based on original data © Research Machines plc

Northeast United States

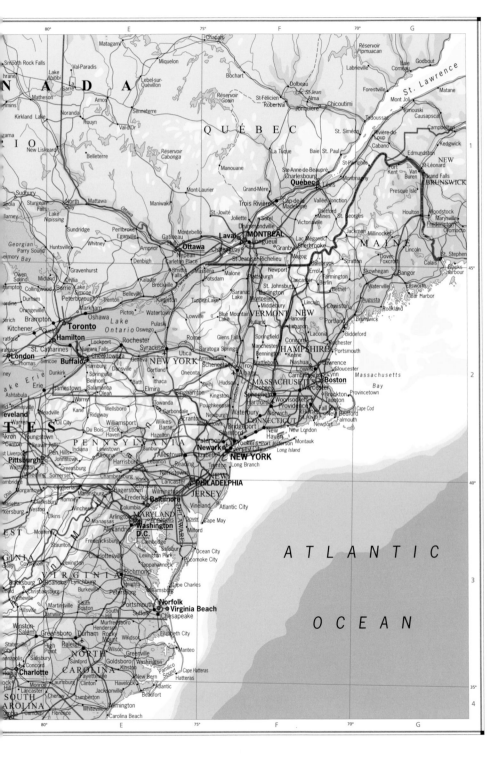

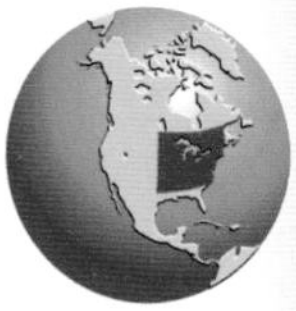

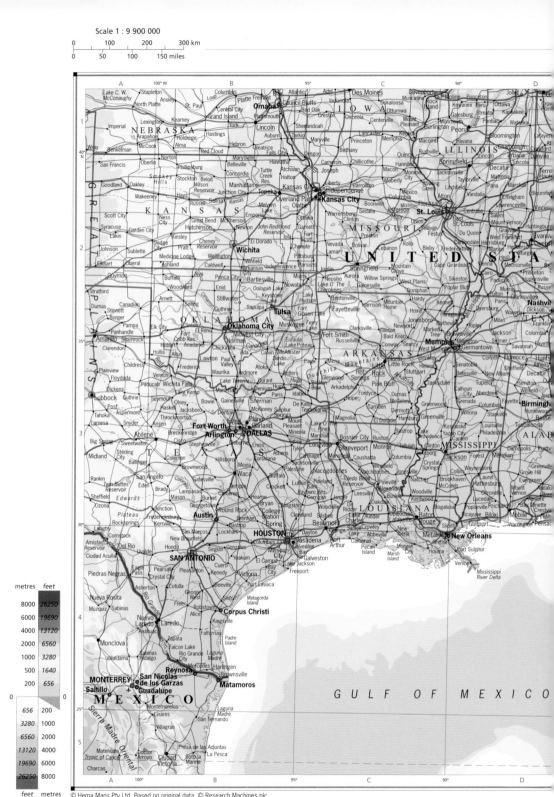

Scale 1 : 9 900 000

0   100   200   300 km

0   50   100   150 miles

© Hema Maps Pty Ltd. Based on original data © Research Machines plc

metres	feet
8000	26250
6000	19690
4000	13120
2000	6560
1000	3280
500	1640
200	656
0	0
656	200
3280	1000
6560	2000
13120	4000
19690	6000
26250	8000
feet	metres

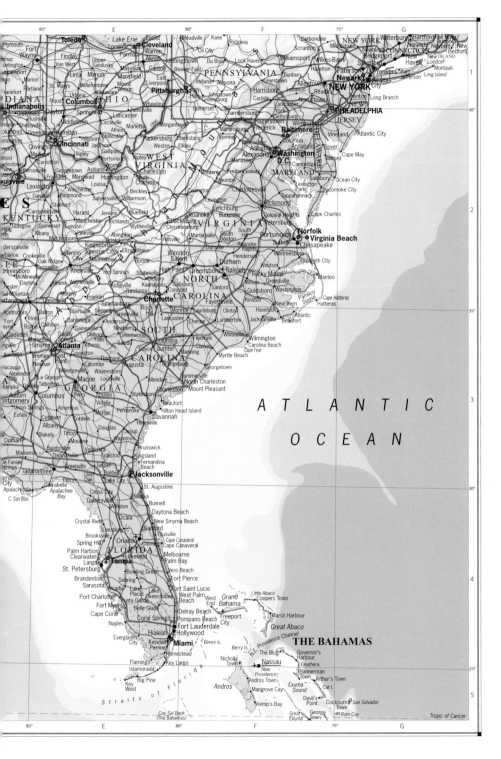

ATLANTIC

OCEAN

THE BAHAMAS

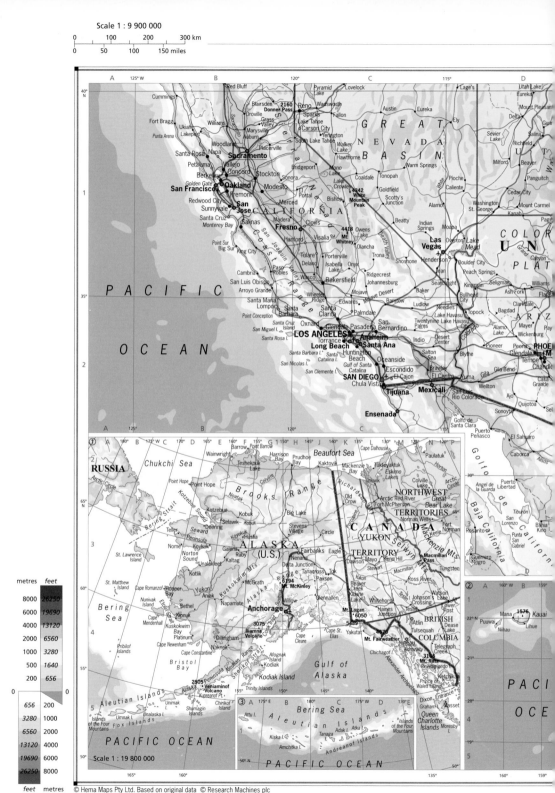

North America

Scale 1 : 9 900 000

0 100 200 300 km

0 50 100 150 miles

Scale 1 : 19 800 000

0
0

© Hema Maps Pty Ltd. Based on original data © Research Machines plc

UNITED STATES
MEXICO
COLORADO
NEW MEXICO
TEXAS
KANSAS
OKLAHOMA
ROCKY MOUNTAINS
GREAT PLAINS
Sierra Madre Occidental
Sierra Madre Oriental
Gulf of Mexico
Tropic of Cancer
Smokey Hills
Edwards Plateau
Sangre de Cristo Range
San Juan Mts.
Black Range
Chuska Mountains
4399 Mt. Elbert
4342 Mt. Wilson
4372
4011 Wheeler Peak
2389 Emory Peak
2896 Picacho del Centinela
Denver
Aurora
Lakewood
Littleton
Boulder
Longmont
Colorado Springs
Pueblo
Grand Junction
Albuquerque
Santa Fe
El Paso
Ciudad Juárez
Amarillo
Lubbock
Oklahoma City
Tulsa
Wichita
Topeka
Abilene
Fort Worth
Arlington
DALLAS
Austin
SAN ANTONIO
Corpus Christi
Laredo
Nuevo Laredo
Chihuahua
Hermosillo
Ciudad Obregón
Torreón
Gómez Palacio
Durango
Saltillo
MONTERREY
San Nicolás de los Garzas
Guadalupe
Reynosa
Matamoros
San Luis Potosí
Tampico
Ciudad Madero
Ciudad Victoria
Zacatecas
Monclova
Piedras Negras
Del Rio
Midland
Odessa
San Angelo
Waco
Roswell
Las Cruces
Tucson
Rio Grande
Pecos
Red
Canadian
Cimarron
Colorado
Gila
Padre Island
Laguna Madre
Presa de la Boquilla
Amistad Reservoir
Elephant Butte Reservoir
Falcon Lake
HAWAII (U.S.)
Oahu
Honolulu
Kaneohe
Kailua
Molokai
Kalaupapa
Lanai City
Lanai
Maui
Wailuku
3054
Kahoolawe
Hawaii
Hilo
Honokaa
4205 Mauna Kea
4169 Mauna Loa
Kailua Kona
Kalapana
Naalehu
Ka Lae
110°
105°
100°
40°
35°
30°
25°
158°
157°
156°
155°
22°
21°
20°
19°
E
F
G
1
2
3
4

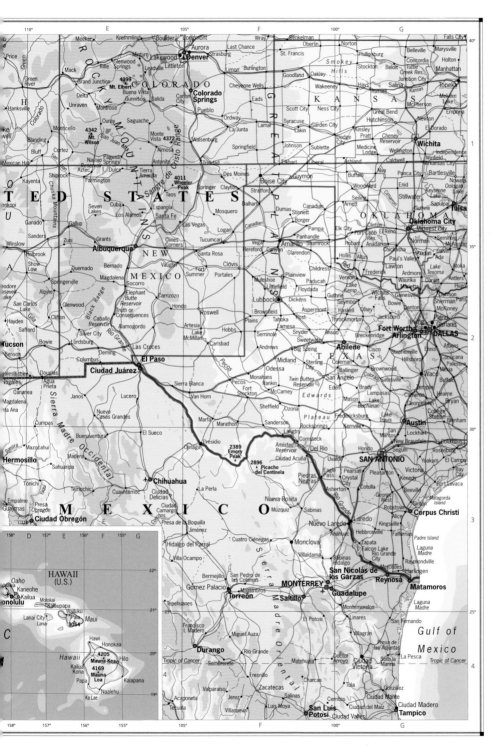

Scale 1 : 22 100 000

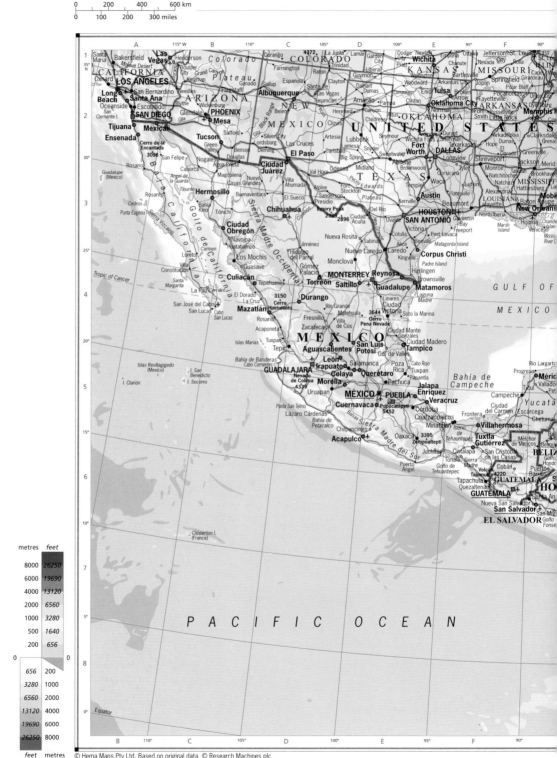

© Hema Maps Pty Ltd. Based on original data © Research Machines plc

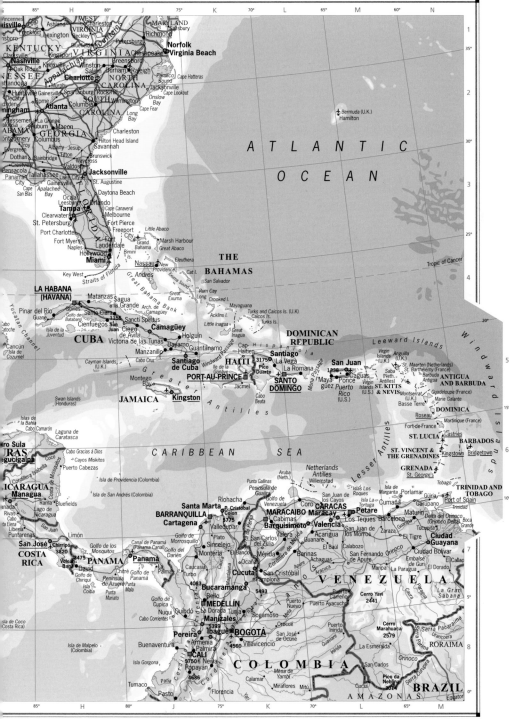

Central America and the Caribbean map (latitudes and longitudes from 85° to 60°W, 0° to 35°N)

ATLANTIC OCEAN

CARIBBEAN SEA

THE BAHAMAS

CUBA

LA HABANA (HAVANA)

JAMAICA
Kingston

HAITI
PORT-AU-PRINCE

DOMINICAN REPUBLIC
SANTO DOMINGO

Puerto Rico (U.S.)
San Juan

Leeward Islands

Windward Islands

Lesser Antilles

Greater Antilles

ANTIGUA AND BARBUDA

ST. KITTS & NEVIS

DOMINICA

ST. LUCIA

BARBADOS

ST. VINCENT & THE GRENADINES

GRENADA

TRINIDAD AND TOBAGO

VENEZUELA
CARACAS

COLOMBIA
BOGOTÁ

PANAMA
Panamá

COSTA RICA
San José

NICARAGUA
Managua

HONDURAS
Tegucigalpa

BRAZIL

Tropic of Cancer

Equator

KENTUCKY
TENNESSEE
VIRGINIA
WEST VIRGINIA
MARYLAND
NORTH CAROLINA
SOUTH CAROLINA
GEORGIA
ALABAMA
FLORIDA

Miami

Nashville
Charlotte
Atlanta
Jacksonville
Tampa

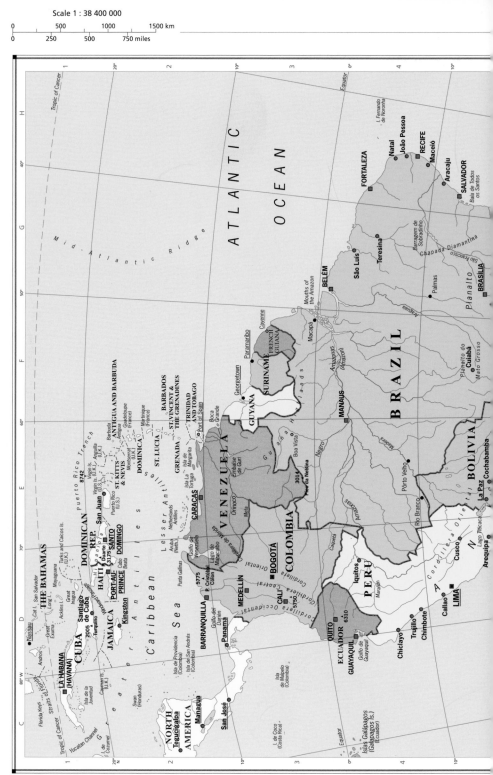

Scale 1 : 38 400 000

0   500   1000   1500 km
0   250   500   750 miles

© Hema Maps Pty Ltd. Based on original data © Research Machines plc

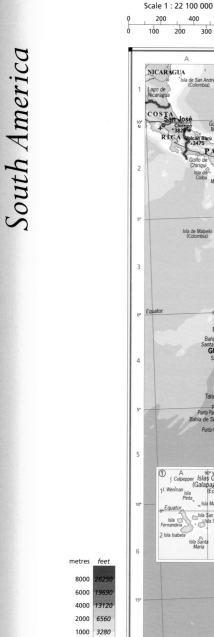

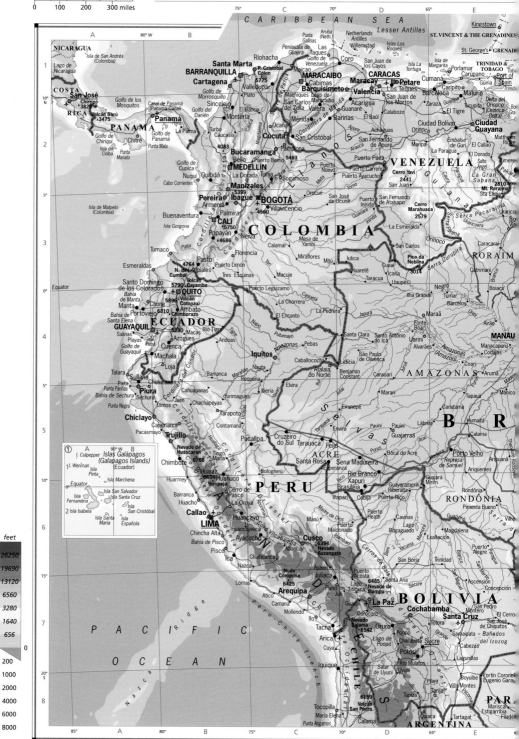

© Hema Maps Pty Ltd. Based on original data © Research Machines plc

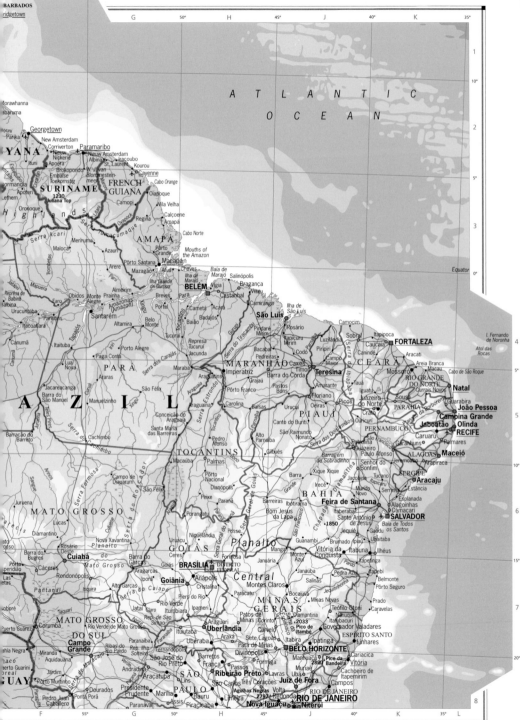

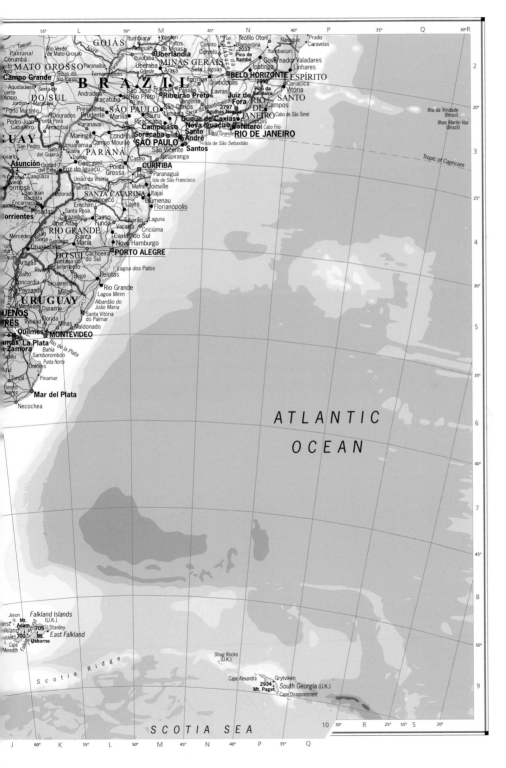

Southern South America (map)

55° L 50° M 45° N 40° P 35° Q 30° R

GOIÁS
Itumbiara
Ibanjeri
Patos
de Minas
Teófilo Otoni
Nanuque
Prado
Caravelas

Taquari
Araguari
Ituiutaba
Coríntó
Diamantina
Itambacuri

Campo Grande
Córumba
Pantanal
Corumbá
Rio Verde
de Mato Grosso
Uberlândia
Curvelo
Pico de
Itambé
2033
Governador Valadares

MATO GROSSO
Paranaíba
Uberaba
MINAS GERAIS
Araxá
Sete Lagoas
BELO HORIZONTE
2890
Ipatinga
Vitória
Linhares

DO SUL
Serra da
Maracaju
Andradina
Aracatuba
Franca
Passos
Lavras
Divinópolis
ESPÍRITO
Cariacica

Aquidauana
Dourados
Presidente
Prudente
Ribeirão Prêto
Rio Prêto
Pico da
Bandeira
2797
Juiz de
Fora
RIO DE
SANTO
Campos

URUGUAY
Marília
Bauru
Piracicaba
Campinas
SÃO PAULO
JANEIRO
Cabo de São Tomé
Ilha da Trindade
(Brazil)
Ilhas Martin Vaz
(Brazil)

PARANÁ
Maringá
Londrina
Soracaba
Santo
André
Nova Iguaçu
Niterói
Cabo Frio
RIO DE JANEIRO

SÃO PAULO
Santos
Isla de São Sebastião

CURITIBA
Paranaguá
Isla de São Francisco
Tropic of Capricorn

SANTA CATARINA
Joinville
Blumenau
Itajaí
Florianópolis

RIO GRANDE
Caxias do Sul
Novo Hamburgo
Laguna

DO SUL
Cachoeira
PORTO ALEGRE
Pelotas
Lagoa dos Patos

URUGUAY
Rio Grande
Lagoa Mirim

MONTEVIDEO
Mar del Plata

ATLANTIC

OCEAN

Falkland Islands
(U.K.)
Stanley
Mt.
Adam
705
East Falkland
Mt.
Usborne

Shag Rocks
(U.K.)

Scotia Ridge

Cape Alexandra
Grytviken
2934
Mt. Paget
South Georgia (U.K.)
Cape Disappointment

SCOTIA SEA

J 60° K 55° L 50° M 45° N 40° P 35° Q

Arctic Ocean and Antarctica

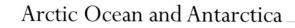

Scale 1 : 69 500 000

| 0 | 500 | 1000 | 1500 | 2000 km |
| 0 | 250 | 500 | 750 | 1000 miles |

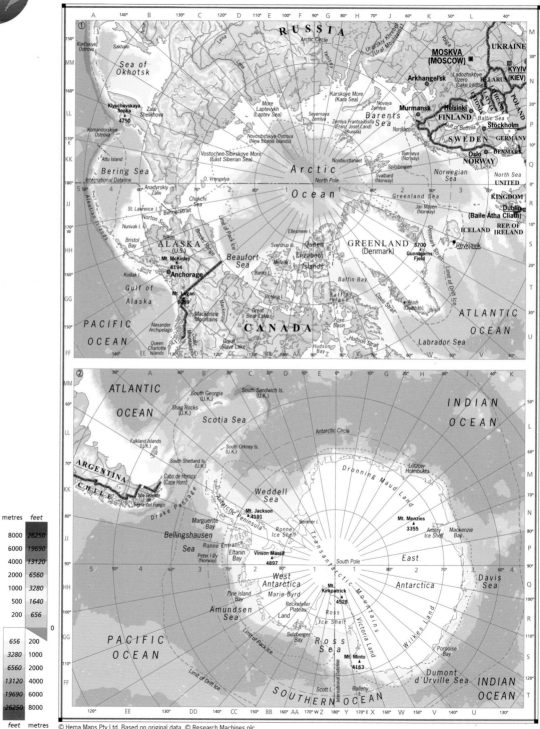

① Arctic Ocean

RUSSIA
Arctic Circle
Uralskiy Khrebet (Ural Mountains)
MOSKVA (MOSCOW)
UKRAINE
Arkhangel'sk
Volga
Ladozhskoye Ozero (Lake Ladoga)
KYYIV (KIEV)
BELARUS
Sea of Okhotsk
Lena
Yenisey
Sakhalin
Amur
Kuril'skiye Ostrova
Karskoye More (Kara Sea)
Novaya Zemlya
Murmansk
Helsinki
FINLAND
Baltic Sea
POLAND
Klyuchevskaya Sopka 4750
Zaliv Shelikhova
More Laptevykh (Laptev Sea)
Severnaya Zemlya
Barents Sea
Nordkapp
Stockholm
SWEDEN
GERMANY
Komandorskiye Ostrova
Novosibirskiye Ostrova (New Siberia Islands)
Zemlya Frantsa-Josifa (Franz Josef Land) (Russia)
Bjørnøya (Norway)
Oslo
NORWAY
DENMARK
Attu Island
Vostochno-Sibirskoye More (East Siberian Sea)
Nordaustlandet
Spitsbergen
Svalbard (Norway)
Norwegian Sea
North Sea
UNITED KINGDOM
Bering Sea
International Dateline
O. Vrangelya
North Pole
Arctic Ocean
Greenland Sea
Jan Mayen (Norway)
Dublin (Baile Átha Cliath)
Anadyrskiy Zaliv
Chukchi Sea
Ellesmere Is.
Denmark Strait
ICELAND
REP. OF IRELAND
St. Lawrence
Bering Strait
Norton Sound
Limit of Pack Ice
Sverdrup Is.
Queen Elizabeth Islands
GREENLAND (Denmark)
3700
Gunnbjørns Fjeld
Reykjavik
Nunivak I.
Bristol Bay
ALASKA (U.S.)
Brooks Range
Beaufort Sea
Melville I.
Banks I.
Baffin Bay
Limit of Drift Ice
Mt. McKinley 6194
Anchorage
Yukon
Victoria I.
Baffin Island
Davis Strait
Nuuk (Godthåb)
ATLANTIC OCEAN
Kodiak I.
Mt. Logan 6059
Great Bear Lake
Foxe Basin
Gulf of Alaska
Mackenzie Mountains
Mackenzie
CANADA
Hudson Bay
Alexander Archipelago
Coast Mountains
Great Slave Lake
Hudson Strait
PACIFIC OCEAN
Queen Charlotte Islands
Labrador Sea

② Antarctica

ATLANTIC OCEAN
South Georgia (U.K.)
South Sandwich Is. (U.K.)
INDIAN OCEAN
Shag Rocks (U.K.)
Scotia Sea
Antarctic Circle
Falkland Islands (U.K.)
South Orkney Is. (U.K.)
Lützow-Holmbukta
ARGENTINA
CHILE
South Shetland Is. (U.K.)
Cabo de Hornos (Cape Horn)
Drake Passage
Antarctic Peninsula
Weddell Sea
Dronning Maud Land
Mt. Menzies 3355
Amery Ice Shelf
Mackenzie Bay
Isla Grande de Tierra del Fuego
Mt. Jackson 4191
Berkner I.
Marguerite Bay
Ronne Ice Shelf
Bellingshausen Sea
Ronne Entrance
Peter I Øy (Norway)
Eltanin Bay
Vinson Massif 4897
South Pole
East Antarctica
Davis Sea
West Antarctica
Marie Byrd Land
Mt. Kirkpatrick 4528
Ross Ice Shelf
Pine Island Bay
Rockefeller Plateau
Victoria Land
Amundsen Sea
Sulzberger Bay
Ross Sea
Wilkes Land
Porpoise Bay
PACIFIC OCEAN
Limit of Pack Ice
Mt. Minto 4163
Dumont d'Urville Sea
INDIAN OCEAN
Limit of Drift Ice
Scott I.
Balleny Islands
International Dateline
SOUTHERN OCEAN
Transantarctic Mountains

metres	feet
8000	26250
6000	19690
4000	13120
2000	6560
1000	3280
500	1640
200	656
0	0

656	200
3280	1000
6560	2000
13120	4000
19690	6000
26250	8000
feet	metres

Index to country maps

A

Afghanistan 75
Albania....................................54
Algeria 85
Andorra 47
Angola.....................................80
Antigua & Barbuda 113
Argentina 118
Armenia...................................77
Australia..................................94
Austria 49
Azerbaijan 77

B

Bahamas, The 109
Bahrain 79
Bangladesh 72
Barbados 113
Belarus....................................56
Belgium 41
Belize 112
Benin 87
Bhutan 72
Bolivia 116
Bosnia-Herzegovina 52
Botswana.................................90
Brazil 117
Brunei 70
Bulgaria 53
Burkina 86
Burma (Myanmar) 68
Burundi 88

C

Cambodia.................................68
Cameroon.................................87
Canada...................................100
Cape Verde 86
Central African Republic 88
Chad 82
Chile.......................................118
China 64
Colombia 116
Comoros 91
Congo 87
Congo, Democratic
    Republic of the 88
Costa Rica 113
Cote d'Ivoire 86
Croatia 52
Cuba 113
Cyprus 76
Czech Republic 37

D

Denmark 35
Djibouti 83
Dominica 113
Dominican Republic.............113

E

East Timor 71
Ecuador 116
Egypt 82
El Salvador............................112
Equatorial Guinea...................87
Eritrea 83
Estonia 35
Ethiopia 89

F

Fiji 92
Finland 34
France 44

G

Gabon 87
Gambia, The 86
Georgia 77
Germany 38
Ghana 86
Greece 54
Grenada 113
Guatemala 112
Guinea 86
Guinea-Bissau 86
Guyana 117

H

Haiti 113
Honduras 112
Hungary 52

I

Iceland 34
India 72
Indonesia 70
Iran 74
Iraq 74
Ireland 43
Israel 78
Italy 50

J

Jamaica 113
Japan 67
Jordan 78

K

Kazakhstan..............................61
Kenya.......................................89
Kiribati 93
Kosovo.....................................52
Kuwait 79
Kyrgyzstan 61

L

Laos 68
Latvia 35
Lebanon...................................78
Lesotho 90
Liberia 86
Libya 82

Liechtenstein 48
Lithuania 35
Luxembourg 41

M

Macedonia 54
Madagascar 91
Malawi 91
Malaysia..................................70
Maldives 73
Mali 84
Malta 51
Marshall Islands 92
Mauritania 84
Mauritius 91
Mexico...................................112
Micronesia,
    Federated States of............92
Moldova...................................53
Monaco 48
Mongolia 59
Montenegro 52
Morocco 80
Mozambique 91
Myanmar (Burma) 68

N

Namibia 90
Nauru.......................................92
Nepal 72
Netherlands 41
New Zealand 96
Nicaragua 113
Niger 85
Nigeria 87
North Korea 66
Norway 34

O

Oman 75

P

Pakistan 75
Palau 92
Panama 113
Papua New Guinea..................92
Paraguay 118
Peru 116
Philippines 69
Poland 36
Portugal 46

Q

Qatar 79

R

Romania 53
Russia 58
Rwanda 88

S

Saint Kitts-Nevis 113
Saint Lucia.............................113

Saint Vincent & the
    Grenadines 113
Samoa 93
San Marino 49
São Tomé and Príncipe 87
Saudi Arabia............................74
Senegal 86
Serbia 52
Seychelles 91
Sierra Leone 86
Singapore 70
Slovakia 37
Slovenia 49
Solomon Islands 92
Somalia 89
South Africa.............................90
South Korea.............................66
Spain 46
Sri Lanka 73
Sudan 82
Suriname 117
Swaziland.................................91
Sweden 34
Switzerland 48
Syria 74

T

Taiwan 69
Tajikistan 75
Tanzania...................................89
Thailand 68
Togo...86
Tonga 93
Trinidad & Tobago 113
Tunisia 85
Turkey 76
Turkmenistan 75
Tuvalu 92

U

Uganda 88
Ukraine 56
United Arab Emirates.............74
United Kingdom......................42
United States 102
Uruguay..................................119
Uzbekistan 61

V

Vanuatu 92
Vatican City 50
Venezuela...............................116
Vietnam 68

Y, Z

Yemen 74
Zambia 90
Zimbabwe 90

Index

How to use the index

This is an alphabetically arranged index of the places and features that can be found on the maps in this atlas. Each name is generally indexed to the largest scale map on which it appears. If that map covers a double page, the name will always be indexed by the left-hand page number.

Names composed of two or more words are alphabetised as if they were one word.

All names appear in full in the index, except for 'St.' and 'Ste.', which although abbreviated, are indexed as though spelled in full.

Where two or more places have the same name, they can be distinguished from each other by the country or province name which immediately follows the entry. These names are indexed in the alphabetical order of the country or province.

Alternative names, such as English translations, can also be found in the index and are cross-referenced to the map form by the '=' sign. In these cases the names also appear in brackets on the maps.

Settlements are indexed to the position of the symbol, all other features are indexed to the position of the name on the map.

Abbreviations used in this index are explained in the list opposite.

Finding a name on the map

Each index entry contains the name, followed by a symbol indicating the feature type (for example, settlement, river), a page reference and a grid reference:

The grid reference locates a place or feature within a rectangle formed by the network of lines of longitude and latitude. A name can be found by referring to the red letters and numbers placed around the maps. First find the letter, which appears along the top and bottom of the map, and then the number, down the sides. The name will be found within the rectangle uniquely defined by that letter and number. A number in brackets preceding the grid reference indicates that the name is to be found within an inset map.

Abbreviations

Ak. . . . . Alaska	*Nebr.* . . . . Nebraska
Al. . . . . Alabama	*Nev.* . . . . Nevada
Ariz. . . . . Arizona	*Nfld.* . . . . Newfoundland
Ark. . . . . Arkansas	*N.H.* . . . . New Hampshire
B.C. . . . . British Columbia	*N. Ire.* . . . . Northern Ireland
Calif. . . . . California	*N.J.* . . . . New Jersey
Colo. . . . . Colorado	*N. Mex.* . . . . New Mexico
Conn. . . . . Connecticut	*N.W.T.* . . . . Northwest Territories
Del. . . . . Delaware	*N.Y.* . . . . New York
Dem. Rep. of Congo	*Oh.* . . . . Ohio
Democratic Republic of the Congo	*Okla.* . . . . Oklahoma
Eng. . . . . England	*Ont.* . . . . Ontario
Fla. . . . . Florida	*Oreg.* . . . . Oregon
Ga. . . . . Georgia	*Orkney Is.* . . . . . . Orkney Islands
Ia. . . . . Iowa	*Pa.* . . . . Pennsylvania
Id. . . . . Idaho	*R.G.S.* . . . . . Rio Grande do Sul
Ill. . . . . Illinois	*R.I.* . . . . Rhode Island
Ind. . . . . Indiana	*S.C.* . . . . South Carolina
Kans. . . . . Kansas	*Scot.* . . . . Scotland
Ky. . . . . Kentucky	*S.D.* . . . . South Dakota
La. . . . . Louisiana	*Shetland Is.* . . . Shetland Islands
Man. . . . . Manitoba	*Tenn.* . . . . Tennessee
Mass. . . . . Massachusetts	*Tex.* . . . . Texas
Md. . . . . Maryland	*UK.* . . . . United Kingdom
Me. . . . . Maine	*US.* . . . . United States
M.G. . . . . Mato Grosso	*Ut.* . . . . Utah
Mich. . . . . Michigan	*Va.* . . . . Virginia
Minn. . . . . Minnesota	*Vt.* . . . . Vermont
Miss. . . . . Mississippi	*Wash.* . . . . Washington
Mo. . . . . Missouri	*Wis.* . . . . Wisconsin
Mont. . . . . Montana	*W. Va.* . . . . West Virginia
N.B. . . . . New Brunswick	*Wyo.* . . . . Wyoming
N.C. . . . . North Carolina	*Y.T.* . . . . Yukon Territory
N.D. . . . . North Dakota	

Symbols

🗙	Continent name		🗘	River, canal
🅰	Country name		▰	Lake, salt lake
ⓐ	State or province name		◥	Gulf, strait, bay
◼	Country capital		▰	Sea, ocean
◻	State or province capital		▷	Cape, point
●	Settlement		▦	Island or island group,
▲	Mountain, volcano, peak			rocky or coral reef
▰	Mountain range		✳	Place of interest
⊘	Physical region or feature		▨	Historical or cultural region

A

Name	Page	Grid
Aachen	40	J4
Aalen	38	F8
Aalst	40	G4
Aarau	48	D3
Aare	48	C3
Aarschot	40	G4
Aba	86	F3
Abādān	79	C1
Abādeh	79	E1
Abadla	84	E2
Abaji	86	F3
Abakaliki	86	F3
Abakan	60	S7
Abancay	116	C6
Abano Terme	48	G5
Abarqū	79	E1
Abashiri	66	
N1 Abava	34	M8
Ābaya Hāyk'	88	F2
Abay Wenz	82	G5
Abbeville, France	40	D4
Abbeville, US	108	C4
Abd al Kūrī	74	F7
Abéché	82	D5
Abengourou	86	D3
Abenójar	46	F6
Ābenrā	38	E1
Abensberg	38	G8
Abeokuta	86	E3
Aberaeron	42	H9
Aberdeen, South Africa	90	C6
Aberdeen, UK	42	K4
Aberdeen, Miss., US	108	D3
Aberdeen, S.D., US	104	G1
Aberdeen, Wash., US	104	B1
Aberdeen Lake	100	M4
Aberystwyth	42	H9
Abez'	56	M1
Abhā	82	H4
Abhar	76	N5
Abidjan	86	D3
Abilene	110	G2
Abiline	98	M6
Abingdon, UK	40	A3
Abingdon, US	108	E2
Abnūb	82	F2
Aboisso	86	D3
Abomey	86	E3
Abong Mbang	86	G4
Abou Déia	82	C5
Abqaiq	79	C4
Abrantes	46	B5
Absaroka Range	104	E1
Abū al Abayḍ	79	E4
Abu Aweiġîla	78	B6
Abu Ballâs	82	E3
Abu Dhabi = Abū Ẓabī	79	F4
Abu Hamed	82	F4
Abuja	86	F3
Ābune Yosēf	82	G5
Abū Nujaym	82	C1
Abu Qarin	82	C1
Aburo	88	E3
Abu Simbel	82	F3
Abut Head	96	B6
Abuye Meda	88	F1
Abū Ẓabī	79	F4
Abv Nujaym	84	J2
Acaponeta	102	E7
Acapulco	112	E5
Acará	116	H4
Acarigua	116	D2
Accra	86	D3
Achaguas	112	L7
Achayvayam	62	W4
Acheng	64	H1
Achenkirch	48	G3
Achen See	48	G3
Achill Island	42	B8
Achim	38	E3
Achinsk	60	S6
Achit	56	L3
Aci Göl	54	M7
A Cihanbeyli	54	Q6
Acireale	50	K11
Acklins Island	112	K4
Aconcagua	114	D7
Açores	84	(1)B2
A Coruña	46	B1
Acqui Terme	48	D6
Acre	116	C5
Acri	50	L9
Acu	36	K12
Ada	108	B3
Adak Island	110	(3)C1
Adam	74	G5
Adams Island	96	(2)B1
'Adan	74	E7
Adana	76	F5
Adda	48	E5
Ad Dafrah	79	E5
Ad Dahnā	79	B3
Ad Dakhla	84	B4
Ad Dammām	79	D3
Ad Dawādimī	74	D5
Ad Dawhah	79	D4
Ad Dilam	79	B5
Ad Dir'īyah	79	B4
Addis Ababa = Ādīs Ābeba	88	F2
Ad Dīwānīyah	74	D3
Adel	106	B2
Adelaide	94	G6
Adelaide Peninsula	100	M3
Adelaide River	94	F2
Aden = Adan	74	E7
Aderbissinat	86	F1
Adh Dhayd	79	F4
Adi	70	(2)D3
Adige	48	G5
Adīgrat	82	G5
Adilabad	72	C5
Adin	104	B2
Adīrī	82	B2
Ādīs Ābeba	88	F2
Adi Ugri	82	G5
Adiyaman	74	C2
Adjud	52	Q3
Adler	76	H2
Admiralty Island	100	E5
Admiralty Islands	92	E6
Adoni	72	C5
Adour	44	F10
Adra	46	H8
Adrano	50	J11
Adrar	84	E3
Adrar des Ifôghas	84	F5
Adrar Tamgak	84	G5
Adré	48	H5
Adriatic Sea	50	H4
Adycha	62	P3
Adygeya	76	J1
Adygeysk	76	H1
Adz'vavom	56	L1
Aegean Sea	54	H5
A Estrada	46	B2
Afghanistan	74	H3
'Afîf	82	H3
Afikpo	86	F3
Afognak Island	110	(1)G4
A Fonsagrada	46	C1
Afragóla	50	J8
'Afrîn	76	G5
Afuá	116	G4
'Afula	78	C4
Afyon	54	N6
Agadez	84	G5
Agadir	84	D2
Agadyr'	60	N8
Agalega Islands	80	J7
Agan	62	B4
Agáro	88	F2
Agartala	72	F4
Agathonisi	54	J7
Agattu Island	82	W6
Agde	44	J10
Agen	44	F9
Aginskoye	60	S6
Agios Efstratios	54	H5
Agios Georgios	54	F7
Agios Nikolaos	54	H9
Agnita	52	M4
Agra	72	C3
Agrakhanskiy Poluostrov	76	M2
Agri	50	L8
Ağrı	76	K4
Agrigento	50	H11
Agrinio	54	D6
Agrópoli	50	K8
Agryz	56	K3
Agua Prieta	110	E2
Aguascalientes	112	D4
A Gudiña	46	C2
Aguelhok	84	F5
Águilas	46	J7
Agulhas Negras	116	H8
Agva	54	M3
Ahar	76	M4
Ahaura	96	C6
Ahaus	40	K2
Ahititi	96	E4
Ahlen	40	K3
Ahmadabad	72	B4
Ahmadnagar	72	B5
Ahmadpur East	72	B3
Ahr	38	B6
Ahram	79	D2
Ahrensburg	38	F3
Ahvāz	74	E3
Aichach	38	G8
Aigialousa	76	F6
Aigina	54	F7
Aigio	54	E6
Aigosthena	54	F6
Aihui	62	M6
Aim	62	N5
Ain	44	L7
Ain Beida	84	G1
'Aïn Ben Tili	84	D3
Ain Bessem	46	P8
Ain el Hadjel	46	P9
Ain Oussera	84	F1
Ainsa	46	L2
Ain Sefra	84	E2
Ain Taya	46	P8
Ain-Tédélès	46	L8
Ain Témouchent	46	J9
Airão	116	E4
Aire	42	L8
Air Force Island	100	S3
Airolo	48	D4
Airpanas	70	(2)C4
Aisne	40	F5
Aitape	70	(2)F3
Aitkin	106	B1
Aitutaki	92	K7
Aiud	52	L3
Aix-en-Provence	44	L10
Aix-les-Bains	44	L8
Aizawl	72	F4
Aizkraukle	34	N8
Aizpute	34	L8
Aizu-wakamatsu	66	K5
Ajaccio	50	C7
Aj Bogd Uul	64	B2
Ajdābiyā	82	D1
Ajigasawa	66	L3
Ajka	36	G10
Ajlun	78	C4
Ajmān	79	F4
Ajmer	72	B3
Ajo	110	D2
Akanthou	78	A1
Akaroa	96	D6
Akasha	82	F3
Akashi	66	H6
Akbalyk	60	P8
Akçakale	76	H5
Akçakoca	54	P3
Aken	38	H5
Akhalk'alak'i	76	K3
Akhisar	54	K6
Akhmîm	82	F2
Akhty	76	M3
Akimiski Island	100	Q6
Akita	66	L4
Akjoujt	84	C5
Akka	84	D3
Akkajaure	34	J3
Akkeshi	66	N2
'Akko	78	C4
Akmeqit	74	L2
Aknanes	34	(1)B2
Akobo	88	E2
Akola	72	C4
Akonolinga	86	G4
Akordat	82	G4
Akpatok Island	100	T4
Akqi	60	P9
Akra Drepano	54	G5
Akra Sounio	54	F7
Akra Spatha	54	F9
Akra Trypiti	54	G9
Åkrehamn	34	C7
Akron	106	D2
Aksaray	76	E4
Aksarka	60	M4
Akşehir	54	P6
Akseki	54	P7
Aksha	62	J6
Akshiy	60	P9
Aksu	60	Q9
Aksuat	60	Q8
Āksum	82	G5
Aktau, Kazakhstan	32	K3
Aktau, Kazakhstan	76	N7
Aktobe	56	L4
Aktogay	60	N8
Aktogay	60	P8
Aktuma	60	M8
Akula	88	C3
Akune	66	F8
Akure	86	F3
Akureyri	34	(1)E2
Akwanga	86	F3
Alabama	108	D3
Alaçam	76	F3
Alagoas	116	K5
Alagoinhas	116	K6
Alagón	46	J3
Al Ahmadi	79	C2
Al 'Amārah	74	E3
Alaminos	68	F3
Alamo	104	C3
Alamogordo	110	E2
Alamo Lake	110	D2
Åland	34	K6
Alanya	76	E5
Alappuzha	72	C7
Alaşehir	54	L6
Al 'Ashurīyah	82	H1
Alaska	110	(1)F2
Alaska Peninsula	110	(1)E4
Alaska Range	110	(1)G3
Alassio	48	D6
Alatri	50	H7
Alatyr'	56	J4
Alaverdi	76	L3
Alavus	34	M5
Alaykuu	60	N9
Al 'Ayn	79	F4
Alazeya	62	S2
Alba, Italy	48	D6
Alba, Spain	46	E4
Albacete	46	J5
Alba Iulia	52	L3
Albania	54	B3
Albany	100	Q6
Albany, Australia	94	C6
Albany, Ga., US	108	E3
Albany, Ky., US	108	E2
Albany, N.Y., US	106	F2
Albany, Oreg., US	104	B2
Albardão do João Maria	118	L4
Al Başrah	74	E3
Albatross Bay	94	H2
Albatross Point	96	E4
Al Baydā'	82	D1
Albenga	48	D6
Albert	40	E4
Alberta	100	H6
Albertirsa	36	J10
Albert Kanaal	40	G3
Albert Lea	106	B2
Albert Nile	88	E3
Albertville	44	M8
Albi	44	H10
Albina	116	G2
Albino	48	E5
Albion	104	F1
Ålborg	34	E8
Ålborg Bugt	34	F8
Albox	46	H7
Albstadt	38	E8
Albufeira	46	B7
Āl Bū Kamāl	76	J6
Albuquerque	110	E1
Al Buraymī	74	G5
Alburquerque	46	D5
Albury	94	J7
Al Buşayyah	79	B1
Alcácer do Sal	46	B6
Alcala de Guadaira	46	E7
Alcala de Henares	46	G4
Alcalá la Real	46	G6
Alcamo	50	G11
Alcañiz	46	K3
Alcantarilla	46	J7
Alcaraz	46	H6
Alcaudete	46	F7
Alcazar de San Juan	46	G5
Alcobendas	46	G4
Alcoi	46	K6
Alcolea del Pinar	46	H3
Alcorcón	46	G4
Alcoutim	46	C7
Aldabra Group	90	(2)A2
Aldan	62	M5
Aldan	62	N5
Aldeburgh	40	D2
Alderney	44	C4
Aldershot	40	B3
Aleg	84	C5
Aleksandrov-Sakhalinskiy	62	Q6
Aleksandrovskiy Zavod	62	K6
Aleksandrovskoye	56	Q2

Index

Name		Page	Grid
Alekseyevka	●	60	N7
Aleksinac	●	52	J6
Alençon	●	44	F5
Aleppo = Halab	●	76	G5
Aléria	●	50	D6
Alès	●	44	K9
Aleşd	●	36	M10
Alessándria	●	48	D6
Ålesund	●	34	D5
Aleutian Islands	▣	110	(3)B1
Aleutian Range	●	110	(1)F4
Aleutian Trench	▣	58	W5
Alexander Archipelago	▣	110	(1)K4
Alexander Bay	●	90	B5
Alexander City	●	108	D3
Alexandra	●	96	B7
Alexandreia	●	54	E4
Alexandria = El Iskandarîya, *Egypt*	●	82	E1
Alexandria, *Romania*	●	52	N6
Alexandria, *La., US*	●	108	C3
Alexandria, *Minn., US*	●	106	A1
Alexandria, *Va., US*	●	106	E3
Alexandroupoli	●	54	H4
Alexis Creek	●	100	G6
Aley	●	60	Q7
'Āley	●	78	C3
Aleysk	●	60	Q7
Al Farwāniyah	●	79	B2
Al Fāw	●	79	C2
Alfeld	●	38	E5
Alföld	◉	52	H2
Alfonsine	●	48	H6
Alfreton	●	40	A1
Al Fuhayhil	●	79	C2
Al-Fujayrah	●	79	G4
Algeciras	●	46	E8
Algemesí	●	46	K5
Algena	●	82	G4
Alger	■	84	F1
Algeria	Ⓐ	84	E3
Al Ghāt	●	79	A3
Al Ghaydah	●	74	F6
Alghero	●	50	C8
Algiers = Alger	■	84	F1
Algona	●	106	B2
Al Hadīthah	●	78	E5
Alhama de Murcia	●	46	J7
Al Hamar	●	79	B5
Al Hamīdīyah	●	78	C2
Al Hammādah al Hamrā'	●	84	G3
Al Harūj al Aswad	●	82	C2
Al Hasakah	●	76	J5
Alhaurmin el Grande	●	46	F8
Al Hijāz	●	82	G2
Al Hillah	●	74	D3
Al Hilwah	●	79	B5
Al Hoceima	●	84	E1
Al Hudaydah	●	82	H5
Al Hufūf	●	79	C4
Al Humaydah	●	74	C4
Aliabad	●	79	F2
Aliağa	●	54	J6
Aliakmonas	Ⓩ	54	E4
Āli Bayramlı	●	76	N4
Alicante	●	46	K6
Alice	●	108	B4
Alice Springs	●	94	F4
Alicudi	▣	50	J10
Aligarh	●	72	C3
Alindao	●	88	C2
Alingås	●	34	G8
Alisos	Ⓩ	110	D2
Aliwal North	●	90	D6
Al Jabal al Akhḍar	■	82	D1
Al Jaghbūb	●	82	D2
Al Jālamīd	●	82	G1
Al Jarah	●	79	B2
Al Jawf	●	82	G2
Aljezur	●	46	B7
Al Jifārah	●	79	A5
Al Jubayl	●	79	C3
Aljustrel	●	46	B7
Al Kāmil	●	74	G5
Al Khābūrah	●	79	B4
Al Kharj	●	79	B4
Al Khaṣab	●	79	G3
Al Khawr	●	79	D4
Al Khubar	●	79	D3
Al Khums	●	84	H2
Al Khuwayr	●	79	D3
Alkmaar	●	40	G2
Al Kūt	●	74	D3
Al Kuwayt	■	79	C2
Al Lādhiqīyah	●	76	F6
Allahabad	●	72	D3
Allakh-Yun'	●	62	P4
Alldays	●	90	D4
Allen	●	68	G4
Allendale	●	108	E3
Allentown	●	106	E2
Aller	Ⓩ	38	E4
Aller = Cabañquinta	●	46	E1
Alliance	●	104	F2
Allier	Ⓩ	44	J8
Allinge	●	36	D2
Al Lith	●	82	H3
Alma, *Canada*	●	106	F1
Alma, *Nebr., US*	●	104	G2
Alma, *Wis., US*	●	106	B2
Almada	●	46	A6
Almadén	●	46	F6
Al Madīnah	●	82	G3
Al Majma'ah	●	74	E4
Al Malyak	●	60	M9
Al Manāmah	■	79	D3
Almansa	●	46	J6
Al Marj	●	82	D1
Almaty	●	60	P9
Al Mawsil	●	76	K5
Al Mazāhumīyah	●	79	B4
Almazán	●	46	H3
Almeirim	●	116	G4
Almelo	●	40	J2
Almendralejo	●	46	D6
Almería	●	46	H8
Al'met'yevsk	●	60	J7
Almiros	●	54	E5
Al Mish'āb	●	79	C2
Almonte	●	46	D7
Almora	●	72	C3
Almosa	●	104	E3
Al Mubarraz	●	79	C4
Al Mudawwara	●	78	D7
Al Mukallā	●	74	E7
Al Mukhā	●	82	H5
Almuñécar	●	46	G8
Al Muqdādīyah	●	76	L7
Al Nu'ayrīyah	●	79	C3
Alnwick	●	42	L6
Alonnisos	▣	54	F5
Alor	▣	70	(2)B4
Alor Setar	●	68	C5
Alotau	●	94	K2
Alpena	●	106	D1
Alphen	●	40	G2
Alpi Lepontine	▣	48	D4
Alpine	●	110	E2
Alpi Orobie	▣	48	E4
Alps	▣	48	B5
Al Qadmūs	●	78	D1
Al Qāmishlī	●	76	J5
Al Qar'ah	●	79	B3
Al Qaryāt	●	82	B1
Al Qaryatayn	●	78	E2
Al Qaṭrūn	●	82	B3
Al Qunayṭirah	●	78	C3
Al Qunfudhah	●	82	H4
Al Qurayyāt	●	82	G1
Al Qurnah	●	79	B1
Al Quṣayr	●	79	A1
Al Quṭayfah	●	78	D3
Als	▣	38	E1
Alsask	●	100	K6
Alsasua	●	46	H2
Alsfeld	●	38	E6
Altaelva	Ⓩ	34	M2
Altai Mountains	▣	64	A1
Altamira	●	116	G4
Altamura	●	50	L8
Altanbulag	●	62	H6
Altay	●	60	R7
Altay, *China*	●	60	R8
Altay, *Mongolia*	●	64	B1
Altdorf	●	48	D4
Alte Mellum	▣	38	D3
Altenburg	●	38	H6
Altenkirchen	●	38	J2
Altkirch	●	48	C3
Alto Garças	●	116	G7
Alto Molócuè	●	90	F3
Alton, *UK*	●	40	B3
Alton, *US*	●	106	B3
Altoona	●	106	E2
Alto Parnaíba	●	116	H5
Altötting	●	48	H2
Altun Shan	▣	60	S10
Alturas	●	104	B2
Altus	●	108	B3
Al 'Ubaylah	●	74	F5
Alūksne	●	34	P8
Alupka	●	76	E1
Alushta	●	76	F1
Al 'Uwayqīlah	●	82	H1
Al 'Uzayr	●	79	B1
Alva	●	108	B2
Alvarães	●	116	E4
Älvdalen	●	34	H6
Älvsbyn	●	34	L4
Al Wafrā'	●	79	B2
Al Wajh	●	82	G2
Alwar	●	72	C3
Al Wari'ah	●	79	B3
Alytus	●	36	P3
Alzey	●	38	D7
Alzira	●	46	K5
Amadi	●	88	E2
Amādīyah	●	76	K5
Amadjuak Lake	✔	100	S4
Amadora	●	46	A6
Amahai	●	70	(2)C3
Amakusa-Shimo-shima	▣	66	E7
Amaliada	●	54	D7
Amalner	●	72	C4
Amamapare	●	70	(2)E3
Amami-Ōshima	▣	58	S7
Amanab	●	70	(2)F3
Amándola	●	50	H6
Amantéa	●	50	L9
Amapá	●	116	G3
Amapá	●	116	G3
Amarante	●	116	J5
Amarapura	●	68	B2
Amarillo	●	110	F1
Amasya	●	76	F3
Amay	●	40	H4
Amazar	●	62	L6
Amazon = Amazonas	Ⓩ	114	F4
Amazonas	●	116	D4
Amazonas	Ⓩ	116	E4
Ambala	●	72	C2
Ambanjā	●	90	H2
Ambarchik	●	62	U3
Ambato	●	116	B4
Ambato Boeny	●	90	H3
Ambatondrazaka	●	90	H3
Amberg	●	38	G7
Ambikapur	●	72	D4
Ambilobe	●	90	H2
Amboise	●	44	G6
Ambon	●	70	(2)C3
Ambositra	●	90	H4
Ambovombe	●	90	H5
Amchitka Island	▣	110	(3)B1
Amderma	●	60	L4
Amdo	●	72	F2
Ameland	▣	40	H1
Amengel'dy	●	60	M7
American Falls	●	104	D2
American Samoa	▣	92	J7
Americus	●	108	E3
Amersfoort	●	40	H2
Amery	●	100	N5
Amery Ice Shelf	◉	120	(2)M2
Ames	●	106	B2
Amfilochia	●	54	D6
Amfissa	●	54	E6
Amga	Ⓩ	62	L5
Amga	●	62	N4
Amgun'	Ⓩ	62	P6
Amherst	●	100	U7
Amiens	●	40	E5
Amirante Islands	▣	92	(2)B2
Amistad Reservoir	✔	110	F3
Amlekhganj	●	72	D3
Åmli	●	34	E7
'Ammān	■	78	C5
Ammerland	Ⓩ	40	K1
Ammersee	●	48	F2
Ammochostos	●	76	E6
Ammochostos Bay	►	78	A1
Amo	Ⓩ	62	C2
Amol	●	74	F2
Amorgos	▣	54	H8
Amos	●	106	E1
Ampana	●	70	(2)B3
Ampanihy	●	90	G4
Amparai	●	72	D7
Ampezzo	●	48	H4
Amposta	●	46	L4
Amrān	●	74	D6
Amravati	●	72	C4
Amritsar	●	72	B2
Amroha	●	72	C3
Amrum	▣	38	D2
Amsterdam, *Netherlands*	■	40	G2
Amsterdam, *US*	●	106	F2
Amstetten	●	48	K2
Am Timan	●	82	D5
Amudar'ya	Ⓩ	60	L9
Amundsen Gulf	►	100	G3
Amundsen Sea	►	120	(2)GG3
Amungen	●	34	H6
Amuntai	●	70	(1)F3
Amur	Ⓩ	62	P6
Amursk	●	62	P6
Amvrakikos Kolpos	►	54	C6
Anabar	Ⓩ	62	J2
Anaconda	●	104	D1
Anacortes	●	104	B1
Anadarko	●	104	G3
Anadolu Dağları	▣	76	H3
Anadyr'	●	62	X4
Anadyrskaya Nizmennost'	▣	62	X3
Anadyrskiy Zaliv	●	62	Y3
Anafi	▣	54	H8
'Ānah	●	76	J6
Anaheim	●	110	C2
Anáhuac	●	110	C3
Analalava	●	90	H2
Anamur	●	76	E5
Anan	●	66	H7
Anantapur	●	72	C6
Anan'yiv	●	52	T2
Anapa	●	76	G1
Anápolis	●	116	H7
Anār	●	79	F1
Anārak	●	74	F3
Anardara	●	74	H3
Anatolia	▣	54	M6
Añatuya	●	118	J4
Anchorage	●	110	(1)H3
Ancona	●	50	H5
Ancud	●	118	G7
Anda	●	64	H1
Andalgalá	●	118	H4
Åndalsnes	●	34	D5
Andalusia	●	108	D3
Andaman Islands	▣	68	A4
Andaman Sea	►	68	A4
Andapa	●	90	H2
Andarāb	●	74	J2
Andenne	●	40	H4
Andernach	●	40	K4
Anderson	Ⓩ	100	F3
Anderson	●	108	E3
Andes	▣	114	D5
Andfjorden	►	34	J2
Andipsara	▣	54	H6
Andizhan	●	60	N9
Andkhvoy	●	74	J2
Andoas	●	116	B4
Andong	●	66	E5
Andorra	Ⓐ	46	L2
Andorra la Vella	■	46	M2
Andover	●	40	A3
Andøya	▣	34	H2
Andradina	●	118	L3
Andreanof Islands	▣	110	(3)C1
Andrews	●	110	F2
Andria	●	50	L7
Andros	●	54	G7
Andros, *Greece*	▣	54	G7
Andros, *The Bahamas*	▣	108	F5
Andros Town	●	108	F5
Andrott	▣	72	B6
Andrychów	●	36	J8
Andújar	●	46	F6
Andulo	●	90	B2
Aneto	▲	46	L2
Angara	Ⓩ	62	G5
Angarsk	●	62	G6
Ånge	●	34	H5
Angel de la Guarda	▣	110	D3
Angeles	●	68	G3
Ängelholm	●	34	G8
Angeln	Ⓩ	38	E2
Angermünde	●	38	K4
Angern	●	48	M2
Angers	●	44	E6
Anglesey	▣	42	H8
Angmagssalik = Tasiilaq	●	100	Z3
Ango	●	88	D3
Angoche	●	90	F3
Angol	●	118	G6
Angola	Ⓐ	86	D2
Angola	●	106	D2
Angostura Reservoir	✔	104	F2
Angoulême	●	44	F8
Angren	●	60	M9
Anguilla	▣	112	M5
Aniak	●	110	(1)F3
Anina	●	52	J4
Aniyaman	●	76	H5
Ankang	●	64	D4
Ankara	■	76	E4
Ankazoabo	●	90	G4
Anklam	●	38	J3
Ankpa	●	86	F3
Ånn	●	34	G5
Anna	●	56	H4
Annaba	●	84	G1

Name	Page	Grid
Annaberg-Buchholz	38	H6
An Nabk, *Saudi Arabia*	78	E5
An Nabk, *Syria*	78	D2
An Nafud	82	G2
An Nāʿirīyah	74	E3
An Najaf	74	D3
Annapolis	106	E3
Annapurna	72	D3
Ann Arbor	106	D2
An Nāṣirīyah	82	J1
Annecy	48	B5
Annemasse	48	B4
Anniston	108	D3
Annobón	86	F5
Annonay	44	K8
An Nukhayb	74	D3
Anqing	64	F4
Ansbach	38	F7
Anshan	66	B3
Anshun	64	D5
Ansley	104	G2
Anson	108	B3
Ansongo	84	F5
Antakya	76	G5
Antalaha	90	J2
Antalya	54	N8
Antalya Körfezi	54	N8
Antananarivo	90	H3
Antarctic Peninsula	120	(2)LL3
Antequera	46	F7
Anti-Atlas	84	D3
Antibes	48	C7
Antigo	106	C1
Antigua	112	M5
Antigua and Barbuda	112	M5
Antikythira	54	F9
Antiparos	54	G7
Antipaxoi	54	C5
Antipayuta	60	P4
Antipodes Islands	96	(3)A1
Antlers	108	B3
Antofagasta	118	G3
Antonito	104	E3
Antrim	42	F7
Antropovo	56	H3
Antsalova	90	G3
Antsirabe	90	H3
Antsiranana	90	H2
Antu	66	E2
Antwerp = Antwerpen	40	G3
Antwerpen	40	G3
Anuradhapura	72	D7
Anxi	64	B2
Anyang, *China*	64	E3
Anyang, *South Korea*	66	D5
Anyuysk	62	U3
Anzhero-Sudzhensk	60	R6
Anzio	50	G5
Aoga-shima	66	K7
Aomori	66	L3
Aosta	48	C5
Aoukâr	84	C5
Aoukoukar	86	C1
Apalachee Bay	108	E4
Apalachicola	108	D4
Aparri	68	G3
Apatin	52	F4
Apatity	56	F1
Ape	34	P8
Apeldoorn	40	H2
Api	72	D2
Apia	92	J7
Apoera	116	F2
Apolda	38	G5
Apollo Bay	94	H7
Aporé	116	G7
Apostle Islands	106	B1
Apoteri	116	F3
Appalachian Mountains	108	E3
Appennino	50	G5
Appennino Abruzzese	50	H6
Appennino Calabro	50	K10
Appennino Lucano	50	K8
Appennino Tosco-Emiliano	48	E6
Appennino Umbro-Marchigiano	50	H6
Appleton	106	C2
Aprilia	50	G7
Apure	116	D2
Apurímac	116	C6
Āqā	74	H3
ʾAqaba	78	C7
Aquidauana	116	F3
Ara	72	D3
Arabian Sea	74	H6
Aracaju	116	K6
Aracati	116	K4
Araçatuba	116	G8
Aracuca	112	L7
Arad	52	J3
Arãdah	74	F5
Arafura Sea	70	(2)D5
Aragarças	116	G7
Araguaia	114	F4
Araguaina	116	H5
Araguari	116	H7
Araguatins	116	H5
Arãk	74	E3
Arak	84	F3
Aral Sea	60	K8
Aral'sk	56	M5
Aranda de Duero	46	G3
Aranđelovac	52	H5
Aran Island	42	D6
Aran Islands	42	B8
Aranjuez	46	G4
Aranos	90	B4
Aranyaprathet	68	C4
Araouane	84	E5
Arapahoe	104	G2
Arapiraca	116	K5
'Arʿar	74	D3
Araras	116	G5
Ararat	76	L4
Arauca	116	D2
Araxá	116	H7
Araz	76	L4
Arbīl	76	K5
Arbon	48	E3
Arbre du Ténéré	84	G5
Arbroath	42	K5
Arcachon	44	D9
Arcadia	108	E4
Arcata	104	B2
Archidona	46	F7
Archipelago of the Recherche	94	D6
Archipel de la Société	92	L7
Archipel des Tuamotu	92	M7
Archipiélago de Camagüey.	112	J4
Archipiélago de la Reina Adelaida	118	F9
Archipiélago de los Chonos	118	F7
Arco	104	D2
Arcos de la Frontera	46	E8
Arctic Bay	100	P2
Arctic Ocean	120	(1)A1
Arctic Red River	100	E3
Arda	54	H3
Ardabīl	76	N4
Ardahan	76	K3
Årdalstangen	34	D6
Ardas	54	J3
Ardatov	56	J4
Ardennes	40	G4
Ardestãn	74	F3
Ardila	46	C6
Ardmore	102	G5
Aredo	70	(2)D3
Areia Branca	116	K5
Arendal	34	E7
Arenys de Mar	46	N3
Arequipa	116	C7
Arere	116	G4
Arévalo	46	F3
Arezzo	50	F5
Argan	60	R9
Argenta	48	G6
Argentan	40	B6
Argentina	118	H6
Argenton-sur-Creuse	44	G7
Argeş	52	N5
Argolikos Kolpos	54	E7
Argos	54	E7
Argos Orestiko	54	D4
Argostoli	54	C6
Argun'	62	K6
Argungu	86	E2
Argunsk	62	L6
Argyll	42	G5
Århus	34	F8
Ariano Irpino	50	K7
Ari Atoll	72	B8
Arica	116	C7
Ariège	44	G11
Arihge	46	M2
Aripuanã	116	F6
Aripuanã	116	E5
Aripuanã	116	E5
Ariquemes	116	E5
Arizona	110	D2
Arjäng	34	G7
Arjona	62	Q5
Arkadak	56	H4
Arkadelphia	108	C3
Arkalyk	60	M7
Arkansas	108	C3
Arkansas	108	C3
Arkansas City	108	B2
Arkhalts'ikhe	76	K3
Arkhangel'sk	56	H2
Arkhipelag Nordenshel'da.	60	R2
Arklow	42	F9
Arkoudi	54	C6
Arles	44	K10
Arlington, *Oreg., US*	104	B1
Arlington, *Tex., US*	108	B3
Arlington, *Va., US*	106	E3
Arlit	84	G5
Arlon	40	H4
Armagh	42	F7
Armavir	76	J1
Armenia	76	K3
Armenia	116	B3
Armentières	40	E4
Armidale	94	K6
Armstrong	100	P6
Armyans'k	56	F5
Arnedo	46	H2
Arnett	108	B2
Arnhem	40	H3
Arnhem Land	94	F2
Arno	48	F7
Arnøy	34	G3
Arnøya	34	L1
Arnprior	106	E1
Arnsberg	40	L3
Arnstadt	38	F6
Arolsen	38	E5
Arorae	92	H6
Arquipélago dos Bijagós	86	A2
Ar Ramādī	74	D3
Ar Ramlah	78	C7
Arran	42	G6
Ar Raqqah	76	H6
Arras	40	E4
Arrasate	46	H1
Ar Rastan	78	D2
Ar Rawdah	74	E7
Ar Rayn	79	A5
Arrecife	84	C3
Ar Riyāḍ	74	E5
Arrow Lake	104	C1
Arroyo Grande	110	B1
Ar Ruṣāfah	74	H6
Ar Rustāq	74	G5
Ar Rutba	74	D3
Ar Ruways	74	F5
Årsandøy	34	G4
Arsié	48	G5
Arta, *Greece*	54	C5
Arta, *Mallorca.*	46	P5
Artem	66	G2
Artemovsk	60	S7
Artemovskiy	62	K5
Artesia	110	F2
Arthur	104	F2
Arthur's Town	108	F5
Artigas	118	K5
Artillery Lake	100	J4
Artsyz	52	S4
Artux	60	P10
Artvin	76	J3
Artyk	62	Q4
Aru	92	D6
Arua	88	E3
Aruba	112	K6
Arumã	116	E4
Arusha	88	F4
Arvayheer	64	C1
Arviat	100	N4
Arvidsjaur	34	K4
Arvika	34	G7
Ary	60	Y3
Aryta	62	M4
Arzamas	56	H3
Arzew	46	K9
Arzignano	48	G5
Asahi-dake	66	M2
Asahikawa	66	M2
Āsalē	82	G5
Asansol	72	E4
Asarum	36	D1
Asbest	56	M3
Ascension	80	B6
Ascensión	116	E7
Aschaffenburg	38	E7
Aschersleben	38	G5
Áscoli Piceno	50	H6
Āsela	88	F2
Åsele	34	J4
Asenovgrad	54	G3
Asha	56	L3
Ashburton	96	C6
Asherton	108	B4
Asheville	106	D3
Ashford	40	C3
Ash Fork	110	D1
Ashgabat	74	G2
Ashington	42	L6
Ashizuri-misaki	66	G7
Ashkhabad = Ashgabat	74	G2
Ashland, *Kans., US*	104	G3
Ashland, *Ky., US*	106	D3
Ashland, *Mont., US*	104	E1
Ashland, *Oreg., US*	104	B2
Ashland, *Wis., US*	106	B1
Ashqelon	78	B5
Ash Shadādah	76	J5
Ash Shāriqah	79	F4
Ash Shihr	74	E7
Ash Shu'bah	79	A2
Ash Shurayf	82	G2
Ash Shuwayrif	84	H3
Ashtabula	106	D2
Ashuanipi	100	T6
Ashuanipi Lake	100	T6
Asia	92	B2
Āsika	72	D5
Asilah	84	D1
Asinara	50	C7
Asino	60	R6
Asīr	82	H3
Aşkale	76	J4
Askim	34	F7
Askot	72	D3
Asmara	82	G4
Åsnen	34	H8
Aso	48	J7
Åsosa	88	E1
Aspang Markt	48	M3
Aspe	46	K6
Aspermont	110	F2
As Pontes de Garcia Rodriguez	46	C1
As Sa'an	78	E1
Assab	82	H5
Aş Ṣalīf	74	D6
As Salmān	74	E3
As Salwā	79	D4
Assamakka	84	G5
Aş Samāwah	74	J1
Aş Ṣanamayn	78	D3
As Sarīr	82	D2
Asse	40	G4
Assen	40	J2
Assens	38	E1
As Sīb	79	H5
As Sidrah	82	C1
Assiniboia	100	K7
Assiniboine	100	M7
Assis	118	L3
Assisi	50	G5
As Sukhnah	76	H6
As Sulaymānīyah	76	L6
As Sulayyil	74	E5
Assumption Island	88	H5
As Suwaydā'	78	D4
As Suwayh	74	G5
Astakida	54	J9
Astana	60	N7
Astara	74	E2
Asti	48	D6
Astorga	46	D2
Astoria	104	B1
Astove Island	88	H6
Astrakhan'	56	J5
Astypalaia	54	J8
Asunción	118	K4
Aswân	82	F3
Aswân Dam	82	F3
Asyût	82	F2
As Zaydīyah	82	H4
Ata	92	J8
Atafu	92	J6
Atakpamé	86	E3
Atâr	84	C4
Atasu	60	N8
Atbara	82	F4
Atbasar	56	N4
Atchison	108	B2
Aterno	50	H6
Ath	40	F4
Athabasca	100	J5
Athens = Athina	54	F7
Athens, *Al., US*	108	D3
Athens, *Ga., US*	108	E3
Athens, *Oh., US*	108	E2
Athens, *Tenn., US*	108	E2
Athens, *Tex., US.*	108	B3
Athina	54	F7
Athlone	42	E8

Name	Page	Grid
Ath Thāyat	78	D7
Athy	42	F8
Ati	82	C5
Atiamuri	96	F4
Atico	116	C7
Atikokan	106	B1
Atka	62	S4
Atka Island	110	(3)C1
Atlanta	108	E3
Atlantic, Ia., US.	108	B1
Atlantic, N.C., US	108	F3
Atlantic City	106	F3
Atlantic Ocean	42	C2
Atlantic Ocean	80	C7
Atlas Bogd	64	B2
Atlas Mountains	46	N9
Atlasovo	62	T5
Atlas Saharien	84	E2
Atlin	100	E5
Atmakur	72	C5
Atmore	108	D3
Atoka	108	B3
Atokos	54	C6
Atol das Rocas	116	L4
Aṭ Ṭā'if	74	D5
Attapu	68	D4
Attawapiskat	100	Q6
Attersee	48	J3
Attica	106	C2
Attu Island	110	(3)A1
Attu Island	120	(1)KK4
At Turbah	82	H5
Atyrau	56	K5
Aubagne	44	L10
Aubange	40	H5
Aube	44	K5
Aubenas	44	K9
Aubry Lake	100	F3
Auburn, Al., US.	108	D3
Auburn, Calif., US	104	B3
Auburn, Nebr., US.	104	G2
Auburn, Wash., US	104	B1
Aubusson	44	H8
Auce	36	M1
Auch	44	F10
Auchi	86	F3
Auckland	96	E3
Auckland Island	96	(2)B1
Aude	44	H10
Aue	38	H6
Auerbach	38	H6
Augathella	94	J5
Augsburg	48	F2
Augusta, Australia	94	C6
Augusta, Italy	50	K11
Augusta, Ga., US	108	E3
Augusta, Me., US	106	G2
Augustów	36	M4
Aulla	48	E6
Aurangābād	72	C5
Auray	44	C6
Aurich	40	K1
Aurillac	44	H9
Aurora, Colo., US	104	F3
Aurora, Ill., US	106	C2
Aurora, Mo., US	108	C2
Aurukun	94	H2
Aus	90	B5
Auschwitz = Oświęcim	36	J7
Austin, Minn., US	106	B2
Austin, Nev., US	104	C3
Austin, Tex., US	108	B3
Australia	94	E4
Australian Alps	92	E9
Australian Capital Territory	94	J7
Austria	48	J3
Autun	44	K7
Auxerre	44	J6
Avallon	44	J6
Avam	62	E2
Āvārsin	76	M4
Aveiro	46	B4
Avellino	50	J8
Averøya	34	D5
Avesnes-sur-Helpe	40	F4
Avesta	34	J6
Avezzano	50	H6
Aviemore	42	J4
Avignon	44	K10
Ávila	46	F4
Avilés	46	E1
Avion	40	E4
Avola	50	K12
Avon, UK	40	A2
Avon, UK	40	A3
Avranches	44	D5
Avrig	52	M4
Awaji-shima	66	H6
Awanui	96	D2
Awat	60	Q9
Awatere	96	D5
Awbārī	82	B2
Awjilah	82	D2
Awka	86	F3
Ax-les-Thermes	44	G11
Ayacucho	116	C6
Ayaguz	60	Q8
Ayakkuduk	60	M9
Ayamonte	46	C7
Ayan	62	E3
Ayan	62	P5
Aya Napa	78	A2
Ayancık	76	F3
Ayanka	62	V4
Ayaviri	116	C6
Aydın	76	B5
Aydıncık	54	R8
Ayers Rock = Uluru	94	F5
Aykhal	62	J3
Aykino	60	H5
Aylesbury	40	B3
Aylmer Lake	100	K4
Ayní	60	M10
Ayní	74	J2
Ayn 'Isá	76	H5
Ayoûn el 'Atroûs	84	D5
Ayr, Australia	94	J3
Ayr, UK	42	H6
Aytos	52	Q7
Ayutthaya	68	C4
Ayvalık	54	J5
Azaila	46	K3
Azaouâd	84	E5
Āzārān	76	M5
Azare	86	G2
A'zāz	76	G5
Azdavay	54	R3
Azerbaijan	76	M3
Azogues	116	B4
Azores = Açores	84	(1)B2
Azov	56	G5
Azpeitia	46	H1
Aztec	104	E3
Azuaga	46	E6
Azul	118	K6
Az Zabadānī	78	D3
Az Zahrān	79	D3
Az Zāwīyah	82	B1
Az Zubayr	79	B1

B

Name	Page	Grid
Ba'albek	78	D2
Baardheere	88	G3
Babadag	52	R5
Babaeski	54	K3
Bāb al Mandab	74	D7
Babanusa	88	D1
Babar	70	(2)C4
Babayevo	56	G3
Babayurt	76	M2
Babo	70	(2)D3
Bābol	74	F2
Babruysk	56	E4
Babura	86	F2
Babushkin	62	H6
Babuyan Islands	68	G3
Bacabal	116	J4
Bacan	70	(2)C3
Bacău	52	P3
Baccarat	48	B2
Bachu	74	L2
Back	100	M3
Bačka Palanka	52	G4
Bačka Topola	52	G4
Backnang	48	E2
Bac Liêu	68	D5
Bacolod	68	G4
Badajós	116	H4
Badajoz	46	C6
Bad al Milh	76	K7
Badalona	46	N3
Bad Ausee	48	J3
Bad Bentheim	40	K2
Bad Berleburg	38	D5
Bad Doberan	38	G2
Bad Dürkheim	38	D7
Bad Ems	40	K4
Baden	36	F9
Baden-Baden	48	D2
Bad Freienwalde	38	K4
Badgastein	48	J3
Badgingarra	94	C6
Bad Harzburg	38	F5
Bad Hersfeld	38	E6
Bad Homburg	38	D6
Bad Honnef	40	K4
Badin	72	A4
Bad Ischl	48	J3
Bādiyat ash Shām	78	D4
Bad Kissingen	38	F6
Bad Kreuznach	40	K5
Bad Langensalza	38	F5
Bad Lauterberg	38	F5
Bad Liebenwerda	38	J5
Bad Mergentheim	38	E7
Bad Nauheim	38	D6
Bad Neuenahr-Ahrweiler	40	K4
Bad Neustadt	38	F6
Bad Oeynhausen	38	D4
Badong	64	E4
Bad Reichenhall	48	H3
Bad Säckingen	38	C9
Bad Salzuflen	38	D4
Bad Salzungen	38	F6
Bad Schwartau	38	F3
Bad Segeberg	38	F3
Bad Sobernheim	40	K5
Bad Urach	48	E2
Bad Vöslau	52	D2
Bad Waldsee	48	E3
Bad Wilbad	38	D2
Bad Wildungen	38	E5
Bad Windsheim	38	F7
Bad Wurzach	48	E3
Baena	46	F7
Bærum	34	F7
Baeza	46	G6
Baffin Bay	98	J2
Baffin Island	100	R2
Bafia	86	G4
Bafoulabé	86	B2
Bafoussam	86	G3
Bāfq	74	G3
Bafra	76	F3
Bafra Burun	76	G3
Bāft	79	G2
Bafwasende	88	D3
Baga	82	B5
Bagani	90	C3
Bagaroua	86	E2
Bagdad	110	D2
Bagdarin	62	J6
Bagé	118	L5
Baggs	104	E2
Baghdād	74	D3
Bagheria	50	H10
Baghlān	74	J2
Bagnères-de-Bigorre	44	F10
Bagno di Romagna	48	G7
Bagnols-sur-Cèze	44	K9
Baguio	68	G3
Bagun Datuk	70	(1)C2
Baharampur	72	E4
Bahawalnagar	72	B3
Bahawalpur	72	B3
Bahçe	76	G5
Bahia	116	J6
Bahía Blanca	118	J6
Bahía Blanca	118	J6
Bahía de Banderas	112	C4
Bahía de Campeche	112	F4
Bahía de Manta	116	A4
Bahía de Petacalco	112	D5
Bahía de Pisco	116	B6
Bahía de Santa Elena	116	A4
Bahía de Sechura	116	A5
Bahía Grande	118	H9
Bahia Kino	102	D6
Bahia Kino	112	B3
Bahía Negra	118	K3
Bahía Samborombón	118	K6
Bahir Dar	82	G5
Bahraich	72	D3
Bahrain	79	D4
Baḥrat Ḥimṣ	78	D2
Bahr el Abiad	82	F5
Bahr el Azraq	82	F5
Bahr el Ghazal	82	C5
Bahr el Ghazal	88	D2
Bahr el Jebe	88	E2
Bahr el Nîl = Nile	82	F4
Baía de Marajó	116	H4
Baía de Todos os Santos	116	K6
Baía do Bengo	86	G6
Baia Mare	52	L2
Baião	116	H4
Baia Sprie	52	L2
Baïbokoum	88	B2
Baicheng, China	60	Q9
Baicheng, China	64	G1
Baie Comeau	106	G1
Baie de la Seine	40	B5
Baie de la Somme	40	D4
Baie du Poste	100	S6
Baie St. Paul	106	F1
Baiji	76	K6
Baile Átha Cliath = Dublin	42	F6
Bailén	46	G6
Bailleul	40	E4
Bailundo	90	B2
Bainbridge	108	E3
Bairiki	92	H5
Bairin Yuoqi	64	F2
Bairin Zuoqi	64	F2
Bairnsdale	94	J7
Bais	68	G5
Baja	52	F3
Baja California	102	C5
Bakchar	60	Q6
Bakel	86	B2
Baker	92	J5
Baker, Calif., US	104	C3
Baker, Mont., US	104	F1
Baker, Oreg., US	104	C2
Baker Lake	100	M4
Baker Lake	100	N4
Bakersfield	110	C1
Bakhta	62	D4
Baki	74	E1
Bakkafjörður	34	(1)F1
Bakkaflói	34	(1)F1
Baku = Baki	74	E1
Balā	76	E4
Balabac	68	F5
Balabac Strait	68	F5
Balagansk	62	G6
Balaghat	72	D4
Balaguer	46	L3
Balakhta	60	S6
Balaklava	76	E1
Balakovo	56	J4
Bālā Morghāb	60	L10
Bālan	52	N3
Balängïr	72	D4
Balashov	56	H4
Balassagyarmat	52	G1
Balaton	52	E3
Balatonfüred	52	E3
Balatonlelle	52	E3
Balchik	76	C2
Balclutha	96	B8
Bald Knob	106	B3
Baldwin	108	E3
Balearic Islands = Islas Baleares	46	N5
Bāleshwar	72	E4
Baley	62	K6
Baléyara	86	E2
Balguntay	60	R9
Bali	70	(1)F4
Balige	70	(1)B2
Balıkesir	54	K5
Balıkpapan	70	(1)F3
Balimo	70	(2)F4
Balingen	48	D2
Balintang Channel	68	G3
Balkhash	60	N8
Ballarat	94	H7
Balleny Island	120	(2)Y3
Ballina, Australia	94	K5
Ballina, Ireland	42	C7
Ballinasloe	42	D8
Ballinger	110	G2
Ball's Pyramid	94	L6
Ballymena	42	F7
Balmazújváros	52	J2
Balotra	72	B3
Balranald	94	H6
Balş	52	M5
Balsas	112	D5
Balsas	116	H5
Balta	52	S2
Bălţi	52	Q2
Baltic Sea	34	J8
Baltijsk	36	J3
Baltimore	106	E3
Baltrum	38	C3
Balvi	34	P8
Balykchy	60	P9
Balykshi	56	K5
Bam	74	G4
Bamaga	94	H2
Bamako	86	C2
Bamba	84	E5
Bambari	88	C2
Bamberg	38	F7
Bambesa	88	D3
Bambouk Kaarta	86	B2
Bamenda	86	G3

Name	Page	Ref
Bāmīān	74	J3
Banaba	92	G6
Bañados del Izozog	116	E7
Banalia	88	D3
Banana, *Australia*	94	K4
Banana, *Dem. Rep. of Congo*	88	A5
Banaz	54	M6
Ban Ban	68	C3
Banbury	42	L9
Banda	72	D3
Banda Aceh	68	B5
Bandama	86	C3
Bandar-e 'Abbās	79	G3
Bandar-e Anzalī	74	E2
Bandar-e Deylam	79	D1
Bandar-e Ganāveh	79	D2
Bandar-e Khoemir	79	F3
Bandar-e Lengeh	79	F3
Bandar-e Ma'shur	79	C1
Bandar-e Torkeman	74	F2
Bandar Khomeynī	79	C1
Bandar Lampung	70	(1)D4
Bandar Seri Begawan	70	(1)E2
Band-e Moghūyeh	79	F3
Bandirma	54	K4
Bandundu	88	B4
Bandung	70	(1)D4
Bāneasa	52	Q5
Bāneh	76	L6
Banff, *Canada*	100	H6
Banff, *UK*	42	K4
Bangalore	72	C6
Bangangté	86	G3
Bangassou	88	C3
Bangbong	70	(2)B3
Banggi	70	(1)F1
Banghāzī	82	D1
Bangka	70	(1)D3
Bangkok = Krung Thep	68	C4
Bangladesh	72	E4
Bangor, *N.Ire., UK*	42	G7
Bangor, *Wales, UK*	42	H8
Bangor, *US*	106	G2
Bang Saphan Yai	68	B4
Bangui	88	B3
Ban Hat Yai	68	C5
Ban Hua Hin	68	B4
Bani-Bangou	86	E1
Banī Walīd	84	H2
Bāniyās	76	F6
Banja Luka	52	E5
Banjarmasin	70	(1)E3
Banjul	86	A2
Ban Khemmarat	68	D3
Banks Island = Moa, *Australia*	94	H2
Banks Island, *B.C., Canada*	100	E6
Banks Island, *N.W.T., Canada*	100	G2
Banks Lake	104	C1
Banks Peninsula	96	D6
Banks Strait	94	J8
Bannerman Town	108	F5
Bannu	72	B2
Bánovce	36	H9
Banská	36	J9
Banská Štiavnica	36	H9
Bansko	54	F3
Bantry	42	C10
Banyo	86	G3
Banyoles	46	N2
Banyuwangi	70	(1)E4
Baode	64	E3
Baoding	64	F3
Baoji	64	D4
Bao Lôc	68	D4
Baoro	88	B2
Baoshan	68	B1
Baotou	64	E2
Baoying	64	F4
Bapaume	40	E4
Ba'qūbah	74	D3
Baquedano	118	H3
Bar	52	G7
Barabai	70	(1)F3
Baraboo	106	C2
Barakaldo	46	H1
Baramati	72	B5
Baramula	72	B2
Baran	72	C3
Baranavichy	56	E4
Baraolt	52	N3
Barbados	116	F1
Barbastro	46	L2
Barbate	46	E8
Barbuda	112	M5
Barcaldine	94	J4
Barcău	52	K2
Barcellona Pozzo di Gotto	50	K10
Barcelona, *Spain*	46	N3
Barcelona, *Venezuela*	112	M6
Barcelos, *Brazil*	116	E4
Barcelos, *Spain*	46	B3
Barco de Valdeorras = O Barco	46	D2
Barcs	52	E4
Bārdā	76	M3
Bardai	82	C3
Barddhamān	72	E4
Bardejov	36	L8
Bareilly	72	C3
Barents Sea	60	E3
Barentu	82	G4
Bareo	70	(1)F2
Barga	72	D2
Bargaal	88	J1
Barguzin	62	H6
Bar Harbor	106	G2
Bari	50	L7
Barikot	72	B1
Barinas	116	C2
Bârīs	82	F3
Barisal	72	F4
Barito	70	(2)A3
Barkam	64	C4
Barkava	34	P8
Barkly Tableland	94	F3
Barkol	60	S9
Bârlad	52	Q3
Bârlad	52	Q3
Bar-le-Duc	40	H6
Barletta	50	L7
Barmer	72	B3
Barmouth Bay	42	H9
Barnaul	60	Q7
Barnsley	42	L8
Barnstaple	42	H10
Barnstaple Bay	42	H10
Barpeta	72	F3
Barquisimeto	116	D1
Barr	48	C2
Barra, *Brazil*	116	J6
Barra, *UK*	42	E4
Barracão do Barreto	116	G5
Barra do Bugres	116	F7
Barra do Corda	116	H5
Barra do Garças	116	G7
Barra do São Manuel	116	G5
Barragem de Santa Clara	46	B7
Barragem de Sobradinho	116	J5
Barragem do Castelo de Bode	46	B5
Barragem do Maranhão	46	C6
Barranca, *Peru*	116	B4
Barranca, *Peru*	116	B6
Barranquilla	112	K6
Barreiras	116	H6
Barreiro	46	A6
Barretos	116	H8
Barrie	106	E2
Barron	106	B1
Barrow	110	(1)F1
Barrow-in-Furness	42	J7
Barrow Island	94	B4
Barrow Strait	100	N2
Barshatas	60	P8
Barsi	72	C5
Barstow	110	C2
Bar-sur-Aube	44	K5
Barth	38	H2
Bartin	76	E3
Bartle Frere	92	E7
Bartlesville	108	B2
Bartlett	104	G2
Bartoszyce	36	K3
Barus	70	(1)B2
Baruun Urt	64	E1
Barwani	72	B4
Barysaw	56	E4
Basaidu	79	F3
Basankusu	88	B3
Basarabeasca	52	R3
Basarabi	52	R5
Basca	50	C2
Basel	48	C3
Bashkiriya	56	K4
Bāsht	79	D1
Basilan	70	(2)B1
Basildon	40	C3
Basiluzzo	50	K10
Basingstoke	42	L10
Başkale	76	K4
Basoko	88	C3
Bassano	102	D1
Bassano del Grappa	48	G5
Bassar	86	E3
Bassas da India	90	F4
Basse Santa Su	84	C6
Basse Terre	112	M5
Bassett	104	G2
Bass Strait	94	H7
Bassum	38	D4
Bastak	79	F3
Bastānābād	76	M5
Basti	72	D3
Bastia	50	D6
Bastogne	40	H4
Bastrop, *La., US*	108	C3
Bastrop, *Tex., US*	108	B3
Bata	86	F4
Batagay	62	N3
Batak	54	G3
Batamay	62	M4
Batangas	68	G4
Batan Islands	68	G2
Batanta	70	(2)C3
Batemans Bay	94	K7
Batesville	108	D3
Bath, *UK*	42	K10
Bath, *US*	106	E2
Bathinda	72	B2
Bathurst, *Australia*	94	J6
Bathurst, *Canada*	100	T7
Bathurst Inlet	100	K3
Bathurst Island, *Australia*	94	E2
Bathurst Island, *Canada*	100	M1
Batman	74	D2
Batna	84	G1
Baton Rouge	108	C3
Bātonyterenye	52	G2
Batroûn	76	C2
Battipaglia	50	J8
Battle	64	J6
Battle Creek	106	C2
Battle Harbour	100	V6
Battle Mountain	104	C2
Batu	88	F2
Batui	70	(2)B3
Bat'umi	76	J3
Batu Pahat	70	(1)C2
Baturino	60	R6
Baubau	70	(2)B4
Bauchi	86	F2
Baudette	106	B1
Baukau	70	(2)C4
Baume-les-Dames	44	M6
Bauru	118	M3
Bauska	34	M8
Bautzen	36	D6
Bawean	70	(1)E4
Bawiti	82	E2
Bawku	86	D2
Bayamo	112	J4
Bayanaul	60	P7
Bayandelger	62	H7
Bayan Har Shan	64	B4
Bayanhongor	64	C1
Bayan Mod	64	C2
Bayan Obo	64	D2
Bayansumküre	60	Q9
Bayburt	76	J3
Bay City, *Mich., US*	106	D2
Bay City, *Tex., US*	108	B4
Baydhabo	88	G3
Bayerische Alpen	48	G3
Bayeux	40	B5
Bayfield	106	B1
Bayindir	54	K6
Bāyir	78	D6
Baykit	60	T5
Baykonur	60	M8
Bay Minette	108	D3
Bay of Bengal	72	E5
Bay of Biscay	44	C4
Bay of Fundy	100	T8
Bay of Islands	96	E2
Bay of Plenty	96	F3
Bayonne	44	D10
Bayramaly	74	H2
Bayramiç	54	J5
Bayreuth	38	G7
Baysun	74	J2
Bayt al Faqīh	82	H5
Bay View	96	F4
Baza	46	H7
Bazas	44	E9
Bazdar	74	J4
Beach	104	F1
Beachy Head	40	C4
Beagle Gulf	94	E2
Bealanana	90	H2
Bear Island	42	B10
Bear Island = Bjørnøya	60	B3
Bear Lake	104	D2
Beasain	46	H1
Beas de Segura	46	H6
Beatrice	108	B1
Beatty	110	C1
Beaufort, *Malaysia*	70	(1)F1
Beaufort, *N.C., US*	108	F3
Beaufort, *S.C., US*	108	E3
Beaufort Sea	98	Q2
Beaufort West	90	C6
Beaumont	108	C3
Beaune	44	K6
Beauvais	40	E5
Beaver	104	D3
Beaver Creek	110	(1)J3
Beaver Dam	106	C3
Beaver Falls	106	D2
Beawar	72	B3
Beazley	118	H5
Bebra	38	E6
Bečej	52	H4
Béchar	84	E2
Beckley	108	E2
Becks	96	B7
Beckum	40	L3
Beclean	52	M2
Bedford, *UK*	42	M9
Bedford, *US*	108	D2
Bedworth	40	A2
Beenleigh	94	K5
Beer Menuha	78	C6
Be'ér Sheva'	78	B5
Beeville	108	B4
Behbehān	79	D1
Bei'an	62	M7
Beihai	68	D2
Beijing	64	F3
Beipan	64	D5
Beipiao	64	G2
Beira	90	E3
Beirut = Beyrouth	78	C3
Beiuș	52	K3
Beizhen	66	A3
Béja	84	G1
Bejaïa	84	G1
Béjar	46	E4
Bekdash	74	F1
Békés	36	L11
Békéscsaba	52	J3
Bekily	90	H4
Bela	74	J4
Bela Crkva	52	J5
Belaga	70	(1)E2
Belarus	32	G2
Bela Vista	90	E5
Belaya	56	K3
Belaya Gora	62	R3
Bełchatów	36	J6
Belcher Islands	100	Q5
Beledweyne	88	H3
Belém	116	H4
Belen	112	C2
Belfast	42	G7
Belfield	104	F1
Belfort	48	B3
Belgazyn	60	T7
Belgium	40	G4
Belgorod	56	G4
Belgrade = Beograd	52	H5
Beli	86	G3
Belice	50	H11
Beli Manastir	52	F4
Belinyu	70	(1)D3
Belitung	70	(1)D3
Belize	112	G5
Belize	112	G5
Bellac	44	G7
Bella Coola	100	F6
Bellary	72	C5
Bellefontaine	106	D2
Belle Fourche	104	F2
Belle Glade	108	E4
Belle Île	44	B6
Belle Isle	100	V6
Bellême	44	F5
Belleterre	106	E1
Belleville, *Canada*	106	E2
Belleville, *US*	108	B2
Bellingham	104	B1
Bellingshausen Sea	120	(2)JJ4
Bello	116	B2
Belluno	48	H4
Bellyk	62	E6
Belmont	106	E2
Belmonte, *Brazil*	116	K7
Belmonte, *Spain*	46	H5
Belmopan	112	G5

Index

Name	Page	Grid
Belmullet	42	B7
Belogorsk	62	M6
Belogradchik	52	K6
Belo Horizonte	116	J7
Beloit, *Kans., US.*	108	B2
Beloit, *Wis., US.*	106	C2
Belomorsk	56	F2
Belorechensk	76	H1
Beloretsk	56	L4
Belo Tsiribihina	90	G3
Belovo	60	R7
Beloyarskiy	60	M5
Beloye More	56	G1
Belozersk	56	G2
Belozerskoye	56	N3
Belye Vody	60	M9
Belyy Yar	60	Q6
Belzig	38	H4
Bembibre	46	D2
Bemidji	106	A1
Bena Dibele	88	C4
Benavente	46	E3
Benbecula	42	E4
Bend	104	B2
Bender-Bayla	88	J2
Bender Qaasim	88	H1
Bendigo	95	H7
Bendorf	40	K4
Bene	90	E3
Benešov	36	D8
Benevento	50	J7
Bengbu	64	F4
Bengkulu	70	(1)C3
Benguela	90	A2
Benguerir	84	D2
Benha	82	F1
Beni	88	D3
Beni.	116	D6
Beni Abbès	84	E2
Benicarló	46	L4
Benidorm	46	K6
Benī Mazâr	82	F2
Beni Mellal	84	D2
Benin.	86	E2
Benin City	86	F3
Beni Saf.	46	J9
Beni Slimane	46	P8
Beni Suef	82	F2
Benito Juárez	118	K6
Benjamin Constant	116	D4
Benkelman	104	F2
Benkovac	48	L6
Ben More Assynt.	42	H3
Ben Nevis	42	H5
Bennington	106	F2
Benoud	84	F2
Bensheim.	38	D7
Benson, *Ariz., US.*	110	D2
Benson, *Minn., US.*	102	G2
Benteng	70	(2)B4
Bentinck Island	94	G3
Bentonville	108	C2
Bentung	70	(1)C2
Benue	86	G3
Benxi	64	G2
Beograd.	52	H5
Bepazarı	76	D3
Berat	54	B4
Beravina	90	H3
Berber.	82	F4
Berbera	82	H5
Berbérati	88	B3
Berchtesgaden	48	J3
Berck	40	D4
Berdigestyakh.	62	M4
Berdyans'k	56	G5
Berdychiv.	56	E5
Bereeda.	88	J1
Berehove	52	K1
Bererreá	46	C2
Berettyóújfalu.	52	J2
Berettys.	36	L10
Bereznik.	56	H2
Berezniki	56	L3
Berezovo	56	N2
Berezovyy	62	P6
Berga	46	M2
Bergama	54	K5
Bérgamo	48	E5
Bergara	46	H1
Bergedorf	38	F3
Bergen, *Netherlands*	40	G2
Bergen, *Norway*	34	C6
Bergen, *Germany*	38	J2
Bergen, *Germany*	38	E4
Bergen op Zoom.	40	G3
Bergerac	44	F9
Bergheim	40	J4
Bergisch Gladbach	38	C6
Bergsfjordhalvøya	34	L1
Beringen	40	H3
Beringovskiy.	62	X4
Bering Sea	110	(1)C4
Bering Strait.	110	(1)C2
Berkeley	110	B1
Berkner Island	120	(2)A2
Berkovitsa	52	L6
Berlin, *Germany*	38	J4
Berlin, *US*	106	F2
Bermejillo.	110	F3
Bermejo.	118	K4
Bermeo	46	H1
Bermuda	98	H6
Bern	48	C4
Bernado.	110	E2
Bernau.	38	J4
Bernay	40	C5
Bernburg	38	G5
Berner Alpen	48	C4
Beroun.	36	D8
Berounka	38	J7
Berovo.	54	E3
Berrouaghia	46	N8
Berry Islands	108	F4
Bertoua	86	G4
Bertram	106	D1
Beruni	60	L9
Berwick-upon-Tweed	42	L6
Besalampy	90	G3
Besançon	44	M6
Beshneh.	79	F2
Bessemer	108	D3
Bestamak.	60	P8
Bestuzhevo	56	H2
Bestyakh, *Russia*	62	L3
Bestyakh, *Russia*	62	M4
Betanzos	46	B1
Bětdâmbâng	68	C4
Bethany	106	B2
Bethel, *Ak., US.*	110	(1)E3
Bethel, *Pa., US.*	106	F2
Bethlehem, *Israel*	78	C5
Bethlehem, *South Africa*	90	D5
Béthune	40	E4
Betioky	90	G4
Betoota	94	H5
Betpak-Dala	60	M8
Betroka	90	H4
Bet-She'an	78	C4
Bettiah	72	D3
Betul	72	C4
Betzdorf	38	C6
Beulah	106	C2
Beverley	42	M8
Beverungen	38	E5
Bexhill	40	C4
Bey Dağları	54	M8
Beyla	86	C3
Beyneu	60	J8
Beypazarı	54	P4
Beyrouth	78	C3
Beyşehir	54	P7
Beyşehir Gölü	54	P7
Bezhetsk	56	G3
Béziers	44	J10
Bhadgaon	72	E3
Bhadrakh	72	E4
Bhadravati	72	C6
Bhagalpur	72	E3
Bhairab Bazar	72	F4
Bhakkar	72	B2
Bhamo	68	B2
Bharuch	72	B4
Bhatpara	72	B4
Bhavnagar	72	B4
Bhawanipatna	72	D5
Bhilai	72	D4
Bhīmavaram	72	D5
Bhind.	72	C3
Bhiwandi	72	B5
Bhopal.	72	C4
Bhubaneshwar	72	E4
Bhuj.	72	A4
Bhusawal	72	C4
Bhutan.	72	E3
Biak.	70	(2)E3
Biała	36	K8
Biała Podlaska	36	N5
Białogard	36	F3
Białystok	36	N4
Biarritz	44	D10
Biasca	48	D4
Bibbiena.	48	G7
Biberach	48	E2
Bicaz.	52	P3
Bickerton Island	94	G2
Bicske	52	F2
Bida	86	F3
Bidar	72	C5
Bidbid	79	H5
Biddeford.	106	F2
Bideford	42	H10
Biedenkopf	38	D6
Biel	48	C3
Bielefeld	38	D4
Biella	48	D5
Bielsko-Biała	36	J8
Bielsk Podlaski	36	N5
Biên Hoa	68	D4
Bietigheim-Bissingen	48	E2
Big	100	G2
Biga	54	K4
Bigadiç	54	L5
Big Desert	94	H7
Big Falls.	106	B1
Bighorn	102	E2
Bighorn Lake	104	E1
Bighorn Mountains	104	E2
Bight of Bangkok	68	C4
Bight of Benin.	86	E3
Bight of Biafra	86	F4
Big Lake	110	(1)H2
Bignona	84	B6
Big Pine	108	E5
Big Rapids	106	C2
Big River	100	K6
Big Sandy	104	D1
Big Sioux.	104	G2
Big Spring	110	F2
Big Sur	110	B1
Big Trout Lake	100	P6
Bihać.	48	L6
Bijapur.	72	C5
Bijār	76	M6
Bijeljina	52	G5
Bijelo Polje	52	G6
Bijie.	64	D5
Bikaner	72	B3
Bikin	62	N7
Bikini	92	G4
Bilaspur	72	D4
Biläsuvar	76	N4
Bila Tserkva	56	F5
Bilbao	46	H1
Bileća	52	F7
Bilecik	54	M4
Bilečko Jezero	52	F7
Biled	52	H4
Biłgoraj	36	M7
Bilhorod-Dnistrovs'kyy	56	F5
Bilina	38	J6
Billings.	104	D1
Bilma.	82	B4
Bill of Portland	42	K11
Biloxi	108	D3
Bimini Islands	108	F4
Binche	40	G4
Bindi Bindi	94	C6
Bindura	90	E3
Bingen.	38	C7
Binghamton	106	E2
Bingöl	76	J4
Binongko	70	(2)B4
Bintulu	70	(1)E2
Bintuni	70	(2)D3
Binyang	68	D2
Binzhou	64	F3
Biograd	48	L7
Birāk	82	B3
Birao	82	D5
Biratnagar	72	E3
Bîr Bazîrî	78	E2
Birdsville	94	G5
Bir Gifgâfa	78	A6
Bır Hasana	78	A6
Birjand	74	G3
Birkenfeld	40	K5
Birmingham, *UK*	42	L9
Birmingham, *US*	108	D3
Bîr Mogreïn	84	C3
Birnie.	92	J6
Birnin-Gwari	86	F2
Birnin Kebbi	86	E2
Birnin Konni	86	F2
Birnin Kudu.	86	F2
Birobidzhan	62	N7
Birsk.	56	L3
Biržai.	36	P1
Bi'r Zaltan	82	C2
Bisbee	110	E2
Biscéglie	50	L7
Bischofshofen.	48	J3
Bischofswerda	36	D6
Biševo	50	L6
Bishkek	60	N9
Bishop	104	C3
Bishop Auckland	42	L7
Bishop's Stortford.	40	C3
Biskra	84	G2
Bislig	68	H5
Bismarck	102	F2
Bismarck Sea	92	E6
Bissau	84	B6
Bistcho Lake	100	H5
Bistriţa.	52	M2
Bistriţa.	52	P3
Bitburg.	40	J5
Bitche	38	C7
Bitkine	82	C5
Bitlis	76	K4
Bitola.	54	D3
Bitonto.	50	L7
Bitterfeld	38	H5
Bitterroot Range	104	C1
Bitti	50	D8
Bitung	70	(2)C2
Biu	86	G2
Biwa-ko	66	H6
Bixby.	106	B3
Biyâvra	72	C4
Biysk	60	R7
Bizerte.	84	G1
Bjelovar	52	D4
Bjørnøya	60	B3
B-Köpenick	38	J4
Blackburn.	42	K8
Blackfoot	104	D2
Blackfoot Reservoir	104	D2
Black Hills	104	F2
Blackpool.	42	J8
Black Range	110	E2
Black River Falls	106	B2
Black Rock Desert	104	C2
Blacksburg.	106	D3
Black Sea	76	D2
Blacks Harbour	106	G1
Black Sugarloaf	94	K6
Black Volta	86	D3
Blackwater.	42	D9
Blagny-sur-Bresle	40	D5
Blagodarnyy	76	K1
Blagoevgrad	54	F3
Blagoveshchenka	60	P7
Blagoveshchensk	62	M6
Blain	44	D6
Blair	106	A2
Blairsden	104	B3
Blairsville	108	E3
Blaj	52	L3
Blakely.	108	E3
Blanco.	116	E6
Blanding.	110	E1
Blankenberge	40	F3
Blankenburg	38	F5
Blankenheim	40	J4
Blantyre	90	F3
Blasket Islands	42	B9
Blaubeuren	48	E2
Blaye-et-Sainte-Luce	44	E8
Bled	48	K4
Blenheim	96	D5
Blevands Huk	38	D1
Blida	84	F1
Blind River	102	K2
Bloemfontein	90	D5
Bloemhof	90	D5
Blois	44	G6
Blönduós	34	(1)C2
Błonie	36	K5
Bloomfield	108	D2
Bloomington, *Ill., US*	106	C2
Bloomington, *Ind., US*	106	C3
Bludenz	48	E3
Blue Earth	106	B2
Bluefield.	106	D3
Bluefields	112	H6
Blue Mountain Lake	106	F2
Blue Mountains	104	C2
Blue Nile = Bahr el Azraq.	82	F5
Bluenose Lake	100	H3
Bluff, *New Zealand*	96	B8
Bluff, *US*	110	E1
Blumenau	118	M4
Blythe	110	D2
Blytheville	108	D2
Bo.	86	B3
Boac	68	G4
Boa Vista, *Brazil*	116	E3

Boa Vista, *Cape Verde Islands*

Place	Pg	Ref
Boa Vista, *Cape Verde Islands*	86	(1)B1
Bobbili	72	D5
Bóbbio	48	E6
Bobigny	40	E6
Bobingen	48	F2
Boblingen	48	E2
Bobo Dioulasso	86	D2
Bobr	36	E6
Bobrov	56	H4
Bôca do Acre	116	D5
Boca Grande	112	M7
Boca Grande	114	E3
Bocaiúva	116	J7
Bocaranga	88	B2
Bochart	106	F1
Bochnia	36	K8
Bocholt	38	B5
Bochum	38	C5
Bodaybo	62	J5
Bode	38	G4
Bodélé	82	C4
Boden	34	L4
Bodham	72	C5
Bodmin	42	H11
Bodø	34	H3
Bodrog	36	L9
Bodrum	54	K7
Boe	104	D2
Boende	88	C4
Bogale	68	B3
Bogalusa	108	D3
Boggabilla	94	K5
Boghni	46	P8
Bognor Regis	40	B4
Bogo	68	G4
Bogor	70	(1)D4
Bogorodskoye	62	Q6
Bogotá	116	C3
Bogotol	60	R6
Bogra	72	E4
Boguchany	62	F5
Bogué	84	C5
Bo Hai	64	F3
Bohmerwald	38	H7
Bohol	68	G5
Bohumin	36	H8
Boiaçu	116	E4
Boise	104	C2
Boise City	110	F1
Bojnürd	60	K10
Bokatola	88	B4
Boké	86	B2
Bokspits	90	C5
Bokungu	88	C4
Bolbec	40	C5
Bole, *China*	60	Q9
Bole, *Ghana*	86	D3
Bolechiv	36	N8
Bolesławiec	36	E6
Bolgatanga	86	D2
Bolhrad	52	M4
Bolintin-Vale	52	N5
Bolivar	106	B3
Bolivia	116	D7
Bollène	44	K9
Bollnäs	34	J6
Bolmen	34	G8
Bolnisi	76	L3
Bolobo	86	H5
Bologna	48	G6
Bolognesi	116	C5
Bolomba	86	H4
Bolotnoye	60	Q6
Bol'shaya Pyssa	56	J2
Bol'sherech'ye	56	P3
Bol'shezemel'skaya Tundra	60	J4
Bol Shirta	62	C4
Bolshoy Atlym	56	N2
Bol'shoy Osinovaya	62	W3
Bol'shoy Vlas'evo	62	Q6
Bolshoy Yuga	56	P2
Bolsover	40	A1
Bolton	42	K8
Bolu	76	D3
Bolvadin	54	P6
Bolzano = Bozen	48	G4
Boma	86	G6
Bombala	94	J7
Bombay = Mumbai	72	B5
Bomili	88	D3
Bom Jesus da Lapa	116	J6
Bømlo	34	C7
Bomnak	62	M6
Bonáb	76	M5
Bonaparte Archipelago	94	B2
Bonavista Bay	100	W7
Bondeno	48	G6

Place	Pg	Ref
Bondo	88	C3
Bondokodi	94	C1
Bondoukou	86	D3
Bondowoso	70	(1)E4
Bongandanga	88	C3
Bongao	70	(2)A1
Bongor	86	H2
Bonifacio	50	D7
Bonn	38	C6
Bonners Ferry	104	C1
Bonorva	50	C8
Bonthe	86	B3
Bontoc	68	G3
Bonyhád	52	F3
Boone	106	D3
Boonville	108	C2
Boorama	88	G2
Boosaaso	74	E7
Boothia Peninsula	100	M2
Booué	86	G5
Boppard	38	C6
Bor, *Russia*	62	D4
Bor, *Sudan*	88	E2
Bor, *Turkey*	54	S7
Bor, *Serbia*	52	K5
Borah Peak	104	C3
Borås	34	G8
Borãzjãn	79	D2
Bordeaux	44	E9
Borden Peninsula	100	Q2
Bordertown	94	H7
Bordj Bou Arréridj	84	F1
Bordj Bounaam	46	M9
Bordj Flye Sante Marie	84	E3
Bordj Messaouda	84	G2
Bordj Mokhtar	84	F4
Bordj Omar Driss	84	G3
Borgarnes	34	(1)C2
Borger	110	F1
Borgomanero	48	D5
Borgo San Dalmazzo	48	C6
Borgo San Lorenzo	48	G7
Borgosésia	48	D5
Borgo Val di Taro	48	E6
Bori Jenein	84	H2
Borislav	36	N8
Borisoglebsk	56	H4
Borjomi	76	K3
Borken	40	J3
Borkou	82	C4
Borkum	40	J1
Borlänge	34	H6
Börmida	48	D6
Bórmio	48	F4
Borna	38	H5
Borneo	70	(1)E3
Bornholm	34	H9
Borodino	60	R5
Borodinskoye	34	Q6
Boromo	86	D2
Borovichi	56	F3
Borovskoy	56	M4
Borriana	46	K5
Borroloola	94	G3
Borşa	52	M2
Borshchiv	52	P1
Borshchovochnyy Khrebet	62	J7
Borðeyri	34	(1)C2
Borüjerd	74	E3
Borzya	62	K6
Bosa	50	C8
Bosanska Dubica	52	D4
Bosanska Gradiška	52	E4
Bosanska Kostajnica	48	M5
Bosanska Krupa	52	D5
Bosanski Brod	52	F4
Bosanski Novi	52	D4
Bosanski Petrovac	52	D5
Bosansko Grahovo	48	M6
Boşca	52	K7
Bose	68	D2
Bosilegrad	52	K7
Boskovice	36	F8
Bosna	52	F5
Bosnia-Herzegovina	52	E5
Bosobolo	88	B2
Bosporus = İstanbul Boğazı	54	M3
Bosporus	74	A1
Bossambélé	88	B2
Bossangoa	88	B2
Bossier City	108	C3
Bosten Hu	60	R9
Boston, *UK*	42	M9
Boston, *US*	106	F2
Botevgrad	52	L7
Botlikh	74	E1
Botna	52	R3
Botoşani	52	P2

Place	Pg	Ref
Botou	64	F3
Botrange	40	J4
Botswana	90	C4
Bottrop	40	J3
Bou Ahmed	46	F9
Bouaké	86	C3
Bouar	88	B2
Bouârfa	84	E2
Boufarik	46	N8
Bougainville Island	92	F6
Bougainville Reef	94	J3
Bougouni	86	C2
Bougzoul	46	N9
Bouira	84	F1
Bou Ismaïl	46	N8
Bou Izakarn	84	D3
Boujdour	84	C3
Bou Kadir	46	M8
Boulder	104	E2
Boulder City	110	D1
Boulia	94	G4
Boulogne-sur-Mer	40	D4
Bounty Islands	92	H10
Bourem	84	E5
Bourg-de-Piage	44	L9
Bourg-en-Bresse	44	L7
Bourges	44	H6
Bourgoin-Jallieu	44	L8
Bourke	94	J4
Bournemouth	42	L11
Bou Saâda	84	F1
Bousso	82	C5
Boussu	40	F4
Boutilimit	84	C5
Bouzghaia	46	M8
Bowbells	104	F1
Bowen	94	J4
Bowie, *Ariz., US*	110	E2
Bowie, *Tex., US*	110	G2
Bowkan	76	M5
Bowling Green, *Fla., US*	108	E4
Bowling Green, *Ky., US*	108	D2
Bowling Green, *Mo., US*	108	C2
Bowman	104	F1
Bowman Bay	100	R3
Bo Xian	64	F4
Boxwood Hill	94	C6
Boyabat	76	F3
Boyang	64	F5
Boyarka	62	F2
Boysen Reservoir	104	E2
Boyuibe	118	J3
Bozcaada	54	H5
Boz Dağ	54	M7
Bozeman	104	D1
Bozen	48	G4
Bozkir	54	Q7
Bozoum	88	B2
Bozüyük	54	N5
Bra	48	C6
Brač	52	D6
Bracciano	50	G6
Bräcke	34	H5
Brad	52	K3
Brádano	50	L8
Bradford	42	L8
Brady	108	B3
Braga	46	B3
Bragança, *Brazil*	116	H4
Bragança, *Portugal*	46	D3
Brahmapur	72	D5
Brahmaputra	72	F3
Brăila	52	Q4
Brainerd	106	B1
Braintree	40	C3
Brake	38	D3
Bramming	38	D1
Brampton	106	E2
Bramsche	38	D4
Branco	116	E3
Brandberg	90	A4
Brandenburg	38	H4
Brandenton	108	E4
Brandon	100	M7
Brandvlei	90	C5
Brandýs	36	D7
Braniewo	36	J3
Brasileia	116	D6
Brasília	116	H7
Braslaw	34	N9
Braşov	52	N4
Bratislava	36	G9
Bratsk	62	G5
Bratskoye Vodokhranilishche	62	G5
Brattleboro	106	F2
Braţul	52	R4
Braunau	48	J2

Place	Pg	Ref
Braunschweig	38	F4
Brawley	110	C2
Bray	42	F8
Brazil	114	F4
Brazzaville	88	B4
Brčko	52	F5
Brda	36	G4
Bream Bay	96	E2
Breckenridge	110	G2
Břeclav	36	F9
Breda	40	G3
Bredasdorp	90	C6
Bredstedt	38	E2
Bredy	56	M4
Bree	40	H3
Bree	44	L2
Bregenz	48	E3
Breiðafjörður	34	(1)A2
Bremangerlandet	34	B6
Bremen, *Germany*	38	D3
Bremen, *US*	108	D3
Bremerhaven	38	D3
Bremerton	104	B1
Bremervörde	38	E3
Brenham	108	B3
Brennero	48	G4
Breno	48	F5
Brentwood	40	C3
Bréscia	48	F5
Breslau = Wrocław	36	G6
Bressanone = Brixen	50	F7
Bressay	42	M1
Bressuire	44	E7
Brest, *Belarus*	56	D4
Brest, *France*	44	A5
Breteuil	40	E5
Bretten	38	D7
Breves	116	G4
Brewarrina	94	J5
Brewton	108	D3
Brežice	52	C4
Brézina	84	F2
Brezno	36	J9
Bria	88	C2
Briançon	44	M6
Briceni	52	Q1
Bridgend	42	J10
Bridgeport, *Calif., US*	110	C1
Bridgeport, *Conn., US*	106	F2
Bridgeport, *Nebr., US*	104	F2
Bridgetown	116	F1
Bridgewater	100	U8
Bridgwater	42	J10
Bridlington	42	M7
Brienzer See	48	D4
Brig	48	C4
Brigham City	104	D2
Brighton, *UK*	40	B4
Brighton, *US*	104	F3
Brignoles	48	B7
Brikama	86	A2
Brilon	38	D5
Bríndisi	50	M8
Brinkley	108	C3
Brisbane	94	K5
Bristol, *UK*	42	K10
Bristol, *US*	108	E2
Bristol Bay	110	(1)E4
Bristol Channel	42	H10
British Columbia	100	F5
Britstown	90	C6
Brive-la-Gaillarde	44	G8
Briviesca	46	G2
Brixen	48	G4
Brixham	42	J11
Brlik	60	N9
Brno	36	F8
Broad Sound	94	J4
Broadus	104	E1
Brockton	106	F2
Brockville	106	E2
Brod	52	J9
Brodeur Peninsula	100	P2
Brodick	42	G6
Brodnica	36	J4
Broken Arrow	112	E1
Broken Bow	108	C3
Broken Hill	94	H6
Brokopondo	116	F2
Bromölla	36	D1
Bromsgrove	42	K9
Brønderslev	34	E8
Brooke's Point	68	F5
Brookhaven	102	H5
Brookhaven	108	C3
Brookhaven	112	F2
Brookings, *Oreg., US*	104	B2
Brookings, *S.D., US*	104	G2

Brooks ● 100 J6
Brooks Range ⬛ 110 (1)F2
Brooksville ● 108 E4
Broome ● 94 D3
Brösarp ● 34 H9
Brovary ● 56 F4
Brownfield ● 110 F2
Browning ● 104 D1
Brownsville, Tenn., US. ● 108 D2
Brownsville, Tex., US. ● 108 B4
Brownwood ● 108 B3
Bruchsal ● 38 D7
Bruck, Austria ● 48 L3
Bruck, Austria ● 48 M2
Bruck an der Mur ● 52 C2
Brugge ● 40 F3
Brühl ● 40 J4
Bruint ● 72 G3
Brumado ● 116 J6
Brumath ● 48 C2
Bruneau ● 104 C2
Bruneck ● 48 G4
Brunei Ⓐ 70 (1)E2
Brunflo ● 34 H5
Brunico = Bruneck ● 50 F2
Brunsbüttel ● 38 E3
Brunswick, Ga., US. ● 108 E3
Brunswick, Me., US. ● 106 G2
Bruntal ● 36 G8
Brush ● 104 F2
Brussels = Bruxelles ● 40 G4
Bruxelles ● 40 G4
Bryan ● 108 B3
Bryanka ● 60 S6
Bryansk ● 56 F4
Brzeg ● 36 G7
Brzeg Dolny ● 36 F6
Brzeziny ● 36 J6
B-Spandau ● 36 C5
Bubi ↗ 90 E4
Bucak ● 76 D5
Bucaramanga ● 116 C2
Buchanan ● 86 B3
Buchan Gulf ◪ 100 S2
Bucharest = Bucureşti ⬛ 52 P5
Buchen ● 38 E7
Buchholz ● 38 E3
Buchy ● 44 M5
Bückeburg ● 38 E4
Bucureşti ⬛ 52 P5
Budapest ⬛ 52 G2
Budennovsk ● 76 L1
Büdingen ● 38 E6
Budrio ● 48 G6
Buenaventura, Colombia ● 116 B3
Buenaventura, Mexico ● 110 E3
Buena Vista ● 104 E3
Buenos Aires ● 118 K5
Buffalo, Okla., US ● 108 B2
Buffalo, N.Y., US. ● 106 E2
Buffalo, S.D., US ● 104 F1
Buffalo, Tex., US ● 108 B3
Buffalo, Wyo., US ● 104 E2
Buffalo Lake ↗ 100 J4
Buffalo Narrows ● 100 K5
Buftea ● 52 N5
Bug ↗ 36 L5
Bugojno ● 52 E5
Bugrino ● 60 H4
Bugul'ma ● 56 K4
Buguruslan ● 56 K4
Buhayrat al Asad ↗ 76 H5
Buḩayrat ath Tharthār ↗ 76 K6
Buhuşi ● 52 P3
Builth Wells ● 42 J9
Buinsk ● 56 J3
Buir Nuur ↗ 64 F1
Bujanovac ● 52 J7
Buje ● 48 J5
Bujumbura ● 88 D4
Bukachacha ● 62 K6
Bukavu ● 88 D4
Bukhara ● 74 H2
Bukittinggi ● 70 (1)C3
Bukoba ● 88 E4
Bula, Indonesia ● 70 (2)D3
Bula, Papua New Guinea ● 70 (2)F4
Bülach ● 48 D3
Bulawayo ● 90 D4
Buldir Island ◪ 62 X6
Bulgan ● 62 G7
Bulgaria Ⓐ 52 M7
Buli ● 70 (2)C2
Bulle ● 48 C4
Bullhead City ● 110 D1
Bulls ● 96 E5
Bulukumba ● 70 (2)B4
Bulun ● 62 M2

Bumba ● 88 C3
Bumbeşti Jiu ● 52 L4
Buna ● 88 F3
Bunbury ● 94 C6
Buncrana ● 42 E6
Bunda ● 88 E4
Bundaberg ● 94 K4
Bünde ● 38 D4
Bungunya ● 94 J5
Bunia ● 88 E3
Bunkie ● 108 C3
Bunnell ● 108 E4
Bünyan ● 76 F4
Buôn Mê Thuôt ● 68 D4
Buotama ↗ 62 M4
Bura ● 88 F4
Buran ● 60 R8
Buranj ● 72 D2
Burao ● 88 H2
Burāq ● 78 D3
Buraydah ● 74 D4
Burco ● 82 J6
Burdur ● 76 D5
Burdur Gölü ● 54 N7
Burē ● 82 G5
Büren ● 40 L3
Burg ● 38 G4
Burgas ● 52 Q7
Burgaski Zaliv ◪ 52 Q7
Burgdorf ● 48 C3
Burghausen ● 48 H2
Burglengenfeld ● 38 H7
Burgos ● 46 G2
Burgsvik ● 34 K8
Burhaniye ● 54 K5
Burhanpur ● 72 C4
Burjassot ● 46 K5
Burj Şāfitā ● 78 D2
Burketown ● 94 G3
Burkeville ● 106 E3
Bur-Khaybyt ● 62 P3
Burkina Ⓐ 86 D2
Burlington, Colo., US. ● 110 F1
Burlington, Ia., US. ● 106 B2
Burlington, Vt., US ● 106 F2
Burma = Myanmar Ⓐ 68 B2
Burnet ● 108 B3
Burney ● 104 B2
Burnie ● 94 J8
Burns ● 104 C2
Burns Junction ● 104 C2
Burns Lake ● 100 F6
Burqin ● 60 R8
Burra ● 94 G6
Burrel ● 54 C3
Bursa ● 54 M4
Bûr Safâga ● 82 F2
Bûr Sa'îd ● 82 F1
Bur Sudan ● 82 G4
Burtnieks ↗ 34 N8
Burton-upon-Trent ● 42 L9
Buru ◪ 70 (2)C3
Burundi Ⓐ 88 D4
Bururi ● 88 D4
Burwell ● 104 G2
Buryatiya ● 62 J6
Bury St. Edmunds ● 40 C2
Büshehr ● 79 D2
Bushire = Büshehr ● 79 D2
Businga ● 88 C3
Busira ↗ 88 C4
Buşrá ash Shām ● 78 D4
Bussum ● 40 H2
Busto Arsizio ● 48 D5
Buta ● 88 C3
Butare ● 88 D4
Butaritari ● 92 H5
Bute ● 42 G6
Butembo ● 88 D3
Buðardalur ● 34 (1)C2
Butha-Qi ● 70 (2)B3
Butte, Mont., US ● 104 D1
Butte, Nebr., US. ● 104 G2
Butuan ● 68 H5
Butwal ● 72 D3
Butzbach ● 38 D6
Bützow ● 38 G3
Buulobarde ● 88 H3
Buxton ● 40 A1
Buy ● 56 H3
Buynaksk ● 76 M2
Büyükada ● 54 L4
Büyükçekmece ● 54 L4
Buzai Gumbad ● 74 K2
Buzançais ● 44 G7
Buzău ● 52 P4
Buzău ↗ 52 Q4

Buzuluk ● 56 K4
Byala ● 52 N6
Byala Slatina ● 52 L6
Byam Martin Island ◪ 100 L2
Byaroza ● 34 N10
Bydgoszcz ● 36 H4
Bygdin ↗ 34 D6
Bygland ● 34 D7
Bykovskiy ● 62 M2
Bylot Island ◪ 100 R2
Byskeälven ↗ 34 L4
Bystřice ● 36 G8
Bystrzyca Kłodzka ● 36 F7
Bytatay ↗ 62 N3
Bytča ● 36 H8
Bytom ● 36 H7
Bytów ● 36 G3
Bzura ↗ 36 J5

C

Caaguazú ● 118 K4
Caballococha ● 116 C5
Caballo Reservoir ↗ 110 E2
Cabanatuan ● 68 G3
Cabano ● 106 G1
Cabañquinta ● 46 E1
Cabdul Qaadir ● 82 H5
Cabeza del Buey ● 46 E6
Cabezas ● 116 E7
Cabimas ● 116 C1
Cabinda ◪ 86 G6
Cabinda ● 86 G6
Cabo Bascuñán ◪ 118 G4
Cabo Beata ◪ 112 K5
Cabo Camarón ◪ 112 G5
Cabo Carvoeiro ◪ 46 A5
Cabo Catoche ◪ 112 G4
Cabo Corrientes, Colombia ◪ 116 B2
Cabo Corrientes, Mexico ◪ 112 C4
Cabo Corrubedo ◪ 46 A2
Cabo Cruz ◪ 112 J5
Cabo de Espichel ◪ 46 A6
Cabo de Gata ◪ 46 H8
Cabo de Hornos ◪ 118 H10
Cabo de la Nao ◪ 46 L6
Cabo Delgado ◪ 90 G2
Cabo de Palos ◪ 46 K7
Cabo de São Roque ◪ 116 K5
Cabo de São Tomé ◪ 118 N3
Cabo de São Vicente ◪ 46 A7
Cabo de Trafalgar ◪ 46 D8
Cabo dos Bahías ◪ 118 H8
Cabo Fisterra ◪ 46 A2
Cabo Frio ◪ 118 N3
Cabo Gracias á Dios ◪ 112 H6
Cabo Mondego ◪ 46 A4
Cabo Norte ◪ 116 H3
Cabo Orange ◪ 116 G3
Cabo Ortegal ◪ 46 B1
Cabo Peñas ◪ 46 E1
Caborca ● 110 D2
Cabo Rojo ◪ 112 E4
Cabo Roxo ◪ 86 A2
Cabo San Diego ◪ 118 H9
Cabo San Francisco de
  Paula ◪ 118 H8
Cabo San Juan ◪ 86 F4
Cabo San Lucas ● 102 D7
Cabo Santa Elena ◪ 112 J7
Cabo Tortosa ◪ 46 L4
Cabo Tres Puntas ◪ 118 H8
Cabot Strait ◪ 100 U7
Cabrera ◪ 46 N5
Čačak ● 52 H6
Cáceres, Brazil ● 116 F7
Cáceres, Spain ● 46 D5
Cachimbo ● 116 G5
Cachoeira do Sul ● 118 L4
Cachoeiro de Itapemirim ● 116 J8
Cacola ● 90 B2
Caconda ● 90 B2
Čadca ● 36 H8
Cadillac, Mich., US ● 106 C2
Cadillac, Mont., US ● 102 E2
Cádiz ● 46 D8
Caen ● 40 B5
Caernarfon ● 42 H8
Cagayan de Oro ● 68 G5
Cagli ● 48 H7
Cagliari ● 50 D9
Cagnes-sur-Mer ● 48 C7
Caguas ● 112 L5
Cahama ● 90 A3
Cahors ● 44 G9
Cahuapanas ● 116 B5
Cahul ● 52 R4
Caia ● 90 F3
Caianda ● 90 C2

Caicos Islands ◪ 112 K4
Cairns ● 94 J3
Cairo = El Qâhira ⬛ 82 F1
Cairo ● 108 D2
Caiundo ● 90 B3
Cajamarca ● 116 B5
Čakovec ● 52 D3
Calabar ● 86 F3
Calabozo ● 116 D2
Calafat ● 52 K6
Calahorra ● 46 J2
Calais ● 40 D4
Calama ● 118 H3
Calamar ● 116 C3
Calamian Group ◪ 68 G4
Calamocha ● 46 J4
Calan ● 52 L4
Calanscio Sand Sea ◪ 82 D2
Calapan ● 68 G4
Călăraşi, Moldova ● 52 R2
Călăraşi, Romania ● 52 Q5
Calatafim ● 50 G11
Calatayud ● 46 J3
Calauag ● 68 G4
Calbayog ● 68 G4
Calçoene ● 116 G3
Calcutta = Kolkata ● 72 E4
Caldas da Rainha ● 46 A5
Caldera ● 118 G4
Caldwell, Id., US ● 104 C2
Caldwell, Kans., US ● 108 B2
Calf of Man ◪ 42 H7
Calgary ● 100 J6
Calhoun ● 108 E3
Calhoun City ● 108 C3
Calhoun Falls ● 108 E3
Cali ● 116 B3
Calicut = Kozhikode ● 72 C6
Caliente ● 104 D3
California ● 102 B4
Calilabad ● 76 N4
Callao ● 116 B6
Caloundra ● 94 K5
Caltagirone ● 50 J11
Caltanissetta ● 50 H11
Caluquembe ● 90 A2
Caluula ● 88 J1
Calvi ● 50 C6
Calvin ● 108 B3
Calvinia ● 90 B6
Calw ● 48 D2
Camaçari ● 116 K6
Camacupa ● 90 B2
Camagüey ● 112 J4
Camaiore ● 48 F7
Camana ● 116 C7
Camargue ◍ 44 K10
Camariñas ● 46 A1
Camarones ● 118 H7
Ca Mau ● 68 D5
Camberley ● 42 M10
Cambodia Ⓐ 68 C4
Cambrai ● 40 C4
Cambria ● 104 B3
Cambrian Mountains ◪ 42 H10
Cambridge, New Zealand ● 96 E3
Cambridge, UK. ● 42 N9
Cambridge, Md., US ● 106 E3
Cambridge, Mass., US. ● 106 F2
Cambridge, Oh., US ● 106 D3
Cambridge Bay ● 100 K3
Cambrils ● 46 M3
Camden, Ark., US ● 108 E3
Camden, S.C., US. ● 108 E3
Cameron, La., US ● 108 C4
Cameron, Mo., US ● 108 C2
Cameron, Tex., US ● 108 B3
Cameroon Ⓐ 86 G3
Cametá ● 116 H4
Çamiçigölü ↗ 54 K7
Caminha ● 46 B3
Camiranga ● 116 H4
Camocim ● 116 J4
Camooweal ● 94 G3
Camopi ● 116 G3
Campbell Island ◪ 96 (2)C2
Campbell River ● 100 F7
Campbellsville ● 106 C3
Campbellton ● 106 G1
Campbeltown ● 42 G6
Campeche ● 112 F5
Câmpeni ● 52 L3
Câmpia Turzii ● 52 L3
Câmpina ● 52 N4
Campina Grande ● 116 L5
Campinas ● 118 M3
Campobasso ● 50 J7

Name	Page	Grid
Campo de Criptana	46	G5
Campo de Diauarum	116	G6
Campo Gallo	118	J4
Campo Grande	118	L3
Campo Maior	116	J4
Campo Mourão	118	L3
Campos	118	N3
Câmpulung	52	N4
Câmpulung Moldovenesc	52	N2
Cam Ranh	68	D4
Çan	54	K4
Canada	98	M4
Canadian	110	F1
Canadian	110	F1
Çanakkale	54	J4
Çanakkale Boğazı	54	J4
Canal de Panamá	112	J7
Cananea	110	D2
Canary Islands = Islas Canarias	80	A3
Canary Islands = Islas Canarias	84	B3
Cañaveras	46	H4
Canberra	94	J7
Cancún	112	G4
Çandarli Körfezi	54	J6
Candelaro	52	C8
Candlemas Island	114	J9
Cangamba	90	B2
Cangas	46	B2
Cangas de Narcea	46	D1
Cangyuan	68	B2
Cangzhou	64	F3
Canicattì	50	H11
Canindé	116	K4
Çankırı	76	E3
Canna	42	F4
Cannanore	72	B6
Cannanore	72	C6
Cannes	48	C7
Cannock	40	A2
Canon City	110	E1
Cantanduanes	68	G4
Canterbury	40	D3
Canterbury Bight	96	C7
Canterbury Plains	96	C6
Cần Thơ	68	D5
Canto do Buriti	116	J5
Canton, Miss., US	108	D3
Canton, Oh., US	108	E1
Canton, S.D., US	104	G2
Canumã	116	F4
Canumã	116	F5
Canutama	116	E5
Canyon	110	F1
Canyon Ferry Lake	104	D1
Cao Bằng	68	D2
Caorle	48	H5
Cap Blanc	50	D11
Cap Bon	84	H1
Cap Corse	50	D5
Cap d'Agde	44	J10
Cap d'Antifer	40	C5
Cap de Fer	84	G1
Cap de Formentor	46	P5
Cap de la Hague	44	D4
Cap-de-la-Madeleine	106	F1
Cap de Nouvelle-France	100	S4
Cap de ses Salines	46	P5
Cap des Trois Fourches	46	H9
Cape Agulhas	90	C6
Cape Alexandra	118	P9
Cape Apostolos Andreas	74	B2
Cape Apostolos Andreas	76	F6
Cape Arid	94	D6
Cape Arnaoutis	76	D6
Cape Arnhem	94	G2
Cape Barren Island	94	J8
Cape Bauld	100	V6
Cape Blanco	104	B2
Cape Borda	94	G7
Cape Breton Island	100	U7
Cape Brett	96	E2
Cape Byron	94	K5
Cape Campbell	96	E5
Cape Canaveral	108	E4
Cape Canaveral	108	E4
Cape Carnot	94	F6
Cape Charles	106	E3
Cape Chidley	100	U4
Cape Christian	100	T2
Cape Churchill	100	N5
Cape Clear	42	C10
Cape Cleare	110	(1)H4
Cape Coast	86	D3
Cape Cod	106	G2
Cape Columbine	90	B6
Cape Colville	96	E3
Cape Comorin	72	C7
Cape Constantine	110	(1)E4
Cape Coral	108	E4
Cape Crawford	94	G3
Cape Croker	94	F2
Cape Dalhousie	110	(1)L1
Cape Direction	94	H2
Cape Disappointment	118	P9
Cape Dominion	100	R3
Cape Dorchester	100	Q3
Cape Dorset	100	R4
Cape Dyer	100	U3
Cape Egmont	96	D4
Cape Eleaia	78	B1
Cape Farewell, Greenland	98	F4
Cape Farewell, New Zealand	96	D5
Cape Fear	108	F3
Cape Finisterre = Cabo Fisterra	46	A2
Cape Flattery, Australia	94	J2
Cape Flattery, US	104	A1
Cape Forestier	94	J8
Cape Foulwind	96	C5
Cape Fria	90	A3
Cape Girardeau	106	C3
Cape Greko	76	F6
Cape Grenville	94	H2
Cape Grim	94	H8
Cape Harrison	100	V6
Cape Hatteras	108	F2
Cape Henrietta Maria	100	Q5
Cape Horn = Cabo de Hornos	118	H10
Cape Howe	94	K7
Cape Inscription	94	B5
Cape Jaffa	94	G7
Cape Karikari	96	D2
Cape Kellett	100	F2
Cape Kidnappers	96	F4
Cape Leeuwin	94	B6
Cape Lévêque	94	D3
Cape Londonderry	94	E2
Cape Lookout	112	J2
Cape May	106	F3
Cape Melville	94	H2
Cape Mendenhall	110	(1)D4
Cape Mendocino	104	A2
Cape Mercy	100	U4
Cape Meredith	118	J9
Cape Naturaliste	94	B6
Capenda-Camulemba	90	B1
Cape Negrais	68	A3
Cape Nelson	94	H7
Cape Newenham	110	(1)E4
Cape of Good Hope	90	B6
Cape Palliser	96	E5
Cape Palmas	86	C4
Cape Parry	100	G2
Cape Providence	96	A8
Cape Race	98	G5
Cape Ray	100	V7
Cape Reinga	96	D2
Cape Romanzof	110	(1)D3
Cape Runaway	96	G3
Cape Sable	100	T8
Cape St. Elias	110	(1)J4
Cape St. Francis	90	C6
Cape San Agustin	68	H5
Cape San Blas	108	D4
Cape Saunders	96	C7
Cape Scott	94	E1
Cape Stephens	96	D5
Cape Terawhiti	96	E5
Cape Three Points	86	D4
Cape Town	90	B6
Cape Turnagain	96	F5
Cape Verde	86	(1)B2
Cape Wessel	94	G2
Cape Wrangell	62	W6
Cape Wrath	42	G3
Cape York	94	H2
Cape York Peninsula	94	H2
Cap Figalo	46	J9
Cap Fréhel	44	C5
Cap Gris-Nez	40	D4
Cap-Haïtien	112	K5
Cap Juby	84	C3
Cap Lopez	86	F5
Cap Negro	46	E9
Capo Carbonara	50	D10
Capo Colonna	50	M9
Capo Gallo	50	H10
Capo Granitola	50	G11
Capo Murro di Porco	50	K11
Capo Palinuro	50	J8
Capo Passero	50	K12
Capo Santa Maria di Leuca	50	N9
Capo San Vito	50	G10
Capo Spartivento	50	C10
Capo Vaticano	50	K10
Capraia	50	D5
Cap Rhir	84	C2
Capri	50	J8
Capricorn Group	94	K4
Cap Rosa	50	C11
Cap Serrat	50	D11
Cap Spartel	46	E9
Cap Timiris	84	B5
Capua	50	J7
Cap Verga	86	B2
Cap Vert	86	A2
Caquetá	116	C4
Caracal	52	M5
Caracarai	116	E3
Caracas	116	D1
Caransebeş	52	K4
Carauari	116	D4
Caravaca de la Cruz	46	J6
Caravelas	116	K7
Carazinho	118	L4
Carballiño	46	B2
Carballo	46	B1
Carbondale, Ill., US	108	D2
Carbondale, Pa., US	108	F1
Carboneras	46	J7
Carbónia	50	C9
Carcar	68	G4
Carcassonne	44	H10
Cardiff	42	J10
Cardigan Bay	42	H9
Cardston	104	D1
Carei	52	K2
Carentan	44	D4
Cariacica	118	N3
Cariati	50	L9
Caribbean Sea	112	J6
Carlet	46	K5
Carleton Place	106	E1
Carlisle, UK	42	K7
Carlisle, US	106	E2
Carlow	42	F9
Carlsbad	110	F2
Carlyle	104	F1
Carmacks	100	D4
Carmagnola	48	C6
Carmarthen	42	H10
Carmarthen Bay	42	G10
Carmaux	44	H9
Carmen	112	B3
Carmona	46	D3
Carnarvon, Australia	94	B4
Carnarvon, South Africa	90	C6
Car Nicobar	72	F7
Carnot	88	B2
Carnsore Point	42	F9
Carolina	116	H5
Carolina Beach	108	F3
Caroline Island	92	L6
Caroline Islands	92	J4
Carpathian Mountains	36	J8
Carpatii Meridionali	52	K4
Carpentras	44	L9
Carpi	48	F6
Carrabelle	108	E4
Carrara	48	F6
Carrickfergus	42	G7
Carrick-on-Suir	42	E9
Carrington	104	G1
Carrizozo	110	E2
Carroll	106	B2
Carrollton, Ky., US	106	D3
Carrollton, Mo., US	108	C1
Carşamba	76	G3
Carson City	104	C3
Cartagena, Colombia	116	B1
Cartagena, Spain	46	K7
Carthage	108	C3
Cartwright	100	V6
Caruaru	116	K5
Carúpano	116	E1
Casablanca	84	D2
Casa Grande	110	D2
Casale Monferrato	48	D5
Casalmaggiore	48	F6
Casarano	50	N9
Cascade, Id., US	104	C2
Cascade, Mont., US	104	C1
Cascade Range	104	B2
Cascade Reservoir	104	C2
Cascais	46	A6
Cascavel	118	L3
Caserta	50	J7
Cashel	42	E9
Casino	94	K5
Ćasma	48	M5
Caspe	46	K3
Casper	104	E2
Caspian Sea	32	J3
Cassiar	100	F5
Cassino	50	H7
Castanhal	116	H4
Castelbuono	50	J11
Castel di Sangro	50	J7
Castellamare del Golfo	50	G10
Castellane	48	B7
Castellaneta	50	L8
Castelli	118	J4
Castelló de la Plana	46	K5
Castelnaudary	44	G10
Castelo Branco	46	C5
Castelsarrasin	44	G10
Castelvetrano	50	G11
Castets	44	D10
Castiglion Fiorentino	48	G7
Castlebar	42	C8
Castleford	42	L8
Castle Point	96	F5
Castres	44	H10
Castricum	40	G2
Castries	112	M6
Castro	118	M3
Castro Verde	46	B7
Castrovillari	50	L9
Castuera	46	E6
Catamarca	118	H4
Catandica	90	E3
Catània	50	K11
Catanzaro	50	L10
Catanzaro Marina	50	L10
Catarman	68	G4
Catbalogan	68	H4
Cat Island	108	F5
Cat Lake	100	N6
Cato Island	94	L4
Catriló	118	J6
Catskill Mountains	102	M3
Cattólica	48	H7
Cauayan	68	G5
Cauca	116	C2
Caucaia	116	K4
Caucasia	116	B2
Caucasus	76	K2
Caudry	40	F4
Cauquenes	118	G6
Caura	116	E2
Causapscal	106	G1
Căuşeni	52	S3
Cavaillon	44	L10
Cavalese	48	G4
Cavan	42	E8
Cavárzere	48	H5
Cavinas	116	D6
Cavtat	52	F7
Caxias	116	J4
Caxias do Sul	118	L4
Caxito	86	G6
Çay	54	P6
Cayce	108	E3
Çaycuma	54	Q3
Cayenne	116	G3
Cayman Islands	112	H5
Caynabo	88	H2
Cayos Miskitos	112	H6
Cay Sal Bank	108	E5
Cazorla	46	H7
Ceanannus Mor.	42	F8
Ceará	116	J4
Cebu	68	G4
Cebu	68	G4
Cécina	48	F7
Cedar City	104	D3
Cedar Falls	106	B2
Cedar Lake	100	L6
Cedar Rapids	106	B2
Cedros	102	C6
Ceduna	94	F6
Ceerigaabo	88	H1
Cefalù	50	J10
Ceglèd	52	G2
Celaya	112	D4
Celebes = Sulawesi	70	(2)A3
Celebes Sea	70	(2)B2
Celje	52	C3
Celldömölk	52	E2
Celle	38	F4
Celtic Sea	42	E10
Centerville	106	B2
Cento	48	G6
Central African Republic	88	C2
Central City	104	G2
Centralia, Ill., US	106	C3
Centralia, Wash., US	104	B1
Central Range	70	(2)F3

Index

Name	Page	Grid
Central Siberian Plateau = Srednesibirskoye Ploskogor'ye	58	N2
Cenxi	68	E2
Ceres, *Argentina*	118	J4
Ceres, *Brazil*	116	H7
Cerezo de Abajo	46	G3
Cerignola	50	K7
Çerikli	76	E4
Çerkes	54	Q4
Çerkezköy	54	K3
Cernavodă	52	R5
Cero Champaqui	118	J5
Cerralvo	102	E7
Cërrik	54	C3
Cerritos	110	F4
Cerro Aconcagua	118	G5
Cerro Bonete	118	H4
Cerro de la Encantada	102	C5
Cerro de Pasco	116	B6
Cerro Huehuento	112	C4
Cerro Las Tórtolas	118	H5
Cerro Marahuaca	116	D3
Cerro Mercedario	118	G5
Cerro Murallón	118	G8
Cerro Nevado	118	H6
Cerro Pena Nevade	112	D4
Cerro San Lorenzo	118	G8
Cerro San Valentín	118	G8
Cerros de Bala	116	D6
Cerro Tres Picos	118	J6
Cerro Tupungato	118	H5
Cerro Yavi	116	D2
Cerro Yogan	118	H9
Certaldo	48	G7
Cervaro	50	K7
Cervia	48	H6
Cervionne	50	D6
Cervo	46	C1
Cesena	48	H6
Cesenático	48	H6
Cēsis	34	N8
Česká Lípa	38	K6
České Budějovice	48	K2
Český Krumlov	48	K2
Çeşme	54	J6
Cesna	48	M5
Cessano	48	J7
Cessnock	94	K6
Cetate	52	L5
Cetinje	52	F7
Cetraro	50	K9
Ceuta	84	D1
Cevizli	54	P7
Chachapoyas	116	B5
Chaco Boreal	118	K3
Chad	82	C5
Chadan	60	S7
Chadron	104	F2
Chagai	74	H4
Chagda	62	N5
Chaghcharān	74	J3
Chagyl	74	G1
Chāh Bahār	74	H4
Chāībāsa	72	E4
Chainat	68	C3
Chaiyaphum	68	C3
Chalais	44	F8
Chalhuanca	116	C6
Chalinze	88	F5
Chalki	54	K8
Chalkida	54	F6
Chalkidiki	54	F4
Challans	44	D7
Challapata	116	D7
Challenger Deep	92	E4
Challis	104	D2
Châlons-sur-Marne	40	G6
Chalon-sur-Saône	44	K7
Cham	38	H7
Chama	90	E2
Chamba	72	C2
Chambal	72	C3
Chamberlain	104	G2
Chambersburg	106	E3
Chambéry	48	A5
Chambly	40	E5
Chamonix	48	B5
Champagnole	48	A4
Champaign	106	C2
Champaubert	40	G6
Champlitte	48	A3
Chañaral	118	G4
Chandalar	100	B3
Chandeleur Islands	112	G3
Chandigarh	72	C2
Chandler	110	D2
Chandrapur	72	C5
Changane	90	E4
Changara	90	E3
Changchun	66	C2
Changde	64	E5
Chang-hua	64	G6
Chang Jiang	64	D4
Changsha	64	E5
Changshu	64	G4
Changting	64	F5
Changzhi	64	E3
Changzhou	64	F4
Chania	54	G9
Channel Islands, *UK*	42	K12
Channel Islands, *US*	102	C5
Channel-Port aux Basques	100	V7
Chanthaburi	68	C4
Chantilly	40	E5
Chanute	108	B2
Chao Phraya	68	C4
Chaouèn	84	D1
Chao Xian	64	F4
Chaoyang	64	G2
Chaozhou	64	F6
Chapada Diamantina	116	J6
Chapais	106	F1
Chapayev	56	K4
Chapayevo	62	K4
Chapayevskoye	60	N7
Chapecó	118	L4
Chapleau	106	D1
Chapra	72	D3
Chara	62	K5
Charcas	110	F4
Chard	100	J5
Chardara	74	J1
Chardzhev	74	H2
Chari	82	C5
Chārīkār	74	J2
Charleroi	40	G4
Charlesbourg	106	F1
Charleston, *New Zealand*	96	C5
Charleston, *S.C., US*	108	F3
Charleston, *W.Va., US*	108	E2
Charlestown	108	D2
Charleville	94	J5
Charleville-Mézières	40	G5
Charlevoix	106	C1
Charlotte, *Mich., US*	106	D2
Charlotte, *N.C., US*	108	E2
Charlottesville	108	F2
Charlottetown	100	U7
Charlton Island	100	Q6
Charsk	60	Q8
Charters Towers	94	J4
Chartres	44	G5
Charymovo	56	Q3
Chasel'ka	62	C3
Chastyye	56	K3
Châteauguay	106	F1
Châteaubriant	44	D6
Châteaudun	44	G5
Châteaulin	44	A5
Châteauneuf-sur-Loire	44	H6
Châteauroux	44	G7
Château-Thierry	40	F5
Châtellerault	44	F7
Châtenois	44	A2
Chatham	106	D2
Chatham Island	96	(1)B1
Chatham Islands	96	(1)B1
Châtillon-sur Seine	44	K6
Chattanooga	102	J4
Chauffayer	48	B6
Chauk	72	F4
Chaumont	44	L5
Chaunskaya Guba	62	V3
Chauny	40	F5
Chaves, *Brazil*	116	G4
Chaves, *Portugal*	46	C3
Chavuma	90	C2
Cheb	38	H6
Cheboksary	56	J3
Chechnya	76	L2
Cheduba Island	72	F5
Cheektowaga	106	E2
Chegdomyn	62	N6
Chegutu	90	E3
Chehalis	104	B1
Cheju	66	D7
Cheju do	66	D7
Chekhov	62	Q7
Chelan	104	C1
Cheleken	74	F2
Chélif	46	L8
Chelkar	60	K8
Chełm	36	N6
Chełmno	36	H4
Chelmsford	40	C3
Cheltenham	42	L10
Chelyabinsk	56	M3
Chelyuskin	60	U2
Chemnitz	38	H6
Chenab	72	B2
Cheney Reservoir	108	B2
Chengde	64	F2
Chengdu	64	C4
Chengshan Jiao	66	B5
Chennai	72	D6
Chenzhou	64	E5
Chepes	118	H5
Cher	44	G6
Cheraw	108	F3
Cherbaniani Reef	72	B6
Cherbourg	44	D4
Cherchell	46	N8
Cherdyn	56	L2
Cheremkhovo	62	G6
Cherepovets	56	G3
Cherkasy	56	F5
Cherkessk	76	K1
Chermoz	56	L3
Chernihiv	56	F4
Chernivtsi	56	E5
Chernushka	56	L3
Chernyakhovsk	36	L3
Chernyayevo	62	M6
Chernyshevsk	62	K6
Chernyshevskiy	62	J4
Chernyye Zemli	56	J5
Cherokee	106	A2
Cherskiy	62	U3
Cherven Bryag	52	M6
Chervonohrad	56	D4
Chesapeake	108	F2
Cheshskaya Guba	56	J1
Cheshunt	40	C3
Chester, *UK*	42	K8
Chester, *Calif., US*	104	B2
Chester, *Mont., US*	104	D1
Chesterfield	42	L8
Chesterfield Inlet	100	N4
Chetumal	112	G5
Chetwynd	100	G5
Cheyenne	104	F2
Cheyenne	104	F2
Cheyenne Wells	110	F1
Cheyne Bay	94	C6
Chhatarpur	72	C4
Chhindwara	72	C4
Chhuka	72	E3
Chia-i	64	G6
Chiang Khan	68	C3
Chiang-Mai	68	B3
Chiang Rai	68	B3
Chiavari	48	E6
Chiavenna	48	E4
Chiba	66	L6
Chibougamau	100	S6
Chibuto	90	E4
Chicago	106	C2
Chicapa	84	D2
Chichagof Island	110	(1)K4
Chichaoua	84	D2
Chichester	40	B4
Chickasha	108	B3
Chiclana de la Frontera	46	D8
Chiclayo	116	B5
Chico	118	H8
Chicopee	106	F2
Chicoutimi	100	S7
Chicualacuala	90	E4
Chiemsee	48	H3
Chieri	48	C5
Chiese	48	F5
Chieti	50	J6
Chifeng	64	F2
Chiganak	60	N8
Chigubo	90	E4
Chihuahua	110	E3
Chiili	60	M9
Chikwa	90	E2
Chilas	72	B1
Childress	110	F2
Chile	114	D8
Chile Chico	118	G8
Chilik	60	P9
Chilika Lake	72	D4
Chillán	118	G6
Chillicothe, *Mo., US*	106	B3
Chillicothe, *Oh., US*	106	D3
Chilliwack	104	B1
Chiloquin	104	B2
Chilpancingo	112	E5
Chi-lung	64	G5
Chimbay	60	K9
Chimborazo	116	B4
Chimbote	116	B5
Chimchememel'	62	V3
Chimec	52	J1
Chimoio	90	E3
China	58	N6
Chincha Alta	116	B6
Chincilla de Monte-Aragón	46	J6
Chinde	90	F3
Chin do	66	C6
Chindwin	68	A2
Chingola	90	D2
Chinhoyi	90	E3
Chiniot	72	B2
Chinju	66	E6
Chinmen	68	F2
Chinnur	72	C5
Chióggia	48	H5
Chios	54	H6
Chios	54	J6
Chipata	90	E2
Chippewa Falls	106	B2
Chipping Norton	40	A3
Chirchik	60	M9
Chirikof Island	110	(1)F5
Chiromo	90	F3
Chirpan	54	H2
Chirripo	112	H7
Chișinău	52	R2
Chișineu-Criș	52	J3
Chita	62	J6
Chitato	88	C5
Chitembo	90	B2
Chitipa	88	E5
Chitradurga	72	C6
Chitral	72	B1
Chitré	112	H7
Chittagong	72	F4
Chittaurgarh	72	B4
Chittoor	72	C6
Chitungwiza	90	E3
Chiume	90	C3
Chivasso	48	C5
Chizha	56	H1
Chodov	38	H6
Choiseul	92	F6
Chojnice	36	G4
Chokurdakh	62	R2
Chókwé	90	E4
Cholet	44	E6
Choma	90	D3
Chomutov	36	C7
Chona	62	H4
Chonan	66	D5
Chone	116	A4
Ch'ŏngjin	66	E3
Ch'ŏngju	66	D6
Chŏngp'yŏng	66	D4
Chongqing	58	P7
Chŏngŭp	66	D6
Ch'ŏnju	66	D5
Chonogol	64	F1
Chon Thanh	68	D4
Chop	36	M9
Chornobyl'	56	F4
Chornomors'ke	56	F5
Ch'osan	66	C3
Chōshi	66	L6
Choszczno	36	E4
Choteau	104	D1
Chott el Hodna	84	F1
Chott el Jerid	84	G2
Chott Melrhir	84	G2
Choybalsan	62	J7
Choyr	64	D1
Chre	44	H9
Christchurch	96	D6
Christiansburg	106	D3
Christiansø	36	E2
Christmas Island	70	(1)D5
Chrudim	36	E8
Chrysi	54	H10
Chu	60	N9
Chubut	118	H7
Chugach Mountains	100	B4
Chūgoku-sanchi	64	J3
Chugwater	104	F2
Chukchi Sea	110	(1)C2
Chukotskiy Khrebet	62	W3
Chukotskiy Poluostrov	62	Z3
Chula Vista	110	C2
Chulucanas	116	A5
Chulym	60	R6
Chum	56	M1
Chumikan	62	P6
Chum Phae	68	C3
Chumphon	68	B4
Ch'unch'ŏn	66	D5

Name	Page	Grid
Chunchura	72	E4
Chundzha	60	P9
Ch'ungju	66	D5
Chur	48	E4
Churapcha	62	N4
Churchill	100	N5
Churchill, *Man., Canada*	100	M5
Churchill, *Nfld., Canada*	100	U6
Churchill Falls	100	U6
Churchill Peak	100	F5
Churu	72	B3
Chuska Mountains	110	E1
Chusovoy	56	L3
Chute des Passes	100	S7
Chuuk	92	F5
Chuvashiya	56	J3
Chuxiong	68	C2
Chuya	62	J5
Ciadîr-Lunga	52	R3
Cide	76	E3
Ciechanów	36	K5
Ciego de Avila	112	J4
Cienfuegos	112	H4
Cieza	46	J6
Cihanbeyli	76	E4
Cijulang	70	(1)D4
Cilacap	70	(1)D4
Cili	64	E5
Cimarron	108	B2
Cimişlia	52	R3
Cîmpeni	36	N11
Cinca	46	L3
Cincinnati	106	D3
Cine	54	L7
Ciney	40	H4
Cintalapa	112	F5
Circle, *Ak., US*	110	(1)J2
Circle, *Mont. US*	104	E1
Circleville	106	D3
Cirebon	70	(1)D4
Cirò Marina	50	M9
Cisco	108	B3
Cistierna	46	E2
Citronelle	108	D3
Cittadella	48	G5
Città di Castello	48	H7
Ciucea	52	K3
Ciudad Acuña	110	F3
Ciudad Bolívar	116	E2
Ciudad Camargo	110	E3
Ciudad del Carmen	112	F5
Ciudad del Este	118	L4
Ciudad Delicias	110	E3
Ciudad del Maíz	110	G4
Ciudad de Valles	112	E4
Ciudad Guayana	116	E2
Ciudad Juárez	110	E2
Ciudad Madero	110	G4
Ciudad Mante	112	E4
Ciudad Obregón	112	C3
Ciudad Real	46	G6
Ciudad-Rodrigo	46	D4
Ciudad Valles	110	G4
Ciudad Victoria	102	G7
Ciutadella	46	P4
Cividale del Friuli	48	J4
Civita Castellana	50	G6
Civitanova Marche	50	H5
Civitavécchia	50	F6
Cizre	76	K5
Clacton-on-Sea	40	D3
Clair Engle Lake	104	B2
Clairview	94	J4
Clamecy	44	J6
Clare Island	42	B8
Clarence	96	D6
Clarence Strait	94	E2
Clarendon	110	F2
Clarkdale	110	D2
Clarksburg	108	E2
Clarksdale	108	C3
Clarks Junction	96	C7
Clarkston	104	C1
Clarksville, *Ark., US*	108	C2
Clarksville, *Tenn., US*	108	D2
Claro	116	G7
Clausthal-Zellerfeld	38	F5
Claveria	68	G3
Clayton	110	F1
Clear Island	42	C10
Clear Lake	106	B2
Clear Lake Reservoir	104	B2
Clearwater	104	C1
Clearwater	108	E4
Clearwater Mountains	104	C1
Cleburne	108	B3
Clermont, *Australia*	94	J4
Clermont, *France*	40	E5
Clermont-Ferrand	44	J8
Cles	48	F4
Cleveland, *Oh., US*	106	D2
Cleveland, *Tenn., US*	108	E2
Cleveland, *Tex., US*	108	B3
Clifden	96	A7
Clifton	110	E2
Climax	104	E1
Clines Corners	110	E2
Clinton, *Canada*	100	G6
Clinton, *New Zealand*	96	B8
Clinton, *Ark., US*	106	B3
Clinton, *Ia., US*	102	H3
Clinton, *Miss., US*	108	C3
Clinton, *Mo., US*	106	B3
Clinton, *N.C., US*	108	F3
Clinton, *Okla., US*	108	B2
Clipperton Island	112	C6
Clonmel	42	E9
Cloppenburg	38	D4
Cloquet	106	B1
Cloud Peak	104	E2
Clovis, *Calif., US*	104	C3
Clovis, *N.Mex., US*	110	F2
Cluj-Napoca	52	L3
Cluny	44	K7
Cluses	44	B4
Clyde	42	H6
Clyde River	100	T2
Coaldale	104	C3
Coalville	104	C2
Coari	116	E4
Coast Mountains	100	E5
Coast Range	104	B3
Coatbridge	42	J6
Coats Island	100	Q4
Coatzacoalcos	112	F5
Cobalt	100	R7
Cobán	112	F5
Cobija	116	D6
Cobourg	102	L3
Cobourg Peninsula	94	F2
Cóbuè	90	E2
Coburg	38	F6
Cochabamba	116	D7
Cochin = Kochi	72	C7
Cochrane	106	D1
Cockburn Town	108	G5
Coco	112	H6
Cocoa	108	E4
Cocobeach	86	F4
Coco Channel	68	A4
Coco Island	68	A4
Codajás	116	E4
Codigoro	48	H6
Cod Island	100	U5
Codlea	52	N4
Codó	116	J4
Codogno	48	E5
Codroipo	48	J5
Cody	104	E2
Coesfeld	38	C5
Coëtivy Island	80	J6
Coeur d'Alene	104	C1
Coeur d'Alene Lake	104	C1
Coevorden	40	J2
Coffs Harbour	94	K6
Cofrents	46	J5
Cognac	44	E8
Cogne	48	C5
Coiba	114	C3
Coihaique	118	G8
Coimbatore	72	C6
Coimbra	46	B4
Colchester	40	C3
Colebrook	106	F1
Coleman	108	B3
Coleraine	42	F6
Colesberg	90	D6
Colfax	104	C1
Colibaşi	52	M5
Colico	48	E4
Coll	42	F5
Collado-Villalba	46	F4
College Station	108	B3
Collier Bay	94	D3
Collingwood	108	D2
Collins	108	D3
Colmar	48	C2
Colmenar Viejo	46	G4
Colombia	116	C3
Colombo	72	C7
Colonia Las Heras	118	H8
Colonial Heights	106	E3
Colonsay	42	F5
Colorado	104	E3
Colorado, *Colo., US*	110	E1
Colorado, *Tex., US*	110	G2
Colorado Plateau	110	D1
Colorado Springs	104	F3
Columbia	104	C1
Columbia, *La., US*	108	C3
Columbia, *Md., US*	108	F2
Columbia, *Mo., US*	108	C2
Columbia, *S.C., US*	108	E3
Columbia, *Tenn., US*	108	D2
Columbia Mountains	100	G6
Columbus, *Ga., US*	108	E3
Columbus, *Ind., US*	108	D2
Columbus, *Miss., US*	108	D3
Columbus, *Mont., US*	104	E1
Columbus, *Nebr., US*	104	G2
Columbus, *N.Mex., US*	110	E2
Columbus, *Oh., US*	108	E1
Columbus, *Tex., US*	108	B4
Colville	110	(1)G2
Colville Lake	110	(1)M2
Comacchio	48	H6
Comânești	52	P3
Comarnic	52	N4
Combarbalá	118	G5
Combeaufontaine	44	M6
Comilla	86	A2
Comino = Kemmuna	50	J12
Commentry	44	H7
Commercy	40	H6
Como	48	E5
Comoé	86	D3
Comondú	102	D6
Comoros	90	G2
Compiègne	40	E5
Comrat	52	R3
Comstock	110	F3
Conakry	86	B3
Conceição do Araguaia	116	H5
Concepción, *Bolivia*	116	E7
Concepción, *Chile*	118	G6
Conches-en-Ouche	40	C6
Conchos	112	C3
Concord, *Calif., US*	110	B1
Concord, *N.H., US*	106	F2
Concord, *N.C., US*	108	E2
Concordia, *Argentina*	118	K5
Concordia, *US*	108	B2
Condé-sur-Noireau	40	B6
Condobolin	94	J6
Condom	44	F10
Conegliano	48	H5
Congar	72	F3
Congo	80	E6
Congo	80	E6
Connecticut	106	F2
Connemara	42	C8
Conrad	104	D1
Côn Son	68	D5
Constanța	76	C1
Constantina	46	E7
Constantine	84	G1
Consul	104	C1
Contact	104	D2
Contamana	116	B5
Contwoyto Lake	100	J3
Convay	108	F3
Conway	108	C2
Conwy	42	J8
Conwy Bay	42	H8
Coober Pedy	94	F5
Cookeville	108	D1
Cook Inlet	110	(1)G4
Cook Islands	92	K7
Cook Strait	96	E5
Cooktown	94	J3
Coolabah	94	J6
Coolgardie	94	D6
Cooma	94	J7
Coonabarabran	94	J6
Coon Rapids	106	B1
Coopers Town	108	F4
Coorabie	94	F6
Coos Bay	104	B2
Cootamundra	94	J6
Copenhagen = København	34	G9
Copiapó	118	G4
Copper Harbor	106	C1
Côqen	72	E2
Coquille	104	B2
Coquimbo	118	G4
Corabia	52	M6
Coral	102	K1
Coral Sea	94	K2
Coral Sea Islands Territory	92	F7
Coral Sea Islands Territory	92	J2
Coral Springs	108	E4
Corantijn	116	F3
Corbeil-Essonnes	44	H5
Corbigny	44	J6
Corby	40	B2
Cordele	108	E3
Cordillera Cantábrica	46	D2
Cordillera Central	114	E5
Cordillera del Condor	116	B5
Cordillera de Mérida	114	D3
Cordillera de Oliva	118	G4
Cordillera Isabella	112	G6
Cordillera Occidental	114	C5
Cordillera Oriental	114	D5
Cordillera Penibética	46	F8
Cordillera Vilcabamba	116	C6
Córdoba, *Argentina*	118	J5
Córdoba, *Spain*	46	F7
Corfu = Kerkyra	54	B5
Coria	46	D5
Corigliano	50	L9
Corinth	108	D3
Corinto	116	H7
Cork	42	D10
Cork Harbour	42	D10
Corleone	50	H11
Corlu	54	K3
Corn Islands	114	C2
Cornwall	102	M2
Cornwallis Island	100	M2
Coro	116	D1
Corocoro	116	D7
Coromandel	96	E3
Coromandel Coast	72	D6
Coromandel Peninsula	96	E3
Coron	68	G4
Coronation Gulf	100	J3
Coronel Oviedo	118	K4
Coronel Pringles	118	J6
Coronel Suárez	118	J6
Corpus Christi	108	B4
Corrientes	118	K4
Corrigan	108	C3
Corriverton	116	F2
Corse	50	D6
Corsica = Corse	50	D6
Corsicana	108	B3
Corte	50	D6
Cortegana	46	D7
Cortez	110	E1
Cortina d'Ampezzo	48	H4
Cortland	106	E2
Cortona	50	F5
Coruche	46	B6
Çorum	76	F3
Corumbá	116	F7
Corvallis	104	B2
Corvo	84	(1)A2
Cosenza	50	L9
Cosmoledo Group	90	(2)A2
Cosne-sur-Loire	44	H6
Cossato	48	D5
Costa Blanca	46	K7
Costa Brava	46	P3
Costa del Sol	46	F8
Costa de Mosquitos	112	H6
Costa Dorada	46	M4
Costa del Sol	46	A6
Costa Rica	112	G7
Costa Smeralda	50	D7
Costa Verde	46	D1
Costeşti	52	M5
Coswig	38	H5
Cotabato	68	G5
Côte D'Ivoire	86	C3
Cotonou	86	C3
Cottage Grove	104	B2
Cottbus	36	D6
Cotulla	108	B4
Couhe	44	F7
Coulommiers	40	F6
Council Bluffs	104	F2
Courland Lagoon	36	L2
Courtacon	40	F6
Courtenay	102	B2
Coushatta	108	C3
Coutances	44	D4
Coutras	44	D4
Couvin	40	H7
Covasna	52	P4
Coventry	42	L8
Covilhã	46	C4
Covington, *Ga., US*	108	E2
Covington, *Ky., US*	108	E2
Covington, *Va., US*	106	D3
Cowell	94	G6
Cowes	40	A4
Cowra	94	J6
Cox's Bazar	72	F4
Cradock	90	D6
Craig	104	E2
Crailsheim	38	F7

Index

Craiova 52 L5
Cranbrook, *Australia* 94 C6
Cranbrook, *US* 102 C2
Crater Lake 104 B2
Crato 116 K5
Crawford 104 F2
Crawfordsville 106 C2
Crawley 40 B3
Cree Lake 100 K5
Creil 40 E5
Crema 48 E5
Cremona 48 F5
Crépy-en-Valois 40 E5
Cres 48 K6
Cres 48 K6
Crescent City 104 B2
Crest 44 L9
Creston 106 B2
Crestview 102 J5
Crestview 112 G2
Crete = Kriti 54 H10
Créteil 40 E6
Creuse 44 G7
Crevillent 46 K6
Crewe 42 K8
Crianlarich 42 H5
Criciúma 118 M4
Cristalina 116 H7
Cristóbal Colón 98 J8
Croatia 52 C4
Crockett 108 B3
Croker Island 94 F2
Cromer 42 P9
Cromwell 96 B7
Crooked Island 112 K4
Crookston 102 G2
Cross City 108 E3
Cross Lake 100 M6
Crossville 106 C3
Crotone 50 M9
Crowley 108 C3
Crownest Pass 102 D2
Crown Point 106 C2
Cruz Alta 118 L4
Cruz del Eje 118 J5
Cruzeiro do Sul 116 C5
Crvenka 52 G4
Crystal City 108 B4
Crystal Falls 106 C1
Crystal River 108 E4
Crystal Springs 108 C3
Csorna 52 E2
Csurgó 48 N4
Cuamba 90 F2
Cuando 90 C3
Cuangar 90 B3
Cuango 88 B5
Cuanza 88 B5
Cuatro Ciénegas 110 F3
Cuauhtémoc 110 E3
Cuba 104 E3
Cuba 112 H4
Cubal 88 A6
Cubali 90 A2
Cubango 90 B3
Çubuk 54 R4
Cucuí 116 D3
Cúcuta 116 C2
Cuddalore 72 C6
Cuddapah 72 C6
Cuemba 90 B2
Cuenca, *Ecuador* 116 B4
Cuenca, *Spain* 46 H4
Cuernavaca 112 E5
Cuero 108 B4
Cuiabá 116 F7
Cuilo 88 B3
Cuito 90 B3
Cuito Cuanavale 90 B3
Culbertson 104 E1
Culfa 76 L4
Culiacán 112 C4
Cullera 46 K5
Cullman 108 D3
Culpepper 116 (1)A1
Culuene 116 G6
Culverden 96 D6
Cumaná 116 E1
Cumberland 106 D3
Cumberland Peninsula 100 T3
Cumberland Sound 100 T3
Cummings 104 B3
Cumpas 110 E2
Çumra 54 Q7
Cunderdin 94 C6
Cunene 90 A3
Cuneo 48 C6
Cunnamulla 94 J5

Čuprija 52 J6
Cure 44 J6
Curicó 118 G5
Curitiba 118 M4
Currais Novos 116 K5
Curral Velho 86 (1)B1
Currie 94 H7
Curtea de Argeş 52 M4
Curtici 52 J3
Curtis Island 94 K4
Curuá 116 G5
Curup 70 (1)C3
Curuzú Cuatiá 118 K4
Curvelo 116 J7
Cusco 116 C6
Cuthbert 108 E3
Cutro 50 L9
Cuttack 72 E4
Cuvier Island 96 E3
Cuxhaven 38 D3
Cuya 116 C7
Cuyuni 116 F2
Cwmbran 42 J10
Cyclades = Kyklades 54 G7
Cypress Hills 102 D2
Cyprus 76 E6
Czarnków 36 F5
Czech Republic 36 C8
Częstochowa 36 J7
Człuchów 36 G4

D

Da'an 64 G1
Daaquam 106 F1
Dab'a 78 D5
Dabas 52 G2
Dabat 82 G5
Dabola 86 B2
Dąbrowa Górnicza 36 J7
Dăbuleni 52 M6
Dachau 48 G2
Daet 68 G4
Dagana 84 B5
Dagestan 76 M2
Dagupan 68 G3
Da Hinggan Ling 64 G1
Dahlak Archipelago 82 H4
Dahlonega 108 E3
Dahn 40 K5
Dahod 72 B4
Dahongliutan 74 L2
Dahük 76 K5
Daimiel 46 G5
Dai Xian 64 E3
Dakar 86 A2
Dakoro 86 F2
Dakota City 104 G2
Dakovica 52 H7
Dakovo 52 F4
Dalai Nur 64 F2
Dalälven 34 H6
Dalaman 76 C5
Dalandzadgad 64 C2
Dalap-Uliga-Darrit 92 H5
Da Lat 68 D4
Dalbandin 74 H4
Dalby 94 K5
Dalgān 74 G4
Dalhart 110 F1
Dalhousie 72 C2
Dali 68 C1
Dalian 64 G3
Dalizi 66 D3
Dallas 108 B3
Daloa 86 C3
Dalry 42 H6
Dàltenganj 72 D4
Dalton 108 E3
Dalvík 34 (1)D2
Daly Waters 94 F3
Daman 72 B4
Damanhûr 82 F1
Damar 70 (2)C4
Damara 86 H3
Damasak 86 G2
Damascus = Dimashq 78 D3
Damaturu 86 G2
Damoh 72 C4
Damqawt 74 F6
Danau Poso 70 (2)A3
Danau Toba 70 (1)B2
Danau Towuti 70 (2)B3
Danba 64 C4
Dandeldhura 72 D3
Dandong 66 C3
Da Nẵng 68 D3
Dangara 74 J2
Danger Islands 92 K7

Danghe Nanshan 64 B3
Daniel 104 D1
Danilov 56 H3
Dank 79 G5
Dankov 56 G4
Dannenberg 38 G3
Dannevirke 96 F5
Dansville 106 E2
Danube 32 F3
Danville, *Ill., US* 108 D1
Danville, *Ky., US* 108 E2
Danville, *Va., US* 108 F2
Dan Xian 68 D3
Dao Phu Quôc 68 C4
Dapa 68 H5
Dapaong 86 E2
Da Qaidam 64 B3
Daqing 62 M7
Dar'ā 78 D4
Dārāb 79 F2
Darabani 52 P1
Daraj 82 B1
Darazo 86 G2
Darbhanga 72 E3
Dardanelles = Çanakkale
  Boğazı 54 J4
Darende 76 G4
Dar es Salaam 88 F5
Darfo 48 F5
Dargaville 96 D2
Darham 62 H7
Darjeeling 72 E3
Darling 94 H6
Darlington 42 L7
Darłowo 34 J9
Dărmăneşti 52 P3
Dar Mazār 79 G2
Darmstadt 38 D7
Darnah 82 D1
Darnley Bay 100 G3
Daroca 46 J3
Darß 38 H2
Dartmouth 100 U8
Daru 70 (2)F4
Daruba 70 (2)C2
Daruvar 48 N5
Darvaza 60 K9
Darwin 94 F2
Daryacheh-ye Bakhtegan 79 E2
Daryacheh-ye Orümïyeh 76 L5
Daryacheh-ye Tashk 79 E2
Dārzïn 79 H2
Dashkhovuz 60 K9
Dasht-e Kavir 74 F3
Dasht-e Lut 79 H1
Datça 54 K8
Datça 76 B5
Date 66 L2
Datong 64 C3
Datong 64 E2
Daugava 56 E3
Daugavpils 56 E3
Daun 40 J4
Dauphin 100 M6
Dausa 72 C3
Dāvāci 76 N3
Davangere 72 C6
Davao 68 H5
Davenport 106 B2
Daventry 40 A2
David 112 H7
Davis Sea 120 (2)Q3
Davis Strait 100 V3
Davlekanovo 60 J7
Davos 48 E4
Dawa 64 G2
Dawqah 74 F6
Dawson 110 (1)K3
Dawson Creek, *B.C.,*
  Canada 100 G5
Dawson Creek, *Y.T.,*
  Canada 100 D4
Dawu 64 C4
Dax 44 D10
Daxian 64 D4
Dayong 64 E5
Dayr az Zawr 76 J6
Dayton, *Oh., US* 106 D3
Dayton, *Tenn., US* 106 C3
Dayton, *Tex., US* 108 C4
Dayton, *Wash., US* 104 C1
Daytona Beach 108 E4
De Aar 90 C6
Dead Sea 78 C5
Deakin 94 E6
Deal 40 D3
De'an 64 F5
Deán Funes 118 J5

Dease Lake 110 (1)M4
Dease Strait 100 J3
Death Valley 104 C3
Deba Habe 86 G2
Debar 54 C3
Debica 36 L7
Debin 62 S4
Deblin 36 L6
Dębno 36 D5
Debre Birhan 88 F2
Debrecen 52 G5
Debre Markos 82 G5
Debre Tabor 82 G5
Decatur, *Al., US* 106 C4
Decatur, *Ill., US* 106 C3
Decazeville 44 H9
Deccan 72 C5
Děčín 36 D7
Decize 44 J7
Decorah 106 B2
Dedoplis 76 M3
Dédougou 86 D2
Dedza 90 E2
Dee, *Scot., UK* 42 K4
Dee, *Wales, UK* 42 J9
Deering 110 (1)E2
Deer Lake 100 V7
Deer Lodge 104 D1
Deer Park 104 C1
De Funiak Springs 108 D3
Degeh Bur 88 G2
Deggendorf 48 J2
Dehaj 79 F1
Dehalak Desēt 74 D6
Deh Bid 79 E1
Deh-Dasht 79 D1
Dehküyeh 79 F3
Dehlonân 74 E3
Dehra 74 L3
Dehra Dun 72 C2
Dehri 72 D4
Deh Shū 74 H3
Deinze 40 F4
Dej 52 L2
De Kalb 108 C3
De-Kastri 62 Q6
Dekese 88 C4
Delano 110 C1
Delaware 106 D2
Delaware 108 F2
Delbrück 38 D5
Delémont 48 C3
Delfoi 54 E6
Delft 40 G2
Delfzijl 40 J1
Delgo 82 F3
Delhi, *India* 72 C3
Delhi, *US* 106 F2
Delitzsch 38 H5
Dellys 46 P8
Delmenhorst 38 D3
Delnice 48 K5
Delray Beach 108 E4
Del Rio 110 F3
Delta, *Colo., US* 104 E3
Delta, *Ut., US* 104 D3
Delta del Orinoco 116 E2
Delta Junction 110 (1)H3
Deming 110 E2
Demirci 54 L5
Demmin 38 J3
Democratic Republic
  of Congo 88 C4
Demopolis 108 D3
Demyanka 56 P3
Dem'yanskoye 56 N3
Denain 40 F4
Denau 74 J2
Denbigh 106 E1
Den Burg 40 G1
Dender 40 F2
Dendi 88 F2
Denham 94 B5
Den Helder 40 G2
Dénia 46 L6
Deniliquin 94 H7
Denio 104 C2
Denison, *Ia., US* 106 A2
Denison, *Tex., US* 108 B3
Denizli 76 C5
Denmark 32 E2
Denmark 94 C6
Denmark Strait 98 D3
Denpasar 70 (1)E4
Denton 110 G2
D'Entrecasteaux Islands 94 K1
Denver 104 F3
Deogarh, *India* 72 B3

Name	Page	Ref
Deogarh, *India*	72	D4
Deoghar	72	E4
De Panne	40	E3
Depok	70	(1)D4
Dépression du Mourdi	82	D4
Deputatskiy	62	P3
Dêqên	68	B1
Dera Ghazi Khan	74	K3
Dera Ismail Khan	74	K3
Derbent	74	E1
Derby, *Australia*	94	D3
Derby, *UK*	42	L9
De Ridder	108	C3
Dermott	108	C3
Derventa	52	E5
Desë	82	G5
Deseado	118	H8
Deseado	118	H8
Desert Center	110	C2
Des Moines, *Ia., US*	102	H3
Des Moines, *N.Mex., US*	110	F1
Desna	56	F4
Dessau	38	H5
Desvres	40	D4
Deta	52	J4
Detmold	38	D5
Detroit	102	K3
Detroit Lakes	106	A1
Det Udom	68	C4
Detva	36	J9
Deurne	40	H3
Deva	52	K4
Deventer	40	J2
Devil's Lake	100	L7
Devils Lake	104	G1
Devil's Point	108	F5
Devnya	52	Q6
Devon Island	100	P1
Devonport	94	J8
Dewas	72	C4
Deyang	64	C4
Deyhuk	74	G3
Dezfūl	74	E3
Dezhou	64	F3
Dhahran = Az Ẓahrān	79	D3
Dhaka	72	F4
Dhamār	82	H5
Dhamtri	72	D4
Dhanbad	72	E4
Dhar	72	C4
Dhārwād	72	B5
Dhaulagiri	72	D3
Dhekelia	78	A2
Dhībān	78	C5
Dhoraji	72	B4
Dhule	72	B4
Dhulian	72	E4
Dhuudo	88	J2
Dia	54	H9
Diamantina	116	H7
Diamantino	116	F6
Diamond Islets	94	K3
Diane Bank	94	J3
Dianópolis	116	H6
Dibā al Ḥiṣn	79	G4
Dibbiena	50	F5
Dibrugarh	72	F3
Dickens	110	F2
Dickinson	104	F1
Dickson	108	D2
Didiéni	86	C2
Didymoteicho	54	J3
Die	44	L9
Diébougou	86	D2
Dieburg	38	D7
Diéma	86	C2
Diemel	38	E5
Diemeringen	38	C8
Diepholz	38	D4
Dieppe	40	D5
Diest	40	H4
Diffa	86	G2
Digne-les-Bains	48	B6
Digoin	44	J7
Dijon	44	L6
Dikhil	82	H5
Dikili	54	J5
Diklosmta	76	L2
Diksmuide	40	E3
Dikson	60	Q3
Dikwa	86	G2
Dīla	88	F2
Dilijan	76	L3
Dillenburg	38	D6
Dillingen, *Germany*	38	F8
Dillingen, *Germany*	38	B7
Dillingham	110	(1)F4
Dillon	102	D2
Dillon	104	D1
Dillon Cone	96	D6
Dilolo	90	C2
Dimapur	72	F3
Dimashq	78	D3
Dimitrovgrad, *Bulgaria*	52	N7
Dimitrovgrad, *Russia*	56	J4
Dimitrovgrad, *Serbia*	52	K7
Dîmona	78	C5
Dinagat	68	H4
Dinajpur	72	E3
Dinan	44	C5
Dinant	40	G4
Dinar	76	D4
Dinaric Alps	44	L6
Dindigul	72	C6
Dindori	72	D4
Dingle Bay	42	B9
Dingolfing	38	H2
Dinguiraye	86	B2
Dingwall	42	H4
Dinkelsbühl	38	F7
Dinosaur	104	E2
Diomede Islands	62 A	A3
Dioriga Kointhou	54	F7
Diourbel	84	B6
Dipolog	68	G5
Dir	72	B1
Dirē Dawa	88	F2
Dirk Hartog Island	94	B5
Dirranbandi	94	J5
Disko = Qeqertarsuaq	100	V2
Disko Bugt = Qeqertarsuup Tunua	100	V3
Diss	40	D2
Distrito Federal	116	H7
Dithmarschen	38	D2
Divândarreh	76	M6
Divinópolis	118	N3
Divo	86	C3
Divriği	76	H4
Dixon	106	C2
Dixon Entrance	110	(1)L5
Diyarbakir	76	J5
Dja	86	G4
Djado	84	H4
Djamâa	84	G2
Djambala	84	G5
Djanet	84	G4
Djelfa	84	F2
Djéma	88	D2
Djibo	86	D2
Djibouti	82	H5
Djibouti	82	H5
Djolu	88	C3
Djougou	86	E3
Djúpivogur	34	(1)F2
Dnieper	56	F5
Dniester	52	Q1
Dnipro	32	H3
Dniprodzerzhyns'k	56	F5
Dnipropetrovs'k	56	F5
Dnister	32	G3
Dno	56	E3
Doba, *Chad*	88	B2
Doba, *China*	72	E2
Döbeln	38	J5
Doboj	52	F5
Dobre Miasto	36	K4
Dobrich	52	Q6
Dobryanka	56	L3
Doctor Arroyo	110	F4
Dodecanese = Dodekanisos	54	J8
Dodge City	104	F3
Dodoma	88	F5
Doetinchem	40	J3
Doğanşehir	76	G4
Dōgo	66	G5
Dogondoutchi	86	E2
Doha = Ad Dawhah	79	D4
Doka	70	(2)D4
Dokkum	38	B3
Dolak	70	(2)E4
Dolbeau	106	F1
Dole	44	A3
Dolgany	62	E2
Dolinsk	62	Q7
Dollard	38	C3
Dolný Kubrin	36	J8
Dolomiti	48	G4
Dolo Odo	88	G3
Dolores	118	K6
Dolphin and Union Strait	100	H3
Domar	72	D2
Domažlice	38	H7
Dombås	34	E5
Dombóvár	52	F3
Domfront	44	E5
Dominica	114	E2
Dominican Republic	114	D1
Domodóssola	48	D4
Domokos	54	F5
Dompu	70	(2)A4
Domžale	48	K4
Don	32	H2
Donau = Danube	48	H2
Donaueschingen	48	D3
Donauwörth	38	F8
Don Benito	46	E6
Doncaster	42	L8
Dondra Head	72	D7
Donegal	42	D7
Donegal Bay	42	D7
Donets	32	H3
Donets'k	56	G5
Dongco	72	D2
Dongfang	68	D3
Donggala	70	(2)A3
Donggou	66	C4
Dongguan	68	E2
Dông Hôi	68	D3
Dongjingcheng	66	E1
Donglük	60	R10
Dongning	66	F2
Dongo	86	H4
Dongola	82	F4
Dongou	86	H4
Dongsha Qundao	68	F2
Dongsheng	64	E3
Dong Ujimqin Qi	64	F1
Dongying	64	F3
Doniphan	108	C2
Donji Vakuf	48	N6
Donner Pass	104	B3
Donostia	46	J1
Donousa	54	H7
Dora	48	C5
Dorchester	42	K11
Dordrecht	40	E3
Dorfen	48	H2
Dori	86	D2
Doring	90	B6
Dorion	106	C1
Dormagen	40	J3
Dornbirn	48	E3
Dorog	36	H10
Dorohoi	52	P2
Döröö Nuur	60	S8
Dorsten	48	J3
Dortmund	38	C5
Dos Hermanas	46	E7
Dosse	38	H4
Dosso	46	E2
Dothan	108	D3
Douai	40	F4
Douala	86	F4
Douarnenez	44	A5
Doubs	48	B3
Douentza	86	C2
Douglas, *South Africa*	90	C5
Douglas, *UK*	42	H7
Douglas, *Ariz., US*	110	E2
Douglas, *Ga., US*	108	E3
Douglas, *Wyo., US*	104	E2
Doullens	40	E4
Dourados	118	L3
Douro	46	B3
Dover	40	D3
Dover, *US*	108	F2
Dover, *Australia*	94	J8
Dover-Foxcroft	106	G1
Dowlatābād, *Iran*	79	E2
Dowlatābād, *Iran*	79	G2
Dowshī	74	J2
Drac	48	B6
Drachten	40	J1
Dragan	34	H4
Drăgăneşti-Olt	52	M5
Drăgăşani	52	M5
Draguignan	48	B7
Drakensberg	90	D6
Drake Passage	118	G10
Drama	54	G3
Drammen	34	F7
Drasenhofen	48	M2
Drau	48	J4
Drava	52	F5
Dravograd	50	K2
Drawsko Pomorskie	36	E4
Dresden	38	J5
Dreux	40	D6
Drezdenko	36	F5
Drina	52	G5
Driva	34	E5
Drniš	52	D6
Drobeta-Turnu Severin	52	K5
Drochia	52	Q1
Drogheda	42	F8
Drohobych	36	N8
Drôme	44	K9
Dronne	44	F8
Dronning Maud Land	120	(2)F2
Dronten	40	H2
Drummondville	106	F1
Druskininkai	34	M9
Druzhina	62	Q3
Drvar	52	D5
Dryanovo	52	N7
Dryden	102	H2
Dschang	86	G3
Dubā	82	G2
Dubai = Dubayy	79	F4
Dubăsari	52	S2
Dubawnt Lake	100	L4
Dubayy	79	F4
Dubbo	94	J6
Dübendorf	48	D3
Dublin, *Ireland*	42	F8
Dublin, *US*	108	E3
Dublin Bay	42	F8
Dubna	56	G3
Dubnica	36	H9
Du Bois	106	E2
Dubois, *Id., US*	104	D2
Dubois, *Wyo., US*	104	E2
Dubovskoye	56	H5
Dubreka	86	B3
Dubrovnik	52	F7
Dubuque	106	B2
Duchesne	104	D2
Ducie Island	92	P8
Dudelange	40	J5
Duderstadt	38	F5
Dudinka	60	R4
Dudley	42	K9
Duero	46	D3
Dugi Otok	52	B6
Duifken Point	94	H2
Duisburg	40	J3
Duiveland	40	F3
Duk Faiwil	88	E2
Dukhān	79	D4
Dukla	36	L8
Dukou	64	C5
Dulan	64	B3
Dulce	110	E1
Dulce	118	J4
Dul'Durga	62	E6
Dullewala	72	B2
Dülmen	38	C5
Dulovo	52	Q6
Duluth	106	B1
Dūmā	78	D3
Dumaguete	68	G5
Dumai	70	(1)C2
Dumas, *Ark., US*	108	C3
Dumas, *Tex., US*	104	F3
Dumayr	78	D3
Dumbarton	42	H5
Ďumbier	36	J9
Dumboa	86	G2
Dumfries	42	J6
Dümmer	38	D4
Dumont d'Urville Sea	120	(2)U3
Dumyât	82	F1
Duna = Danube	52	E2
Dunaj = Danube	36	G10
Dunajská Streda	52	G2
Dunakeszi	52	G2
Dunărea = Danube	52	K5
Dunaújváros	52	F3
Dunav = Danube	52	J5
Dunayivtsi	56	E5
Dunbar	42	K6
Dunback	104	B1
Duncan Passage	68	A4
Dundaga	34	M8
Dundalk	42	F7
Dundalk Bay	42	F8
Dundee, *South Africa*	90	E5
Dundee, *UK*	42	K5
Dunedin	96	C7
Dunfermline	42	J5
Dungarvan	42	E9
Dungeness	40	C4
Dungu	88	D3
Dungun	66	C6
Dunhua	66	A2
Dunhuang	64	A2
Dunkerque	40	E3
Dunkirk	106	E2
Dunkwa	86	D3
Dun Laoghaire	42	F8

Index

Name		Page	Grid
Dunnet Head	⌷	42	J3
Dunseith	◉	104	G1
Dunsmuir	◉	104	B2
Duque de Caxias	◉	118	N3
Du Quoin	◉	108	D2
Durance	⊿	44	L10
Durango, *Mexico*	◉	110	F4
Durango, *Spain*	◉	46	H1
Durango, *US*	◉	104	E3
Durant	◉	108	B3
Durazno	◉	118	K5
Durban	◉	90	E5
Düren	◉	40	J4
Durgapur	◉	72	E4
Durham, *Canada*	◉	106	D2
Durham, *UK*	◉	42	L7
Durham, *US*	◉	108	F2
Duri	◉	70	(1)C2
Durmä	◉	79	B4
Durmanec	◉	52	C3
Durmitor	▲	52	G6
Durrës	◉	54	B3
Dursey	⌷	42	B10
Dursunbey	◉	54	L5
D'Urville Island	⌷	96	D5
Dushanbe	◉	74	J2
Düsseldorf	◉	40	J3
Duvno	◉	48	N7
Duyun	◉	64	D5
Düzce	◉	54	P4
Dvina	⊿	32	H2
Dvinskaya Guba	⊵	56	G1
Dwarka	◉	72	A4
Dworshak Reservoir	⊿	104	C1
Dyat'kovo	◉	56	F4
Dyersburg	◉	108	D2
Dyje	⊿	48	M2
Dzavhan	⊿	60	S8
Dzerzhinsk	◉	56	H3
Dzhalinda	◉	62	L6
Dzhambeyty	◉	56	K4
Dzhankoy	◉	56	F5
Dzhardzhan	◉	62	L3
Dzharkurgan	◉	74	J2
Dzhetygara	◉	56	M4
Dzhezkazgan	◉	56	N5
Dzhigudzhak	◉	62	T4
Dzhizak	◉	60	M9
Dzhusaly	◉	56	M5
Działdowo	◉	36	K4
Dzüünbulag	◉	64	F1

E

Name		Page	Grid
Eads	◉	104	F3
Eagle	◉	110	(1)J3
Eagle Lake	⊿	104	B2
Eagle Pass	◉	110	F3
East Antarctica	◎	120	(2)P2
Eastbourne	◉	40	C4
East Cape	⌷	96	G3
East China Sea	◉	64	H4
East Dereham	◉	40	C2
Easter Island	⌷	92	Q8
Eastern Cape	◉	90	D6
Eastern Ghats	▬	72	C6
Easter Ross	◉	42	H4
East Falkland	⌷	118	K9
East Grinstead	◉	40	C3
East Kilbride	◉	42	H6
Eastleigh	◉	40	A4
East Liverpool	◉	108	E1
East London	◉	90	D6
Eastmain	◉	100	R6
Eastmain	⊿	100	S6
East Point	◉	108	E3
East Retford	◉	40	B1
East St. Louis	◉	106	B3
East Sea = Sea of Japan	⊡	66	G3
East Siberian Sea = Vostochno-Sibirskoye More	⊡	62	U2
East Timor	Ⓐ	70	(2)C4
Eatonton	◉	108	E3
Eau Claire	◉	106	B2
Ebbw Vale	◉	42	J10
Ebensee	◉	48	J3
Eberbach	◉	38	D7
Ebersbach	◉	36	D6
Ebersberg	◉	48	G2
Eberswalde	◉	38	J4
Ebinur Hu	⊿	60	Q9
Èboli	◉	50	K8
Ebolowa	◉	86	G4
Ebro	⊿	46	K3
Eceabat	◉	54	J4
Ech Chélif	◉	84	F1
Echinos	◉	54	G5
Echo Bay	◉	100	H3

Name		Page	Grid
Écija	◉	46	E7
Eckernförde	◉	38	E2
Ecuador	Ⓐ	116	B4
Ed	◉	82	H5
Edam	◉	40	H2
Eday	◉	42	K2
Ed Da'ein	◉	82	E5
Ed Damazin	◉	82	F5
Ed Debba	◉	82	F4
Ed Dueim	◉	82	F5
Ede, *Netherlands*	◉	40	H2
Ede, *Nigeria*	◉	86	E3
Edéa	◉	86	G4
Edelény	◉	36	K9
Eden, *Australia*	◉	94	J7
Eden, *US*	⊿	110	G2
Edendale	◉	96	B8
Eder	⊿	38	D5
Edersee	◉	38	E5
Edessa	◉	54	E4
Edgecumbe	◉	96	F3
Edinburgh	◖	42	J6
Edineţ	◉	52	Q1
Edirne	◉	54	J3
Edmonds	◉	104	B1
Edmonton	◉	100	J6
Edmundson	◉	102	N2
Edmundston	◉	106	G1
Edolo	◉	48	F4
Edremit	◉	54	J5
Edremit Körfezi	⌷	54	H5
Edwards	◉	110	C2
Edwards Plateau	◎	110	F2
Eemshaven	◉	40	J1
Éfaté	⌷	92	G7
Eferding	◉	36	D9
Effingham	◉	108	D2
Eganville	◉	106	E1
Eger	◉	38	G6
Eger	⊿	52	H2
Eggenfelden	◉	48	H2
Egilsstaðir	◉	34	(1)F2
Eğridir	◉	54	N7
Eğridir Gölü	◉	54	N6
Egvekinot	◉	62	Y3
Egypt	Ⓐ	82	E2
Ehingen	◉	48	E2
Eibar	◉	46	H1
Eichstätt	◉	48	G2
Eider	⊵	38	D2
Eidsvold	◉	94	K5
Eidsvoll	◉	34	F6
Eifel	◎	40	J4
Eigg	⌷	42	F5
Eight Degree Channel	⊵	72	B7
Eilenburg	◉	38	H5
Einbeck	◉	38	E5
Eindhoven	◉	40	H3
Eirunepé	◉	116	D5
Eiseb	⊿	90	C4
Eisenach	◉	38	F6
Eisenerz	◉	48	K3
Eisenhüttenstadt	◉	36	D5
Eisenstadt	◉	48	M3
Eisleben	◉	38	G5
Eivissa	◉	46	M5
Eivissa	⌷	46	M6
Ejea de los Caballeros	◉	46	J2
Ejido Insurgentes	◉	102	D6
Ejin Horo Qi	◉	64	D3
Ejin Qi	◉	64	C2
Ejmiadzin	◉	76	L3
Ekalaka	◉	104	F1
Ekenäs	◉	34	M7
Ekibastuz	◉	60	P7
Ekimchan	◉	62	N6
Ekonda	◉	60	V4
Eksjo	◉	34	H8
Ekwan	⊿	100	Q6
El Aaiún	◖	84	C3
Elafonisos	⌷	54	E8
El 'Alamein	◉	82	E1
El Amria	◉	46	J9
El 'Arîsh	◉	78	A5
Elat	◉	78	B7
Elazığ	◉	76	H4
El Azraq	◉	78	D5
Elba	⌷	50	E6
El Banco	◉	116	C2
El Baúl	◉	116	D2
Elbe	⊿	38	F3
Elbeuf	◉	40	D5
Elbistan	◉	76	G4
Elbląg	◉	36	J3
El Borj	◉	46	E9
Elbow	◉	102	E1

Name		Page	Grid
Elbrus	▲	76	K2
El Burgo de Ebro	◉	46	K3
El Burgo de Osma	◉	46	G3
El Cajon	◉	110	C2
El Callao	◉	116	E2
El Campo	◉	108	B4
El Centro	◉	110	C2
El Cerro	◉	116	E7
Elch	◉	46	K6
Elda	◉	46	K6
El'dikan	◉	62	P4
Eldorado	◉	118	L4
El Dorado, *Mexico*	◉	102	E7
El Dorado, *Ark., US*	◉	108	C3
El Dorado, *Kans., US*	◉	108	B2
El Dorado, *Venezuela*	◉	116	E2
Eldoret	◉	88	F3
Elefsína	◉	54	F6
Elektrénai	◉	36	P3
El Encanto	◉	116	C4
Elephant Butte Reservoir	⌷	110	E2
Eleuthera	⌷	102	L6
El Fahs	◉	50	D12
El Faiyûm	◉	82	F2
El Fasher	◉	82	E5
El Geneina	◉	82	D5
Elgin, *UK*	◉	42	J4
Elgin, *Ill., US*	◉	106	C2
Elgin, *N.D., US*	◉	104	F1
El'ginskiy	◉	62	Q4
El Gîza	◉	82	F1
El Golea	◉	84	F2
El Iskandarîya	◉	82	E1
Elista	◉	54	H5
Elizabeth	◉	106	F2
Elizabeth City	◉	108	F2
Elizabethton	◉	108	E2
El Jadida	◉	84	D2
El Jafr	◉	78	D6
El Jafr	◉	78	D6
Elk	◉	36	M4
Elk	⊿	36	M4
El Kala	◉	50	C12
Elk City	◉	110	G1
El Kef	◉	50	C12
El Kelaâ des Srarhna	◉	84	D2
El Khârga	◉	82	F2
Elkhart, *Ind., US*	◉	106	C2
Elkhart, *Kans., US*	◉	108	A2
El Khartum	◉	82	F4
El Khartum Bahri	◉	82	F4
Elkhorn	⊿	104	G2
Elkhorn	◉	106	C2
Elkhovo	◉	54	J2
Elkins	◉	106	E3
Elko, *Canada*	◉	104	C1
Elko, *US*	◉	104	C2
Elk River	◉	106	B1
El Kuntilla	◉	78	B7
Ellendale	◉	102	G2
Ellensburg	◉	104	B1
Ellesmere Island	⌷	98	K1
Ellice Islands	⌷	92	H6
Elliot	◉	90	D6
Ellis	◉	100	J8
Ellisras	◉	90	D4
Elliston	◉	94	F6
Ellsworth	◉	106	G2
Ellwangen	◉	48	F2
Elmadağ	◉	54	R5
Elmali	◉	54	M8
El Mansûra	◉	82	F1
El Minya	◉	82	F2
Elmira	◉	106	E2
Elmshorn	◉	38	E3
El Muglad	◉	82	E5
El Nido	◉	58	F4
El Obeid	◉	82	F5
El Odaiya	◉	82	E5
El Oued	◉	84	G2
El Paso	◉	110	E2
El Portal	◉	110	C1
El Potosi	◉	110	F4
El Prat de Llobregat	◉	46	N3
El Puerto de Santa María	◉	46	D8
El Qâhira	◉	82	F1
El Reno	◉	108	B2
El Sahuaro	◉	110	D2
El Salvador	Ⓐ	112	F6
Elster	⊿	38	H5
Elsterwerda	◉	38	J5
El Sueco	◉	110	E3
El Suweis	◉	82	F2
Eltanin Bay	⊵	120	(2)JJ2
El Thamad	◉	78	B7
El Tigre	◉	116	E2
El Turbio	◉	118	G9

Name		Page	Grid
Eluru	◉	72	D5
Elvas	◉	46	C6
Elverum	◉	34	F6
Elvira	◉	116	C5
El Wak	◉	88	G3
Ely, *UK*	◉	42	N9
Ely, *US*	◉	104	D3
Emajõgi	⊿	34	P7
Emämrüd	◉	74	F2
Emba	◉	56	L5
Emba	⊿	56	L5
Embalse de Alarcon	◉	46	H5
Embalse de Alcántara Uno	◉	46	D5
Embalse de Almendra	◉	46	D3
Embalse de Contreras	◉	46	J5
Embalse de Gabriel y Galán	◉	46	D4
Embalse de Garcia Sola	◉	46	E5
Embalse de Guadalhorce	◉	46	F8
Embalse de Guadalmena	◉	46	G6
Embalse de Guri	⊿	116	E2
Embalse de la Serena	◉	46	E6
Embalse de la Sotonera	◉	46	K2
Embalse del Bembézar	◉	46	E6
Embalse del Ebro	◉	46	G1
Embalse del Río Negro	◉	114	F7
Embalse de Negratmn	◉	46	G7
Embalse de Ricobayo	◉	46	E3
Embalse de Santa Teresa	◉	46	E4
Embalse de Yesa	◉	46	J2
Embalse Toekomstig	⊿	116	F3
Embarcación	◉	118	J3
Emden	◉	38	C3
Emerald	◉	94	J4
Emi Koussi	▲	82	C4
Emin	◉	60	Q8
Emirdağ	◉	54	P5
Emmeloord	◉	40	H2
Emmen	◉	40	J2
Emmendingen	◉	48	C2
Emmerich	◉	40	J3
Emory Peak	▲	110	F3
Empalme	◉	110	D3
Empangeni	◉	90	E5
Empoli	◉	48	F7
Emporia	◉	108	B2
Empty Quarter = Rub' al Khâlî	◎	74	E6
Ems	⊿	40	J1
Ems-Jade-Kanal	⊿	38	C3
Enafors	◉	56	B2
Encarnación	◉	118	K4
Encs	◉	52	J1
Ende	◉	70	(2)B4
Enderby Island	⌷	96	(2)B1
Energetik	◉	56	L4
Enewetak	⌷	92	F4
Enez	◉	54	J4
Enfida	◉	50	E12
Engel's	◉	56	J4
Enggano	⌷	70	(1)C4
Enghien	◉	40	G4
England	◉	42	L9
English Channel	⊵	42	J12
Engozero	◉	34	S4
'En Hazeva	◉	78	C6
Enid	◉	108	B2
Enkhuizen	◉	40	H2
Enköping	◉	34	J7
Enna	◉	50	J11
Ennedi	◉	82	E5
Enngonia	◉	94	J5
Ennis, *Ireland*	◉	42	D9
Ennis, *US*	◉	104	D1
Enniscorthy	◉	42	F9
Enniskillen	◉	42	E7
Enns	◉	48	K2
Enns	⊿	48	K3
Enschede	◉	40	J2
Ensenada	◉	110	C2
Enshi	◉	64	D4
Entebbe	◉	88	E3
Enterprise	◉	104	C1
Entrevaux	◉	48	B7
Entroncamento	◉	46	B5
Enugu	◉	86	F3
Enurmino	◉	62	Z3
Envira	◉	116	C5
Enz	⊿	48	D2
Enza	⊿	48	F6
Epanomi	◉	54	E4
Épéna	◉	88	B3
Épernay	◉	44	J4
Épinal	◉	48	B2
Epsom	◉	40	B3
Eqlîd	◉	79	E1
Equatorial Guinea	Ⓐ	86	F4
Erbach	◉	38	D7
Erçek	◉	76	K4

Name	Page	Ref
Erciş	76	K4
Ercolano	50	J8
Érd	52	F2
Erdek	54	K4
Erdemli	54	S8
Erdenet	62	G7
Erding	48	G2
Erechim	118	L4
Ereğli, *Turkey*	76	D3
Ereğli, *Turkey*	76	F5
Ereikoussa	54	B5
Erenhot	64	E2
Erfurt	38	G6
Ergani	76	H4
Erg Chech	84	D4
Erg du Ténéré	84	H5
Ergel	64	D2
Erg Iguidi	84	D3
Erie	106	D2
Erimo-misaki	66	M3
Eriskay	42	E4
Eritrea	82	G4
Erlangen	38	G7
Ermenek	76	E5
Ermoupoli	54	G7
Erode	72	C6
Er Rachidia	84	E2
Er Renk	88	E1
Errol	106	F2
Er Ruseifa	78	D4
Ersekë	54	C4
Erskine	106	A1
Ertai	60	S8
Ertix	60	R8
Erzgebirge	38	H6
Erzin	60	S7
Erzincan	76	H4
Erzurum	76	J4
Esan-misaki	66	L3
Esashi, *Japan*	66	L3
Esashi, *Japan*	66	M1
Esbjerg	34	E9
Escanaba	106	C1
Escárcega	112	F5
Esch	40	J5
Eschwege	38	F5
Eschweiler	40	J4
Escondido	110	C2
Eséka	86	G4
Eşfahān	74	F3
Eskifjöður	34	(1)G2
Eskilstuna	34	J7
Eskimo Lakes	110	(1)L2
Eskişehir	76	D4
Esla	46	E3
Eslāmābād e Gharb	76	M6
Eslamshahr	74	F2
Esler Dağ	54	M7
Eslö	36	C2
Esmeraldas	116	B3
Esneux	40	H4
Espalion	44	H9
Espanola, *Canada*	106	D1
Espanola, *US*	104	E3
Espelkamp	38	D4
Esperance	94	D6
Esperance Bay	94	D6
Espinho	46	B4
Espírito Santo	116	J7
Espíritu Santo	92	G7
Esplanada	116	K6
Espoo	34	N6
Espungebera	90	E4
Essaouira	84	D2
Es Semara	84	C3
Essen, *Belgium*	40	G3
Essen, *Germany*	40	K3
Essequibo	116	F2
Esslingen	48	E2
Eştahbānāt	79	F2
Este	48	G5
Estella	46	H2
Estepona	46	E8
Esteros	118	J3
Estevan	102	F2
Estonia	34	M7
Estoril	46	A6
Estrecho de Le Maire	118	H10
Estrecho de Magallanes	118	G9
Estrela	46	C4
Estremoz	46	C6
Estuário do Rio Amazonaz	116	H3
Esztergom	52	F2
Étain	40	H5
Étampes	44	H5
Étang de Berre	44	L10
Étaples	40	D4
Etawah	72	C3
Ethiopia	80	G5
Etolin Strait	110	(1)D3
Etosha Pan	90	B3
Étretat	40	C5
Ettelbruck	38	B7
Ettlingen	38	D8
Eucla	94	E6
Euclid	106	D2
Eufala	108	D3
Eufaula Lake	108	B2
Eugene	104	B2
Eupen	38	B6
Euphrates	74	D3
Euphrates = Firat	76	H4
Eure	40	D6
Eureka, *Calif., US*	104	B2
Eureka, *Mont., US*	104	C1
Eureka, *Nev., US*	110	C1
Eureka, *Ut., US*	104	D3
Europoort	40	F3
Euskirchen	38	B6
Eutin	38	F2
Eutsuk Lake	100	F6
Evans Strait	100	Q4
Evanston, *Ill., US*	106	C2
Evanston, *Wyo., US*	104	D2
Evansville	108	D2
Evaz	79	F3
Everett	104	B1
Everglades City	108	E4
Evergreen	108	D3
Evesham	40	A2
Évora	46	C6
Évreux	40	D5
Evron	44	E5
Evros	54	J3
Evvoia	54	F6
Ewo	86	G5
Exaltación	116	D6
Exe	42	J11
Exeter	42	J11
Exmouth, *Australia*	94	B4
Exmouth, *UK*	42	J11
Exuma Sound	102	L7
Eyl	88	H2
Eyre Peninsula	94	G2
Ezine	54	J5

F

Name	Page	Ref
Faadippolu Atoll	72	B8
Fåborg	38	F1
Fabriano	48	H7
Fada	82	D4
Fada Ngourma	86	E2
Faenza	48	G6
Færingehavn = Kangerluarsoruseq	100	W4
Faeroes	32	D1
Făgăraş	52	M4
Fagernes	34	E6
Fagersta	34	H6
Fagurhólsmýri	34	(1)E3
Fahraj	79	H2
Faial	84	(1)B2
Fairbanks	110	(1)H3
Fair Isle	42	L2
Fairlie	96	C7
Fairmont	106	B2
Faisalabad	72	B2
Faith	104	F1
Faizabad	72	D3
Fakfak	70	(2)D3
Fakse	38	H1
Fakse Bugt	34	G9
Faku	64	G2
Falaise	40	B6
Falaise de Tiguidit	84	G5
Falconara Marittima	48	J7
Falcon Lake	108	B4
Fălesti	52	Q2
Falfurrias	108	B4
Falkenberg	34	G8
Falkensee	38	J4
Falkland Islands	118	K9
Falkland Sound	118	J9
Falköping	34	G7
Fallingbostel	38	E4
Fallon	104	C3
Fall River	106	F2
Falls City	102	G3
Falmouth, *UK*	42	G11
Falmouth, *US*	106	F2
Falster	38	H2
Fălticeni	52	P2
Falun	34	H6
Famagusta = Ammochostos	78	A1
Fanchang	64	F4
Fandriana	90	H4
Fangzheng	64	H1
Fannūj	74	G4
Fanø	38	D1
Fano	48	J7
Fanø Bugt	38	D1
Faradje	88	D3
Farafangana	90	H4
Farāh	74	H3
Farah Rud	74	H3
Faranah	86	B2
Fareham	40	A4
Farewell Spit	96	D5
Fargo	102	G2
Faribault	106	B2
Faridabad	72	C3
Farihy Alaotra	90	H3
Farmington, *Me., US*	106	F2
Farmington, *N.Mex., US*	110	E1
Farnborough	40	B3
Farne Islands	42	L6
Fårö	34	K8
Faro, *Brazil*	116	F4
Faro, *Portugal*	46	C7
Farquhar Group	90	(2)B3
Farrāshband	79	E2
Farson	104	E2
Fasā	79	E2
Fasano	50	M8
Fategarh	72	C3
Fatehpur	72	D3
Fāurei	52	Q4
Fauske	34	H3
Fauville-en-Caux	40	C5
Favara	50	H11
Faversham	40	C3
Favignana	50	G11
Faxaflói	34	(1)B2
Faya	82	C4
Fayette	108	D3
Fayetteville, *Ark., US*	108	C2
Fayetteville, *N.C., US*	106	E3
Fayetteville, *Tenn., US*	108	D2
Faylakah	79	C2
Fdérik	84	C4
Featherston	96	E5
Fécamp	40	C5
Federated States of Micronesia	92	E5
Fedorovka	56	M4
Fehmarn	38	G2
Feijó	116	C5
Feilding	96	E5
Feira de Santana	116	K6
Feistritz	48	L3
Fejø	38	G2
Feldbach	48	L4
Feldkirch	48	E3
Feldkirchen	48	K4
Felidu Atoll	72	B8
Felixstowe	40	D3
Feltre	48	G4
Femø	38	G2
Femund	34	F5
Fengcheng	66	C3
Fenghua	64	G5
Fengning	64	F2
Feng Xian	64	D4
Feni	72	F4
Feni	64	E3
Feodosiya	76	F1
Fergana	74	K1
Fergus Falls	102	G2
Ferkessédougou	86	C3
Ferlach	48	K4
Fermo	48	H5
Fernandina Beach	108	E3
Fernandópolis	118	L3
Ferrara	48	G6
Ferreira do Alentejo	46	B7
Ferrol	46	B1
Ferry Lake	108	C2
Fès	84	E2
Festus	106	B3
Feteşti	52	Q5
Fethiye	54	M8
Fetisovo	76	H1
Fetlar	42	M1
Feucht	38	G7
Feuchtwangen	38	F7
Feyzābād	74	K2
Fianarantsoa	90	H4
Fianga	88	B2
Fichē	88	F2
Fidenza	48	F6
Fieni	52	N4
Fier	54	B4
Figeac	44	G9
Figline Valdarno	48	G7
Figueira da Foz	46	B4
Figueres	46	N2
Figuig	84	E2
Figuil	86	G3
Fiji	92	H8
Filadélfia	118	J3
Fil'akovo	36	J9
Filiaşi	52	L5
Filicudi	50	J10
Finale Ligure	48	D6
Findlay	106	D2
Fingoè	90	E3
Finike	54	N8
Finland	34	P3
Finland	100	F5
Finley	94	J7
Finnsnes	34	K2
Finsterwalde	38	J5
Firat	76	H4
Firenze	48	G7
Firminy	44	K8
Firozabad	72	C3
Firozpur	72	B2
Firth of Clyde	42	G6
Firth of Forth	42	K5
Firth of Lorn	42	G5
Firth of Thames	96	E3
Fish	90	B5
Fisher Strait	100	Q4
Fishguard	42	H9
Fiskenæsset = Qeqertarsuatsiaat	100	W4
Fismes	40	F5
Fitzroy Crossing	94	E3
Fivizzano	48	F6
Fizi	88	D4
Flaming Gorge Reservoir	104	E2
Flamingo	108	E4
Flannan Islands	42	E3
Flåsjön	34	H4
Flateyri	34	(1)B1
Flathead Lake	104	D1
Flensburg	38	E2
Flensburg Fjorde	38	E2
Flers	40	B6
Flinders Island	94	J7
Flinders Ranges	94	G6
Flinders Reefs	94	J3
Flin Flon	100	L6
Flint	106	D2
Flint Island	92	L7
Flirey	48	A2
Flöha	38	J6
Florac	44	J9
Florence = Firenze, *Italy*	48	G7
Florence, *Al., US*	108	D3
Florence, *S.C., US*	108	F3
Florencia	116	B3
Florennes	40	G4
Florenville	40	H5
Flores, *Azores*	84	(1)A2
Flores, *Indonesia*	70	(2)B4
Floresti	52	R2
Floriano	116	J5
Florianópolis	118	M4
Florida	108	E4
Florida	118	K5
Florida Keys	98	K7
Florina	54	D4
Florissant	106	B3
Floro	34	C6
Floydada	110	F2
Flumendosa	50	D9
Fly	70	(2)F4
Foča	52	F6
Foça	54	J6
Focşani	52	Q4
Fóggia	50	K7
Fogo	86	(1)B1
Fogo Island	100	W7
Fohnsdorf	48	K3
Föhr	38	D2
Foix	44	G11
Folegandros	54	G8
Foleyet	106	D1
Foligno	50	G6
Folkestone	40	D3
Folkston	108	E3
Follónica	50	E6
Fond du Lac	106	C2
Fondi	50	H7
Fongafale	92	H6
Fontainebleau	44	H5
Fonte Boa	116	D4
Fontenay-le-Comte	44	E7
Fontur	34	(1)F1

Name	Page	Grid
Fonyód	50	M2
Forbach, *France*	40	J5
Forbach, *Germany*	40	L6
Forchheim	38	G7
Førde	34	C6
Fordyce	108	C3
Forest, *Canada*	106	D2
Forest, *US*	108	D3
Forestville	106	G1
Forfar	42	K5
Forges-les-Eaux	40	D5
Forks	104	B1
Forlì	48	H6
Formazza	48	D4
Formentera	46	M6
Förmia	50	H7
Formiga	118	M3
Formosa, *Brazil*	116	H7
Formosa, *Paraguay*	118	K4
Fornovo di Taro	48	F6
Forssa	34	M6
Forst	38	K5
Forsyth	104	E1
Fortaleza	116	K4
Fort Abbas	72	B3
Fort Bayne	106	C4
Fort Beaufort	90	D6
Fort Benton	104	D1
Fort Bragg	110	B1
Fort Chipewyan	100	J5
Fort Cobb Reservoir	108	B2
Fort Collins	104	E2
Fort-de-France	112	M6
Fort Dodge	106	B2
Forte dei Marmi	48	F7
Fort Frances	106	B1
Fort George	100	R6
Fort Gibson Lake	108	B2
Fort Good Hope	100	F3
Forth	42	H5
Fort Hope	100	P6
Fortín Coronel Eugenio Garay	118	J3
Fort Kent	106	G1
Fort Lauderdale	108	E4
Fort Liard	100	G4
Fort Mackay	100	J5
Fort Macleod	104	D1
Fort McMurray	100	J5
Fort McPherson	110	(1)L2
Fort Munro	74	J4
Fort Myers	108	E4
Fort Nelson	100	G5
Fort Norman	110	(1)M3
Fort Payne	108	D3
Fort Peck Reservoir	104	E1
Fort Pierce	108	E4
Fort Pierre	104	F2
Fort Portal	88	E3
Fort Providence	100	H4
Fortrose	96	B8
Fort Rupert	100	R6
Fort St. John	100	G5
Fort Saint Lucie	108	E4
Fort Scott	108	C2
Fort Severn	100	P5
Fort Shevchenko	60	J9
Fort Simpson	100	G4
Fort Smith, *Canada*	100	J4
Fort Smith, *US*	108	C2
Fort Stockton	110	F2
Fort Summer	110	F2
Fortuna	104	F1
Fortune Bay	100	V7
Fort Vermilion	100	H5
Fort Wayne	108	D1
Fort William	42	G5
Fort Worth	108	B3
Fort Yates	104	F1
Foshan	68	G4
Fosna	34	F5
Fossano	48	C6
Fossombrone	48	H7
Fougamou	86	G5
Fougères	44	D5
Foula	42	K1
Foulness	40	C3
Foumban	86	G3
Fourmies	40	G4
Fournoi	54	J7
Fouta Djallon	86	B2
Foveaux Strait	96	A8
Foxe Basin	100	R3
Foxe Channel	100	R4
Foxe Peninsula	100	R4
Fox Islands	110	(1)D5
Foz do Cunene	90	A3
Foz do Iguaçu	118	L4
Fraga	46	L3
Franca	118	M3
Francavilla	50	M8
Francavilla al Mare	50	J6
France	44	G7
Franceville	86	G5
Francisco I. Madero	110	F4
Francistown	90	D4
Francs Peak	104	E2
Frankenberg	38	D5
Frankenthal	38	D7
Frankfort, *Ind., US*	108	D1
Frankfort, *Ky., US*	108	E2
Frankfurt, *Germany*	38	K4
Frankfurt, *Germany*	38	D6
Franklin, *N.C., US*	106	D3
Franklin, *Tenn., US*	106	C3
Franklin Bay	100	F2
Franklin D. Roosevelt Lake	104	C1
Franklin Mountains	100	F3
Franklin Strait	100	M2
Franz Josef Glacier	96	C6
Franz Josef Land = Zemlya Frantsa-Iosifa	60	J2
Fraser	100	G6
Fraserburg	90	C6
Fraserburgh	42	L4
Fraser Island	94	K5
Frater	106	D1
Frauenfeld	48	D3
Fredensborg	36	B2
Frederick, *Md., US*	106	E3
Frederick, *Okla., US*	108	B3
Fredericksburg, *Tex., US*	108	B3
Fredericksburg, *Va., US*	106	E3
Fredericktown	106	B3
Fredericton	100	T7
Frederikshåb = Paamiut	100	X4
Frederikshavn	34	F8
Frederikssund	36	B2
Frederiksværk	34	G9
Fredrikstad	34	F7
Freeport, *Ill., US*	106	C2
Freeport, *Tex., US*	108	B4
Freeport City	108	F4
Freer	108	B4
Free State	90	D5
Freetown	86	B3
Fregenal de la Sierre	46	D6
Freiberg	38	J6
Freiburg	48	C3
Freilassing	48	H3
Freising	48	G2
Freistadt	48	K2
Fréjus	44	M10
Fremantle	94	C6
Fremont, *Calif., US*	110	B1
Fremont, *Nebr., US*	102	G3
Frenchglen	104	C2
French Guiana	116	G3
Frenda	84	F1
Fresnes-sur-Apances	48	A3
Fresnillo	112	D4
Fresno	110	C1
Fresno Reservoir	104	E1
Freudenstadt	48	D2
Freyung	38	J8
Frias	118	H4
Fribourg	48	C4
Friedberg	48	G2
Friedrichshafen	48	E3
Friesach	48	K4
Friesoythe	38	C3
Frisian Islands	40	H1
Fritzlar	38	E5
Frobisher Bay	100	T4
Frolovo	56	H5
Frome	42	K10
Frontera	112	F5
Frontignan	44	J10
Frosinone	50	H7
Frøya	34	D5
Fruges	40	G4
Frýdek Mistek	36	H8
Fudai	66	L4
Fuding	64	G5
Fuengirola	46	F8
Fuentesauco	46	E3
Fuerteventura	84	C3
Fugu	64	E3
Fuhai	60	R8
Fujieda	66	K6
Fujin	62	N7
Fujisan	66	K6
Fukuchiyama	66	H6
Fukue	66	E7
Fukue-jima	66	E7
Fukui	66	J5
Fukuoka	66	F7
Fukushima	66	L5
Fukuyama	66	G6
Fulda	38	E6
Fulda	38	E6
Fuling	64	D5
Fulton	108	D2
Funabashi	66	L6
Funafuti	92	H6
Funchal	84	B2
Fundão	46	C4
Funing	68	D2
Funtua	86	F2
Furano	66	M2
Fürg	79	F2
Furmanovka	60	N9
Furmanovo	56	J5
Furneaux Group	94	J8
Furqlus	78	E2
Fürstenberg	38	J3
Fürstenfeldbruck	48	G2
Fürstenwalde	38	K4
Fürth	38	F7
Furukawa	66	L4
Fushun	66	B3
Fusong	66	D2
Füssen	48	F3
Futog	52	G4
Fuxhou	64	F5
Fu Xian	64	D3
Fuxin	64	G2
Fuyang	64	F4
Fuyu	64	G1
Fuyun	60	R8
Fuzhou	68	F1
Fyn	38	F1
Fynshav	38	F2

G

Name	Page	Grid
Gaalkacyo	88	H2
Gabès	84	H2
Gabon	86	G5
Gaborone	90	D4
Gabrovo	52	N7
Gacé	40	C6
Gacko	52	F6
Gäddede	34	H4
Gadsden	108	D3
Găeşti	52	N5
Gaeta	50	H7
Gafsa	84	G2
Gaggenau	48	D2
Gagnoa	86	C3
Gagra	76	J2
Gaildorf	48	E2
Gaillac	44	G10
Gainesville, *Fla., US*	108	E4
Gainesville, *Ga., US*	108	E3
Gainesville, *Mo., US*	108	C2
Gainesville, *Tex., US*	108	B3
Gai Xian	66	B3
Gala	72	E3
Galana	88	F4
Galanta	48	N2
Galapagos Islands = Islas Galápagos	116	(1)B1
Galashiels	42	K6
Galaţi	52	R4
Galdhøpiggen	34	D6
Galena	110	(1)F3
Galesburg	106	B2
Galich	56	H3
Gallabat	82	G5
Galle	72	D7
Gallipoli	50	N8
Gallipolis	108	E2
Gällivare	34	L3
Gallup	110	E1
Galty Zemmour	112	C3
Galveston Bay	102	G6
Galway	42	C8
Galway Bay	42	C8
Gambèla	88	E2
Gambier Islands	92	N8
Gamboma	88	B4
Gamboula	88	B3
Gan	62	L7
Ganado	110	E1
Gäncä	76	M3
Gandajika	88	C5
Gander	100	W7
Ganderkesee	38	D3
Gandesa	46	L3
Gãndhīdhãm	72	B4
Gandhinagar	72	B4
Gandia	46	K6
Gandu	116	K6
Ganganagar	72	B3
Gangara	86	F2
Gangdise Shan	72	D2
Ganges	44	J10
Ganges	72	E3
Gangi	50	J11
Gangtok	72	E3
Gannett Peak	104	E2
Ganta	86	C3
Ganye	86	G3
Ganzhou	64	E5
Gao	84	E5
Gaoual	84	C6
Gap	44	M9
Garanhuns	116	K5
Garbsen	38	E4
Gardelegen	38	G4
Garden City	104	F3
Gardëz	74	J3
Gardone Val Trómpia	48	F5
Gargždai	36	L2
Gariau	70	(2)D3
Garissa	88	F4
Garland	108	B3
Garlasco	48	D5
Garliava	36	N3
Garmisch-Partenkirchen	48	G3
Garnett	108	B2
Garonne	44	E9
Garoowe	88	H3
Garoua	86	G3
Garoua Boulaï	86	G3
Garry Lake	100	L3
Garut	70	(1)D4
Garwolin	36	L6
Gary	102	J3
Garyarsa	72	D2
Garzê	64	B4
Gasan Kuli	74	F2
Gasht	74	H4
Gashua	86	G2
Gastonia	108	E2
Gastre	118	H7
Gatchina	56	F3
Gateshead	42	L7
Gatesville	108	B3
Gatineau	106	E1
Gatrūyeh	79	F2
Gauja	34	N8
Gaula	34	F5
Gauteng	90	D5
Gävbandī	79	E3
Gavdos	54	G10
Gävle	34	J6
Gawler	94	G6
Gawler Ranges	94	G6
Gaxun Nur	64	C2
Gaya, *India*	72	E4
Gaya, *Niger*	86	E2
Gaylord	106	D1
Gayndah	94	K5
Gayny	56	K2
Gaza	78	B5
Gaz-Achak	60	L9
Gazandzhyk	60	K10
Gaza Strip	78	B5
Gaziantep	76	G5
Gazipaşa	54	Q8
Gazli	60	L9
Gbaaka	86	C3
Gbarnga	86	C3
Gdańsk	36	H3
Gdov	34	P7
Gdyel	46	K9
Gdynia	36	H3
Gebel el Tīh	78	A7
Gebel Halâl	78	A6
Gebel Katherina	82	F2
Gebel Yi'allaq	78	A6
Gebze	54	M4
Gedaref	82	G5
Gediz	54	K6
Gediz	54	M6
Gedser	38	G2
Geel	40	H3
Geelong	94	H7
Geesthacht	38	F3
Gê'gyai	72	D2
Geidam	86	G2
Geilenkirchen	40	J4
Geilo	34	E6
Geinhausen	38	E6
Geislingen	48	E2
Geita	88	E4
Gejiu	68	C2
Gela	50	J11
Geladī	88	H2

Name	Page	Ref.	Name	Page	Ref.
Geldern	40	J3	Gien	44	H6
Geleen	40	H4	Gießen	38	D6
Gelendzhik	76	H1	Gifhorn	38	F4
Gelibolu	54	J4	Gifu	66	J6
Gelibolu Yarimadasi	54	J4	Gigha	42	G6
Gelsenkirchen	40	K3	Giglio	50	E6
Gembloux	40	G4	Gijón	46	E1
Gembu	86	G3	Gila	110	E2
Gemena	88	B3	Gila Bend	110	D2
Gemlik	54	M4	Gilan Garb	76	L6
Gemlik Körfezi	54	L4	Gilazi	76	N3
Gemona del Friuli	48	J4	Gilbert Islands	92	H5
Genalē Wenz	88	G2	Gilbués	116	H5
General Acha	118	J6	Gilching	48	G2
General Alvear	118	H6	Gilf Kebir Plateau	82	E3
General Pico	118	J6	Gilgandra	94	J6
General Pinedo	118	J4	Gilgit	72	B1
General Roca	118	H6	Gilgit	74	K2
General Santos	68	H5	Gillam	100	N5
Geneva	106	E2	Gillette	104	E2
Genève	48	B4	Gillingham	40	C3
Gengma	68	B2	Gills Rock	106	C1
Genil	46	F7	Gilroy	104	B3
Genk	40	H4	Gimbī	88	F2
Genoa = Genova	48	D6	Gimli	100	M6
Genova	48	D6	Gimol'skoe Ozero	34	R5
Gent	40	F3	Gīnīr	88	G2
Genteng	70	(1)D4	Gióia del Colle	50	L8
Genthin	38	H4	Gióia Tauro	50	K10
Geographe Bay	94	B6	Gioura	54	F5
George	90	C6	Giresun	76	H3
George	100	T5	Girga	82	F2
George Town, Australia	94	J8	Girona	46	N3
George Town, Malaysia	70	(1)C1	Gironde	44	E8
Georgetown, US	108	F5	Girvan	42	H6
Georgetown, Gambia	86	B2	Gisborne	96	G4
Georgetown, Guyana	116	F2	Gisenyi	88	D4
Georgetown, Ky., US	108	E2	Gitega	88	D4
Georgetown, S.C., US	108	F3	Giurgiu	52	N6
Georgetown, Tex., US	108	B3	Givet	40	G4
George West	108	B4	Givors	44	K8
Georgia	76	K2	Giyon	88	F2
Georgia	108	E3	Gizhiga	62	U4
Georgian Bay	106	D1	Gizhiginskaya Guba	62	T4
Gera	38	H6	Gizycko	36	L3
Geraldine	96	C7	Gjiri i Vlorës	54	B4
Geraldton, Australia	94	B5	Gjirokaster	54	C4
Geraldton, Canada	102	J2	Gjøvik	34	F6
Gérardmer	48	B2	Glacier Peak	104	B1
Gerāsh	79	F3	Gladstone	94	K4
Gerede	76	E3	Glamoč	52	D5
Gerefsried	48	G3	Glan	38	C7
Gereshk	74	H3	Glan	70	(2)C1
Gérgal	46	H7	Glarner Alpen	48	D4
Gerik	68	C5	Glasgow, UK	42	H6
Gerlach	104	C2	Glasgow, Ky., US	106	C3
Germantown	106	C3	Glasgow, Mont., US	104	E1
Germany	38	E6	Glauchau	38	H6
Germencik	54	K7	Glazov	60	J6
Germering	48	G2	Gleisdorf	48	L3
Germersheim	40	L5	Glendale, Ariz., US	110	D2
Gernika	46	H1	Glendale, Calif., US	110	C2
Gerolzhofen	38	F7	Glendambo	94	G6
Gērzē	72	D2	Glendive	104	F1
Geser	70	(2)D3	Glennallen	110	(1)H3
Getafe	46	G4	Glenn Innes	94	K5
Gettysburg	104	F2	Glenrothes	42	J5
Getxo	46	H1	Glens Falls	106	F2
Geugnon	44	K7	Glenwood, Ark., US	106	B4
Gevas	76	K4	Glenwood, Minn., US	106	A1
Gevgelija	54	E3	Glenwood, N.Mex., US	110	E2
Gewané	82	H5	Glenwood Springs	104	E3
Geyik Dağ	54	Q8	Glidden	106	B1
Geyser	104	D1	Glina	48	M5
Geyve	54	N4	Gliwice	36	H7
Ghadāmis	84	G2	Głogów	36	F6
Ghadīr Minqār	78	E3	Glomfjord	34	H3
Ghana	86	D3	Glomma	34	F5
Ghanzi	90	C4	Glorieuses	80	H7
Gharandal	78	C6	Gloucester, UK	42	K10
Ghardaïa	84	F2	Gloucester, US	106	F2
Gharo	74	J5	Głowno	36	J6
Gharyān	84	H2	Gluchołazy	36	G7
Ghāt	82	B2	Glückstadt	38	E3
Ghazaouet	84	E1	Gmünd, Austria	48	J4
Ghaziabad	72	C3	Gmünd, Austria	48	L2
Ghazipur	72	D3	Gmunden	48	J3
Ghazni	74	J3	Gniezno	36	G5
Gheorgheni	52	N3	Gnjilane	54	D2
Gherla	52	L2	Gnoien	38	H3
Ghizar	72	B1	Goalpara	72	F3
Ghotāru	72	B3	Goba	88	F2
Giannitsa	54	E4	Gobabis	90	B4
Giannutri	50	F6	Gobernador Gregores	118	G8
Giarre	50	K11	Gobi Desert	64	C2
Gibraltar	46	E8	Gobustan	74	E1
Gibson Desert	94	D4	Goch	40	J3
Gideån	34	K5	Godbout	106	G1

Name	Page	Ref.	Name	Page	Ref.
Godé	88	G2	Gongliu	60	Q9
Goderich	106	D2	Gongpoquan	64	B2
Godhra	72	B4	Gongshan	68	B1
Gödöllő	52	G2	Gonzáles	102	G7
Gods Lake	100	N4	Gonzales	108	B4
Godthåb = Nuuk	100	W4	González	110	G4
Goeree	40	F3	Goodland	104	F3
Goes	40	F3	Goolgowi	94	J6
Gogama	106	D1	Goomalling	94	C6
Goiânia	116	H7	Goondiwindi	94	K5
Goiás	116	G6	Goose Lake	104	B2
Goiás	116	G7	Göppingen	48	E2
Gökçeada	54	H4	Góra	36	F6
Gökova Körfezi	54	K8	Gora Bazardyuzi	76	M3
Göksun	76	G5	Gora Kamen	60	S4
Golaghat	72	F3	Gorakhpur	72	D3
Golan Heights	79	C3	Gora Ledyanaya	62	W4
Golbāf	79	G2	Gora Pobeda	62	R4
Gölbasi	76	G5	Gora Yenashimskiy Polkan	60	S6
Gol'chikha	60	Q3	Goražde	52	F6
Gölcük	54	K5	Gorbitsa	62	K6
Gołdap	36	M3	Goré	86	H3
Gold Coast	94	K5	Gorē	88	F2
Goldendale	104	B1	Gore	96	B8
Golden Bay	96	D5	Gorgān	74	F2
Golden Gate	110	B1	Gorgona	48	E7
Goldfield	104	C3	Gori	76	L2
Goldsboro	106	E3	Gorinchem	40	H3
Göle	76	K3	Goris	76	M4
Goleniów	36	D4	Gorizia	48	J5
Golestānak	79	F1	Gorki	56	N1
Golfe d'Ajaccio	50	C7	Görlice	36	L8
Golfe de Gabès	84	H2	Görlitz	36	D6
Golfe de Hammamet	84	H1	Gorna Oryahovitsa	52	N6
Golfe de Porto	50	C6	Gornji Milanovac	52	H5
Golfe de Sagone	50	C6	Gorno-Altaysk	60	R7
Golfe de Saint-Malo	44	C5	Gorno Oryahovitsa	54	H1
Golfe de Tunis	50	E11	Gorodets	56	H3
Golfe de Valinco	50	C7	Gorontalo	70	(2)B2
Golfe du Lion	44	J10	Goryachiy Klyuch	76	H1
Golfe de Almeria	46	H8	Gory Belukha	60	R8
Golfo de Batabanó	112	H4	Gory Ulutau	56	N5
Golfo de Cádiz	46	C7	Gorzów Wielkopolski	36	E5
Golfo de California	112	B3	Goslar	38	F5
Golfo de Chiriquí	112	H7	Gospić	50	K4
Golfo de Corcovado	118	F7	Gosport	44	D3
Golfo de Cupica	116	B2	Gostivar	54	C3
Golfo de Fonseca	112	G6	Gostyń	36	G6
Golfo de Guayaquil	116	A4	Gostynin	36	J5
Golfo de Honduras	112	G5	Göteborg	34	F8
Golfo del Darién	116	B2	Gotha	38	F6
Golfo de los Mosquitos	116	A2	Gothève	86	E2
Golfo de Mazarrón	46	J7	Gotland	34	K8
Golfo de Morrosquillo	116	B1	Gotō-rettō	66	E7
Golfo de Panamá	112	J7	Gotse Delchev	54	F3
Golfo de Penas	118	F8	Gotska Sandön	34	K7
Golfo de San Jorge	118	H8	Göttingen	38	E5
Golfo de Santa Clara	110	D2	Gouda	40	G2
Golfo de Tehuantepec	112	E5	Gough Island	80	B10
Golfo de València	46	L5	Goundam	84	E5
Golfo de Venezuela	116	C1	Gouraya	46	M8
Golfo di Augusta	50	K11	Gournay-en-Bray	40	D5
Golfo di Catánia	50	K11	Governador Valadares	116	J7
Golfo di Gaeta	50	H7	Governor's Harbour	108	F4
Golfo di Gela	50	J11	Govorovo	62	M3
Golfo di Genova	50	C4	Gowärän	74	J4
Golfo di Manfredonia	50	L7	Goya	118	K4
Golfo di Ólbia	50	D8	Gozha Co.	72	D1
Golfo di Oristano	50	C9	Gozo = Gwardex	50	J12
Golfo di Orosei	50	D8	Graaff-Reinet	90	C6
Golfo di Palmas	50	C10	Grabovica	52	K5
Golfo di Policastro	50	K9	Gračac	48	L6
Golfo di Salerno	50	J8	Gračanica	52	F5
Golfo di Sant'Eufemia	50	K10	Gräfenhainichen	38	H5
Golfo di Squillace	50	L10	Grafton, Australia	94	K5
Golfo di Taranto	50	L8	Grafton, US	104	G1
Golfo di Trieste	48	J5	Graham Island	110	(1)L5
Golfo San Matías	118	J6	Grajaú	116	H5
Gölhisar	54	M8	Grajewo	36	M4
Golin Baixing	66	A1	Gram	38	E1
Gölköy	76	G3	Grampian Mountains	42	H5
Gölmarmara	54	K6	Granada, Nicaragua	112	G6
Golyshmanovo	60	M6	Granada, Spain	46	G7
Goma	88	D4	Granby	106	F1
Gombe	86	G2	Gran Canaria	84	B3
Gombi	86	G2	Grand Bahama	108	F4
Gomera	84	B3	Grand Ballon	44	N6
Gómez Palacio	110	F3	Grand Bank	100	V7
Gonam	62	M5	Grande, Bolivia	116	E7
Gonbad-e Kavus	74	G2	Grande, Brazil	116	J6
Gonda	72	D3	Grand Cache	100	H6
Gonder	82	G5	Grande Prairie	100	H5
Gondia	72	D4	Grand Erg de Bilma	84	H5
Gondomar	46	B3	Grand Erg Occidental	84	E3
Gönen	54	K4	Grand Erg Oriental	84	F3
Gongga Shan	64	C5			
Gonghe	64	C3			

Name	Page	Ref
Grand Falls, N.B., Canada	106	G1
Grand Falls, Nfld., Canada	100	V7
Grand Forks, Canada	102	C2
Grand Forks, US	104	G1
Grand Haven	106	C2
Grand Island	104	G2
Grand Junction	104	E3
Grand Marais, Mich., US	106	C1
Grand Marais, Minn., US	106	B1
Grand-Mère	106	F1
Grândola	46	B6
Grand Portage	106	C1
Grand Rapids, Canada	100	M6
Grand Rapids, Mich., US	106	C2
Grand Rapids, Minn., US	106	B1
Grand Teton	104	D2
Grangeville	104	C1
Granite Falls	106	A2
Granollers	46	N3
Gran Paradiso	48	C5
Grantham	42	M9
Grants	110	E1
Grants Pass	104	B2
Granville	44	D5
Granville Lake	100	M5
Gräsö	34	K6
Grasse	48	B7
Grassrange	104	E1
Grass Valley	104	B3
Graulhet	44	G10
Gravelines	40	E3
Gravenhurst	106	E2
Gravesend	40	C3
Gravina in Puglia	50	L8
Gray	44	L6
Grayling	106	D2
Grays	40	C3
Grays Lake	104	D2
Grayville	106	C3
Graz	48	L3
Great Abaco	108	F4
Great Artesian Basin	94	H4
Great Australian Bight	94	E6
Great Bahama Bank	112	J4
Great Barrier Island	96	E3
Great Barrier Reef	94	J2
Great Basin	104	C3
Great Bear Lake	110	(1)M2
Great Bend	110	G1
Great Dividing Range	94	J4
Greater Antilles	112	J5
Greater Sunda Islands	92	B6
Great Exhibition Bay	96	D2
Great Exuma	102	L7
Great Falls	104	D1
Great Inagua	112	K4
Great Karoo	90	C6
Great Malvern	42	K9
Great Nicobar	72	F7
Great Ouse	42	N9
Great Plains	104	F2
Great Rift Valley	88	E5
Great Salt Lake	104	D2
Great Salt Lake Desert	104	D2
Great Sand Sea	82	D2
Great Sandy Desert	94	D4
Great Slave Lake	98	N3
Great Victoria Desert	94	E5
Great Wall	64	C3
Great Yarmouth	42	P9
Greece	54	D5
Greeley	104	F2
Green	104	D3
Green Bay	106	C2
Greenfield	108	D2
Greenland	98	G2
Greenland Sea	98	B2
Greenock	42	H6
Green River, Wyo., US	104	E2
Green River, Ut., US	104	D3
Greensboro	108	F2
Greensburg, Ind., US	108	D3
Greensburg, Pa., US	106	E2
Greenvale	94	J3
Green Valley	112	B2
Greenville, Liberia	86	C3
Greenville, Al., US	108	D3
Greenville, Fla., US	108	E3
Greenville, Miss., US	108	C3
Greenville, N.C., US	106	E3
Greenville, S.C., US	108	E3
Greenwood, Miss., US	108	C3
Greenwood, S.C., US	108	E3
Gregory	104	G2
Gregory Lake	94	D4
Greifswald	38	J2
Greifswalder Bodden	38	J2
Greiz	38	H6
Grenada	102	J5
Grenada	116	E1
Grenchen	48	C3
Grenoble	44	L8
Gretna	108	C4
Greve in Chianti	48	G7
Greven	40	K2
Grevena	54	D4
Grevenbroich	40	J3
Grevesmühlen	38	G3
Greybull	104	E2
Greymouth	96	C6
Grey Range	94	H5
Griesheim	38	D7
Grieskirchen	48	J2
Grigoriopol	52	S2
Grimma	38	H5
Grimmen	38	J2
Grimsby	42	M8
Grimsey	34	(1)D1
Grímsstaðir	34	(1)E2
Grímsvötn	34	(1)E2
Grindsted	34	E9
Grobina	36	L1
Gröbming	48	J3
Grodekovo	64	J2
Grodzisk Wielkopolski	36	F5
Grójec	36	K6
Gronau	38	C4
Groningen	38	B3
Groote Eylandt	94	G2
Grootfontein	90	B3
Großenhain	38	J5
Großer Arber	38	J7
Grosser Beerberg	38	F6
Grosseto	50	F6
Groß-Gerau	38	D7
Großglockner	48	H3
Groswater Bay	100	V6
Grottaglie	50	M8
Groupe Actéon	92	N8
Grove Hill	108	D3
Groznyy	76	L2
Grubišno Polje	52	E4
Grudovo	54	K2
Grudziądz	36	H4
Grünberg	38	D6
Gryazi	56	G4
Gryazovets	56	H3
Gryfice	36	E4
Gryfino	38	K3
Grytøya	34	J2
Grytviken	118	P9
Gstaad	48	C4
Guadalajara, Mexico	112	D4
Guadalajara, Spain	46	G4
Guadalcanal	92	F7
Guadalquivir	46	E7
Guadalupe	112	A3
Guadalupe	112	E3
Guadeloupe	114	E2
Guadiana	46	C7
Guadix	46	G7
Guaíra	118	L3
Guajará Mirim	116	D6
Guam	92	E4
Guanambi	116	J6
Guanare	116	D2
Guane	112	H4
Guangshui	64	E4
Guangyuan	64	D4
Guangzhou	68	E5
Guanipa	116	E2
Guanling	64	D5
Guantánamo	112	J4
Guanyun	64	F4
Guaporé	116	E6
Guaqui	116	D7
Guarabira	116	K5
Guarda	46	C4
Guardo	46	F2
Guasave	102	E6
Guastalla	48	F6
Guatemala	112	F5
Guatemala	112	F5
Guaviare	116	D3
Guayaquil	116	B4
Guayaramerín	116	D6
Guaymas	110	D3
Guba, Democratic Republic of Congo	88	D6
Guba, Ethiopia	82	G5
Guba Buorkhaya	62	N2
Gubakha	56	L3
Guban	88	G2
Gubbi	72	C6
Gúbbio	48	H7
Guben	38	K5
Gubin	36	D6
Gudaut'a	76	J2
Gudbransdalen	34	E6
Gudermes	76	M2
Gudvangen	34	D6
Guebwiller	38	C9
Guéckédou	86	B3
Guelma	84	G1
Guelph	106	D2
Guéret	44	B7
Guernsey	44	C4
Guernsey	104	F2
Guerrero Negro	110	D3
Gugē	88	F2
Gūh Kūh	74	G4
Guiana	112	L7
Guiana Highlands	116	F3
Guider	86	G3
Guiglo	86	C3
Guildford	42	M10
Guilianova	50	H6
Guilin	68	E1
Guillaumes	48	B6
Guillestre	48	B6
Guimarães	46	B3
Guinea	86	B2
Guinea-Bissau	86	A2
Güines	112	H4
Guingamp	44	B5
Güiria	116	E1
Guise	40	F5
Guitiriz	46	C1
Guiyang	64	D5
Gujranwala	72	B2
Gujrat	72	B2
Gulang	64	C3
Gulbarga	72	C5
Gulbene	34	P8
Gulf of Aden	74	E7
Gulf of Alaska	110	(1)H4
Gulf of Aqaba	74	B4
Gulf of Boothia	100	N2
Gulf of Bothnia	34	K6
Gulf of Carpentaria	94	G2
Gulf of Finland	34	M7
Gulf of Gdansk	36	J3
Gulf of Guinea	86	D4
Gulf of Mannar	72	C7
Gulf of Martaban	68	B3
Gulf of Mexico	112	F3
Gulf of Oman	79	G4
Gulf of Riga	34	M8
Gulf of St. Lawrence	100	U7
Gulf of Santa Catalina	110	C2
Gulf of Thailand	68	C4
Gulf of Tongking	68	D3
Gulf of Venice	48	H5
Gulfport	108	D3
Gulistan	60	M9
Gülşehir	54	S6
Gulu	88	E3
Gülübovo	54	H2
Gumdag	74	F2
Gumel	86	F2
Gumla	72	D4
Gummersbach	40	K3
Gummi	86	F2
Gümüşhane	76	H3
Guna	72	C4
Guna Terara	82	G5
Gungu	88	B5
Gunib	76	M2
Gunnbjørns Fjeld	120	(1)U2
Gunnedah	94	K6
Gunnison, Colo., US	104	E3
Gunnison, US	104	D3
Gunong Kinabalu	70	(1)F1
Guntakal	72	C5
Guntur	72	D5
Gunung Kerinci	70	(1)C3
Gunung Korbu	70	(1)C2
Gunung Kwoka	70	(2)D3
Gunung Leuser	70	(1)B2
Gunung Mekongga	70	(2)B3
Gunung Mulu	70	(1)E2
Gunung Pangrango	70	(1)D4
Gunungsitoli	70	(1)K3
Gunung Togwomeri	70	(2)D3
Günzburg	48	F2
Gunzenhausen	38	F7
Guoyang	64	F4
Gura Humorului	52	N2
Gurk	48	K4
Gurskoye	62	P6
Gürün	76	G4
Gurupi	116	H4
Gusau	86	F2
Gusev	36	M3
Gushgy	74	H2
Gusinoozersk	62	H6
Güspini	50	C9
Güssing	48	M3
Güstrow	36	B4
Gütersloh	38	D5
Guthrie, Okla., US	104	G3
Guthrie, Tex., US	110	F2
Gutsuo	72	E3
Guttenberg	106	B2
Guwahati	72	F3
Guyana	116	F2
Guyang	64	E2
Guymon	110	F1
Guyuan	64	D3
Guzar	74	J2
Gvardejsk	36	L3
Gwadar	74	H4
Gwalior	72	C3
Gwanda	90	D4
Gwardex	50	J12
Gwda	36	F4
Gweebarra Bay	42	C7
Gweru	90	D3
Gyangzê	72	E3
Gyaring Hu	64	B4
Gyaros	54	G7
Gyda	60	P3
Gydanskiy Poluostrov	60	P3
Gyirong	72	E3
Gyldenløves Fjord	100	Y4
Gympie	94	K5
Gyomaendröd	52	H3
Gyöngyös	52	G2
Győr	52	E2
Gypsumville	100	M6
Gytheio	54	E8
Gyula	52	J3
Gyumri	76	K3
Gyzylarbat	74	G2

H

Name	Page	Ref
Haapajärvi	34	N5
Haapsalu	34	M7
Haar	48	G2
Haarlem	40	G2
Haast	96	B6
Habahe	60	R8
Habarūt	74	F6
Habaswein	88	F3
Habbān	74	E7
Habbānīyah	76	K7
Habirag	64	F2
Habomai-Shoto	62	R8
Haboro	66	L1
Hachijō-jima	66	K7
Hachinohe	66	L3
Hachiōji	66	K6
Hadadong	60	Q9
Haddunmahti Atoll	72	B8
Hadejia	86	F2
Hadejia	86	G2
Hadera	78	B4
Haderslev	38	E1
Hadhramaut	74	E6
Hadilik	60	R10
Hadjout	46	N8
Haeju	66	C4
Haenam	66	D6
Hafar al Bātin	79	A2
Hafnarfjördur	34	(1)C2
Haft Gel	79	C1
Hagen	40	K3
Hagenow	38	G3
Hāgere Hiywet	88	F2
Hagerstown	106	E3
Haguenau	40	K6
Haicheng	66	B3
Haifa = Hefa	78	B4
Haikou	68	E3
Hā'il	74	D4
Hailar	62	K7
Hailey	104	D2
Hailong	66	C2
Hailuoto	34	N4
Hainan	68	D3
Haines Junction	110	(1)K3
Haining	64	G4
Hai Phong	68	D2
Haiti	112	K5
Haiya	82	G4
Hajdúböszörmény	52	J2
Hajdúhadház	52	L10
Hajdúnánás	36	L10
Hajdúszoboszló	36	L10
Hajipur	72	E3
Hajmah	74	G6
Hajnówka	36	N5

Name	Page	Ref	Name	Page	Ref	Name	Page	Ref
Haka	72	F4	Harbour Breton	100	V7	Hawr al Hammam	79	B1	Herma Ness	42	M1
Hakkâri	76	K5	Harburg	38	F3	Hawthorne	104	C3	Hermel	78	D2
Hakodate	66	L3	Hardangerfjorden	34	C7	Hay	94	H6	Hermiston	104	C1
Halab	76	G5	Hardangervidda	34	D6	Hay	100	H5	Hermosillo	102	D6
Halabān	82	H3	Hardenberg	40	J2	Hayange	40	J5	Hernád	36	L9
Halabja	76	L6	Harderwijk	40	H2	Haydarābad	76	L5	Herne	38	C5
Halaib	82	G3	Hardin	104	E1	Hayden	110	D2	Herne Bay	40	D3
Halba	78	D2	Hardy	108	C2	Hayrabolu	54	K3	Herning	34	E8
Halberstadt	38	G5	Haren	40	K2	Hay River	100	H4	Herrenberg	48	D2
Halden	34	F7	Härer	88	G2	Hays	108	B2	Hersbruck	38	G7
Haldensleben	38	G4	Hargeysa	88	G2	Hazard	106	D3	Herstat	40	H4
Halifax	100	U8	Har Hu	64	B3	Hazāribāg	72	E4	Hertlay	40	E6
Halifax Bay	94	J3	Haridwar	72	C3	Hazebrouck	40	E4	Hervey Bay	94	K5
Hall	48	G3	Harihari	96	C6	Hazelton, Canada	100	F5	Herzberg	38	F5
Hall Beach	100	Q3	Harima-nada	66	H6	Hazelton, US	106	E2	Hesdin	40	E4
Halle	40	G4	Hari Rud	74	H3	Head of Bight	94	F6	Heshan	68	D2
Hallein	48	J3	Harlan	106	A2	Hearne	108	B3	Hesselø	36	A1
Halligen	38	D2	Härlău	52	P2	Hearst	106	D1	Hessisch-Lichtenau	38	E5
Hallock	104	G1	Harlem	104	E1	Hebbronville	110	G3	Hettstedt Lutherstadt	38	G5
Hall Peninsula	100	T4	Harlingen, Netherlands	40	H1	Hebgen Lake	104	D2	Heves	36	K10
Halls Creek	94	E3	Harlingen, US	108	B4	Hebi	64	E3	He Xian	68	E2
Halmahera	70	(2)C2	Harlow	42	N10	Hebron, Canada	100	U5	Hexigten Qi	64	F2
Halmahera Sea	70	(2)C3	Harlowtown	104	E1	Hebron, Israel	78	C6	Heze	64	F3
Halmstad	36	B1	Harney Basin	102	B3	Hebron, Nebr., US	104	G2	Hialeah	108	E4
Haltern	40	K3	Harney Lake	104	C2	Hebron, N.D., US	104	F1	Hiawatha	108	B2
Hamada	66	G6	Härnösand	34	J5	Hecate Strait	100	E6	Hibbing	106	B1
Hamadān	74	E3	Har Nuur	60	S8	Hechi	68	D2	Hickory	106	D3
Hamāh	76	G6	Haro	46	H2	Hechingen	48	D2	Hidaka-sammyaku	66	M2
Hamamatsu	66	J6	Harricanaw	100	R6	Hede	34	G5	Hidalgo del Parral	112	C3
Hamar	34	F6	Harrisburg, Ill., US	106	C3	Heerenveen	40	H2	Hiddensee	38	H2
Hamarøy	34	H2	Harrisburg, Pa., US	108	F1	Heerlen	40	J4	Hierro	84	B3
Hamatonbetsu	66	M1	Harrison	106	B3	Hefa	78	B4	Higashi-suidō	66	E7
Hambantota	72	D7	Harrison Bay	110	(1)G1	Hefei	64	F4	High Point	106	E3
Hamburg, Germany	38	E3	Harrisville	106	D2	Hegang	64	J1	High Wycombe	40	B3
Hamburg, Ark., US	108	C3	Harrogate	42	L8	Hegura-jima	66	J5	Hiiumaa	34	M7
Hamburg, N.Y., US	106	E2	Har Saggi	78	B6	Hegyfalu	48	M3	Hikurangi	96	E2
Hämeenlinna	34	N6	Harsin	76	M6	Heide	38	E2	Hikurangi	96	G3
Hameln	38	E4	Hârşova	52	Q5	Heidelberg	48	D7	Hikutaia	96	E3
Hamersley Range	94	C4	Harstad	34	J2	Heidenheim	48	F2	Hildburghausen	38	F6
Hamhŭng	66	D3	Hartberg	48	L3	Heilbad Heiligenstadt	38	F5	Hildesheim	38	E4
Hami	60	S9	Hartford	106	F2	Heilbronn	38	E7	Hillsboro, Oh., US	108	E2
Hamilton, Australia	94	H7	Hartland Point	42	H10	Heimaey	34	(1)C3	Hillsboro, Oreg., US	104	B1
Hamilton, Bermuda	112	M2	Hartlepool	42	L7	Heinola	34	N6	Hillsboro, Tex., US	110	G2
Hamilton, Canada	106	E2	Har Us Nuur	60	S8	Hejing	60	R9	Hillsville	106	D3
Hamilton, New Zealand	96	E3	Harvey	104	G1	Hekla	34	(1)D3	Hillswick	42	L1
Hamilton, Al., US	108	D3	Harwich	40	D3	Helagsfjället	34	G5	Hilo	110	(2)F4
Hamilton, Mont., US	104	D1	Harz	38	F5	Helena, Ark., US	108	C3	Hilton Head Island	108	E3
Hamilton, Oh., US	106	D3	Hasā	78	C6	Helena, Mont., US	104	D1	Hilva	76	H5
Hamina	34	P6	Haselünne	38	C4	Helen Reef	70	(2)D2	Hilversum	40	H2
Hamirpur	72	D3	Hashtgar	76	N5	Helensville	96	E3	Himalayas	58	L6
Hamm	38	C5	Hāsik	74	G6	Helgea	36	D1	Himarë	54	B4
Hammada du Drâa	84	D3	Haskell	108	B3	Helgoland	38	C2	Himatnagar	72	B4
Hammam Bou Hadjar	46	K9	Haslemere	40	B3	Helgoländer Bucht	38	D2	Himeji	66	H6
Hammamet	50	E12	Hassan	72	C6	Hellin	46	J6	Himora	82	G5
Hammam Lif	84	H1	Hasselfelde	38	F5	Helmand	74	H3	Hims	78	D2
Hammelburg	38	E6	Hasselt	40	H4	Helmond	40	H3	Hindu Kush	72	A1
Hammerfest	34	M1	Haßfurt	38	F6	Helmsdale	42	J3	Hindupur	72	C6
Hammer Springs	96	D6	Hassi Bel Guebbour	84	G3	Helmstedt	38	G4	Hinesville	108	E3
Hampden	96	C7	Hässleholm	34	G8	Helodrano Antongila	90	H3	Hingoli	72	C5
Hāmūn-e Jaz Mūrīān	79	H3	Hastings, New Zealand	96	F4	Helong	66	C2	Hinnøya	34	H2
Hanamaki	66	L4	Hastings, UK	40	C4	Helsingborg	34	G8	Hiroo	66	M2
Hanau	38	D6	Hastings, Minn., US	106	B2	Helsinge	36	B1	Hirosaki	66	L3
Hâncești	52	R3	Hastings, Nebr., US	104	G2	Helsingør	34	G8	Hiroshima	66	G6
Hancheng	64	E3	Hațeg	52	K4	Helsinki	34	N6	Hirson	40	G5
Hancock	106	C1	Hatgal	62	G6	Helston	42	G11	Hirtshals	34	E8
Handan	64	E3	Ha Tinh	68	D3	Helwan	82	F2	Hisar	72	C3
Handeni	88	F5	Hatteras	108	F2	Hemel Hempstead	42	M10	Hisdal	34	C6
Handerslev	34	E9	Hattiesburg	108	D3	Henashi-zaki	66	K3	Hispaniola	114	D2
Handlová	36	H9	Hatvan	52	G2	Henderson, Ky., US	106	C3	Hitachi	66	L5
Hanford	110	C1	Haud	82	H6	Henderson, Nev., US	104	D3	Hitoyoshi	66	F7
Hangayn Nuruu	60	T8	Haud Ogadēn	88	G2/H2	Henderson, N.C. US	108	F2	Hitra	34	D5
Hangu	64	F3	Haugesund	34	C7	Henderson Island	92	P8	Hiuchi-nada	66	G6
Hangzhou	64	F4	Hauraki Gulf	96	E3	Hendersonville	106	C3	Hiva Oa	92	M6
Hanīdh	79	C3	Haut Atlas	84	D2	Hendijarn	79	C1	Hjalmar Lake	100	K4
Hanko	34	M7	Hauts Plateaux	84	E2	Hengelo	40	J2	Hjälmaren	34	H7
Hanksville	104	D3	Havana	108	C1	Hengyang	64	E5	Hjelmsøya	34	M1
Hanna	100	K6	Havana = La Habana	112	H4	Henichesk	56	F5	Hlinsko	36	F8
Hannibal	108	C2	Havant	42	M11	Hénin-Beaumont	40	E4	Hlohovec	48	N2
Hannover	38	E4	Havel	36	C5	Hennebont	44	B6	Hlyboka	52	N1
Hanö	36	D2	Havelock, New Zealand	96	D5	Hennigsdorf	38	J4	Hlybokaye	56	E3
Hanöbukten	36	D2	Havelock	108	F3	Henryetta	106	A3	Ho	86	E3
Ha Nôi	68	D2	Havelock North	96	F4	Henzada	68	B3	Hobart, Australia	94	J8
Hanoi = Ha Nôi	68	D2	Havenby	38	D1	Heppenheim	38	D7	Hobart, US	110	G1
Hanover	106	F2	Haverfordwest	42	H10	Heppner	104	C1	Hobbs	110	F2
Han Shui	64	D4	Havlíčkův Brod	36	E8	Hepu	68	D2	Hobro	34	E8
Hanson Bay	96	(1)B1	Havre	104	E1	Héradsflói	34	(1)F2	Hobyo	88	H3
Hanumangarh	72	B3	Havre-St-Pierre	100	U6	Herald Cays	94	J3	Hô Chi Minh	68	D4
Hanzhong	64	D4	Havrylivtsi	52	P1	Herāt	74	H3	Höchstadt	38	F7
Hao	92	M7	Havza	76	F3	Herbert	96	C7	Hockenheim	38	D7
Hāora	72	E4	Hawaii	110	(2)E2	Herborn	38	D6	Hódmezővásárhely	52	H3
Haparanda	34	N4	Hawaii	110	(2)E4	Herceg-Novi	52	F7	Hodonin	36	G9
Hāpoli	72	F3	Hawaiian Islands	92	J3	Hereford, UK	42	K9	Hoek van Holland	40	G3
Hapur	72	C3	Hawera	96	E4	Hereford, US	112	D2	Hoeryŏng	66	E2
Harad, Saudi Arabia	74	E5	Hawi	110	(2)F3	Herentals	40	G3	Hof	38	G6
Harad, Yemen	82	H4	Hawick	42	K6	Herford	38	D4	Hofgeismar	38	E5
Haramachi	66	L5	Hawke Bay	96	F4	Herisau	48	E3	Höfn	34	(1)F2
Harare	90	E3	Hawker	94	G6	Herlen Gol	64	E1	Hofsjökull	34	(1)D2
Harbin	64	H1	Hawr al'Awdah	79	B1	Hermagor	48	J4	Hōfu	66	F6

141

Hohe . . . . ◫ 48 H3
Hohe Dachstein . . . . ▲ 36 C10
Hohe Tauern . . . . ◫ 50 G1
Hohhot . . . . ◉ 64 E2
Hoh Xil Shan . . . . ◉ 72 E1
Hôi An . . . . ◉ 68 D3
Hoima . . . . ◉ 88 E3
Hokitika . . . . ◉ 96 C6
Hokkaidō . . . . ◱ 66 N2
Holbæk . . . . ◉ 36 A2
Holbrook . . . . ◉ 110 D2
Holdrege . . . . ◉ 104 G2
Holguín . . . . ◉ 112 J4
Holič . . . . ◉ 48 N2
Hollabrunn . . . . ◉ 48 M2
Holland . . . . ◉ 106 C2
Hollis . . . . ◉ 110 G2
Hollywood . . . . ◉ 108 E4
Holman . . . . ◉ 100 H2
Hólmavík . . . . ◉ 34 (1)C2
Holmes Reefs . . . . ◱ 94 J3
Holstebro . . . . ◉ 34 E8
Holsteinische Schweiz . . . . ◫ 38 F2
Holsteinsborg = Sisimiut . . ◉ 100 W3
Holton . . . . ◉ 108 B2
Holyhead . . . . ◉ 42 H8
Holy Island, Eng., UK. . . . ◉ 42 L6
Holy Island, Wales, UK. . . ◉ 42 H8
Holyoke . . . . ◉ 104 F2
Holzkirchen . . . . ◉ 48 G3
Holzminden . . . . ◉ 38 E5
Homa Bay . . . . ◉ 88 E4
Homberg . . . . ◉ 38 E5
Hombori . . . . ◉ 84 E5
Home Bay . . . . ⌕ 100 T3
Homestead . . . . ◉ 108 E4
Homewood . . . . ◉ 108 D3
Homs = Hims . . . . ◉ 78 D2
Homyel' . . . . ◉ 56 F4
Hondo, N.Mex., US . . . . . ◉ 110 E2
Hondo, Tex., US . . . . . . ◉ 110 G3
Honduras . . . . ▲ 112 G6
Hønefoss . . . . ◉ 34 F6
Honey Lake . . . . ⬓ 104 B2
Honfleur . . . . ◉ 40 C5
Hon Gai . . . . ◉ 68 D2
Hong Kong . . . . ◉ 68 E2
Hongliuyuan . . . . ◉ 64 B2
Hongor . . . . ◉ 64 E1
Honiara . . . . ■ 92 F6
Honjō . . . . ◉ 66 K4
Honokaa . . . . ◉ 110 (2)F3
Honolulu . . . . ◲ 110 (2)D2
Honshū . . . . ◉ 66 L5
Hooge . . . . ◱ 38 D2
Hoogeveen . . . . ◉ 40 J2
Hoogezand-Sappemeer . . . ◉ 40 J1
Hooper Bay . . . . ◉ 110 (1)D3
Hoorn . . . . ◉ 40 H2
Hoorn Islands . . . . ◱ 92 H7
Hopa . . . . ◉ 76 J3
Hope, Canada . . . . ◉ 104 B1
Hope, Ak., US. . . . . ◉ 100 B4
Hope, Ark., US . . . . ◉ 108 C3
Hopedale . . . . ◉ 100 U5
Hopetoun . . . . ◉ 94 H7
Hopin . . . . ◉ 72 G4
Hopkinsville . . . . ◉ 106 C3
Hoquiam . . . . ◉ 104 B1
Horadiz . . . . ◉ 76 M4
Horasan . . . . ◉ 76 K3
Horgo . . . . ◉ 62 F7
Horizon Depth . . . . ◎ 92 D8
Hormak . . . . ◉ 74 H4
Hormoz . . . . ◉ 79 F3
Horn . . . . ◉ 48 L2
Hornavan . . . . ⬓ 34 J3
Horncastle . . . . ◉ 40 B1
Horodenka . . . . ◉ 52 N1
Horodok . . . . ◉ 36 N8
Horqin Youyi Qianqi . . . . . ◉ 62 L7
Horsens . . . . ◉ 34 E9
Horsham, Australia . . . . . ◉ 94 H7
Horsham, UK . . . . ◉ 40 B3
Horten . . . . ◉ 34 F7
Hortiguela . . . . ◉ 46 G2
Horton . . . . ◢ 110 (1)N2
Hoseynābād . . . . ◉ 79 G2
Hoshab . . . . ◉ 74 H4
Hoshangabad . . . . ◉ 72 C4
Hospet . . . . ◉ 72 C5
Hosséré Vokre . . . . ▲ 86 G3
Hotan . . . . ◉ 60 Q10
Hotan . . . . ◢ 60 Q10
Hot Springs, Ark., US . . . . ◉ 106 B4
Hot Springs, N.C., US . . . . ◉ 106 D3
Hottah Lake . . . . ⬓ 100 H3
Houdan . . . . ◉ 40 D6

Houdelaincourt . . . . ◉ 48 A2
Houghton . . . . ◉ 106 C1
Houlton . . . . ◉ 106 G1
Houma, China . . . . ◉ 64 E3
Houma, US. . . . . ◉ 102 H6
Houmt Souk . . . . ◉ 84 H2
Houston . . . . ◉ 102 G6
Hovd . . . . ◉ 60 S8
Hövsgöl Nuur . . . . ⬓ 62 F6
Howard Junction . . . . . . ◉ 96 D5
Howland . . . . ◱ 92 J5
Hoxie . . . . ◉ 108 C2
Höxter . . . . ◉ 38 E5
Hoxud . . . . ◉ 60 R9
Hoy . . . . ◉ 42 J3
Høyanger . . . . ◉ 34 D6
Hoyerswerda . . . . ◉ 38 K5
Hradec Králové . . . . ◉ 36 E7
Hranice . . . . ◉ 36 G8
Hrazdan . . . . ◉ 76 L3
Hrodna . . . . ◉ 36 N4
Hron . . . . ◢ 36 H9
Hrubieszów . . . . ◉ 36 N7
Hsin-chu . . . . ◉ 68 G2
Hsueh-Shan . . . . ▲ 68 G2
Hsweni . . . . ◉ 68 B2
Huacho . . . . ◉ 116 B6
Huade . . . . ◉ 64 E2
Huadian . . . . ◉ 66 D2
Huaibei . . . . ◉ 64 F4
Huaibin . . . . ◉ 64 F4
Huaihua . . . . ◉ 64 D5
Huainan . . . . ◉ 64 F4
Huaiyin . . . . ◉ 64 F4
Huaki . . . . ◉ 70 (2)C4
Huallaga . . . . ◢ 116 B5
Huambo . . . . ◉ 90 B2
Huancayelica . . . . ◉ 116 B6
Huancayo . . . . ◉ 116 B6
Huang . . . . ◢ 64 F3
Huangchuan . . . . ◉ 64 F4
Huangshan . . . . ◉ 64 F5
Huangshi . . . . ◉ 64 F4
Huang Xian . . . . ◉ 64 G3
Huangyan . . . . ◉ 64 G5
Huanren . . . . ◉ 66 C3
Huánuco . . . . ◉ 116 B5
Huaráz . . . . ◉ 116 B5
Huarmey . . . . ◉ 116 B6
Huasco . . . . ◉ 118 G4
Huashixia . . . . ◉ 64 B3
Huatabampo . . . . ◉ 102 E6
Hubli . . . . ◉ 72 C5
Huch'ang . . . . ◉ 66 D3
Huddersfield . . . . ◉ 42 L8
Huddinge . . . . ◉ 34 K7
Hudiksvall . . . . ◉ 34 J6
Hudson . . . . ◉ 106 F2
Hudson . . . . ◢ 106 F2
Hudson Bay . . . . ◉ 100 L6
Hudson Bay . . . . ⬓ 100 P5
Hudson Strait . . . . ⬓ 100 S4
Huê . . . . ◉ 68 D3
Huelva . . . . ◉ 46 D7
Huercal Overa . . . . ◉ 46 J7
Huesca . . . . ◉ 46 K2
Huéscar . . . . ◉ 46 H7
Huftaroy . . . . ◱ 34 C6
Hugo . . . . ◉ 108 B3
Hugo Lake . . . . ⬓ 108 B3
Huia . . . . ◉ 96 E3
Huich'ŏn . . . . ◉ 66 D3
Huila Plateau . . . . ◉ 90 A3
Huinan . . . . ◉ 66 C2
Huinca Renancó . . . . ◉ 118 J5
Huizhou . . . . ◉ 68 E2
Hulin . . . . ◉ 62 N7
Hull . . . . ◉ 106 E1
Hulst . . . . ◉ 40 G3
Hulun Nur . . . . ⬓ 62 K7
Huma . . . . ◉ 62 M6
Huma . . . . ◢ 62 M6
Humaitá . . . . ◉ 116 E5
Humbe . . . . ◉ 90 A3
Humboldt . . . . ◉ 100 L6
Humboldt . . . . ◢ 104 C2
Hūmedān . . . . ◉ 74 G4
Humenné . . . . ◉ 36 L9
Humphrey . . . . ◉ 104 D2
Humpolec . . . . ◉ 36 E8
Húnaflói . . . . ⬓ 34 (1)C2
Hunchun . . . . ◉ 66 F2
Hunedoara . . . . ◉ 52 K4
Hünfeld . . . . ◉ 38 E6
Hungary . . . . ▲ 52 F3
Hungen . . . . ◉ 38 D6
Hungerford . . . . ◉ 94 H5

Hŭngnam . . . . ◉ 66 D4
Hunjiang . . . . ◉ 66 D3
Hunsrück . . . . ◫ 38 B7
Hunstanton . . . . ◉ 40 C2
Hunte . . . . ◢ 38 D4
Hunter Island . . . . ◱ 92 H8
Huntingburg . . . . ◉ 108 D2
Huntingdon, UK. . . . . . . ◉ 40 B2
Huntingdon, US. . . . . . . ◉ 108 E2
Huntington . . . . ◉ 108 D1
Huntington Beach . . . . . . ◉ 110 C2
Huntly . . . . ◉ 96 E3
Huntsville, Canada. . . . . . ◉ 106 E1
Huntsville, Al., US . . . . . ◉ 108 D3
Huntsville, Tex., US . . . . . ◉ 112 E2
Hunyuan . . . . ◉ 64 E3
Hūr . . . . ◉ 79 G1
Hurdiyo . . . . ◉ 88 J1
Hurghada . . . . ◉ 82 F2
Huron . . . . ◉ 104 G2
Hürth . . . . ◉ 40 J4
Húsavík . . . . ◉ 34 (1)E1
Huşi . . . . ◉ 52 R3
Huslia . . . . ◉ 110 (1)F2
Husn . . . . ◉ 78 C4
Husum . . . . ◉ 38 E2
Hutag . . . . ◉ 62 G7
Hutanopan . . . . ◉ 70 (1)B2
Hutchinson . . . . ◉ 110 G1
Hūth . . . . ◉ 82 H4
Huttwil . . . . ◉ 48 C3
Huvadu Atoll . . . . ◱ 72 B8
Huy . . . . ◉ 40 H4
Huzou . . . . ◉ 64 G2
Hvannadalshnúkur . . . . . . ▲ 34 (1)E2
Hvar . . . . ◉ 52 D6
Hvar . . . . ◱ 52 D6
Hvolsvöllur . . . . ◉ 34 (1)C3
Hwange . . . . ◉ 90 D3
Hyak . . . . ◉ 104 B1
Hyannis . . . . ◉ 104 F2
Hyderabad, India. . . . . . . ◉ 72 C5
Hyderabad, Pakistan . . . . . ◉ 74 J4
Hyères . . . . ◉ 44 M10
Hyesan . . . . ◉ 66 E3
Hyndam Peak . . . . ▲ 104 D2
Hyūga . . . . ◉ 66 F7
Hyvinkää . . . . ◉ 34 N6

I

Iaco . . . . ◢ 116 D6
Ialomiţa . . . . ◢ 52 P5
Ianca . . . . ◉ 52 Q4
Iaşi . . . . ◉ 52 Q2
Ibadan . . . . ◉ 86 E3
Ibagué . . . . ◉ 116 B3
Ibar . . . . ◢ 52 H6
Ibb . . . . ◉ 82 H5
Ibbenbüren . . . . ◉ 38 C4
Iberia . . . . ◉ 116 C5
Ibiza = Eivissa . . . . ◉ 46 M5
Ibiza = Eivissa . . . . ◱ 46 M6
Ibotirama . . . . ◉ 116 J6
Ibrā' . . . . ◉ 74 G5
Ibrī . . . . ◉ 79 G5
Ica . . . . ◉ 116 B6
Içel . . . . ◉ 76 F5
Iceland . . . . ▲ 32 C1
Ichalkaranji . . . . ◉ 72 B5
Ichinoseki . . . . ◉ 66 L4
Idabel . . . . ◉ 108 C3
Ida Grove . . . . ◉ 106 A2
Idah . . . . ◉ 86 F3
Idaho . . . . ◉ 104 D2
Idaho Falls . . . . ◉ 104 D2
Idar-Oberstein . . . . ◉ 38 C7
Idfu . . . . ◉ 82 F3
Idhān Awbārī . . . . ◉ 84 H3
Idhan Murzūq . . . . ◱ 84 H4
Idiofa . . . . ◉ 88 C4
Idlib . . . . ◉ 76 G6
Idstein . . . . ◉ 38 D6
Ieper . . . . ◉ 40 E4
Ierapetra . . . . ◉ 54 H9
Ifanadiana . . . . ◉ 90 H4
Ife . . . . ◉ 86 E3
Igarka . . . . ◉ 60 R4
Iggesund . . . . ◉ 34 J6
Igizyar . . . . ◉ 74 L2
Iglésias . . . . ◉ 50 C9
Igloolik . . . . ◉ 100 Q3
Ignace . . . . ◉ 106 B1
Iğneada . . . . ◉ 54 K3
Igoumenitsa . . . . ◉ 54 C5
Igra . . . . ◉ 56 K3
Igrim . . . . ◉ 56 M2
Igualada . . . . ◉ 46 M3
Iguatu . . . . ◉ 116 K5

Ilharaña . . . . ◉ 90 H2
Ihosy . . . . ◉ 90 H4
Ihtiman . . . . ◉ 54 F7
Iida . . . . ◉ 66 J6
Iim. . . . . ◢ 48 G2
Iisalmi . . . . ◉ 34 P5
Iiulissat . . . . ◉ 100 W3
Ijebu Ode . . . . ◉ 86 E3
IJmuiden . . . . ◉ 40 G2
IJssel . . . . ◢ 40 J2
IJsselmeer . . . . ◉ 40 H2
Ikaria . . . . ◉ 54 J7
Ikeda . . . . ◉ 66 M2
Ikela . . . . ◉ 88 C4
Ikhtiman . . . . ◉ 52 L7
Iki . . . . ◉ 66 E7
Ikire . . . . ◉ 86 E3
Ikom . . . . ◉ 86 F3
Ikopa . . . . ◢ 90 H3
Ikorodu . . . . ◉ 86 E3
Ilagan . . . . ◉ 68 G3
Ilām . . . . ◉ 74 E3
Iława . . . . ◉ 36 J4
Ilbenge . . . . ◉ 62 L4
Ilebo . . . . ◉ 88 C4
Île d'Anticosti . . . . ◱ 100 U7
Île de Jerba . . . . ◱ 84 H2
Île de la Gonâve . . . . ◱ 112 K5
Île de Noirmoutier . . . . . . ◱ 44 C7
Île de Ré . . . . ◱ 44 D7
Île d'Oléron . . . . ◱ 44 D8
Île d'Yeu . . . . ◱ 44 C7
Île Europa . . . . ◱ 90 G4
Ilek . . . . ◉ 56 K4
Ilek . . . . ◢ 56 K4
Île Plane . . . . ◱ 50 E11
Îles Cani . . . . ◱ 50 D11
Îles Chesterfield . . . . ◱ 92 F7
Îles Crozet . . . . ◱ 80 J10
Îles de la Madeleine . . . . ◱ 100 U7
Îles Désappointement . . . . ◱ 92 M7
Îles d'Hyères . . . . ◱ 44 M11
Îles Duc de Gloucester . . . ◱ 92 M7
Îles Glorieuses . . . . ◱ 90 H2
Ilesha . . . . ◉ 86 E3
Îles Kerkenah . . . . ◱ 84 H2
Îles Maria . . . . ◱ 92 L8
Îles Palliser . . . . ◱ 92 M7
Île Tidra . . . . ◱ 84 B5
Île Zembra . . . . ◱ 50 E11
Ilfracombe . . . . ◉ 42 H10
Ilha da Trindade . . . . ◱ 114 H6
Ilha de Marajó. . . . . ◱ 116 H4
Ilha de São Luís . . . . ⬓ 116 J4
Ilha do Bazaruto . . . . ◉ 90 F4
Ilha Fernando de Noronha . ◱ 116 L4
Ilha Grande de Gurupá. . . . ◱ 116 G4
Ilhas Martin Vaz . . . . ◱ 118 Q3
Ilhéus . . . . ◉ 116 K6
Iliamna Volcano. . . . . . . ▲ 110 (1)G4
Iligan . . . . ◉ 68 G5
Ilkal . . . . ◉ 72 C5
Iller . . . . ◢ 48 F3
Illertissen . . . . ◉ 48 F2
Illichivs'k . . . . ◉ 52 T2
Illinois . . . . ◉ 102 H3
Illinois . . . . ◢ 106 C2
Illizi . . . . ◉ 84 G3
Ilmenau . . . . ◉ 38 F6
Ilo . . . . ◉ 116 C7
Iloilo . . . . ◉ 68 G4
Ilorin . . . . ◉ 86 E3
Ilovlya . . . . ◉ 56 H5
Il'pyrskiy . . . . ◉ 62 U4
Ilwaco . . . . ◉ 104 B1
Ilych . . . . ◢ 56 L2
Imabari . . . . ◉ 66 G6
Imatra . . . . ◉ 34 Q6
Imeni-Babushkina . . . . . . ◉ 60 G6
Imeni Polinyosipenko . . . . ◉ 62 P6
Imese . . . . ◉ 88 B3
Imī. . . . . ◉ 88 G2
Imişli . . . . ◉ 76 N4
Immeln . . . . ◉ 36 D1
Immenstadt . . . . ◉ 48 F3
Imola . . . . ◉ 48 G6
Imotski . . . . ◉ 52 E6
Imperatriz . . . . ◉ 116 H5
Impéria . . . . ◉ 48 D7
Imperial . . . . ◉ 104 F2
Impfondo . . . . ◉ 88 B3
Imphal . . . . ◉ 72 F4
Imrali Adasi . . . . ◱ 54 L4
Imroz . . . . ◉ 54 H4
Inambari . . . . ◢ 116 C6
In Aménas . . . . ◉ 84 G3
Inangahua . . . . ◉ 96 C5
Inanwatan . . . . ◉ 70 (2)D3

Name	Page	Ref
Iñapari	116	D6
Inarijärvi	34	P2
Inca	46	N5
İnce Burun	76	F2
Inch'ŏn	66	D5
Incirliova	54	K7
Indalsälven	34	H5
Independence, Kans., US	108	B2
Independence, Mo., US	106	B3
India	72	C4
Indiana	102	J3
Indiana	106	E2
Indianapolis	108	D2
Indian Ocean	72	D8
Indianola	106	B2
Indian Springs	104	C3
Indiga	56	J1
Indio	110	C2
Indonesia	70	(1)D3
Indore	72	C4
Indramayu	70	(1)D4
Indre	44	G6
Indre Sula	34	C6
Indus	74	K3
Inebolu	76	E3
İnecik	54	K4
İnegöl	76	C3
In Ekker	84	G4
Ineu	52	J3
Ingelheim	40	L5
Ingeniero Jacobacci	118	H7
Ingham	94	J3
Ingoda	62	J6
Ingolstadt	48	G2
Ingrāj Bāzār	72	E3
Ingushetiya	76	L2
Inhambane	90	F4
Inirida	116	D3
Inishmore	42	B8
Inkisi-Kisantu	86	H6
Inn	48	H2
Inner Hebrides	42	F5
Inner Mongolia = Nei Monggol	64	E2
Innisfail	94	J3
Innsbruck	48	G3
Inongo	88	B4
Inowrocław	36	H5
In Salah	84	F3
Insein	68	B3
Inta	60	K4
Interlaken	48	C4
International Falls	106	B1
Intsy	56	H1
Inubō-zaki	66	L6
Inukjuak	100	R5
Inuvik	110	(1)L2
Invercargill	96	B8
Inverness	42	H4
Investigator Group	94	F6
Investigator Strait	94	G7
Inya	60	R7
Inya	62	R4
Ioannina	54	C5
Iokanga	60	F4
Iola	108	B2
Iona	42	F5
Ionian Sea	54	B6
Ionioi Nisoi	54	B5
Ios	54	H8
Iowa	102	H3
Iowa City	106	B2
Iowa Falls	106	B2
Ipameri	116	H7
Ipatinga	118	N2
Ipatovo	56	H5
Ipiales	116	B3
Ipiaú	116	K6
Ipoh	70	(1)C2
Iporá	116	G7
Ippy	88	C2
Ipsala	54	J4
Ipswich	42	P9
Iqaluit	100	T4
Iquique	118	G3
Iquitos	116	C4
Iracoubo	116	G2
Irakleia	54	F3
Irakleia	54	H8
Irakleio	54	H9
Iraklion = Irakleio	32	G4
Iran	74	F3
Īrānshahr	74	H4
Irapuato	112	D4
Irbid	78	C4
Irbit	56	M3
Irecê	116	J6
Ireland	42	D8
Irgiz	56	M5
Irgiz	56	M5
Irhil M'Goun	84	D2
Iringa	88	F5
Iriri	116	G4
Irish Sea	42	G8
Irkutsk	62	G6
Iron Mountain	106	C1
Ironton	108	E2
Ironwood	106	B1
Irrawaddy	72	F5
Irshava	52	L1
Irta	56	J2
Irtysh	56	P3
Irtyshsk	60	P7
Irumu	88	D3
Irún	46	J1
Irvine	42	H6
Irving	110	G2
Isabela	70	(2)B1
Isabella	106	B1
Isabella Lake	110	C1
Ísafjarðardjúp	34	(1)A1
Ísafjörður	34	(1)B1
Isahaya	64	J4
Isar	48	G3
Ischia	50	H8
Ise	66	J6
Isel	48	H4
Isère	48	B5
Iserlohn	40	K3
Isérnia	50	J7
Isetskoye	56	N3
Iseyin	86	E3
Isfana	74	J2
Ishikari-wan	66	L2
Ishim	56	N3
Ishim	56	N4
Ishinomaki	66	L4
Ishkoshim	74	K2
Isiolo	88	F3
Isiro	88	D3
Iskâr	52	M6
Iskenderun	76	G5
Iskitim	60	Q7
Isla Alejandro Selkirk	118	E5
Isla Campana	118	F8
Isla Clarence	118	G9
Isla Clarión	112	B5
Isla Coiba	112	H7
Isla Contreras	118	F9
Isla de Alborán	46	G9
Isla de Bioco	86	F4
Isla de Chiloé	118	G7
Isla de Coco	112	G7
Isla de Cozumel	112	G4
Isla de la Juventud	112	H4
Isla de los Estados	118	J9
Isla de Malpelo	116	A3
Isla de Margarita	116	E1
Isla de Providencia	112	H6
Isla de San Andrés	112	H6
Isla de São Francisco	118	M4
Isla de São Sebastião	118	M3
Isla Desolación	118	F9
Isla Española	116	(1)B2
Isla Fernandina	116	(1)A2
Isla Gorgona	116	B3
Isla Grande	118	N3
Isla Grande de Tierra del Fuego	118	H9
Isla Guafo	118	F7
Isla Hoste	118	G10
Isla Isabela	116	(1)A2
Isla La Tortuga	116	D1
Isla Londonderry	118	G9
Islamabad	72	B2
Isla Madre de Dios	118	F8/9
Isla Marchena	116	(1)A1
Islamgarh	72	B3
Islamorada	108	D5
Isla Navarino	118	H10
Island Lake	100	M6
Islands of the Four Mountains	110	(1)C5
Isla Pinta	116	(1)A1
Isla Puná	116	A4
Isla Riesco	118	G9
Isla Robinson Crusoe	118	E5
Isla San Benedicto	112	B5
Isla San Cristóbal	116	(1)B2
Isla San Salvador	116	(1)A2
Isla Santa Cruz	116	(1)A2
Isla Santa Inés	118	F9
Isla Santa María	116	(1)A2
Islas Baleares	46	N5
Islas Canarias	80	A3
Islas Canarias	84	B3
Islas Columbretes	46	L5
Islas de la Bahía	112	G5
Islas de los Desventurados	118	E4
Islas Galápagos	116	(1)B1
Islas Juan Fernández	118	E5
Islas Los Roques	116	D1
Islas Marías	112	C4
Isla Socorro	112	B5
Islas Revillagigedo	112	B5
Islas Wollaston	118	H10
Isla Wellington	118	F8
Islay	42	F6
Isle	44	F8
Isle of Man	42	H7
Isle of Wight	42	L11
Isle Royale	106	C1
Ismâ'ilîya	82	F1
Ismayıllı	76	N3
Isna	82	F2
Isoka	90	E2
Isola delle Correnti	50	J12
Isola di Capo Rizzuto	50	M10
Isola di Pantelleria	50	G12
Isole Égadi	50	F11
Isole Lipari	50	J10
Isole Ponziane	50	H8
Isole Trémiti	50	K6
Iso-Vietonen	34	N3
Isparta	54	N7
Íspica	50	J12
Israel	78	B5
Israelite Bay	94	D6
Issia	86	C3
Issimu	70	(2)B2
Issoire	44	J8
Issoudun	44	H7
Istanbul	76	C3
Istanbul Boğazı	76	C3
Istiaia	54	F6
Istmo de Tehuantepec	112	F5
Istra	48	J5
Istres	44	K10
Itaberaba	116	J6
Itabira	116	J7
Itabuna	116	K6
Itacoatiara	116	F4
Itaituba	116	F4
Itajaí	118	M4
Italy	50	E4
Itambacuri	116	J7
Itanagar	72	F3
Itapebi	116	K7
Itapetinga	116	J7
Itapicuru	116	K6
Itapicuru Mirim	116	J4
Itapipoca	116	K4
Itarsi	72	C4
Ithaca	106	E2
Ithaki	54	C6
Ithaki	54	C6
Itiquira	116	F/G7
I t u í	116	C5
Ituiutaba	116	H7
Itumbiara	116	H7
Ituni	116	F2
Ituri	88	D3
Ituxi	116	D5
Itzehoe	38	E3
Ivalo	34	P2
Ivanava	34	N10
Ivangrad	52	G7
Ivanhoe, Australia	94	H6
Ivanhoe, US	106	A2
Ivano-Frankivs'k	56	D5
Ivanovo	56	H3
Ivatsevichy	34	N10
Ivdel'	56	M2
Ivittuut	100	X4
Ivosjön	36	D1
Ivrea	48	C5
Ivujivik	100	R4
Iwaki	66	L5
Iwamizawa	66	L2
Iwo	86	E3
Iyo-nada	66	G7
Izberbash	76	M2
Izegern	40	F4
Izhevsk	56	K3
Izhma	56	K1
Izhma	56	K2
Izk	79	G5
Izkî	79	G5
Izmayil	52	R4
İzmir	76	B4
İzmir Körfezi	54	J6
İzmit	76	C3
İznik	76	C3
İznik Gölü	76	C3
Izola	48	J5
Izra'	78	D4
Izuhara	66	F6
Izumo	66	G6
Izu-shotō	66	K6

J

Name	Page	Ref
Jabal ad Durūz	78	D4
Jabal Akhḍar	79	G5
Jabal al Nuṣayrīyah	78	D1
Jabal an Nabī Shu'ayb	82	H4
Jabal Ash Sham	79	G5
Jabal aẓ Ẓannah	79	E4
Jabalpur	72	C4
Jabal Shammar	82	G2
Jabal Thamar	82	J5
Jabiru	94	F2
Jablah	78	C1
Jablonec	36	E7
Jablunkov	36	H8
Jaboatão	116	K5
Jaca	46	K2
Jacareacanga	116	G5
Jackman	106	F1
Jacksboro	108	B3
Jackson, Calif., US	104	B3
Jackson, Minn., US	106	B2
Jackson, Miss., US	108	C3
Jackson, Oh., US	108	E2
Jackson, Tenn., US	108	D2
Jackson Head	96	B6
Jackson Lake	104	D2
Jacksonville, Fla., US	108	E3
Jacksonville, Ill., US	106	B3
Jacksonville, N.C., US	108	F3
Jacksonville, Tex., US	108	B3
Jacmel	112	K5
Jacobabad	72	A3
Jacobina	116	J6
Jacunda	116	H4
Jacupiranga	118	M3
Jade	38	D3
Jadebusen	38	D3
Jādū	84	H2
Jaén	46	G7
Jaén	116	B5
Jaffna	72	D7
Jagdalpur	72	D5
Jagersfontein	90	D5
Jaggang	72	C2
Jagst	38	E7
Jahrom	79	E2
Jaipur	72	C3
Jaisalmer	72	B3
Jajce	52	E5
Jakarta	70	(1)D4
Jakobshavn = Iiulissat	100	W3
Jakobstad	34	M5
Jalālābād	72	B2
Jalandhar	72	C2
Jalapa Enriquez	112	E5
Jalgaon	72	C4
Jalībah	79	B1
Jalingo	86	G3
Jalna	72	C5
Jalón	46	J3
Jalpaiguri	72	E3
Jalūlā	76	L6
Jamaica	112	H5
Jamalpur	72	E3
Jambi	70	(1)C3
James	104	G2
James Bay	100	Q6
Jamestown, N.Y., US	106	E2
Jamestown, N.D., US	104	G1
Jammerbugten	34	D3
Jammu	72	B2
Jammu and Kashmir	72	C2
Jamnagar	72	B4
Jämsä	34	N6
Jamshedpur	72	E4
Janakpur	72	E3
Janaúba	116	J7
Jandaq	74	E3
Jandongi	88	C3
Jane Peak	96	B7
Janesville	106	C2
Jan Mayen	98	C2
Janos	110	E2
Jánossomorja	48	N3
Janów Lubelski	36	M7
Janów	36	J3
Januária	116	J7
Jaora	72	C4
Japan	66	E5
Japan Trench	92	E2

143

Index

Name	Page	Grid
Japurá	116	D4
Jarābulus	76	H5
Jaramillo	118	H8
Jarash	78	C4
Jardim	118	K3
Jarosław	36	M7
Järpen	34	G5
Jarud Qi	64	G2
Järvenpää	34	N6
Jarvis	92	K6
Jaseľda	34	N10
Jäsk	79	G4
Jason Islands	118	J9
Jasper, Al., US	108	D3
Jasper, Fla., US	108	E3
Jasper, Tex., US	108	C3
Jastrebarsko	48	L5
Jászberény	52	G2
Jatai	116	G7
Jatapu	116	F4
Jaunpur	72	D3
Java = Jawa	70	(1)E4
Javarthushuu	62	J7
Javoriv	36	N8
Jawa	70	(1)E4
Jawhar	88	H3
Jayapura	70	(2)F3
Jayrūd	78	D3
Jaza'ir Farasān	82	H4
Jazīrat Būbīyān	79	C2
Jazīrat-ye Khārk	79	D2
Jbail	78	C2
Jbel Ayachi	84	E2
Jbel Bou Naceur	84	E2
Jbel Toubkal	84	D2
Jean	104	C3
Jebba	86	E3
Jebel Bāqir	78	C7
Jebel el Atā'ita	78	C6
Jebel el Batrā	78	C7
Jebel-esh Sharqi	78	C3
Jebel Gimbala	82	D5
Jebel Ithrīyat	78	D6
Jebel Liban	78	C3
Jebel Mubrak	78	C6
Jebel Ram	78	C7
Jebel Uweinat	82	E3
Jedburgh	42	K6
Jedda = Jiddah	74	C5
Jedeida	50	D12
Jędrzejów	36	K7
Jefferson	106	B2
Jefferson City, Mo., US	106	B3
Jefferson City, Tenn., US	108	E2
Jeffersonville	106	C3
Jega	86	E2
Jēkabpils	34	N8
Jelgava	34	M8
Jemaja	70	(1)D2
Jena	38	G6
Jendouba	84	G1
Jenin	78	C4
Jenkins	106	D3
Jequié	116	J6
Jequitinhonha	116	J7
Jerada	84	E2
Jeremoabo	116	K6
Jerez	110	F4
Jerez de la Frontera	46	D8
Jerez de los Caballeros	46	D6
Jericho, Australia	94	J4
Jericho, Israel	78	C5
Jersey	44	C4
Jersey City	108	G1
Jerusalem = Yerushalayim	78	C5
Jesenice	52	B3
Jesenik	36	G7
Jesi	48	J7
Jésolo	48	H5
Jessore	72	E4
Jesup	108	E3
Jeumont	40	G4
Jever	38	C3
Jeypore	72	D5
Jezioro	36	D4
Jezioro Gardno	34	J9
Jezioro Jeziorsko	36	H6
Jezioro Łebsko	36	F3
Jezioro Śniardwy	36	L4
Jezioro Wigry	36	N2
Jezzine	78	C3
Jhang Maghiana	72	B2
Jhansi	72	C3
Jharsuguda	72	D4
Jhelum	72	B2
Jialing Jiang	64	D4
Jiamusi	64	J1
Ji'an	64	E5
Jiangle	64	F5
Jiangling	64	E4
Jiangmen	64	E6
Jiangyou	64	C4
Jiaonan	64	F3
Jiaozou	64	E3
Jiaxing	64	G4
Jiayuguan	64	B3
Jibou	52	L2
Jičín	36	E7
Jiddah	74	C5
Jiesjavrre	34	N2
Jiexiu	64	E3
Jihlava	36	E8
Jijia	52	Q2
Jijiga	88	G2
Jijilib	88	G3
Jilin	66	D2
Jima	88	F2
Jimbolia	52	H4
Jiménez	110	F3
Jimsar	60	R9
Jinan	64	F3
Jinapo Hu	66	E2
Jinchang	64	C3
Jincheng	64	E3
Jindřichův Hradec	36	E8
Jingdezhen	64	F5
Jinggu	64	C6
Jinghe	60	Q9
Jinghong	64	C6
Jingmen	64	E4
Jingning	64	D3
Jingxi	64	D6
Jinhua	64	F5
Jining, China	64	E2
Jining, China	64	F3
Jinja	88	E3
Jinka	88	F2
Jinsha	64	C5
Jinshi	64	E5
Jinta	64	B2
Jinxi	64	G2
Jinzhou	64	G2
Jirgatol	74	K2
Jirkov	38	J6
Jīroft	79	G2
Jirriiban	88	H2
Jishou	64	D5
Jiu	52	L4
Jiujiang	64	F5
Jiwani	74	H4
Jixi	66	F1
Jīzān	82	H4
Jizera	36	D7
J. J. Castelli	116	D4
Joal-Fadiout	84	B6
João Pessoa	116	L5
Jódar	46	G7
Jodhpur	72	B3
Joensuu	56	E2
Jōetsu	66	K5
Jõgeva	34	P7
Johannesburg, South Africa	90	D5
Johannesburg, US	110	C1
John Day	104	C2
John o' Groats	42	J3
John Redmond Reservoir	108	B2
Johnson	108	A2
Johnson City	106	D3
Johnson's Crossing	110	(1)L3
Johnston Island	92	J4
Johnstown	106	E2
Johor Bahru	70	(1)C2
Joigny	44	J5
Joinville, Brazil	118	M4
Joinville, France	44	L5
Jokkmokk	34	K3
Jökulsá á Fjöllum	34	(1)E1
Jolfa	76	L4
Joliet	102	J3
Joliette	106	F1
Jolo	70	(2)B1
Jolo	70	(2)B1
Jonava	36	P2
Jonesboro	106	B3
Jones Sound	100	P1
Jonesville	108	C3
Jonglei Canal	88	E2
Jongunjärvi	34	P4
Joniškis	36	N1
Jönköping	34	H8
Jonquière	106	F1
Joplin	108	C2
Jordan	78	D5
Jordan	104	E1
Jordan Valley	104	C2
Jorhat	72	F3
Jörn	34	L4
Jos	86	F3
José de San Martín	118	G7
Joseph Bonaparte Gulf	94	E2
Joûnié	78	C2
Juan de Nova	90	G3
Juàzeiro	116	J5
Juàzeiro do Norte	116	K5
Juba	88	E3
Jubba	88	G3
Júcar	46	J5
Juchitán	112	F5
Judenburg	48	K3
Juhre	62	L8
Juist	38	B3
Juiz de Fora	118	N3
Julesburg	104	F2
Juli	116	C7
Juliaca	116	C7
Juliana Top	116	F3
Jülich	40	J4
Jumilla	46	J6
Jumla	72	D3
Junagadh	72	B4
Junction	108	B3
Junction City	108	B2
Jundah	94	H4
Juneau	110	(1)L4
Jungfrau	48	C4
Junggar Pendi	60	R8
Jun Xian	64	E4
Jūra	36	M2
Jura	42	G5
Jura	48	B4
Jurbarkas	36	M2
Jurf ed Darāwīsh	78	C6
Jurhe	64	G2
Jūrmala	34	M8
Jūrmala	56	D3
Juruá	116	D4
Juruena	116	F5
Juruena	116	F6
Justo Daract	118	H5
Jutaí	116	D5
Jüterbog	38	J5
Juwain	74	H3
Ju Xian	64	F3
Jūymand	74	G3
Jūyom	79	F2
Juzur al Halaniyat	75	G6
Jylland	34	E8
Jyväskylä	56	E2
Jyväskylä	34	N5

K

Name	Page	Grid
K2	72	C1
Kaakhka	74	G2
Kaamanen	34	P2
Kaaresuvanto	34	M2
Kaarta	84	C6
Kabaena	70	(2)B4
Kabakly	74	H2
Kabala	86	B3
Kabale	88	E4
Kabalo	88	D5
Kabardino-Balkariya	76	K2
Kabompo	90	C2
Kabongo	88	D5
Kabugao	68	G3
Kābul	74	J3
Kabwe	90	D2
Kachikattsy	62	M4
Kachug	62	H6
Kadama	72	B6
Kadan	36	C7
Kadinhanı	54	Q6
Kadirli	76	G5
Kadoka	104	F2
Kadoma	90	D3
Kadugli	82	E5
Kaduna	86	F2
Kadzherom	56	L2
Kaédi	84	C5
Kaesŏng	66	D5
Kafanchan	86	F3
Kaffrine	84	A2
Kafiau	70	(2)C3
Kåfjord	34	N1
Kafr el Sheikh	82	F1
Kafue	90	D3
Kaga	66	J5
Kaga Bandoro	88	B2
Kagoshima	66	F8
Kahemba	88	B5
Kahnūj	79	G3
Kahraman Maraş	76	G5
Kahurangi Point	96	C5
Kaiama	86	E3
Kai Besar	70	(2)D4
Kaifeng	64	E4
Kaihu	96	D2
Kaihua	64	F5
Kai Kecil	70	(2)D4
Kaikohe	96	D2
Kaikoura	96	D6
Kaili	64	D5
Kailua	110	(2)D3
Kailua Kona	110	(2)E4
Kaimana	70	(2)D3
Käina	34	M7
Kainji Reservoir	86	E2
Kaipara Harbour	96	D3
Kairouan	84	H1
Kaiserslautern	38	C7
Kaišiadorys	36	P3
Kaitaia	96	D2
Kaiyuan	68	C2
Kajaani	34	P4
Kakamega	88	E3
Kakata	86	B3
Kakhovs'ke Vodoskhovyshche	56	F5
Käkinäda	72	D5
Kaktovik	110	(1)J1
Kalabagh	72	B2
Kalabahi	70	(2)B4
Kalabakan	70	(1)F2
Kalach	56	H4
Kalachinsk	56	P3
Kalach-na-Donu	56	H5
Kaladar	106	E2
Ka Lae	110	(2)F5
Kalahari Desert	90	C4
Kalajoki	34	M4
Kalakan	62	K5
Kalam	72	B1
Kalamata	54	E7
Kalamazoo	106	C2
Kalampaka	54	D5
Kalaotoa	70	(2)B4
Kalapana	110	(2)G4
Kalaupapa	110	(2)E2
Kalavryta	54	E6
Kale	54	L7
Kalecik	76	E3
Kaledupa	70	(2)B4
Kalemie	88	D5
Kalemyo	72	F4
Kalevala	34	R4
Kalewa	72	F4
Kalgoorlie	94	D6
Kalianda	70	(1)D4
Kalibo	68	G4
Kalima	88	D4
Kalimantan	70	(1)E2
Kaliningrad	36	K3
Kaliningradskij Zaliv	36	J3
Kalispell	104	D1
Kalisz	36	H6
Kalixälven	34	M3
Kalkan	54	M8
Kalkarindji	94	F3
Kalkaska	106	C2
Kallavesi	34	P5
Kallsjön	34	G5
Kalmar	34	J8
Kalmykiya	76	M1
Kalmykovo	56	K5
Kalocsa	52	F3
Kalol	72	B4
Kalpakio	54	C5
Kalpeni	72	B6
Kaltag	110	(1)F3
Kaluga	56	G4
Kalyan	72	B5
Kalymnos	54	J7
Kalymnos	54	J8
Kama	32	K1
Kama	88	D4
Kamaishi	66	L4
Kamande	88	D4
Kamango	60	U6
Kambarka	56	K3
Kambo Ho	66	E3
Kamchatka	62	U6
Kamchatskiy Zaliv	62	U5
Kamenica	54	E2
Kamenka, Russia	56	H1
Kamenka, Russia	56	H4
Kamen'-na-Obi	60	Q7
Kamen'-Rybolov	66	F1
Kamensk-Shakhtinskiy	56	H5
Kamensk-Ural'skiy	56	M3
Kamenz	36	D6
Kamet	72	C2
Kamiiso	66	L3

Name	Page	Grid
Kamina	88	C5
Kamituga	88	D4
Kamiyaku	66	F8
Kamloops	100	G6
Kamoenai	66	L2
Kampala	88	E3
Kampen	40	H2
Kampong Cham	68	D4
Kam"yanets'-Podil's'kyy	56	E5
Kamyanets	34	M10
Kamyshin	56	J4
Kamyzyak	56	J5
Kanab	110	D1
Kananga	88	C5
Kanazawa	66	J5
Kanbalu	72	G4
Kanchipuram	72	C6
Kandahār	74	J3
Kandalaksha	34	S3
Kandalakshskiy Zaliv	56	F1
Kandi	86	E2
Kandira	54	N3
Kandy	72	D7
Kane	106	E2
Kaneohe	110	(2)D2
Kangaatsiaq	100	W3
Kangal	76	G4
Kangān, Iran	79	E3
Kangān, Iran	79	G4
Kangaroo Island	94	G7
Kangchenjunga	72	E3
Kangding	64	C4
Kangeq	100	Y4
Kangerluarsoruseq	100	W4
Kangersuatsiaq	100	W3
Kangetet	88	F3
Kangiqsualujjuaq	100	T5
Kangmar	72	E3
Kangnŭng	66	E5
Kango	86	G4
Kangping	64	G2
Kaniama	88	C5
Kanji Reservoir	80	D4
Kanjiža	52	H3
Kankaanpää	34	M6
Kankakee	106	C2
Kankan	86	C2
Kankossa	84	C5
Kannapolis	108	E2
Kano	86	F2
Kanoya	66	F8
Kanpur	72	D3
Kansas	108	A2
Kansas	108	B2
Kansas City, Kans., US	108	B2
Kansas City, Mo., US	108	C2
Kansk	60	T6
Kanta	88	F2
Kantchari	86	E2
Kantemirovka	56	G5
Kanye	90	C4
Kao-Hsiung	64	G6
Kaolack	84	B6
Kaoma	90	C2
Kapanga	88	C5
Kap Arkona	36	C3
Kapchagay	60	P9
Kap Cort Adelaer = Kangeq	100	Y4
Kap Farvel = Uummannarsuaq	100	Y5
Kapfenberg	48	L3
Kapidağı Yarimadası	54	K4
Kapiri Mposhi	90	D2
Kapit	70	(1)E2
Kapiti Island	96	E5
Kaplice	48	K2
Kapoeta	88	E3
Kaposvár	52	E3
Kappel	38	C6
Kappeln	38	E2
Kappl	48	F3
Kapsan	66	E3
Kapuskasing	102	K2
Kapuvár	52	E2
Kara	60	M4
Kara, Russia	60	M4
Kara, Togo	86	E3
Kara Ada	54	K8
Kara-Balta	60	N9
Karabekaul	74	H2
Kara-Bogaz-Gol	74	F1
Karabutak	56	M5
Karacaköy	54	L4
Karacal Tepe	54	L3
Karacal Tepe	54	Q8
Karachayevo-Cherkesiya	76	J2
Karachayevsk	76	J2
Karachi	74	J5
Karaganda	60	N8
Karaginsky Zaliv	62	V5
Karaj	74	F2
Karak	78	C5
Kara-Kala	74	G2
Kara-Köl	60	N9
Karakol	60	P9
Karakoram	58	L6
Karaksar	62	K6
Karam	62	H5
Karaman	76	E5
Karamay	60	R8
Karamea	96	D5
Karamea Bight	96	C5
Karamürsel	54	M4
Karaoy	60	N8
Karapınar	54	R7
Kara-Say	60	P9
Karasburg	90	B5
Kara Sea = Karskoye More	60	L3
Karasu	76	D3
Karasuk	60	P7
Karasuk	60	P7
Karatal	60	P8
Karataş	76	F5
Karatobe	56	K5
Karaton	56	K5
Karatsu	66	E7
Karazhal	56	P5
Karbalā'	74	D3
Karcag	52	H2
Karditsa	54	D5
Kärdla	34	M7
Kareliya	34	R4
Karepino	56	L2
Karesuando	34	M2
Kargalinskaya	76	M2
Kargasok	60	Q6
Kargat	60	P6
Kargil	72	C2
Kargopol'	56	G2
Kariba	90	D3
Kariba Dam	90	D3
Karibib	90	B4
Karimata	70	(1)D3
Karimnagar	72	C5
Karkaralinsk	60	P8
Karkinits'ka Zatoka	56	F5
Karlik Shan.	64	A2
Karlovac	52	C4
Karlovasi	54	J7
Karlovo	54	G2
Karlovy Vary	38	H6
Karlshamn	36	D1
Karlskoga	34	H7
Karlskrona	34	H8
Karlsruhe	38	D8
Karlstad, Norway	34	G7
Karlstad, US	106	A1
Karlstadt	38	E7
Karmala	72	C5
Karmi'el	78	C4
Karmøy	34	C7
Karnafuli Reservoir	72	F4
Karnal	72	C3
Karnische Alpen	48	H4
Karnobat	54	J2
Karodi	74	J4
Karpathos	54	K9
Karpathos	54	K9
Karpenisi	54	D6
Karrabük	76	E3
Karratha	94	C4
Kars	76	K3
Karsakpay	56	N5
Kärsava	34	P8
Karshi	74	J2
Karskoye More	60	L3
Karslyaka	54	K6
Karstula	34	N5
Kartaly	56	M4
Kartayel'	56	K2
Kartuzy	36	H3
Karufa	70	(2)D3
Karumba	94	H3
Karungu	72	C6
Karvina	36	H8
Karwar	72	B6
Karystos	54	G6
Kasai	88	B4
Kasaji	90	C2
Kasama	90	E2
Kasansay	60	N9
Kasba Lake	100	L4
Kasempa	90	D2
Kasenga	90	D2
Kāshān	74	F3
Kashi	74	L2
Kashima	64	L3
Kashiwazaki	66	K5
Kāshmar	74	G2
Kashmor	74	J4
Kasimov.	56	H4
Kasli	56	M3
Kasongo	88	D4
Kasos	54	K9
Kaspi	76	L3
Kaspiysk	76	M2
Kassala	82	G4
Kassandreia	54	F4
Kassel	38	E5
Kasserine	84	G1
Kastamonu	76	E3
Kastelli	54	F9
Kastoria	54	D4
Kasulu	88	E4
Kasumkent	76	N3
Kasur	72	B2
Kata	62	G5
Katchall	72	F7
Katerini	54	E4
Katete	90	E2
Katha	72	G4
Katherine	94	F2
Kathiawar.	74	K5
Kathmandu	72	E3
Kati	86	C2
Katihar	72	E3
Katiola	86	C3
Kato Nevrokopi	54	F3
Katonga	88	E3
Katoomba	94	K6
Katowice	36	J7
Katrineholm	34	J7
Katsina	86	F2
Katsina-Ala	86	F3
Katsuura	66	L6
Kattakurgan	74	J2
Kattavia	54	K9
Kattegat.	34	F8
Katun'	60	R7
Katwijkaan Zee	40	G2
Kauai	110	(2)B1
Kaufbeuren	48	F3
Kauhajoki	34	M5
Kaunas	36	N3
Kauno	36	P3
Kaunus	32	G2
Kaura Namoda	86	F2
Kavadarci	54	D3
Kavajë	54	B3
Kavala	54	G4
Kavār	79	E2
Kavaratti	72	B6
Kavarna	52	R6
Kawagoe	66	K6
Kawakawa	96	E2
Kawambwa	88	D5
Kawasaki	66	K6
Kawau Island	96	E3
Kaweka	96	F4
Kawhia	96	E4
Kawkareik	68	B3
Kawthaung	68	B4
Kaya	86	D2
Kayak	60	U3
Kaycee	104	E2
Kayenta	110	D1
Kayes	86	B2
Kaymaz	54	P5
Kaynar	60	P8
Kayseri	76	F4
Kazachinskoye	62	E5
Kazach'ye	62	P2
Kazakdar'ya	60	K9
Kazakhstan	60	L8
Kazan'	56	J3
Kazan	100	M4
Kazanlŭk	54	H2
Kazan-rettō.	54	E3
Kazbek	76	L2
Kāzerün	79	D2
Kazincbarcika	52	H1
Kazungula	90	D3
Kea	54	G7
Kearney	102	G3
Keban Baraji	76	H4
Kébémèr	84	B5
Kebkabiya	82	D5
Kebnekajse	34	K3
K'ebrī Dehar	88	G2
K'ech'a Terara	88	F2
Keçiborlu	54	N7
Kecskemét	52	G3
Kédainiai	36	N2
Kedgwick	106	G1
Kédougou	86	B2
Kędzierzyn-Koźle	36	H7
Keele	110	(1)M3
Keene	106	F2
Keetmanshoop	90	B5
Keewatin	106	B1
Kefallonia	54	C6
Kefamenanu	70	(2)B4
Keflavik	34	(1)B2
Kegen'.	60	P9
Keg River	100	H5
Kehl.	48	C2
Keila	34	N7
Keitele	34	N5
Kékes	52	H2
Kelai Thiladhunmathee Atoll	72	B7
Kelheim	48	G2
Kelibia	50	F12
Kelkit	76	G3
Kelmė	36	M2
Kélo	86	H3
Kelowna	100	H7
Kelso	104	B1
Keluang	70	(1)C2
Kem'	56	F2
Kemalpaşa	54	K6
Kemasik	70	(1)C2
Kemer, Turkey	54	M8
Kemer, Turkey	54	N8
Kemerovo	60	R6
Kemi	34	N4
Kemijärvi	34	P3
Kemijärvi	34	P3
Kemijoki.	34	P3
Kemmerer	104	D3
Kemmuna	50	J12
Kemnath	38	G7
Kemp's Bay	108	F5
Kempten	48	F3
Kendal	42	K7
Kendall	108	E4
Kendari	70	(2)B3
Kendawangan	70	(1)E3
Kendégué	86	H2
Kendujhargarh	72	E4
Kenedy	108	B4
Kenema	86	B3
Keneurgench	74	G1
Kenge	88	B4
Kengtung	68	B2
Kenhardt	90	C5
Kénitra	84	D2
Kenmore	42	C10
Kennett	108	D2
Kennewick	104	C1
Keno Hill	110	(1)K3
Kenora	102	H2
Kenosha	106	C2
Kentau	60	M9
Kentucky	102	J4
Kentwood	108	C3
Kenya	80	G5
Keokuk	106	B2
Kepno	36	H6
Kepulauan Anambas	70	(1)D2
Kepulauan Aru	70	(2)E4
Kepulauan Ayu	70	(2)D2
Kepulauan Balabalangan	70	(1)F3
Kepulauan Banggai	70	(2)B3
Kepulauan Barat Daya	70	(2)C4
Kepulauan Batu	70	(1)B3
Kepulauan Bonerate	70	(2)A4
Kepulauan Kai	70	(2)D4
Kepulauan Kangean	70	(1)F4
Kepulauan Karimunjawa	70	(1)D4
Kepulauan Karkaralong	70	(2)B2
Kepulauan Laut Kecil	70	(1)F3
Kepulauan Leti	70	(2)C4
Kepulauan Lingga	70	(1)C2
Kepulauan Lucipara	70	(2)C4
Kepulauan Mentawai	70	(1)B3
Kepulauan Nanusa	70	(2)C2
Kepulauan Natuna	70	(1)D2
Kepulauan Riau	70	(1)C2
Kepulauan Sabalana	70	(1)F4
Kepulauan Sangihe	70	(2)C2
Kepulauan Solor	70	(2)B4
Kepulauan Sula	70	(2)B3
Kepulauan Talaud	70	(2)C2
Kepulauan Tanimbar	70	(2)D4
Kepulauan Tengah	70	(1)F4
Kepulauan Togian	70	(2)B3
Kepulauan Tukangbesi	70	(2)B4
Kepulauan Watubela	70	(2)D3

Kerch 76 G1
Kerchevskiy 56 L3
Kerempe Burnu 54 R2
Keren 82 G4
Kericho 88 F4
Kerio 88 F3
Kerikeri 96 E2
Kerki 74 J2
Kerkrade 40 J4
Kerkyra 54 B5
Kerkyra 54 B5
Kerma 82 F4
Kermadec Islands 92 H8
Kermadec Trench 92 J9
Kermān 79 G1
Kermānshāh 74 E3
Kermānshāhān 79 F1
Keros 54 H8
Kerpen 40 J4
Kerrville 108 B3
Kerulen 62 J7
Keryneia 76 E6
Keşan 54 J4
Kesennuma 66 L4
Keşiş Dağları 74 C2
Keszthely 52 E3
Keta 86 E3
Ketapang 70 (1)D3
Ketchikan 110 (1)L4
Kêtou 86 E3
Kętrzyn 36 L3
Kettering 42 M9
Kettle Falls 102 C2
Kewanee 106 C2
Keweenaw Peninsula 106 C1
Key Largo 108 E4
Keystone Lake 108 B2
Key West 108 E5
Kezhma 62 G5
Kežmarok 36 K8
Khabarovsk 62 P7
Khadyzhensk 76 H1
Khakasiya 60 R7
Khairwāra 72 B4
Khalīg el Suweis 82 F2
Khalīj Surt 82 C1
Khalūf 74 G5
Khamis Mushayt 74 D6
Khamkkeut 68 C3
Khampa 62 L4
Khamra 62 J4
Khān al Baghdād 76 K7
Khandagayty 60 S7
Khandwa 72 C4
Khanewal 72 B2
Khannya 60 X4
Khanpur 72 B3
Khān Shaykhūn 78 D1
Khantau 60 N9
Khantayka 62 D3
Khanty-Mansiysk 56 N2
Khān Yūnis 78 B5
Khapalu 72 C1
Kharabali 56 J5
Kharagpur 72 E4
Kharampur 62 B4
Kharan 74 J4
Khargon 72 C4
Kharkiv 56 G5
Kharlu 34 R6
Kharmanli 54 H3
Kharnmam 72 D5
Kharovsk 56 H3
Khartoum = El Khartum 82 F4
Khasavyurt 76 M2
Khāsh 74 H4
Khashgort 56 N1
Khashm el Girba 82 G4
Khashuri 76 K3
Khaskovo 54 H3
Khatanga 62 G2
Khātūnābād 79 F1
Khatyrka 62 X4
Khavda 74 J5
Khawr Fakkān 79 G4
Khaydarken 74 K2
Khayelitsha 90 B6
Khemis Miliana 84 F1
Khemisset 84 D2
Khenchela 84 G1
Kherāmeh 79 E2
Kherson 56 F5
Kheta 60 T3
Kheta 60 T3
Kheygiyakha 56 P2
Khilok 62 J6
Khirbat Isrīyah 78 E1
Khīyāv 76 M4

Khmel'nyts'kyy 56 E5
Khodā Afarīn 76 M4
Kholmsk 62 Q7
Khonj 79 E3
Khon Kaen 68 C3
Khonuu 62 Q3
Khoper 56 H4
Khor 62 P7
Khor 62 P7
Khoreyver 56 L1
Khorinsk 62 H6
Khorramābād 74 E3
Khorramshahr 79 C1
Khorugh 74 K2
Khoseda Khard 56 L1
Khouribga 84 D2
Khrebet Cherskogo 62 P3
Khrebet Dzhagdy 62 N6
Khrebet Dzhugdzhur 62 N5
Khrebet Khamar Daban 62 G6
Khrebet Kolymskiy 58 U3
Khrebet Kopet Dag 74 G2
Khrebet Suntar Khayata 62 P4
Khrebet Tarbagatay 60 Q8
Khroma 62 Q2
Khudoseya 62 C3
Khudzhakh 62 R4
Khujand 74 J1
Khulna 72 E4
Khurayş 79 B4
Khushab 72 B2
Khust 52 L1
Khuzdar 74 J4
Khvormūj 79 D2
Khvoy 76 L4
Khyber Pass 74 K3
Kibaya 88 F4
Kibombo 88 D4
Kibondo 88 E4
Kibre Mengist 88 F2
Kičevo 54 C3
Kichmengskiy Gorodok 56 J3
Kicking Horse Pass 100 H6
Kidal 84 F5
Kidderminster 42 K9
Kidira 86 B2
Kiel 38 F2
Kielce 36 K7
Kieler Bucht 38 F2
Kiev = Kyyiv 56 F4
Kiffa 84 C5
Kigali 88 E4
Kigoma 88 D4
Kihnu 34 M7
Kikiköy 54 L3
Kikinda 52 H4
Kikori 70 (2)F4
Kikwit 88 B5
Kilchu 66 E3
Kilifi 88 F4
Kilindoni 88 F5
Kilingi-Nõmme 34 N7
Kilis 76 G5
Kiliya 52 S4
Kilkenny 42 E9
Kilkis 54 E4
Killarney, Canada 106 D1
Killarney, Republic of Ireland 42 C9
Kilmarnock 42 H6
Kil'mez 56 K3
Kilosa 88 F5
Kilrush 42 C9
Kiltian 72 B6
Kilwa 88 D5
Kilwa Masoko 88 F5
Kimberley 90 C5
Kimberley Plateau 94 E3
Kimch'aek 66 E3
Kimolos 54 G8
Kimongo 86 G5
Kimry 56 G3
Kincardine 106 D2
Kinder 108 C3
Kindia 86 B2
Kindu 88 D4
Kineshma 56 H3
Kingaroy 94 K5
King City 106 B3
King George Islands 100 R5
Kingisepp 34 Q7
King Island, Australia 94 H7
King Island, Canada 62 A A3
Kingman 110 D1
Kingri 74 J3
Kingscote 94 G7
Kingsland 108 E3
King's Lynn 42 N9

King Sound 94 D3
Kings Peak 104 D2
Kingsport 108 E2
Kingston, Canada 106 E2
Kingston, Jamaica 112 J5
Kingston, US 106 F2
Kingston-upon-Hull 42 M8
Kingston upon Thames 40 B3
Kingstown 116 E1
Kingsville 108 B4
Kingville 112 E3
King William Island 100 M3
King William's Town 90 D6
Kinik 54 K5
Kinka-san 66 L4
Kinna 34 G8
Kinsale 42 D10
Kinshasa 88 B4
Kinsley 108 B2
Kinston 106 E3
Kintampo 86 D3
Kintyre 42 G6
Kinyeti 88 E3
Kinzig 38 E6
Kipini 88 G2
Kipnuk 110 (1)E3
Kirchheim 48 E2
Kirchheimbolanden 40 L5
Kircudbright 42 H7
Kirenga 62 H5
Kirensk 62 H5
Kiribati 92 J6
Kırıkhan 76 G5
Kırıkkale 76 E4
Kirillov 56 G3
Kirinyaga 88 F4
Kirishi 56 F3
Kiritimati 92 L5
Kirkağaç 54 K5
Kirk Bulāg Dāgh 74 E2
Kirkcaldy 42 J5
Kirkjubæjarklaustur 34 (1)E3
Kirkland Lake 106 D1
Kırklareli 54 K3
Kirkūk 76 L6
Kirkwall 42 K3
Kirov, Kyrgyzstan 60 N9
Kirov, Russia 56 F4
Kirov, Russia 56 J3
Kirovohrad 56 F5
Kiroyo-Chepetsk 56 K3
Kirs 56 K3
Kirsanov 56 H4
Kırşehir 76 F4
Kiruna 34 L3
Kiryū 66 K5
Kisangani 88 D3
Kisbér 52 E2
Kiselevsk 60 R7
Kishanganj 72 E3
Kishi 86 E3
Kishiwada 66 H6
Kishtwar 72 C2
Kisii 88 E4
Kiska Island 110 (3)B1
Kiskőrös 52 G3
Kiskunfélegyháza 52 G3
Kiskunhalas 52 G3
Kiskunmajsa 52 G3
Kislovodsk 76 K2
Kismaayo 88 G4
Kissidougou 86 B3
Kisumu 88 E4
Kisvárda 52 K1
Kita 86 C2
Kitakami 66 L4
Kita-Kyūshū 64 H4
Kita-Kyūshū 66 F7
Kitami 66 M2
Kitchener 106 D2
Kitgum 88 E3
Kitimat 100 M3
Kittilä 34 N3
Kitunda 88 E5
Kitwe 90 D2
Kitzingen 38 F7
Kiuruvesi 34 P5
Kivijärvi 34 N5
Kivik 34 H5
Kiya 62 D5
Kıyıköy 76 C3
Kizel 56 L3
Kizilalan 54 R8
Kızılırmak 76 F3
Kızılkaya 54 N7
Kizil'skoye 56 L4
Kızıltepe 76 J5
Kizlyar 76 M2

Kizlyarskiy Zaliv 76 M1
Kladanj 52 F5
Kladno 36 D7
Klagenfurt 48 K4
Klaipėda 34 L9
Klamath 104 B2
Klamath 104 B2
Klamath Falls 104 B2
Klarälven 34 G6
Klatovy 38 J7
Klaus 48 K3
Klerksdorp 90 D5
Kleve 38 B5
Klin 56 G3
Klingenthal 38 H6
Klinovec 38 H6
Klintsy 56 F4
Ključ 48 M6
Klobuck 36 H7
Kłodzko 36 F7
Kløfta 34 F6
Klosterneuburg 48 M2
Klosters 48 E4
Kluane 100 D4
Kluane Lake 110 (1)J3
Kluczbork 36 H7
Klyuchevskaya Sopka 62 U5
Klyuchi 62 U5
Knezha 52 M6
Knin 52 D5
Knittelfeld 52 E3
Knjaževac 52 K6
Knokke-Heist 40 F3
Knoxville 106 D3
Knysna 90 C6
Koba 70 (1)D3
Kōbe 66 H6
Koblenz 38 C6
Koboör 70 (2)E4
Kobryn 36 P5
Kobuk 110 (1)F2
Kobuk 110 (1)F2
Kočani 54 E3
Koçarlı 54 K7
Kočevje 52 E3
Ko Chang 68 C4
Kochechum 62 F3
Kōchi 66 G7
Kochi 72 C7
Kochkor 60 P9
Kochki 60 Q7
Kochubey 76 M1
Kodiak 110 (1)G4
Kodiak Island 110 (1)G4
Kodino 56 G2
Kodinsk 62 F5
Kodomari-misaki 66 L3
Kodyma 52 S1
Köflach 52 C2
Kōfu 66 K6
Køge 36 B2
Køge Bugt 36 B2
Kohat 72 B2
Kohima 72 F3
Koh-i-Qaisir 74 H3
Koh-i-Sangan 74 J3
Kohtla-Järve 34 P7
Koidu 86 B3
Koitere 34 R5
Kokenau 70 (2)E3
Kokkola 34 M5
Kokomo 108 D1
Kokpekty 60 Q8
Kokshetau 56 N4
Kokstad 90 D6
Kolaka 70 (2)B3
Kolar 72 C6
Kolari 34 M3
Kolašin 52 G7
Kolda 86 B2
Kolding 34 E9
Kole 88 C4
Kolhapur 72 B5
Kolin 36 E7
Kollam 72 C7
Kolno 36 L4
Koło 36 H5
Kołobrzeg 36 E3
Kologriv 56 H3
Kolomna 56 G3
Kolonedale 70 (2)B3
Kolosovka 56 N1
Kolpashevo 60 Q6

Name	Page	Grid
Kolpos Agiou Orous	54	F4
Kolpos Kassandras	54	F4
Kolpos Murampelou	54	H9
Kolskijzaliv	34	S2
Kolskiy Poluostrov	56	G1
Kolumadulu Atoll	72	B8
Koluton	56	N4
Kolva	56	L2
Kolwezi	90	D2
Kolyma	62	R4
Kolymskaya Nizmennost'	62	S3
Kolymskaye	62	T3
Komandorskiye Ostrova	62	V5
Komárno	52	F2
Komárom	52	F2
Komatsu	66	J5
Komi	56	K2
Komló	52	F3
Kom Ombo	82	F3
Komotini	54	H3
Komsa	60	R5
Komsomol'skiy	56	J5
Komsomol'sk-na-Amure	62	P6
Konârka	72	E5
Konda	56	N3
Kondagaon	72	D5
Kondinskoye	56	N3
Kondoa	88	F4
Kondopoga	56	F2
Kondrat'yeva	60	V5
Kondûz	74	J2
Kong Frederik VI Kyst	100	Y4
Kongi	60	R9
Kongola	90	C3
Kongolo	88	D5
Kongsberg	34	E7
Kongur Shan	60	N10
Königsberg = Kaliningrad	36	K3
Königswinter	38	C6
Königs-Wusterhausen	38	J4
Konin	36	H5
Konispol	54	C5
Konitsa	54	C4
Köniz	48	C4
Konjic	52	E6
Konosha	56	H2
Konotop	56	F4
Konstanz	48	E3
Konstinbrod	52	L7
Kontagora	86	F2
Kon Tum	68	D4
Konya	76	E5
Konz	38	B7
Kootenai	104	C1
Kootenay Lake	102	C2
Köpasker	34	(1)E1
Kópavogur	34	(1)C2
Koper	48	J5
Kopeysk	56	M3
Köping	34	J7
Koplik	52	G7
Koprivnica	52	D3
Korba, *India*	72	D4
Korba, *Tunisia*	50	E12
Korbach	38	D5
Korçë	54	C4
Korčula	52	D7
Korea Bay	66	B4
Korea Strait	66	K6
Korhogo	86	C3
Korinthiakos Kolpos	54	E6
Korinthos	54	E7
Köriyama	66	L5
Korkino	56	M4
Korkuteli	76	D5
Korla	60	R9
Korliki	62	C4
Körmend	52	D2
Kornat	52	C6
Koroba	70	(2)F4
Köroğlu Dağları	54	Q4
Köroğlu Tepesi	54	P4
Korogwe	88	F5
Koronowo	36	G4
Koror	92	D5
Korosten'	56	E4
Korsakov	62	Q7
Korsør	38	G1
Kortrijk	40	F4
Korumburra	94	J7
Koryaksiy Khrebet	62	V4
Koryazhma	60	H5
Kos	54	K8
Kos	54	K8
Kosa	56	L3
Ko Samui	68	C5
Kościerzyna	36	H3
Kosciusko	108	D3
Kosh Agach	60	R8
Koshoba	74	F1
Košice	36	L9
Koslan	56	J2
Kosŏng	66	E4
Kosovo	52	H7
Kosovska Mitrovica	54	C2
Kosrae	92	G5
Kostajnica	48	M5
Kostenets	54	F2
Kosti	82	F5
Kostino	62	D3
Kostomuksha	34	R4
Kostroma	56	H3
Kostrzyn	36	D5
Kos'yu	56	L1
Koszalin	36	F3
Kőszeg	52	D2
Kota	72	C3
Kotaagung	70	(1)C4
Kotabaru	70	(1)F3
Kota Belud	70	(1)F1
Kota Bharu	70	(1)C1
Kotabumi	70	(1)C3
Kota Kinabalu	70	(1)F1
Kotamubagu	70	(2)B2
Kotapinang	70	(1)B2
Kotel'nich	56	J3
Kotel'nikovo	56	H5
Köthen	38	G5
Kotido	88	E3
Kotka	34	P6
Kotlas	56	J2
Kotlik	110	(1)E3
Kotor Varoš	52	E5
Kotov'sk	56	E5
Kottagudem	72	D5
Kotto	88	C2
Kotuy	62	G3
Kotzebue	110	(1)E2
Kotzebue Sound	110	(1)D2
Kouango	86	H3
Koudougou	86	D2
Koufey	86	G2
Koulamoutou	86	G5
Koum	86	G3
Koumra	86	H3
Koundâra	86	B2
Koupéla	84	C6
Kourou	116	G2
Koutiala	86	C2
Kouvola	56	E2
Kovdor	34	R3
Kovel'	56	D4
Kovin	52	H5
Kovrov	56	H3
Kowanyama	94	H3
Köyceğiz	54	L8
Koygorodok	56	K2
Koykuk	110	(1)E3
Koynas	56	J2
Koyukuk	110	(1)F2
Kozan	76	F5
Kozani	54	D4
Kozheynikovo	60	W3
Kozhikode	72	C6
Kozienice	36	L6
Kozloduy	52	L6
Kōzu-shima	66	K6
Kpalimé	86	E3
Kraai	90	D6
Krabi	68	B5
Kradeljevo	50	M5
Kragujevac	52	H5
Kraków	36	J7
Kraljevica	48	K5
Kraljevo	52	H6
Kralovice	36	C8
Kramators'k	56	G5
Kramfors	34	J5
Kranj	52	B3
Krasino	50	K2
Krapinske Toplice	48	L4
Krasino	60	J3
Krāslava	34	P9
Krasník	36	M7
Krasnoarmeysk	56	N4
Krasnoborsk	56	J2
Krasnodar	56	G5
Krasnohrad	56	G5
Krasnokamensk	62	K6
Krasnosel'kup	62	C3
Krasnotur'insk	56	M3
Krasnoufimsk	56	L3
Krasnovishersk	56	L2
Krasnoyarsk	62	E5
Krasnoyarskoye Vodokhranilishche	60	S6
Krasnoznamensk	36	M3
Krasnystaw	36	N7
Krasnyy Chikoy	62	H6
Krasnyy Kut	56	J4
Krasnyy Yar	56	J5
Kratovo	54	E2
Kraynovka	76	M2
Krefeld	40	J3
Kremenchuk	56	F5
Kremmling	104	E2
Krems	48	L2
Kremsmünster	48	K2
Krestovka	56	K1
Krestyakh	62	K4
Kretinga	36	L2
Kribi	86	F4
Krichim	54	G2
Krishna	72	C5
Krishnagiri	72	C6
Kristiansand	34	E7
Kristianstad	34	H8
Kristiansund	34	D5
Kristinehamn	34	H7
Kristinestad	34	L5
Kriti	54	H10
Kriva Palanka	54	E2
Križevci	52	D3
Krk	48	K5
Krk	48	K5
Kroměříž	36	G8
Kronach	38	G6
Krŏng Kaŏh Kŏng	68	C4
Kronotskiy Zaliv	62	U6
Kronstadt	34	M9
Kroper	50	H3
Kropotkin	56	H5
Krosno	36	L8
Krško	48	L5
Kruġé	54	B3
Krui	70	(1)C4
Krumbach	48	F2
Krung Thep	68	C4
Kruså	38	E2
Kruševac	52	J6
Krychaw	56	F4
Krym'	76	E1
Krymsk	76	H1
Krynica	36	L8
Krytiko Pelagos	54	G9
Kryve Ozero	52	T2
Kryvyy Rih	56	F5
Krzna	36	N5
Ksar el Boukhari	46	N9
Ksen'yevka	62	K6
Ksour Essaf	84	H1
Kuala Kerai	70	(1)C1
Kuala Lipis	70	(1)C2
Kuala Lumpur	70	(1)C2
Kuala Terengganu	70	(1)C1
Kuandian	66	C3
Kuantan	70	(1)C2
Kuçadasi	54	K7
Kučevo	52	J5
Kuching	70	(1)E2
Kucovë	54	B4
Kudat	70	(1)F1
Kudus	70	(1)E4
Kudymkar	56	K3
Kufstein	48	H3
Kugmallit Bay	100	E2
Kühbonän	79	G1
Kühdasht	79	M7
Küh-e Alījuq	79	G1
Küh-e Bābā	74	J3
Küh-e Bül	79	E1
Küh-e Dīnār	79	D1
Küh-e Fürgun	79	G3
Küh-e Hazārān	79	G2
Küh-e Hormoz	79	F3
Küh-e Kalat	79	G3
Küh-e Kührän	79	H3
Küh-e Läleh Zär	79	G2
Küh-e Masāhūn	79	F1
Küh-e Safīdār	79	E2
Kuh-e Sahand	79	M5
Kühestak	79	G3
Küh-e Taftän	79	H4
Kühhä-ye Bashäkerd	79	G3
Kühhä-ye Zägros	79	D1
Kuhmo	34	Q4
Kühpäyeh	79	G1
Kuito	90	B2
Kuji	66	L3
Kukës	52	H7
Kukhtuy	62	Q4
Kukinaga	66	F8
Kula	52	K6
Kulagino	56	K5
Kulandy	60	K8
Kuldīga	34	L8
Kulgera	94	F5
Kulmbach	38	G6
Külob	74	J2
Kul'sary	56	K5
Kultsjön	34	H4
Kulu	76	E4
Kulunda	60	P7
Kulynigol	62	C4
Kuma	56	N3
Kumamoto	66	F7
Kumanovo	52	J7
Kumara, *New Zealand*	96	C6
Kumara, *Russia*	62	M6
Kumasi	86	D3
Kumba	86	F4
Kumbakonam	72	C6
Kumeny	56	K3
Kumertau	56	L4
Kumla	34	H7
Kumluca	54	N8
Kummerower See	38	H3
Kumo	86	G3
Kumta	72	B6
Kumukh	76	M2
Kunene	90	A3
Kungrad	60	K9
Kungu	88	B3
Kungur	56	L3
Kunhing	68	B2
Kunlun Shan	72	D1
Kunming	64	C6
Kunsan	66	D6
Kunszetmarton	36	K11
Kununurra	94	E3
Künzelsau	38	E7
Kuolayarvi	34	Q3
Kuopio	56	E2
Kupang	94	B2
Kupino	60	P7
Kupreanof Point	110	(1)F4
Kup"yans'k	56	G5
Kuqa	60	Q9
Kür	76	M3
Kura	74	E2
Kuragino	62	E6
Kurashiki	66	G6
Kurasia	72	D4
Kurchum	60	Q8
Kürdämir	76	N3
Kurduvadi	72	C5
Kure	66	G6
Kure Island	92	J3
Kuressaare	34	M7
Kureyka	62	D3
Kureyka	62	E3
Kurgal'dzhinskiy	60	N7
Kurgan	56	N3
Kurikka	34	M5
Kuril Islands = Kuril'skiye Ostrova	62	S7
Kuril'skiye Ostrova	62	S7
Kuril Trench	58	V5
Kuripapango	96	F4
Kurmuk	82	F5
Kurnool	72	C5
Kuroiso	66	K5
Kurow	96	C7
Kuršėnai	36	M1
Kursk	56	G4
Kuršumlija	52	J6
Kuršunlu	76	E3
Kuruman	90	C5
Kurume	66	F7
Kurumkan	62	J6
Kushikino	66	F8
Kushimoto	66	H7
Kushir	66	H6
Kushiro	66	N2
Kushmurun	56	N4
Kushum	56	K4
Kuskokwim Bay	110	(1)E4
Kuskokwim Mountains	110	(1)F3
Kussharo-ko	66	N2
Kustanay	56	N4
Kütahya	76	C4
K'ut'aisi	76	K2
Kutan	76	M1
Kutchan	66	L2
Kutina	52	D4
Kutno	36	J5
Kutu	86	H5
Kutum	82	D5
Kuujjua	100	J2
Kuujjuaq	100	T5
Kuujjuarapik	100	R5

Index

Name	Page	Ref.
Kuusamo	56	E1
Kuvango	90	B2
Kuwait [A]	79	B2
Kuwait = Al Kuwayt	79	C2
Kuya	56	H1
Kuybyshev	60	P6
Kuygan	60	N8
Kuytun	60	R9
Kuyumba	62	F4
Kuznetsk	56	J4
Kuzomen'	56	G1
Kvaløya, *Norway*	34	M1
Kvaløya, *Norway*	34	J2
Kvalynsk	60	H7
Kwale	88	F4
Kwangju	84	D6
Kwango	88	B5
Kwazulu Natal	90	E5
Kwekwe	90	D3
Kwidzyn	34	K10
Kwilu	86	H5
Kyakhta	62	H6
Kyancutta	94	G6
Kyaukse	72	G4
Kyeburn	96	C7
Kyeintali	72	F5
Kyjov	48	N2
Kyklades	54	G7
Kyle of Lochalsh	40	C4
Kyll	40	J4
Kyllini	54	D7
Kymi	54	G6
Kyŏngju	66	E6
Kyōto	66	H6
Kyparissia	54	D7
Kyperissiakos Kolpos	54	C7
Kyra Panagia	54	G5
Kyren	62	G6
Kyrgyzstan [A]	60	N9
Kyritz	38	H4
Kyrta	56	L2
Kyshtovka	60	P6
Kystatyam	62	L3
Kytalyktakh	62	N3
Kythira	54	E8
Kythira	54	F8
Kythnos	54	G7
Kyūshū	66	F7
Kyūshū-sanchi	66	F7
Kyustendil	54	E2
Kyusyur	62	M2
Kyyiv	56	F4
Kyzyl	60	S7
Kzyl-Dzhar	56	N5
Kzyl-Orda	56	N6
Kzyltu	60	N7

L

Name	Page	Ref.
Laascaanood	88	H2
Laatzen	38	E4
Laba	86	F2
La Banda	118	J4
La Bañeza	46	E2
La Baule	44	C6
Labbezenga	84	F5
Labe	36	E7
Labé	86	B2
Labin	48	K5
Labinsk	76	J1
Laboulaye	118	J5
Labrador	100	U6
Labrador City	100	T6
Labrador Sea	100	V4
Lábrea	116	E5
Labrieville	106	G1
Labuha	70	(2)C3
Labuhanbajo	70	(2)A4
Labytnangi	60	M4
Laç	52	G8
Lac à l'Eau Claire	100	R5
Lacanau	44	D8
La Carolina	46	G6
Lac Bienville	100	S5
Lac Brochet	100	L5
Laccadive Islands	72	B6
Lac d'Annecy	48	B5
Lac de Bizerte	50	D11
Lac Débo	84	E5
Lac de Kossou	86	C3
Lac de Lagdo	86	G3
Lac de Manantali	86	C2
Lac de Mbakaou	86	G3
Lac de Retenue de la Lufira	88	D6
Lac de Saint-Croix	48	B7
Lac des Bois	100	G3
Lac de Sélingue	86	C2
Lac Do	84	E5

Name	Page	Ref.
Lac du Bourget	48	A5
Lacedónia	50	K7
Lacepede Bay	94	G7
Lac Evans	100	R6
Lac Faguibine	84	E5
Lac Fitri	82	C5
La Charité-sur-Loire	44	J6
La Chaux-de-Fonds	48	B3
La Chorrera	116	C4
Lac Ichkeul	50	D11
La Ciotat	44	L10
La Biche	100	J6
Lac La Martre	100	H4
Lac Léman = Lake Geneva	48	B4
Lac Mai-Ndombe	88	B4
Lac-Mégantic	106	F1
Lac Minto	100	R5
Lac Nzilo	88	D6
Lac Onangué	86	F5
Láconi	50	D9
Laconia	106	F2
Lac Payne	100	S5
La Crosse	106	B2
La Cruz	102	E7
Lac St-Jean	106	F1
Lac St. Joseph	100	N6
Lac Seul	100	N6
La Tumba	88	B4
Lacul Brateș	52	Q4
Lacul Razim	52	R5
Lacul Sinoie	52	R5
Lac Upemba	88	D5
La Dorada	116	C2
Ladozhskoye Ozero	56	F2
Ladysmith, *South Africa*	90	D5
Ladysmith, *US*	106	B1
Ladyzhenka	56	N4
La Esmeralda	116	D3
Læsø	34	F8
Lafayette, *Ind., US*	106	C2
Lafayette, *La., US*	108	C3
Lafia	86	F3
Lafiagi	86	F3
La Flèche	44	E6
Lafnitz	48	M3
Laft	79	F3
Lagan	34	G8
Lagan'	56	J5
Lage	40	L3
Lågen	34	E6
Lage's	104	D2
Laghouat	84	F2
Lagkadas	54	F4
Lagoa dos Patos	118	L5
Lagoa Mirim	118	L5
Lago Argentino	118	G9
Lago de Cahora Bassa	90	E3
Lago del Coghinas	50	C8
Lago del Flumendosa	50	D9
Lago de Maracaibo	116	C2
Lago de Nicaragua	112	G6
Lago de Poopó	116	D7
Lago di Caine	48	D5
Lago di Como	48	E4
Lago di Garda	48	F5
Lago di Lecco	48	E5
Lago di Lugano	48	E5
Lago d'Iseo	48	E5
Lago di Verano	50	K7
Lago Maggiore	48	D5
Lago Omodeo	50	C8
Lago Rogaguado	116	D6
Lagos, *Nigeria*	86	E3
Lagos, *Portugal*	46	B7
Lago Titicaca	116	D7
Lago Trasimeno	50	G5
La Goulette	50	E12
La Grand-Combe	44	K9
La Grande	104	C1
La Grange	108	E3
La Gran Sabana	116	E2
Laguna	118	M4
Laguna de Caratasca	112	H5
Laguna Madre	108	B4
Laguna Mar Chiquita	114	E7
Lagunillas	116	E7
La Habana	112	H4
Lahad Datu	68	F5
Lahat	70	(1)C3
La Haye-du-Puits	40	A5
Lähijän	74	F2
Lahn	40	L4
Lahnstein	40	K4
Lahore	72	B2
Lahr	48	C2
Lahti	34	N6
Laï	88	B2

Name	Page	Ref.
Laiagam	70	(2)F4
Lai Chau	68	C2
L'Aigle	40	C6
Laihia	34	M5
Laingsburg	90	C6
Laiwu	64	F3
Laiyuan	64	E3
Lajanurpekhi	76	K2
Lajes	118	L4
Lajosmizse	36	J10
La Junta	104	F3
Lake Abbe	88	G1
Lake Abitibi	106	E1
Lake Albert, *Dem. Rep. of Congo / Uganda*	88	D3
Lake Albert, *US*	104	B2
Lake Almanor	104	B2
Lake Amadeus	94	F4
Lake Andes	104	G2
Lake Argyle	94	E3
Lake Athabasca	100	K5
Lake Austin	94	C5
Lake Balkhash = Ozero Balkhash	58	L5
Lake Bangweulu	90	E2
Lake Barlee	94	C5
Lake Benmore	96	C7
Lake Blanche	94	H5
Lake Buchanan	110	G2
Lake Callabonna	94	H5
Lake Carey	94	D5
Lake Carnegie	94	D5
Lake Chad	82	B5
Lake Charles	108	C3
Lake Chelan	104	B1
Lake Chilwa	90	F3
Lake City	108	E3
Lake Claire	100	J5
Lake Coleridge	96	C6
Lake Constance	48	E4
Lake Crowley	104	C3
Lake C. W. McConaughy	104	F2
Lake Diefenbaker	100	K6
Lake Disappointment	94	D4
Lake District	42	J7
Lake Dojran	54	E3
Lake Dora	94	D4
Lake Dundas	94	B6
Lake Edward	88	D4
Lake Elwall	94	D1
Lake Erie	106	D2
Lake Eyasi	88	E4
Lake Eyre	92	D8
Lake Eyre Basin	94	G5
Lake Eyre North	94	G5
Lake Eyre South	94	G5
Lake Francis Case	104	G2
Lake Frome	94	H6
Lake Gairdner	94	G6
Lake Geneva	48	B4
Lake Gordon	94	H8
Lake Grace	94	C6
Lake Harbour	100	T4
Lake Hauroko	96	A7
Lake Havasu	110	C2
Lake Havasu City	110	D2
Lake Hopkins	94	E4
Lake Hudson	108	B2
Lake Huron	106	D1
Lake Jackson	108	B4
Lake Kariba	90	D3
Lake Kemp	108	B2
Lake Kerkinitis	52	L8
Lake Kivu	88	D4
Lake Kyoga	88	E3
Lake Ladoga = Ladozhskoye Ozero	56	F2
Lakeland	108	E4
Lake Lefroy	94	D6
Lake Louis	100	H6
Lake Macdonald	94	E4
Lake Mackay	94	E4
Lake Macleod	94	B4
Lake Manapouri	96	A7
Lake Manitoba	100	M6
Lake Manyara	88	F4
Lake Maurice	94	F5
Lake McDonald	104	D1
Lake McMillan	110	F2
Lake Mead	104	D3
Lake Melville	100	U6
Lake Michigan	106	C2
Lake Moore	94	C5
Lake Murray	70	(2)F4
Lake Mweru	88	D5
Lake Mweru Wantipa	88	E5
Lake Nasser	82	F3
Lake Natron	88	F4

Name	Page	Ref.
Lake Neale	94	E4
Lake Nipigon	100	P6/7
Lake Nipissing	106	E1
Lake Nyasa	90	E2
Lake Oahe	104	F2
Lake of the Woods	106	B1
Lake Ohau	96	B7
Lake Ohrid	54	C4
Lake Okeechobee	108	E4
Lake Onega = Onezhskoye Ozero	32	H1
Lake Ontario	106	E2
Lake O' The Cherokees	106	B3
Lake O' The Pines	108	C3
Lake Paringa	96	B6
Lake Peipus	34	P7
Lake Placid	108	E4
Lakeport	104	B3
Lake Poteriteri	96	A7
Lake Powell	104	D3
Lake Prespa	54	D4
Lake Providence	108	C3
Lake Pskov	34	P7
Lake Pukaki	96	C7
Lake Rotorua	96	F4
Lake Rukwa	88	E5
Lake St. Lucia	90	E5
Lake Sakakawea	104	F1
Lake Scutari	52	G7
Lake Simcoe	106	E2
Lake Superior	106	C1
Lake Tahoe	104	B3
Lake Tanganyika	88	D5
Lake Taupo	96	E4
Lake Te Anau	96	A7
Lake Tekapo	96	C6
Lake Tekapo	96	C6
Lake Texoma	108	B3
Lake Torrens	94	G6
Lake Travis	110	G2
Lake Tschida	104	F1
Lake Turkana	88	F3
Lake Victoria	88	E4
Lakeview	104	B2
Lake Volta	86	D3
Lake Waikare	96	E3
Lake Waikaremoana	96	F4
Lake Wakatipu	96	B7
Lake Wanaka	96	B7
Lake White	94	E4
Lake Wills	94	E4
Lake Winnipeg	100	M6
Lake Winnipegosis	100	L6
Lakewood	104	E3
Lake Woods	94	F3
Lake Xau	90	C4
Lake Yamma Yamma	94	H5
Lakhdaria	46	P8
Lakhimpur	72	D3
Lakhpat	72	A4
Lakin	108	A2
Lakki	72	B2
Lakonikos Kolpos	54	E8
Lakota	104	G1
Lalín	46	B2
La Línea	46	E8
Lalitpur	72	C4
Lal-Lo	68	G3
La Loche	100	K5
La Louvière	40	G4
La Maddalena	50	D7
Lamar, *Colo., US*	110	F1
Lamar, *Mo., US*	108	C2
Lamard	79	E2
La Marsa	50	E12
Lambaréné	86	G5
Lambay Island	42	G8
Lam Chi	68	C3
Lamesa	110	F2
Lamia	54	E6
Lamone	48	G6
Lampang	68	B3
Lampasas	110	G2
Lampedusa	84	H1
Lamu	88	G4
Lanai	110	(2)D3
Lanai City	110	(2)E3
Lancang	68	B2
Lancaster, *UK*	42	K7
Lancaster, *Mo., US*	106	B2
Lancaster, *N.H., US*	106	F2
Lancaster, *Oh., US*	106	D3
Lancaster, *Pa., US*	106	E2
Lancaster, *S.C., US*	108	E3
Lancaster Sound	100	Q2
Lanciano	50	J6
Landau, *Germany*	40	L5
Landau, *Germany*	48	H2

Name	Page	Grid
Landeck	48	F3
Lander	104	E2
Landerneau	44	A5
Landsberg	48	F2
Land's End	42	F11
Landshut	48	H2
Landskrona	36	B2
Landstuhl	40	K5
Land Wursten	38	D3
La'nga Co	72	D2
Langarūd	76	N5
Langdon	104	G1
Langeland	38	F2
Langen	40	L5
Langenau	48	F2
Langenhagen	38	E4
Langeoog	38	C3
Langfang	64	F3
Langjökull	34	(1)C2
Langkawi	68	B5
Langkon	68	F5
Langon	44	E9
Langøya	34	H2
Langreo	46	E1
Langres	48	A3
Langsa	68	B6
Langtry	110	F3
Langvatnet	34	G3
Länkäran	76	N4
Lannion	44	B5
L'Anse	106	C1
Lansing	106	D2
Lanxi	64	H1
Lanya	88	E2
Lanzarote	84	C3
Lanzhou	64	C3
Laoag	68	G3
Lao Cai	68	C2
Laohekou	64	E4
Laon	40	F5
La Oroya	116	B6
Laos	68	C3
Laotougou	66	E2
Lapa	118	M4
La Palma	84	B3
La Palma	112	J7
La Paragua	116	E2
La Paz, Argentina	118	K5
La Paz, Bolivia	116	D7
La Paz, Mexico	112	B4
La Pedrera	116	D4
La Perla	110	F3
La Pérouse Strait	64	L1
La Pesca	108	B5
La Pine	104	B2
Lapithos	78	A1
La Plant	104	F1
La Plata	118	K5
Lappajärvi	34	M5
Lappeenranta	34	Q6
Lappland	34	M2
Laptev Sea = More Laptevykh	62	L1
Lapua	34	M5
Łapy	36	M5
La Quiaca	118	H3
L'Aquila	50	H6
Lār	79	F3
Larache	84	D1
Laramie	104	E2
Laramie Range	104	E2
Larantuka	70	(2)B4
Larat	70	(2)D4
Larba	46	P8
Laredo, Spain	46	G1
Laredo, US.	110	G3
Largo	108	E4
L'Ariana	50	E12
La Rioja	118	H4
Larisa	54	E5
Larkana	74	J4
Larnaka	78	A2
Larne	42	G7
La Rochelle	44	D7
La Roche-sur-Yon	44	D7
La Roda	46	H5
La Romana	112	L5
La Ronge	100	K5
Lar'yak	60	Q5
La Sarre	106	E1
Las Cabezas de San Juan	46	E7
Las Cruces	110	E2
La Serena	118	G4
La Seu d'Urgell	46	M2
La Seyne-sur-Mer	44	L10
Lashio	68	B2
Lashkar Gāh	74	H3
Łask	36	J6
Las Lomitas	118	J3
La Solana	46	G6
Las Palmas	84	B3
La Spézia	48	E6
Las Plumas	118	H7
Last Chance	104	F3
Lastoursville	86	G5
Lastovo	52	D7
Las Varas	102	E7
Las Varillas	118	J5
Las Vegas, Nev., US	104	C3
Las Vegas, N.Mex., US	110	E1
La Teste	44	D9
Latina	50	G7
Latisana	48	J5
La Toma	118	H5
La Tuque	106	F1
Latur	72	C5
Latvia	34	M8
Lauchhammer	38	J5
Lauenburg	38	F3
Lauf	38	G7
Lau Group	92	J7
Launceston, Australia	94	J8
Launceston, UK	42	H11
La Union	46	K7
Laupheim	48	E2
Laura	94	H3
Laurel	108	D3
Lauria	50	K8
Laurinburg	108	F3
Lausanne	48	B4
Laut, Indonesia	70	(1)F3
Laut, Malaysia	70	(1)D2
Laut Banda	70	(2)C3
Lauter	40	K5
Lauterbach	38	E6
Laut Flores	70	(2)A4
Laut Jawa	70	(1)E4
Laut Maluku	70	(2)C2
Laut Sawu	70	(2)B4
Laut Seram	70	(2)C3
Lava	36	L3
Laval, Canada	106	F1
Laval, France	44	E5
La Vall d'Uixo	46	K5
Lavant	48	K4
La Vega	112	K5
Laviana	46	E1
La Vila Joiosa	46	K6
Lavras	118	N3
Lavrentiya	62	Z3
Lavrio	54	G7
Lawdar	82	J5
Lawra	86	D2
Lawrence, New Zealand	96	B7
Lawrence, Kans., US	106	A3
Lawrence, Mass., US	106	F2
Lawrenceville	108	D2
Lawton	108	B3
Laya	56	L1
Laylā	82	J3
Laysan Island	92	J3
Layton	104	D2
Lazarev	62	Q6
Lázaro Cárdenas	112	D5
Lazdijai	36	N3
Lazo	62	P3
Leadville	104	E3
Leamington	106	D2
Leavenworth, Kans., US.	106	A3
Leavenworth, Wash., US	104	B1
Lebach	40	J5
Lebanon	78	C3
Lebanon, Mo., US.	106	B3
Lebanon, N.H., US	106	F2
Lebanon, Pa., US	106	E2
Lebanon, Tenn., US.	106	C3
Lebel-sur-Quévillon	106	E1
Lębork	36	G3
Lebrija	46	D8
Lebu	118	G6
Lecce	50	N8
Lecco	48	E5
Lech	48	F3
Leck	38	D2
Le Creusot	44	K7
Łęczna	36	M6
Łęczyca	36	J5
Ledmozero	34	R4
Lee	42	D10
Leech Lake	106	B1
Leeds	42	L8
Leek	40	A1
Leer	40	K1
Leesburg	108	E4
Leeston	96	D6
Leesville	108	C3
Leeuwarden	40	H1
Leeward Islands	112	M5
Lefkada	54	C6
Lefkada	54	C6
Lefkimmi	54	C5
Lefkonikon	78	A1
Lefkosia	54	R9
Legaspi	68	G4
Legionowo	36	K5
Legnago	48	G5
Legnica	36	F6
Leh	72	C2
Le Havre	40	C5
Lehrte	38	F4
Leiah	72	B2
Leibnitz	48	L4
Leicester	40	A2
Leiden	40	G2
Leie	40	F4
Leigh Creek	94	G6
Leighton Buzzard	40	B3
Leine	38	E4
Leinster	94	D5
Leipzig	38	H5
Leiria	46	B5
Leitrim	42	D8
Leiyang	64	E5
Lek	40	G3
Lelystad	40	H2
Le Mans	44	F6
Le Mars	106	A2
Lemberg	38	D8
Lemesos	54	Q10
Lemgo	40	L2
Lemieux Islands	100	U4
Lemmer	40	H2
Lemmon	104	F1
Le Muret	44	E9
Lena	46	E1
Lena	62	L4
Lendinara	48	G5
Lengerich	40	K2
Lengshuijiang	64	E5
Lengshuitan	64	E5
Lenininsk-Kuznetskiy	60	R7
Leninskoye	56	J3
Lenmalu	70	(2)D3
Lenne	40	K3
Lennestadt	40	L3
Lens	40	E4
Lensk	62	K4
Lenti	48	M4
Lentini	50	J11
Léo	86	D2
Leoben	48	L3
León, Mexico	112	D4
León, Nicaragua	112	G6
León, Spain	46	E2
Leonberg	48	E2
Leonforte	50	J11
Leonidi	54	E7
Leonora	94	D5
Le Perthus	44	H11
Lepsy	60	P8
Le Puy	44	J8
Léré	86	G3
Lérici	48	E6
Lerik	76	N4
Lerma	46	G2
Leros	54	J7
Lerwick	42	L1
Lešak	52	H6
Les Andelys	40	D5
Lesatima	88	F4
Lesbos = Lesvos	54	H5
Les Escaldes	44	G11
Les Escoumins	100	T7
Leshan	64	C5
Les Herbiers	44	D7
Leshukonskoye	56	J2
Leskovac	52	J7
Lesosibirsk	60	S6
Lesotho	90	D5
Lesozavodsk	66	G1
Les Sables-d'Olonne	44	D7
Les Sept Îles	44	B5
Lesser Antilles	112	L6
Lesser Slave Lake	100	J5
Lesvos	54	H5
Leszno	36	F6
Letaba	90	E4
Letchworth	40	B3
Letenye	48	M4
Lethbridge	104	D1
Lethem	116	F3
Leticia	116	D4
Letpadan	68	B3
Le Tréport	40	D4
Letterkenny	42	E7
Leutkirch	48	F3
Leuven	40	G4
Leuze	40	F4
Levadeia	54	E6
Lévanzo	50	G10
Levashi	76	M2
Levaya Khetta	56	P2
Leverkusen	40	J3
Levice	36	H9
Levico Terme	48	G4
Levin	96	E5
Lévis	106	F1
Levitha	54	J7
Levoča	36	K9
Levski	52	N6
Lewes	40	C4
Lewis	42	F3
Lewis and Clark Lake	104	G2
Lewis Range	100	J7
Lewiston, Id., US	104	C1
Lewiston, Me., US.	106	F2
Lewistown, Mont., US	104	E1
Lewistown, Pa., US.	106	E2
Lexington, Ky., US	106	D3
Lexington, Nebr., US.	104	G2
Lexington, Va., US	106	E3
Lexington Park	108	F2
Leyte	68	G4
Lezhë	52	G8
Lhari	72	F2
Lhasa	72	F3
Lhazà	72	E3
Lhokseumawe	68	B5
Lian Xian	68	E2
Lianyuan	68	E1
Lianyungang	64	F4
Liaocheng	64	F3
Liao He	66	B3
Liaoyang	66	B3
Liaoyuan	66	C2
Liard	100	F5
Liard River	100	F5
Libby	104	C1
Libenge	88	B3
Liberal	108	A2
Liberec	36	E7
Liberia	86	B3
Liberia	112	G6
Liberty	108	C1
Libjo	68	H4
Libourne	44	E9
Libreville	86	F4
Libya	82	C2
Libyan Desert	82	D2
Libyan Plateau	82	E1
Licata	50	H11
Lich	38	D6
Lichinga	90	F2
Lichtenfels	38	G6
Lida	34	N10
Lidköping	34	G7
Lido di Ostia	50	G7
Lidzbark Warmiński	36	K3
Liebenwalde	38	J4
Liechtenstein	48	E3
Liège	40	H4
Lieksa	34	R5
Lienz	48	H4
Liepāja	36	L1
Lier	40	G3
Liezen	48	K3
Lifford	42	E7
Lignières	44	H7
Ligueil	44	F6
Ligurian Sea	48	D7
Lihue	110	B2
Lijiang	68	C1
Likasi	88	D6
Lilienfeld	48	L2
Lille	40	F4
Lillebonne	40	C5
Lillehammer	34	F6
Lillerto	48	G3
Lilongwe	90	E2
Liloy	68	G5
Lima, Peru	116	B6
Lima, Mont., US	104	D2
Lima, Oh., US.	106	D2
Limanowa	36	K8
Limassol = Lemesos	54	Q10
Limbaži	34	N8
Limburg	40	L4
Limeira	118	M3
Limerick	42	D9
Limingen	34	G4
Limni Kastorias	54	C4
Limni Kerkinitis	54	E3

Limni Koronia	54	F4
Limni Trichonida	54	D6
Limni Vegoritis	54	D4
Limni Volvi	54	F4
Limnos	54	H5
Limoges	44	G8
Limon	104	F3
Limón	112	H7
Limoux	44	H10
Limpopo	90	D4
Limpopo	90	D4
Linares, Chile	118	G6
Linares, Mexico	110	G4
Linares, Spain	46	G6
Lincang	68	C2
Linchuan	64	F5
Lincoln, UK	40	B1
Lincoln, Ill., US	106	C2
Lincoln, Me., US	106	G1
Lincoln, Nebr., US	104	G2
Lincoln, N.H., US	106	F2
Lindenow Fjord	100	Y4
Lindesnes	34	D8
Lindi	88	D3
Lindi	88	F6
Lindos	54	L8
Line Islands	92	L5
Linfen	64	E3
Lingen	40	K2
Lingga	70	(1)C3
Lingshui	68	D3
Linguère	86	A1
Lingyuan	64	F2
Linhal	64	G5
Linhares	116	J7
Linhe	64	D2
Linjiang	66	D3
Linköping	34	H7
Linkou	66	F1
Linosa	50	G13
Lins	118	M3
Linton	104	F1
Linxia	64	C3
Lin Xian	64	E3
Linyi	64	F3
Linz	48	K2
Liobomil'	36	P6
Lipari	50	J10
Lipari	50	J10
Lipcani	52	P1
Lipetsk	56	G4
Lipin Bor	56	G2
Lipno	36	J5
Lipova	52	J3
Lippe	40	L3
Lippstadt	40	L3
Lipsoi	54	J7
Liptovský-Mikuláš	36	J8
Lipu	68	E2
Liqeni i Fierzës	52	H7
Liqeni Komanit	52	G7
Lira	88	E3
Liri	50	H7
Lisala	88	C3
Lisboa	46	A6
Lisbon = Lisboa	46	A6
Lisburn	42	G7
Liscannor Bay	42	C9
Lishi	64	E3
Lishui	64	F5
Lisieux	40	C5
Liski	56	G4
L'Isle-sur-la-Sorgue	44	L10
Lisse	40	G2
Lištica	50	M5
Listowel	42	C9
Listvyanka	62	H6
Litang	64	C5
Litani	116	G3
Litava	36	F8
Litchfield, Ill., US	106	C3
Litchfield, Minn., US	106	B1
Lithgow	94	K6
Lithuania	34	L9
Litke	62	Q6
Litomerice	38	K6
Litomyši	36	F8
Litovel	36	G8
Litovko	62	P7
Little Abaco	108	F4
Little Andaman	72	F6
Little Barrier Island	96	E3
Little Current	106	D1
Little Desert	94	H7
Little Falls	106	B1
Littlefield	110	F2
Little Inagua	112	K4
Little Karoo	90	C6
Little Minch	42	E4
Little Nicobar	72	F7
Little Ouse	40	C2
Little Rock	108	C3
Littleton	104	E3
Litvinov	38	J6
Liupanshui	64	C5
Liuzhou	64	D6
Live Oak	108	E3
Liverpool	42	K8
Liverpool Bay	100	F2
Livingston, UK	42	J6
Livingston, US	104	D1
Livingstone	90	D3
Livingstonia	90	E2
Livno	52	E6
Livny	56	G4
Livonia	106	D2
Livorno	48	F7
Liwale	88	F5
Lizard Point	42	G12
Ljubljana	48	K4
Ljugarn	34	K8
Ljungan	34	J5
Ljungby	34	G8
Ljusdal	34	J6
Ljusnan	56	C2
Llandovery	42	J9
Llandudno	42	J8
Llanelli	42	H10
Llanes	46	F1
Llanos	116	C2
Lleida	46	L3
Lli	60	P9
Lloret de Mar	46	N3
Llucmajor	46	N5
Loano	48	D6
Lobatse	90	D5
Löbau	38	K5
Lobez	36	E4
Lobito	90	A2
Locarno	48	D4
Lochboisdale	42	E4
Lochinver	42	G3
Loch Linnhe	42	G5
Loch Lomond	42	H5
Lochmaddy	42	E4
Loch Ness	42	H4
Lockhart	108	B4
Lock Haven	106	E2
Lockport	106	E2
Locri	50	L10
Lodève	44	J10
Lodeynoye	56	F2
Lodge Grass	104	E1
Lodi, Italy	48	E5
Lodi, US	104	B3
Lodja	88	C4
Lodwar	88	F3
Łódź	36	J6
Loei	68	C3
Lofoten	34	G3
Logan, Ia., US	106	A2
Logan, N.Mex., US	110	F1
Logan, Ut., US	104	D2
Logansport	106	C2
Logatec	48	K5
Logroño	46	H2
Lohiniva	34	N3
Lohr	38	E7
Loikaw	68	B3
Loir	44	F6
Loire	44	D6
Loja, Ecuador	116	B4
Loja, Spain	46	F7
Lokan tekojärvi	34	P3
Lokeren	40	F3
Lokichar	88	F3
Lokichokio	88	E3
Lokoja	86	F3
Lokosovo	56	P2
Loks Land	100	U4
Lolland	38	G2
Lollondo	88	F4
Lolo	104	D1
Lom	52	L6
Lomami	88	C4
Lomas	116	C7
Lomas de Zamora	118	K5
Lombadina	94	D3
Lomblen	70	(2)B4
Lombok	70	(1)F4
Lomé	86	E3
Lomela	88	C4
Lomela	88	C4
Lommel	40	H3
Lomonosovka	56	N4
Lompoc	110	B2
Łomża	36	M4
London, Canada	106	D2
London, UK	40	B3
London, US	108	E2
Londonderry	42	E6
Londrina	118	L3
Longarone	48	H4
Long Bay	112	J2
Long Beach	110	C2
Long Branch	106	F2
Long Eaton	40	A2
Longford	42	E8
Long Island, Canada	100	Q5
Long Island, US	106	F2
Longlac	100	P7
Long Lake	104	F1
Longmont	104	E2
Long Prairie	106	B1
Long Range Mountains	100	V6
Longueuil	106	F1
Longview, Tex., US	108	C3
Longview, Wash., US	104	B1
Longwy	40	H5
Long Xuyên	68	D4
Longyan	68	F1
Löningen	40	K2
Lönsdalen	34	H3
Lons-le-Saunier	48	A4
Lookout Pass	104	C1
Loop Head	42	B9
Lopez	88	G4
Lop Nur	60	S9
Lopphavet	34	L1
Loptyuga	56	J2
Lora del Rio	46	E7
Lorain	106	D2
Loralai	72	A2
Lorca	46	J7
Lordegân	79	D1
Lord Howe Island	94	L6
Lordsburg	110	E2
Loreto	112	B3
Lorient	44	B6
Lörrach	48	C3
Los Alamos	110	E1
Los Angeles, Chile	118	G6
Los Angeles, US	110	C2
Los Banos	104	B3
Los Blancos	118	J3
Losheim	40	J5
Los Mochis	112	C3
Lospalos	70	(2)C4
Los Telares	118	J4
Los Teques	116	D1
Lost Trail Pass	104	D1
Los'va	56	M2
Los Vientos	118	H3
Lotta	34	Q2
Lotte	40	K2
Louang Namtha	68	C2
Louangphrabang	68	C3
Loubomo	86	G5
Loudéac	44	C5
Louga	86	A1
Loughborough	40	A2
Lough Conn	42	C7
Lough Corrib	42	C8
Lough Derg	42	D8
Lough Foyle	42	E6
Lough Leane	42	C9
Lough Mask	42	C8
Lough Neagh	42	F7
Lough Ree	42	E8
Louhans	44	L7
Louisa	106	D3
Louisiade Archipelago	94	K2
Louisiana	108	C3
Louis Trichardt	90	D4
Louisville, Ga., US	108	E3
Louisville, Ky., US	108	D2
Louisville, Miss., US	108	D3
Loukhi	34	S3
Loulé	46	C7
Louny	38	J6
Loup	104	G2
Lourdes	44	E10
Louth, Australia	94	J6
Louth, UK	40	C1
Loutra Aidipsou	54	F6
Louviers	40	D5
Lovech	52	M6
Lovell	104	E2
Lovelock	104	C2
Lovosice	38	K6
Lovran	48	K5
Lõvua	90	C2
Lowa	88	D4
Lowell	106	F2
Lower Hutt	96	E5
Lower Lake	104	B2
Lower Lough Erne	42	E7
Lower Post	100	F5
Lowestoft	40	D2
Lowville	106	F2
Loxstedt	38	D3
Loyalty Islands	92	G3
Loyno	56	K3
Loznica	52	G5
L-Travemünde	38	F3
Luama	88	D4
Luampa	90	C3
Lu'an	64	F4
Luanda	88	A5
Luangwa	90	E2
Luangwa	90	E3
Luanping	64	F2
Luanshya	90	D2
Luarca	46	D1
Luau	90	C2
Lubaczów	36	N7
Lubań	36	E6
Lubango	90	A2
Lubâns	34	P8
Lubao	88	D5
Lubartów	36	M6
Lübbecke	40	L2
Lübben	38	J5
Lübbenau	38	J5
Lubbock	110	F2
Lübeck	38	F3
Lubefu	88	C4
Lubero	88	D4
Lubilash	88	C5
Lubin	36	F6
Lublin	36	M6
Lubliniec	36	H7
Lubny	56	F4
Luboń	36	F5
Lubsko	36	D6
Lubudi	88	D5
Lubuklinggau	70	(1)C3
Lubumbashi	88	D6
Lubutu	88	D4
Lucala	88	B5
Lucca	48	F7
Luce Bay	42	H7
Lucedale	108	D3
Lucena, Philippines	68	G4
Lucena, Spain	46	F7
Lučenec	36	J9
Lucera	50	K7
Lucero	110	E2
Lucira	90	A2
Luckenwalde	38	J4
Lucknow	72	D3
Luçon	44	D7
Lucusse	90	C2
Ludden	104	G1
Lüdenscheid	40	K3
Lüderitz	90	B5
Ludhiana	72	C2
Ludington	106	C2
Ludlow	110	C2
Ludogori	52	P6
Luduş	52	M3
Ludvika	34	H6
Ludwigsburg	48	E2
Ludwigsfelde	38	J4
Ludwigshafen	40	L5
Ludwigslust	38	G3
Ludza	34	P8
Luebo	88	C5
Luena	90	B2
Lufeng	68	F2
Lufira	88	D6
Lufkin	108	C3
Luga	34	Q7
Luga	56	F2
Lugano	48	D4
Lugela	90	F3
Lugenda	90	F2
Luggate	96	B7
Lugo	48	G6
Lugoj	52	J4
Lugovoy	60	N9
Lugu	72	D2
Luhans'k	56	G5
Luhuo	64	C4
Lui	68	E2
Luilaka	88	B4
Luino	48	D4
Luis Moya	110	F4
Luiza	88	C5
Lukavac	52	F5
Lukovit	52	M6

Name		Page	Grid
Łuków	●	36	M6
Lukulu	●	90	C2
Lukumburu	●	88	F5
Lukuni	●	88	B5
Luleå	●	34	M4
Lüleburgaz	●	54	K3
Lulua	●	88	D5
Lumbala Kaquengue	●	90	C2
Lumberton	●	108	F3
Lumbrales	●	46	D4
Lumimba	●	90	E2
Lumsden	●	96	B7
Lund	●	36	C2
Lundazi	●	90	E2
Lundy	◪	42	H10
Lüneburg	●	38	F3
Lüneburger Heide	◎	38	F4
Lunel	●	44	K10
Lünen	●	40	K3
Lunéville	●	48	B2
Lungau	↗	48	J3
Luntai	●	60	Q9
Luohe	●	64	E4
Luoyang	●	64	E4
Luozi	●	88	A4
Lupeni	●	52	L4
Lûrã Shīrīn	●	76	L5
Lure	●	48	B3
Luremo	●	88	B5
Lurgan	●	42	F7
Lurio	↗	90	F2
Lusaka	■	90	D3
Lusambo	●	88	C5
Lushnjë	●	54	B4
Lushui	●	64	B5
Lüshun	●	64	G3
Lusk	●	104	F2
Lutembo	●	90	C2
Lutherstadt Wittenberg	●	38	H5
Luton	●	40	B3
Luts'k	●	56	E4
Lutto	↗	34	P2
Lützow-Holmbukta	◣	120	(2)J3
Luverne	●	106	A2
Luvua	↗	88	D5
Luwuk	●	70	(2)B3
Luxembourg	▲	40	H5
Luxembourg	●	40	J5
Luxeuil-les-Bains	●	48	B3
Luxor	●	82	F2
Luza	●	56	J2
Luza	↗	56	J2
Luzern	●	48	D3
Luzhou	●	64	D5
Luzilândia	●	116	J4
Luznice	↗	48	K1
Luzon	●	68	G3
Luzon Strait	◣	68	G2
Luzy	●	44	J7
L'viv	●	36	N8
Lyady	●	34	Q7
Lyapin	↗	56	M2
Lycksele	●	56	C2
Lydenburg	●	90	E5
Lyme Bay	◣	42	K11
Lymington	●	40	A4
Lynchburg	●	106	E3
Lynn	●	106	F2
Lynn Lake	●	100	L5
Lynx Lake	◪	100	K4
Lyon	●	44	K8
Lys	●	40	E4
Lys'va	●	56	L3
Lysychans'k	●	56	G5
Lyttelton	●	96	D6

M

Name		Page	Grid
Maalosmadulu Atoll	◪	72	B7
Ma'ān	●	78	C6
Maardu	●	34	N7
Ma'arrat an Nu'mān	●	76	G6
Maas	↗	40	J3
Maasin	●	68	G4
Maastricht	●	40	H4
Mabalane	●	90	E4
Mabanza-Ngungu	●	86	G6
Mabein	●	68	B2
Mablethorpe	●	40	C1
Macapá	●	116	G3
Macas	●	116	B4
Macassar Strait	◣	68	F5
Macau	◪	68	E2
Macau	●	68	E2
Macau	●	116	K5
Macaúba	●	116	G6
Macclesfield	●	42	K8
Macdonnell Ranges	▰	94	F4
Macedonia	▲	54	C3

Name		Page	Grid
Maceió	◪	116	K5
Macerata	●	48	J7
Machakos	●	88	F4
Machala	●	116	B4
Macheng	●	64	F4
Machilipatnam	●	72	D5
Machiques	●	116	C1
Macia	●	90	E4
Măcin	●	52	R4
Mack	●	110	E1
Mackay	●	94	J4
Mackay Lake	◪	100	J4
Mackenzie	↗	100	G4
Mackenzie Bay	◣	100	D3
Mackenzie Mountains	▰	100	E3
Mackinaw City	●	106	D1
Macmillan	↗	100	E4
Macmillan Pass	◠	100	F4
Macomb	●	106	B2
Macomer	●	50	C8
Macon, Ga., US	●	108	E3
Macon, Mo., US	●	108	C2
Mâcon	●	44	K7
Macuje	●	116	C3
Mādabā	●	78	C5
Madagascar	▲	90	H3
Madan	●	52	M8
Madaoua	●	86	F2
Madeira	◪	86	B2
Madeira	↗	116	E5
Maden	●	76	H4
Madera	●	110	E3
Madikeri	●	72	C6
Madison	■	106	C2
Madison, Ind., US	●	106	C3
Madison, Minn., US	●	106	A1
Madison, S.D., US	●	104	G2
Madisonville	●	106	C3
Madiun	●	70	(1)E4
Mado Gashi	●	88	F3
Madoi	●	64	B4
Madona	●	34	P8
Madras = Chennai, India	●	72	D6
Madras, US	●	104	B2
Madre de Dios	↗	116	C6
Madrid, Philippines	●	68	H5
Madrid, Spain	●	46	G4
Madridejos	●	46	G5
Madura	●	70	(1)E4
Madurai	●	72	C6
Maebashi	●	66	K5
Mae Hong Son	●	68	B3
Mae Nam Mun	↗	68	C3
Mae Sariang	●	68	B3
Maevatanana	●	90	H3
Mafeteng	●	90	D5
Maffighofen	●	48	J2
Mafia Island	◪	88	G5
Mafra	●	118	M4
Mafraq	●	78	D4
Magadan	●	62	S5
Magadi	●	88	F4
Magdagachi	●	62	M6
Magdalena	↗	116	C2
Magdalena, Bolivia	●	116	E6
Magdalena, Mexico	●	110	D2
Magdalena, US	●	110	E2
Magdeburg	●	38	G4
Magdelaine Cays	◪	94	K3
Magelang	●	70	(1)E4
Magenta	●	48	D5
Magerøya	◪	34	N1
Maglaj	●	52	F5
Máglie	●	50	N8
Magnitogorsk	●	56	L4
Magnolia	●	108	C3
Mago	●	62	P6
Magog	●	106	F1
Magu	●	88	E4
Magwe	●	68	A2
Mahābād	●	76	L5
Mahagi	●	88	E3
Mahajamba	↗	90	H3
Mahajanga	●	90	H3
Mahalapye	●	90	D4
Mahān	●	79	G1
Mahanadi	↗	72	D4
Mahanoro	●	90	H3
Mahasamund	●	72	D4
Mahavavy	↗	90	H3
Mahbubnagar	●	72	D5
Mahdah	●	79	G4
Mahé Island	◪	88	(2)C1
Mahenge	●	88	F5
Mahesāna	●	72	B4
Mahia Peninsula	◎	96	F4
Mahilyow	●	56	F4
Mahnomen	●	106	A1

Name		Page	Grid
Mahón	●	46	Q5
Mahuva	●	74	K5
Maicao	●	116	C1
Maidenhead	●	40	B3
Maidstone	●	40	C3
Maiduguri	●	86	G2
Mai Gudo	▲	88	F2
Maïmédy	●	38	B6
Main	↗	38	E7
Mainburg	●	48	G2
Main-Donau-Kanal	↗	38	G7
Maine	●	106	G1
Mainé Soroa	●	86	G2
Maingkwan	●	68	B1
Mainland, Orkney Is., UK	◪	42	J2
Mainland, Shetland Is., UK	◪	42	L1
Maintirano	●	90	G3
Mainz	●	38	D6
Maio	◪	86	(1)B1
Majene	●	70	(2)A3
Majicana	▲	118	H4
Majuro	◪	92	H5
Makale	●	70	(2)A3
Makamba	●	88	D4
Makanza	●	88	B3
Makarora	●	96	B7
Makarov	●	62	Q7
Makarska	●	52	E6
Makar'yev	●	56	H3
Makassa	●	70	(2)A4
Makat	●	56	K5
Makeni	●	86	B3
Makgadikgadi	☑	90	C4
Makhachkala	◪	76	M2
Makhorovka	●	60	M7
Makindu	●	88	F4
Makinsk	●	56	P4
Makiyivka	●	56	G5
Makkah	●	82	G3
Makó	●	52	H5
Makokou	●	86	G4
Makongolosi	●	88	E5
Makorako	▲	96	F4
Makoua	●	86	H4
Maków Mazowiecka	●	36	L5
Makran	◎	74	G4
Makronisi	●	54	G7
Mākū	●	76	L4
Makumbako	●	88	E5
Makurazaki	●	66	F8
Makurdi	●	86	F3
Makūyeh	●	79	E2
Makuyuni	●	88	F4
Malabar Coast	◎	72	B6
Malabo	■	86	F4
Malack	●	36	F9
Malacky	●	48	M2
Malad City	●	104	D2
Maladzyechna	●	56	E4
Málaga	●	46	F8
Malaimbandy	●	90	H4
Malaita	◪	92	G5
Malakal	●	88	E2
Malakula	◪	92	G7
Malamala	●	70	(2)B3
Malang	●	70	(1)E4
Malanje	●	88	B5
Malanville	●	86	E2
Malaryta	●	36	P6
Malatya	●	76	H4
Malaut	●	72	B2
Mālavi	●	76	M7
Malawi	▲	90	E2
Malaya Baranikha	●	62	V3
Malaya Vishera	●	56	F3
Malaybalay	●	68	H5
Malāyer	●	74	E3
Malay Peninsula	◎	68	C6
Malay Reef	◪	94	J3
Malaysia	▲	70	(1)C2
Malbork	●	36	J3
Malchin, Germany	●	38	H3
Malchin, Mongolia	●	60	S8
Malden Island	◪	92	L6
Maldives	▲	72	B8
Maldonado	●	118	L5
Malé	●	48	F4
Male	●	72	B8
Male Atoll	◪	72	B8
Malegaon	●	72	B4
Malé Karpaty	◪	48	N2
Malesherbes	●	44	H5
Maleta	●	62	H6
Malheur	↗	104	C2
Malheur Lake	◪	104	C2
Mali	▲	84	E5
Malindi	●	88	G4
Malin Head	◪	42	E6

Name		Page	Grid
Malkara	●	54	J4
Malko Tŭrnovo	●	52	Q8
Mallaig	●	42	G4
Mallawi	●	82	F2
Mallorca	◪	46	P5
Mallow	●	42	D9
Malmédy	●	40	J4
Malmesbury	●	90	B6
Malmö	●	36	C2
Malmyzh	●	56	K3
Malone	●	106	F2
Måløy	●	34	C6
Malozemel'skaya Tundra	◎	56	K1
Målselv	↗	34	K2
Malta	▲	50	J13
Malta	●	104	E1
Malta Channel	◣	50	J12
Maltahöhe	●	90	B4
Malvern	●	106	B4
Malyy Dunaj	↗	48	N2
Malyy Uzen'	↗	56	J4
Mama	●	62	J5
Mamadysh	●	56	K3
Mambasa	●	88	D3
Mamburao	●	68	G4
Mamelodi	●	90	D5
Mammoth Hot Springs	●	104	D2
Mamonovo	●	36	J3
Mamorė	↗	116	D6
Mamou	●	86	B2
Mamoudzou	◪	90	H2
Mamuju	●	70	(2)A3
Ma'mūl	●	74	G6
Mamuno	●	90	C4
Man	●	86	C3
Mana	↗	110	(2)A1
Manacapuru	●	116	E4
Manacor	●	46	P5
Manado	●	70	(2)B2
Managua	■	112	G6
Manakara	●	90	H4
Manali	●	72	C2
Manananara	↗	90	H4
Mananara Avaratra	●	90	H3
Mananjary	●	90	H4
Manantenina	●	90	H4
Manassas	●	106	E3
Manaus	◪	116	E4
Manavgat	●	54	P8
Manbij	●	76	G5
Manchester, UK	●	42	K8
Manchester, Ia., US	●	106	B2
Manchester, Ky., US	●	106	D3
Manchester, Tenn., US	●	106	C3
Manchester, Vt., US	●	106	F2
Mand	↗	74	H4
Mandabe	●	90	G4
Mandal	●	34	C6
Mandalay	●	68	B2
Mandalgovĭ	●	64	D1
Mandan	●	104	F1
Mandera	●	88	G3
Mandi	●	72	C2
Mandi Burewala	●	72	B2
Mandimba	●	90	F2
Manding	▰	84	D6
Mandla	●	72	D4
Mandø	●	38	D1
Mandsaur	●	72	C4
Mandurah	●	94	C6
Manduría	●	50	M8
Mandvi	●	72	A4
Mandya	●	72	C6
Manfredonia	●	50	K7
Manga	●	116	J6
Mangai	●	92	K8
Mangalia	●	52	R6
Mangalore	●	72	B6
Mangareva	◪	92	N8
Mangatupopo	▲	96	E4
Mangaweka	▲	96	F4
Manggar	●	70	(1)D3
Mangit	●	74	H1
Mangnai	●	60	S10
Mango	●	86	E2
Mangoky	↗	90	G4
Mangole	●	70	(2)C3
Mangonui	●	96	D2
Mangrove Cay	●	108	F5
Manhad	●	72	B5
Manhattan	●	108	B2
Manhuaçu	●	116	J8
Mania	↗	90	H3
Maniamba	●	90	F2
Manicoré	●	116	E5
Manicouagan	↗	100	T6
Manihiki	◪	92	K7

151

Name	Page	Ref
Maniitsoq	100	W3
Manila	68	G4
Manisa	54	K6
Manistee	106	C2
Manistique	106	C1
Manitoba	100	M6
Manitou	104	G1
Manitoulin Island	106	D1
Manitouwadge	106	C1
Manitowoc	106	C2
Maniwaki	106	E1
Manizales	116	B2
Manja	90	G4
Manjimup	94	C6
Mankato	106	B2
Manley Hot Springs	100	A4
Manlleu	46	N3
Manna	70	(1)C3
Mannheim	40	L5
Manning, Canada	100	H5
Manning, US	108	E3
Manokwari	70	(2)D3
Manono	88	D5
Manosque	44	L10
Manouane	106	F1
Manouane Lake	100	S6
Manp'o	66	D3
Manra	92	J6
Manresa	46	M3
Mansa	90	D2
Mansel Island	100	Q4
Mansfield, UK	40	A1
Mansfield, La., US	108	C3
Mansfield, Oh., US	106	D2
Manta	116	A4
Manteo	108	F2
Mantes-la-Jolie	40	D5
Mántova	48	F5
Manturovo	56	H3
Manú	116	C6
Manuelzinho	116	G5
Manūjān	79	G3
Manukan	68	G5
Manukau	96	E3
Manukau Harbour	96	E3
Manyberries	104	D1
Manyinga	90	C2
Manyoni	88	E5
Manzanares	46	G5
Manzanillo	112	J4
Manzhouli	62	K7
Manzini	90	E5
Mao	82	C5
Maoming	68	E2
Mapam Yumco	72	D2
Mapi	70	(2)E4
Mapinhane	90	F4
Maple Creek	102	E2
Mapuera	116	E4
Maputo	90	E5
Maqueda	46	F4
Maquinchao	118	H7
Maquoketa	106	B2
Maraba	116	H5
Maracaibo	116	C1
Maracay	116	D1
Marādah	82	C2
Maradi	86	F2
Marāgheh	76	M5
Maralal	88	F3
Marand	76	L4
Maranhão	116	H5
Marañón	116	B4
Mărăşeşti	52	Q4
Marathon, Canada	106	C1
Marathon, US	110	F2
Marbella	46	F8
Marble Bar	94	D4
Marburg	40	L4
Marcal	48	N3
Marcali	48	N4
March	40	C2
Marche	40	H4
Marchena	46	E7
Mardan	72	B2
Mar del Plata	118	K6
Mardin	76	J5
Maré	92	G8
Mareeba	94	J3
Marettimo	50	F11
Marfa	110	F2
Margate	40	D3
Margherita di Savoia	50	L7
Marghita	52	K2
Margilan	74	K1
Marguerite Bay	120	(2)KK3
María Elena	118	H3
Marianas Trench	92	E4
Marianna	108	D3
Máriánská Lázně	38	H7
Mariazell	48	L3
Mar'ib	82	J4
Maribo	38	G2
Maribor	48	L4
Maridi	88	D2
Marie Byrd Land	120	(2)F F2
Marie Galante	112	M5
Mariehamn	34	K6
Marienberg	38	J6
Mariental	90	B4
Marietta	108	E2
Marietta, Oh., US	106	D3
Marietta, Okla., US	108	B3
Mariinsk	60	R6
Marijampolė	36	N3
Marília	118	M3
Marín	46	B2
Marinette	106	C1
Maringá	118	L3
Marino	50	G7
Marion, Ill., US	106	C3
Marion, Ind., US	106	C2
Marion, Oh., US	106	D2
Maripa	116	D2
Mariscal Estigarribia	118	J3
Maritime Alps	48	C6
Marittimo	48	F7
Mariupol'	56	G5
Mariy El	56	J3
Marjayoûn	78	C3
Marka	88	G3
Markam	64	B5
Markaryd	36	C1
Marked Tree	108	C2
Marken	40	H2
Markermeer	40	H2
Market Harborough	40	B2
Markham	106	E2
Marki	36	L5
Markit	60	P10
Markkleeberg	38	H5
Markovo	62	W4
Marktoberdorf	48	F3
Marktredwitz	38	H7
Marla	94	F5
Marle	40	F5
Marmande	44	F9
Marmara Adası	54	K4
Marmara Denizi	54	L4
Marmaris	54	L8
Marmolada	48	G4
Marne	40	F5
Maroansetra	90	H3
Marolambo	90	H4
Maroni	116	G3
Marotiri	92	M8
Maroua	86	G2
Marquesas Islands	92	M6
Marquette	106	C1
Marradi	48	G6
Marra Plateau	82	D5
Marree	94	G5
Marrupa	90	F2
Marsa Alam	82	F2
Marsabit	88	F3
Marsala	50	G11
Marsberg	40	L3
Marseille	44	L10
Marseille-en-Beauvaisis	40	D5
Marshall, Ill., US	108	D2
Marshall, Tex., US	108	C3
Marshall Islands	92	G4
Marshalltown	106	B2
Marsh Harbour	108	F4
Marsh Island	108	C4
Martapura, Indonesia	70	(1)C3
Martapura, Indonesia	70	(1)E3
Martigny	48	C4
Martigues	44	L10
Martin, Slovakia	36	H8
Martin, US	104	F2
Martina Franca	50	M8
Martinborough	96	E5
Martinique	112	M6
Martinsburg	106	E3
Martinsville, Ind., US	106	C3
Martinsville, Va., US	106	E3
Marton	96	E5
Martos	46	G7
Maruchak	74	H2
Mårvatn	34	E6
Mary	74	H2
Maryborough	94	K5
Maryland	106	E3
Marysville, Canada	106	G1
Marysville, Calif., US	110	B1
Marysville, Kans., US	108	B2
Maryville	106	B2
Masai Steppe	88	F4
Masaka	88	E4
Masalembu Besar	70	(1)E4
Masallı	76	N4
Masamba	70	(2)B3
Masan	66	E6
Masasi	88	F6
Masbate	68	G4
Masbate	68	G4
Mascara	84	F1
Maseru	90	D5
Mashhad	74	G2
Masi-Manimba	88	B4
Masindi	88	E3
Maşīrah	74	G5
Masjed Soleymān	74	E3
Maskanah	76	H5
Mason	108	B3
Mason Bay	96	A8
Mason City	106	B2
Masqaţ	79	H5
Massa	48	F6
Massachusetts	106	F2
Massachusetts Bay	106	G2
Massafra	50	M8
Massa Marittima	50	E5
Massawa	82	G4
Massena	106	F2
Masset	100	E6
Massif Central	44	H8
Massif de Guéra	82	C5
Massif de l'Aïr	84	G5
Massif des Écrins	48	B5
Massif du Chaillu	86	G5
Massif du Tsaratanana	90	H2
Massif Ennedi	82	D4
Massillon	106	D2
Massinga	90	F4
Masteksay	56	K5
Masterton	96	E5
Mastung	74	J4
Masty	34	N10
Masuda	66	F6
Masuguru	90	F2
Masvingo	90	E4
Maşyāf	78	D1
Matadi	88	A5
Matagami	106	E1
Matagorda Island	108	B4
Matakana Island	96	F3
Matakawau	96	E3
Matale	72	D7
Matam	86	B1
Matamoros, Mexico	110	F3
Matamoros, Mexico	110	G3
Matane	106	G1
Matanzas	102	K7
Matara	72	D7
Mataram	70	(1)F4
Mataranka	94	F3
Mataró	46	N3
Mataura	96	B8
Matawai	96	F4
Matehuala	110	F4
Matera	50	L8
Mátészalka	52	K2
Mateur	50	D11
Matheson	106	D1
Mathraki	54	B5
Mathura	72	C3
Mati	68	H5
Matlock	40	A1
Matmata	84	G2
Mato Grosso	116	F6
Mato Grosso	116	F6
Mato Grosso do Sul	116	F7
Matosinhos	46	B3
Matrah	79	H5
Matrei	48	H4
Matrûh	82	E1
Matsiatra	90	H4
Matsu	64	G5
Matsue	66	G6
Matsumae	66	L3
Matsumoto	66	J5
Matsusaka	66	J6
Matsuyama	66	G7
Mattawa	106	E1
Matterhorn	48	C5
Matthews Ridge	116	E2
Mattighofen	38	J8
Mattoon	106	C3
Maturín	116	E2
Maubeuge	40	F4
Maui	110	(2)F3
Maullín	118	G7
Maun	48	K6
Maun	90	C3
Mauna Kea	110	(2)F4
Mauna Loa	110	(2)F4
Mauritania	84	C5
Mauritius	90	(1)B2
Mauron	44	C5
Mauthen	48	H4
Mavinga	90	C3
Mawlaik	88	A2
Max	104	F1
Maya	62	P5
Maya	70	(1)D3
Mayaguana	112	K4
Mayagüez	112	L5
Mayamba	88	B4
Maych'ew	82	G5
Maydh	88	H1
Mayenne	44	E5
Mayenne	44	E5
Mayer	110	D2
Maykamys	60	P8
Maykop	76	J1
Mayly-Say	74	K1
Maymecha	62	G3
Mayn	62	W4
Mayo	100	D4
Mayor Island	96	F3
Mayotte	90	H2
Mayrhofen	48	G3
Mayskiy	62	M6
Mayumba	86	G5
Mayya	62	N4
Mazagão	116	G4
Mazagran	44	K4
Mazama	104	B1
Mazamet	44	H10
Mazar	60	P10
Mazara del Vallo	50	G11
Mazār-e Sharīf	74	J2
Mazatlán	112	C4
Mažeikiai	36	M1
Mazocahui	110	D3
Mazomora	88	F5
Mazra	78	C5
Mazyr	56	E4
Mazzarino	50	J11
Mbabane	90	E5
Mbala	88	E5
Mbale	88	E3
Mbalmayo	86	G4
Mbamba Bay	90	E2
Mbandaka	88	B3
Mbanga	86	F4
M'banza Congo	88	A5
Mbarara	88	E4
Mbeya	88	E5
Mbomou	88	C3
Mbour	86	A2
Mbuji-Mayi	88	C5
Mbuyuni	88	F5
McAlester	108	B3
McBride	100	G6
McCamey	110	F2
McCammon	104	D2
McClintock	100	N5
McClintock Channel	100	L2
McComb	108	C3
McCook	104	F2
McDermitt	104	C2
McGehee	108	C3
McGrath	110	(1)F3
McKinlay	94	H4
McKinney	108	B3
McLaughlin	104	F1
McLennan	100	H5
McMinnville	106	C3
McPherson	108	B2
McRae	108	E3
Meadow Lake	100	K6
Meadville	106	D2
Meander River	100	H5
Meaux	40	E6
Mecca = Makkah	82	G3
Mechelen	40	G3
Mechernich	40	J4
Mecidiye	54	J4
Mecklenburger Bucht	38	G2
Meda	90	F2
Meda	46	C4
Medak	72	C5
Medan	70	(1)B2
Médéa	46	N8
Medellín	116	B2
Medenine	84	H2

Name	Page	Ref.
Medford	104	B2
Medgidia	52	R5
Mediaş	52	M3
Medicine Bow	104	E2
Medicine Hat	100	J7
Medicine Lodge	108	B2
Medina = Al Madīnah	82	G3
Medinaceli	46	H3
Medina de Campo	46	F3
Medina Sidonia	46	E8
Mediterranean Sea	32	E4
Mednogorsk	56	L4
Medveditsa	56	H4
Medvezh'yegorsk	56	F2
Meeker	104	E2
Meerane	38	H6
Meerut	72	C3
Mega	70	(2)D3
Megalopoli	54	E7
Meganisi	54	C6
Megara	54	F6
Megisti	54	M8
Mehrān	76	M7
Mehriz	74	F3
Meiktila	68	B2
Meiningen	38	F6
Meißen	38	J5
Meizhou	68	F2
Mejez El Bab	50	D12
Mékambo	86	G4
Mek'elē	82	G5
Meknès	84	D2
Mekong	68	D4
Melaka	70	(1)C2
Melanesia	92	F5
Melbourne, Australia	94	H7
Melbourne, US	108	E4
Melchor de Mencos	112	G5
Meldrum Bay	106	D1
Meleuz	56	L4
Mélfi	82	C5
Melfi	50	K8
Melfort	100	L6
Melide	46	B2
Melilla	46	H9
Melita	104	F1
Melitopol'	56	G5
Melk	48	L2
Melkosopochnik	60	N8
Mělník	38	K6
Melo	118	L5
Melton Mowbray	40	B2
Melun	44	H5
Melut	82	F5
Melvern Lake	108	B2
Melville	100	L6
Melville Island, Australia	94	F2
Melville Island Canada	98	N2
Melville Peninsula	100	P3
Memberamo	70	(2)E3
Memboro	70	(2)A4
Memmert	40	J1
Memmingen	48	F3
Mempawah	70	(1)D2
Memphis, Mo., US	106	B2
Memphis, Tenn., US	106	C3
Mena	108	C3
Menai Strait	42	H8
Ménaka	84	F5
Mendawai	70	(1)E3
Mende	44	J9
Menden	40	K3
Mendī	88	F2
Mendoza	118	H5
Menemen	54	K6
Menen	40	F4
Menfi	50	G11
Menggala	70	(1)D3
Meniet	84	F4
Menkere	62	L3
Menominee	106	C1
Menominee Falls	106	C2
Menongue	90	B2
Menorca	46	Q4
Mentok	70	(1)D3
Menyuan	64	C3
Menzel Bourguiba	50	D11
Menzel Bouzelfa	50	E12
Menzel Temime	50	E12
Menzies	94	D5
Meppel	40	J2
Meppen	40	K2
Meran Merano	48	G4
Merauke	70	(2)F4
Mercato Saraceno	48	H7
Merced	104	B3
Mercedes, Argentina	118	H5
Mercedes, Argentina	118	K4
Mercedes, US.	108	B4
Mercedes, Uruguay	118	K5
Mercury Islands	96	E3
Mergenevo	56	K5
Mergui	68	B4
Mergui Archipelago	68	B4
Mérida, Mexico	112	G4
Mérida, Spain	46	D6
Mérida, Venezuela	112	K7
Meridian	108	D3
Merinha Grande	46	B5
Meriruma	116	G3
Merke	60	N9
Merkys	34	N9
Merowe	82	F4
Merredin	94	C6
Merrill	106	C1
Merriman	104	F2
Merritt	100	G6
Merseburg	38	H5
Mers el Kébir	46	K9
Mersey	42	J8
Mersin = İcel	54	S8
Mērsrags	34	M8
Merthyr Tydfil	42	J10
Méru	40	E5
Meru	88	F3
Merzifon	76	F3
Merzig	40	J5
Mesa	110	D2
Mesa de Yambi	116	C3
Mesagne	50	M8
Meschede	40	L3
Mesōaria Plain	78	A1
Mesolongi	54	D6
Mesopotamia	76	K6
Messaad	84	F2
Messina, Italy	50	K10
Messina, South Africa	90	D4
Messini	54	E7
Messiniakos Kolpos.	54	D8
Mestre	48	H5
Meta	116	C2
Metairie	108	C4
Metaline Falls	104	C1
Metán	118	J4
Metangula	90	E2
Metema	82	G5
Meteor Depth	114	D9
Metković	52	E6
Metlika	48	L5
Metsovo	54	D5
Mettet	40	G4
Mettlach	40	J5
Metz	40	J5
Metzingen	48	E2
Meulaboh	68	B6
Meuse	40	G4
Mexia	108	B3
Mexicali	110	C2
Mexican Hat	110	E1
Mexico	106	D3
Mexico	112	D4
México	112	E5
Meymaneh	74	H2
Mezdra	52	L6
Mezen'	56	H1
Mezenskaya Guba	56	H1
Mezhdurechensk	60	R7
Mezőberény	52	J3
Mezőkövesd	52	H2
Mezőtúr	52	H2
Mfuwe	90	E2
Miajadas	46	E5
Miami, Fla., US	108	E4
Miami, Okla., US	108	C2
Miandowāb	76	M4
Miandrivazo	90	H3
Miāneh	76	M5
Miangyang	64	E4
Mianning	64	C5
Mianwali	72	B2
Mianyang	64	C4
Miaodao Qundao	64	G3
Miao'ergou	60	Q8
Miass	56	M4
Miastko	36	G4
Michalovce	36	L9
Michigan	106	C1
Michipicoten Island	106	C1
Michurinsk	56	H4
Micronesia	92	F4
Mid-Atlantic Ridge	114	G10
Middelburg, Netherlands	40	F3
Middelburg, South Africa	90	D6
Middelfart	38	E1
Middelkerke	40	E3
Middle America Trench	98	L8
Middle Andaman	68	A4
Middlebury	106	F2
Middle Lake	104	C2
Middlesboro	106	D3
Middlesbrough	42	L7
Middletown, N.Y., US.	106	F2
Middletown, Oh., US	106	D3
Midland, Canada	106	E2
Midland, Mich., US	106	D2
Midland, Tex., US	110	F2
Midway Islands	92	J3
Midwest City	108	B2
Midzor	52	K6
Miechów	36	K7
Mielan	44	F10
Mielec	36	L7
Miembwe	88	F5
Mien	36	D1
Miercurea-Ciuc	52	N3
Mieres	46	E1
Miesbach	48	G3
Mīʻēso	88	G2
Miging	72	F3
Miguel Auza	110	F4
Mikhaylovka	56	H4
Mikhaylovskiy	60	P7
Mikino	62	U4
Mikkeli	34	P6
Mikulov	48	M2
Mikun'	56	K2
Mikuni-sammyaku	66	K5
Mikura-jima	66	K7
Mila	84	G1
Milaca	106	B1
Miladhunmadulu Atoll	72	B7
Milan = Milano, Italy	48	E5
Milan, US	108	D2
Milano	48	E5
Milas	54	K7
Milazzo	50	K10
Mildura	94	H7
Miles	94	K5
Miles City	104	E1
Milford, Del., US	106	E3
Milford, Ut., US.	104	D3
Milford Haven	42	G10
Milford Sound	96	A7
Miliana	46	N8
Milicz	36	G6
Milk	100	J7
Mil'kovo	62	T6
Millau	44	J9
Millbank	104	G1
Milledgeville	108	E3
Miller	104	G2
Millerovo	56	H5
Millington	106	C3
Millinocket	106	G1
Miloro	88	E5
Milos	54	G8
Milton, New Zealand	96	B8
Milton, US	108	D3
Milton Keynes	40	B2
Miluo	64	E5
Milwaukee	106	C2
Mily	60	L8
Mimizan-Plage	44	D9
Mīnāb	79	G3
Mina Jebel Ali	79	F4
Minas	118	K5
Mīnāʼ Saʻūd	79	C2
Minas Gerais	116	H7
Minas Novas	116	J7
Minatitián	112	F5
Minbu	68	A2
Minchinmávida	118	G7
Mincivan	76	M4
Mindanao	68	G5
Mindelheim	48	F2
Mindelo	86	(1)B1
Minden	40	L2
Mindoro	68	G4
Mindoro Strait.	68	G4
Minehead	42	J10
Mineola	108	B3
Mineral'nye Vody	76	K1
Minerva Reefs	92	J8
Minfeng	60	Q10
Minga	88	D6
Mingäçevir	76	M3
Mingäçevir Su Anbarı.	76	M3
Mingulay	42	D5
Minicoy	72	B7
Minilya Roadhouse	94	B4
Minna	86	F3
Minneapolis	106	B2
Minnesota	106	A1
Minnesota	106	A2
Miño	46	C2
Minot	104	F1
Minsk	56	E4
Minturn	104	E3
Minusinsk	60	S7
Min Xian	64	C4
Min'yar	56	L3
Miquelon	106	E1
Miraflores	116	C3
Miramas	44	K10
Mirambeau	44	E8
Miranda	116	F8
Miranda de Ebro	46	H2
Miranda do Douro	46	D3
Mirandela	46	C3
Mirbāt	74	F6
Mīrjāveh	74	H4
Mirnyy	62	J4
Mirow	38	H3
Mirpur Khas	72	A3
Mirtoö Pelagos	54	F7
Mirzapur	72	D3
Miskolc	52	H1
Misoöl	70	(2)D3
Mişrātah	82	C1
Missinaibi	100	Q6
Missinipe	100	L5
Mission	104	F2
Mississippi	108	C3
Mississippi	108	D2
Mississippi River Delta.	108	D4
Missoula	104	D1
Missouri	104	F1
Missouri	106	B3
Missouri	108	B4
Missouri City	100	S7
Mistassibi	100	S7
Mistelbach	48	M2
Mitchell	104	G2
Mithankot	74	K4
Mithalyov	56	G4
Mithymna	54	J5
Mito	66	L5
Mits'iwa	74	C6
Mittellandkanal	40	K2
Mittersill	48	H3
Mittweida	38	H6
Mitú	116	C3
Mitzic	86	G4
Miyake-jima	66	K6
Miyako	66	L4
Miyakonojō	66	F8
Miyazaki	66	F8
Miyoshi	66	G6
Mīzan Teferī	88	F2
Mizdah	82	H2
Mizen Head	42	B10
Mizhhir''ya	52	L1
Mizil	52	P4
Mizpe Ramon	78	B6
Mjölby	34	H7
Mjøsa	34	F6
Mkuze	90	E5
Mladá Boleslav	36	D7
Mladenovac	52	H5
Mława	36	K4
Mljet	52	E7
Mmabatho	90	D5
Moa	90	H2
Moanda	86	G5
Moapa	104	D3
Moba	88	D5
Mobaye	88	C3
Mobayi-Mbongo	88	C3
Moberly	106	B3
Mobile	108	D3
Moçambique.	90	G3
Môc Châu	68	C2
Mochudi	90	D4
Mocímboa da Praia	90	G2
Mocuba	90	F3
Modane	48	B5
Módena	48	F6
Modesto	104	B3
Módica	50	J12
Mödling	48	M2
Modowi	70	(2)D3
Modriča	52	F5
Moenkopi	110	D1
Moers	40	J3
Moffat	42	J6
Moffat Peak	96	B7
Mogadishu = Muqdisho	88	H3
Mogilno	36	G5
Mogocha	62	K6
Mogochin	60	Q6
Mogok	68	B2
Mohács	52	F4
Mohammadia	46	L9

Name	Page	Ref
Mohe	62	L6
Mohembo	90	C3
Mohoro	88	F5
Mohyliv-Podil's'kyy	52	Q1
Moi	34	D7
Moincêr	72	D2
Moineşti	52	P3
Mo i Rana	34	H3
Moissac	44	G9
Mojave	110	C1
Mojave Desert	110	C2
Mokau	96	E4
Mokohinau Island	96	E2
Mokolo	86	G2
Mokoreta	96	B8
Mokp'o	66	D6
Mol	40	H3
Mola di Bari	50	M7
Molat	48	K6
Molde	34	D5
Moldova	52	P2
Moldova	52	R2
Moldova Nouă	52	J5
Molepolole	90	C4
Molfetta	50	L7
Molina de Aragón	46	J4
Molina de Segura	46	J6
Moline	106	B2
Möll	48	J4
Mollendo	116	C7
Molokai	110	(2)D2
Molopo	90	C5
Molsheim	48	C2
Moma	90	F3
Mombasa	88	G4
Momchilgrad	52	N8
Møn	38	H2
Monach Islands	42	E4
Monaco	48	C7
Monaco	48	C7
Monahans	110	F2
Mona Passage	112	L5
Monbetsu, Japan	66	M1
Monbetsu, Japan	66	M2
Moncalieri	48	C5
Monchegorsk	34	S3
Mönchengladbach	40	J3
Monclova	110	F3
Moncton	100	U7
Mondovi	48	C6
Mondragone	50	H7
Mondy	62	G6
Monfalcone	48	J5
Monforte	46	C5
Monforte de Lemos	46	C2
Monfredónia	50	K7
Monga	88	C3
Mongkung	68	B2
Mongo	82	C5
Mongolia	64	B2
Mongonu	86	G2
Mongora	72	B2
Mongu	90	C3
Mong Yai	68	B2
Mong Yu	68	B2
Monkoto	88	C4
Monmouth	106	B2
Mono	86	E3
Mono Lake	104	C3
Monopoli	50	M8
Monor	36	J10
Monowai	96	A7
Monreal del Campo	46	J4
Monreale	50	H10
Monroe, La., US	108	C3
Monroe, Mich., US	106	D2
Monroe, N.C., US	108	E3
Monroe, Wash., US	104	B1
Monroe City	108	C2
Monrovia	86	B3
Mons	40	F4
Monschau	40	J4
Monsélice	48	G5
Montabaur	40	K4
Montague Island	114	J9
Montalbán	46	K4
Montana	52	L6
Montana	104	E1
Montargis	44	H6
Montauban	44	G10
Montauk	106	F2
Mont aux Sources	90	D5
Montbard	44	K6
Montbéliard	48	B3
Montblanc	46	M3
Mont Blanc	48	B5
Montbrison	44	K8
Mont Cameroun	86	F4
Montceau-les-Mines	44	K7
Mont-de-Marsan	44	E10
Montdidier	40	E5
Monte Alegre	116	G4
Monte Azul	116	J7
Montebello	106	F1
Montebello Islands	94	B4
Montebelluna	48	H5
Monte Calvo	50	K7
Monte Cinto	50	C6
Montecristo	50	E6
Monte Etna	50	J11
Montefiascone	50	G6
Montego Bay	112	J5
Montélimar	44	K9
Monte Limbara	50	D8
Monte Lindo	118	K4
Montemorelos	108	B4
Monte Namuli	90	F3
Montenegro	52	F7
Monte Perdino	46	L2
Monte Pollino	50	L9
Montepuez	90	F2
Montepulciano	50	F5
Monte Quemado	118	J4
Montereau-faut-Yonne	44	H5
Monterey	106	E3
Monterey Bay	104	B3
Montería	116	B2
Montero	116	E7
Monte Rosa	48	C5
Monterotondo	50	G6
Monterrey	110	F3
Monte Sant'Angelo	50	K7
Montes Claros	116	J7
Montesilvano Marina	50	J6
Montevarchi	48	G7
Montevideo, US	106	A1
Montevideo, Uruguay	118	K5
Monte Viso	48	C6
Monte Vista	110	E1
Montgomery	108	D3
Monthey	48	B4
Monticello	104	E3
Montijo	46	D6
Montilla	46	F7
Mont Joli	106	G1
Mont-Laurier	106	E1
Montluçon	44	H7
Montmagny	106	F1
Montmedy	40	H5
Mont Mézenc	44	K9
Montone	48	G6
Montoro	46	F6
Mont Pelat	44	M9
Montpelier, Id., US	104	D2
Montpelier, Vt., US	106	F2
Montpellier	44	J10
Montréal	106	F1
Montreuil	40	D4
Montreux	48	B4
Montrose, UK	42	K5
Montrose, US	104	E3
Monts Bagzane	84	G5
Mont Serkout	84	G4
Montserrat	112	M5
Monts Nimba	86	C3
Monts Otish	100	S6
Mont Tahat	84	G4
Monywa	68	A2
Monza	48	L5
Monzón	46	L3
Moonie	94	K5
Moorcroft	104	F2
Moorhead	106	A1
Moosburg	48	G1
Moose Jaw	100	K6
Moose Lake	100	M6
Moosomin	100	L6
Moosonee	100	S6
Mopti	84	E6
Moqor	74	J3
Mór	52	F2
Móra	34	H6
Móra	46	B6
Moradabad	72	C3
Morafenobe	90	G3
Morag	36	J4
Moramanga	90	H3
Moran	104	D2
Morane	92	N8
Moratuwa	72	D7
Morava	36	G3
Moravské Budějovice	48	L1
Morawhanna	116	F2
Moray Firth	42	J4
Morbach	40	K5
Morbi	72	B4
Mordoviya	56	H4
Moreau	104	F1
Morecambe	42	K7
Moree	94	J5
Morehead	106	D3
More Laptevykh	62	L1
Morelia	112	D5
Morella	46	K4
Moresby Island	110	(1)L5
Moreton Island	94	K5
Morez	44	M7
Morgan	94	G6
Morgan City	108	C4
Morgantown	106	D3
Morges	48	B4
Mori	66	L2
Morioka	66	L4
Morkoka	62	J4
Morlaix	44	B5
Mornington Island	94	G3
Morocco	80	C2
Morogoro	88	F5
Morón	62	G7
Morondava	90	G4
Morón de la Frontera	46	E7
Moroni	90	G2
Moron Us He	72	F2
Morotai	70	(2)C2
Moroto	88	E3
Morpeth	42	L6
Morris	104	G1
Morristown	108	E2
Mors	34	E8
Morshansk	56	H4
Mortain	40	B6
Morteros	118	J5
Morven	42	G5
Morwell	94	J7
Mosbach	38	E7
Mosby	104	D1
Moscow = Moskva	56	G3
Mosel	40	K4
Moselle	40	G6
Moses Lake	104	C1
Mosgiel	96	C7
Moshi	88	F4
Mosjøen	34	G4
Moskenesøy	34	F3
Moskva	56	G3
Mosonmagyaróvár	48	N3
Mosquero	110	F1
Moss	34	F7
Mossburn	96	B7
Mosselbaai	90	C6
Mossoró	116	K5
Most	38	J6
Mostaganem	46	L9
Mostar	52	E6
Mostoles	46	G4
Møsvatn	34	E7
Mot'a	82	G5
Motala	34	H7
Motherwell	42	J6
Motihari	72	D3
Motila del Palancar	46	J5
Motiti Island	96	F3
Motril	46	G8
Motru	52	K5
Motu One	92	L7
Motygino	60	S6
Mouchard	48	A4
Moudros	54	H5
Mouila	86	G5
Moulins	44	J7
Moulmein	68	B3
Moultrie	108	E3
Moundou	82	C6
Mount Adam	118	J9
Mount Adams	104	B1
Mountain Grove	106	B3
Mountain Home	106	B3
Mountain Nile = Bahr el Jebel	88	E2
Mount Alba	96	B7
Mount Aloysius	94	E5
Mount Anglem	96	A8
Mount Apo	68	H5
Mount Ararat	76	L4
Mount Arrowsmith	96	C6
Mount Aspiring	96	B7
Mount Assiniboine	100	H6
Mount Augustus	94	C4
Mount Baco	68	G3
Mount Baker	104	B1
Mount Bartle Frere	94	J3
Mount Bogong	94	J7
Mount Brewster	96	B7
Mount Bruce	94	C4
Mount Cameroun	80	D5
Mount Carmel	104	D3
Mount Columbia	100	H6
Mount Cook	96	C6
Mount Cook	96	C6
Mount Donald	96	A7
Mount Douglas	94	J4
Mount Egmont	96	E4
Mount Elbert	104	E3
Mount Elgon	88	E3
Mount Essendon	94	D4
Mount Evelyn	94	F2
Mount Everest	72	E3
Mount Fairweather	100	D5
Mount Gambier	94	H7
Mount Garnet	94	J3
Mount Hermón	78	C3
Mount Hood	104	B1
Mount Hutt	96	C6
Mount Huxley	96	B7
Mount Isa	94	G4
Mount Jackson	120	(2)MM2
Mount Karisimbi	88	D4
Mount Kendall	96	D5
Mount Kenya = Kirinyaga	88	F4
Mount Kilimanjaro	88	F4
Mount Kirkpatrick	120	(2)AA1
Mount Kosciuszko	94	J7
Mount Liebig	94	F4
Mount Lloyd George	100	G5
Mount Logan	100	C4
Mount Magnet	94	C5
Mount Maunganui	96	F3
Mount McKinley	110	(1)G3
Mount Meharry	94	C4
Mount Menzies	120	(2)L2
Mount Minto	120	(2)Y2
Mount Mulanje	90	F3
Mount Murchison	96	C6
Mount Nyiru	88	F3
Mount Olympus	104	B1
Mount Ord	94	E3
Mount Ossa	94	J8
Mount Owen	94	D5
Mount Paget	118	P9
Mount Pleasant, Ia., US	106	B2
Mount Pleasant, Mich., US	106	D2
Mount Pleasant, S.C., US	108	F3
Mount Pleasant, Tex., US	108	B3
Mount Pleasant, Ut., US	104	D3
Mount Pulog	68	G3
Mount Rainier	104	B1
Mount Ratz	100	E5
Mount Richmond	96	D5
Mount Roberts	94	K5
Mount Robson	100	H6
Mount Roosevelt	100	F5
Mount Roraima	116	E2
Mount Ross	96	E5
Mount Shasta	104	B2
Mount Somers	96	C6
Mount Stanley	88	D3
Mount Tahat	80	D3
Mount Travers	96	D6
Mount Tuun	66	D3
Mount Usborne	118	K9
Mount Vernon, Al., US	108	D3
Mount Vernon, Ill., US	106	C3
Mount Vernon, Oh., US	106	D2
Mount Vernon, Wash., US	104	B1
Mount Victoria, Myanmar	68	A2
Mount Victoria, Papua New Guinea	92	E6
Mount Waddington	100	F6
Mount Washington	100	S8
Mount Whitney	104	C3
Mount Wilson	104	E3
Mount Woodroffe	94	F5
Mount Ziel	94	F4
Moura	46	C6
Mousa	42	L2
Moussoro	82	C5
Moutamba	86	G5
Mouth of the Shannon	42	B9
Mouths of the Amazon	114	G3
Mouths of the Danube	52	S4
Mouths of the Ganges	72	E4
Mouths of the Indus	74	J5
Mouths of the Irrawaddy	68	A3
Mouths of the Krishna	72	D5
Mouths of the Mekong	68	D5
Mouths of the Niger	86	F4
Moûtiers	48	B5
Moutong	70	(2)B2
Moyale	88	F3

Name	Page	Ref.
Moyen Atlas	84	D2
Moyenvic	40	J6
Moyeroo	60	U4
Moyynty	60	N8
Mozambique	90	E3
Mozambique Channel	90	F4
Mozdok	76	L2
Mozhga	56	K3
Mozirje	48	K4
Mpanda	88	E5
Mpika	90	E2
Mporokoso	88	E5
Mpumalanga	90	D5
Mrągowo	36	L4
Mrkonjić-Grad	48	N6
M'Sila	84	F1
Mtsensk	56	G4
Mtwara	88	G6
Muang Khammouan	68	C3
Muang Không	68	D4
Muang Khôngxédôn	68	D3
Muang Khoua	68	C2
Muang Pakxan	68	C3
Muang Phin	68	D3
Muang Sing	68	C2
Muang Xai	68	C2
Muar	70	(1)C2
Muarabungo	70	(1)C3
Muarawahau	70	(1)F2
Mubarek	60	M10
Mubende	88	E3
Mubrani	70	(2)D3
Muck	42	F5
Muckadilla	94	J5
Muconda	88	C6
Mucur	54	S5
Mudanjiang	66	E1
Mudanya	54	L4
Muddy Gap	104	E2
Mudurnu	54	P4
Mufulira	90	D2
Mughshin	74	F6
Muğla	54	L7
Mugodzhary	56	L5
Mühldorf	48	H2
Mühlhausen	38	F5
Muhos	34	N4
Muhu	34	M7
Muhulu	88	D4
Mukacheve	36	M9
Mukdahan	68	C3
Mukry	74	J2
Mukuku	90	D2
Mulaku Atoll	72	B8
Mulde	38	H5
Muleshoe	110	F2
Mulgrave Island	94	H2
Mulhacén	46	G7
Mülheim	40	J3
Mulhouse	48	C3
Muling	66	G1
Mull	42	G5
Mullaittivu	72	D7
Mullewa	94	C5
Müllheim	48	C3
Mullingar	42	E8
Mulobezi	90	D3
Multan	74	K3
Mumbai	72	B5
Mumbwa	90	D2
Muna	70	(2)B4
Münchberg	38	G6
München	48	G2
Münden	38	E5
Mundo Novo	116	J6
Mungbere	88	D3
Munger	72	E3
Munich = München	48	G2
Munster, France	48	C2
Munster, Germany	38	F4
Münster, Germany	40	K3
Munte	70	(2)A2
Muojärvi	34	Q4
Muonio	34	M3
Muqdisho	88	H3
Mur	48	L4
Muradiye	76	K4
Murang'a	88	F4
Murashi	56	J3
Murat	76	K4
Muratlı	54	K3
Murchison	96	D5
Murcia	46	F2
Murdo	104	F2
Mureş	52	J3
Muret	44	G10
Murfreesboro, N.C., US	108	F2
Murfreesboro, Tenn., US	108	D2
Murghob	74	K2
Muriaé	116	J8
Müritz	38	H3
Muriwai	96	F4
Murmansk	34	S2
Murnau	48	G3
Murom	56	H3
Muroran	66	L2
Muros	46	A2
Muroto	66	H7
Murphy	108	E2
Murray	94	H6
Murray	106	C3
Murray Bridge	94	G7
Murray River Basin	94	H6
Murska Sobota	48	M4
Murter	48	L7
Murtosa	46	B4
Murud	72	B5
Murupara	96	F4
Mururoa	92	M8
Murwara	72	D4
Murzūq	84	H3
Mürzzuschlag	48	L3
Mus	76	J4
Mûsa	36	N1
Musala	54	F2
Musandam Peninsula	79	G3
Musay'id	79	D4
Muscat = Masqat	79	H5
Musgrave Ranges	94	E5
Mushin	86	E3
Muskegon	106	C2
Muskogee	108	B2
Musoma	88	E4
Mustafakemalpaşa	54	L4
Mut, Egypt	82	E2
Mut, Turkey	54	R8
Mutare	90	E3
Mutarnee	94	J3
Mutnyy Materik	56	L1
Mutoray	60	U5
Mutsamudu	90	G2
Mutsu	66	L3
Mutsu-wan	66	L3
Muttaburra	94	H4
Muyezerskiy	34	R5
Muyinga	88	E4
Muynak	60	K9
Muzaffarnagar	72	C3
Muzaffarpur	72	E3
Muzillac	44	C6
Múzquiz	110	F3
Muztagata	60	N10
Mwali	90	G2
Mwanza	88	E4
Mweka	88	C4
Mwenda	88	D6
Mwene-Ditu	88	C5
Mwenezi	90	E4
Mwenezi	90	E4
Mwinilunga	90	C2
Myanmar	68	B2
Myingyan	68	B2
Myitkyina	68	B1
Myjava	48	N2
Myjava	48	N2
Mykolayiv	36	N8
Mykonos	54	H7
Mymensingh	72	F4
Mynbulak	60	L9
Myndagayy	62	N4
Myōjin	64	K4
Myonggan	66	E3
Myrdalsjökull	34	(1)D3
Myrina	54	H5
Myrtle Beach	108	F3
Mys Alevina	62	S5
Mys Aniva	64	L1
Mys Buorkhaya	62	N1
Mys Dezhneva	62	Z3
Mys Elizavety	62	Q6
Mys Enkan	62	P5
Mys Govena	62	V5
Mys Kanin Nos	56	H1
Mys Kekurskij	34	S1
Mys Kril'on	64	L1
Myślenice	36	J8
Myślibórz	36	D5
Mys Lopatka, Russia	62	T6
Mys Lopatka, Russia	62	S3
Mys Navarin	62	X4
Mys Olyutorskiy	62	W5
Mysore	72	C6
Mys Peschanyy	60	J9
Mys Povorotnyy	66	G2
Mys Prubiynyy	56	F5
Mys Shelagskiy	62	V2
Mys Sivuchiy	62	U5
Mys Terpeniya	62	Q7
Mys Tolstoy	62	T5
Mys Yuzhnyy	62	T5
Mys Zhelaniya	60	M2
Myszksw	36	J7
My Tho	68	D4
Mytilini	54	J5
Myvatn	34	(1)E2
Mže	38	H7
Mzimba	90	E2
Mzuzu	90	E2

N

Name	Page	Ref.
Naalehu	110	(2)F4
Naas	42	F8
Nabas	68	G4
Naberezhnyye Chelny	56	K3
Nabeul	50	E12
Nabīd	79	G2
Nabire	70	(2)E3
Nablus	78	C4
Nacala	90	G2
Náchod	36	F7
Nacogdoches	108	C3
Nadiad	72	B4
Nador	84	E2
Nadvirna	52	M1
Nadym	56	P1
Nadym	56	P2
Næstved	38	G1
Nafpaktos	54	E7
Nafplio	54	E7
Nagano	66	K5
Nagaoka	66	K5
Nagaon	72	F3
Nagarzê	72	F3
Nagasaki	66	E7
Nagaur	72	B3
Nagercoil	72	C7
Nago	64	H5
Nagold	38	D8
Nagorsk	56	K3
Nagoya	66	J6
Nagpur	72	C4
Nagqu	72	F2
Nagyatád	48	N4
Nagykállš	52	J2
Nagykanizsa	48	N4
Nagykáta	36	J10
Nagykörös	52	G2
Naha	64	H5
Nahanni	100	G4
Nahanni Butte	100	G4
Nahr en Nile = Nile	82	F2
Naiman Qi	64	G2
Nain	100	U5
Nairn	42	J4
Nairobi	88	F4
Naivasha	88	F4
Naizishan	66	D2
Najafābād	74	F3
Nájera	46	H2
Najibabad	72	C3
Najin	66	F2
Najrān	82	H4
Nakamura	66	G7
Nakatsu	66	F7
Nakhl	78	A7
Nakhodka, Russia	60	P4
Nakhodka, Russia	66	G2
Nakhon Ratchasima	68	C3
Nakhon Sawan	68	C2
Nakhon Si Thammarat	68	B5
Nakina	100	P6
Naknek	110	(1)F4
Nakonde	88	E5
Nakskov	38	G2
Nakten	34	H5
Nakuru	88	F4
Nal'chik	76	K2
Nallihan	54	P4
Nālūt	84	H2
Namagan	60	N9
Namakzar-e Shadad	79	G1
Namanga	88	F4
Namapa	90	F2
Namasagali	88	E3
Nam Can	68	C5
Nam Co	72	F2
Namdalen	34	G4
Nam Dinh	68	D2
Namib Desert	90	A4
Namibe	90	A3
Namibia	90	B4
Namlea	70	(2)C3
Namo	70	(2)A3
Nampa	104	C2
Nam Ping	68	B3
Namp'o	66	C4
Nampula	90	F3
Namsos	34	F4
Namtsy	62	M4
Namur	40	G4
Namwala	90	D3
Namwŏn	66	D6
Nan	68	C3
Nanaimo	104	B1
Nanao	66	J5
Nanchang	64	F5
Nanchong	64	D4
Nancy	48	B2
Nanda Devi	72	C2
Nänded	72	C5
Nandurbar	72	B4
Nanga	94	G2
Nangapinoh	70	(1)E3
Nangatayap	70	(1)E3
Nangis	44	J5
Nangong	64	F3
Nang Xian	72	F3
Nanjing	64	F4
Nankoku	66	G7
Nannine	94	C5
Nanning	68	D2
Nanortalik	100	X4
Nanpan	68	D2
Nanping	64	F5
Nansei-shotō	64	H5
Nantes	44	D6
Nanton	102	D1
Nantong	64	G4
Nanumea	92	H6
Nanuque	116	J7
Nanyang	64	E4
Napa	104	B3
Napalkovo	60	N3
Napamute	110	(1)F3
Napas	62	C4
Napasoq	100	W3
Napier	96	F4
Naples = Napoli	50	J8
Naples	108	E4
Napo	116	C4
Napoli	50	J8
Naqb Ashtar	78	C6
Nara, Japan	66	H6
Nara, Mali	84	D5
Narathiwat	68	C5
Narbonne	44	H10
Nardò	50	N8
Nares Strait	98	J2
Narev	36	N5
Narew	36	L5
Narmada	72	C4
Narnaul	72	C3
Narni	50	G6
Narok	88	F4
Närpes	34	L5
Narrabri	94	J6
Narrandera	94	J6
Narsimhapur	72	C4
Nart	64	F2
Narva	34	P7
Narva	34	Q7
Narva Bay	34	P7
Narvik	34	J2
Nar'yan Mar	56	K1
Naryn	62	F6
Năsăud	52	M2
Nashua	106	F2
Nashville	108	D2
Našice	52	F4
Nasik	72	B4
Nasir	88	E2
Nassarawa	86	F3
Nassau	108	F4
Nässjö	34	H8
Nastapoka Islands	100	R5
Nasugbu	68	G4
Naswá	79	G5
Nata	90	D4
Natal	116	K5
Natara	62	L3
Natashquan	100	U6
Natchez	108	C3
Natchitoches	108	C3
National Park	96	E4
Natitingou	86	E2
Natuna Besar	70	(1)D2
Naujoji Akmenė	36	M1
Naumburg	38	G5
Na'ūr	78	C5
Nauru	92	G6
Nauta	116	C4
Nautonwa	72	D3

Name	Page	Grid
Navahermosa	46	F5
Navahrudak	34	N10
Navajo Reservoir	104	E3
Navalmoral de la Mata	46	E5
Navalvillar de Pela	46	E5
Navapolatsk	56	E3
Navlya	56	F4
Navoi	60	M9
Navojoa	102	E6
Navrongo	86	D2
Navsari	72	B4
Nawabshah	74	J4
Nāwah	74	J3
Naxçivan	76	L4
Naxos	54	H7
Naxos	54	H7
Nayakhan	62	T4
Nāy Band, *Iran*	74	G3
Nāy Band, *Iran*	79	E3
Nayoro	66	M1
Naypyidaw	68	B3
Nazaré	46	A5
Nazareth	78	C4
Nazarovo	60	S6
Nazca	116	C6
Nazca Ridge	118	E3
Naze	64	H5
Nazilli	54	L7
Nazino	60	P6
Nazran'	76	L2
Nazrēt	88	F2
Nazwá	74	G5
Nazyvayevsk	56	P3
Ndélé	88	C2
Ndjamena	82	B5
Ndjolé	86	G5
Ndola	90	D2
Neale Junction	94	E5
Neapoli	54	F8
Nea Zichni	54	F3
Nebbi	88	E3
Nebitdag	74	F2
Nebo	94	J4
Nebraska	104	G2
Neckar	38	D7
Neckar	38	D8
Neckarsulm	38	E7
Necker Island	92	K3
Necochea	118	K6
Nédély	82	C4
Needles	110	D2
Nefedovo	56	P3
Nefta	84	G2
Neftçala	76	N4
Neftekamsk	56	K3
Neftekumsk	76	L1
Nefteyugansk	56	P2
Nefza	50	D12
Negage	88	B5
Negār	79	G2
Negēlē	88	F2
Negele	88	F2
Negev	78	B6
Negomane	90	F2
Negombo	72	C7
Negotin	52	K5
Negotino	54	E3
Négrine	84	G2
Negro, *Argentina*	118	J7
Negro, *Brazil*	116	E4
Negros	68	G5
Negru Vodă	52	R6
Nehbandān	74	G3
Nehe	62	M7
Nehoiu	52	P4
Neijiang	64	C5
Nei Monggol	64	E2
Neiva	116	B3
Neixiang	64	E4
Nejanilini Lake	100	M5
Nek'emtē	88	F2
Nelidovo	56	F3
Neligh	104	G2
Nellore	72	C6
Nel'ma	62	P7
Nelson	62	N5
Nelson, *Canada*	104	C1
Nelson, *New Zealand*	96	D5
Nelspruit	90	E5
Nēma	84	D5
Nēman	34	N10
Neman	36	M2
Nemours	44	H5
Nemperola	70	(2)B5
Nemunas	36	P3
Nemuro	66	N2
Nen	62	L7
Nenagh	42	D9
Nenana	110	(1)H3
Nene	40	B2
Nenjiang	62	M7
Neosho	106	B3
Nepa	62	H5
Nepal	72	D3
Nepalganj	72	D3
Nepean	106	E1
Nepomuk	38	J7
Ner	36	H5
Nera	50	G6
Neratovice	38	K6
Neris	36	P2
Nerja	46	G8
Neryungri	62	L5
Nesebŭr	52	Q7
Ness City	108	B2
Netanya	78	B4
Netherlands	40	H2
Netherlands Antilles	112	L6
Nettilling Lake	100	S3
Neubrandenburg	38	J3
Neuburg	38	G8
Neuenhagen	38	J4
Neufchâteau, *Belgium*	40	H5
Neufchâteau, *France*	44	L5
Neufchâtel-en-Bray	40	D5
Neuhof	38	E6
Neumarkt	38	G7
Neumünster	38	F2
Neunkirchen, *Austria*	48	M3
Neunkirchen, *Germany*	38	C7
Neuquén	118	H6
Neuruppin	38	H4
Neusiedler	36	F10
Neusiedler See	48	M3
Neuss	40	J3
Neustadt, *Germany*	38	F2
Neustadt, *Germany*	38	F7
Neustadt, *Germany*	38	G6
Neustadt, *Germany*	38	G8
Neustadt, *Germany*	38	H7
Neustadt, *Germany*	40	L5
Neustrelitz	38	J3
Neu-Ulm	38	F8
Neuwerk	38	D3
Neuwied	40	K4
Nevada	104	C3
Nevada	106	B2
Nevado Auzangate	116	C6
Nevado de Colima	112	D5
Nevado de Cumbal	116	B3
Nevado de Huascaran	116	B5
Nevado de Illampu	116	D7
Nevado Sajama	116	D7
Nevados de Cachi	118	H4
Never	62	L6
Nevers	44	J7
Nevesinje	52	F6
Nevėžis	34	M9
Nevinnomyssk	76	J1
Nevşehir	54	S6
Newala	88	F6
New Albany, *Ind., US*	106	C3
New Albany, *Miss., US*	108	D3
New Amsterdam	116	F2
Newark, *N.J., US*	106	F2
Newark, *Oh., US*	106	D3
Newark-on-Trent	40	B1
New Bedford	106	F2
Newberg	104	B1
New Bern	108	F2
Newberry	108	E3
New Braunfels	108	B4
New Britain	92	F6
New Brunswick	100	T7
Newburgh	106	F2
Newbury	40	A3
New Bussa	86	E3
Newcastle, *Australia*	94	K6
Newcastle, *US*	104	F2
Newcastle-under-Lyme	42	K8
Newcastle upon Tyne	42	L6
Newcastle Waters	94	F3
New Delhi	72	C3
New England	104	F1
Newe Zohars	78	C5
Newfoundland	100	V5
Newfoundland and Labrador	100	V7
New Georgia Island	92	F6
New Glasgow	100	U7
New Guinea	58	S2
New Hampshire	106	F2
New Hampton	106	B2
New Hanover	92	F6
Newhaven	40	C4
New Haven	106	F2
New Iberia	108	C3
New Ireland	92	F6
New Jersey	106	F2
New Liskeard	106	E1
New London	106	F2
Newman	94	C4
Newmarket	40	C2
New Meadows	104	C2
New Mexico	110	E2
Newnan	108	E3
New Orleans	108	D4
New Plymouth	96	E4
Newport, *Eng., UK*	40	A4
Newport, *Wales, UK*	42	K10
Newport, *Ark., US*	108	C2
Newport, *Oreg., US*	104	B2
Newport, *R.I., US*	106	F2
Newport, *Vt., US*	106	F2
Newport, *Wash., US*	104	C1
New Providence	108	F5
Newquay	42	G11
Newry	42	F7
New Siberia Islands = Novosibirskiye Ostrova	62	P1
New Smyrna Beach	108	E4
New South Wales	94	H6
Newton, *Ia., US*	106	B2
Newton, *Kans., US*	108	B2
Newtownards	42	G7
New Ulm	106	B2
New York	106	E2
New York	106	F2
New Zealand	96	B5
Neya	56	H3
Neyrīz	79	F2
Neyshābūr	74	G2
Ngabang	70	(1)D2
Ngalu	70	(2)B5
Ngaoundéré	86	G3
Ngara	88	E4
Ngawihi	96	E5
Ngo	86	H5
Ngoura	82	C5
Ngozi	88	D4
Nguigmi	86	G2
Nguru	86	G2
Nha Trang	68	D4
Nhulunbuy	94	G2
Niafounké	84	E5
Niagara Falls	106	E2
Niamey	86	E2
Niangara	88	D3
Nia-Nia	88	D3
Nias	70	(1)B2
Nicaragua	112	G6
Nicastro	50	L10
Nice	48	C7
Nicholls Town	108	F4
Nicobar Islands	68	A5
Nicosia = Lefkosia	54	R9
Nida	36	K7
Nidym	62	F4
Nidzica	36	K4
Niebüll	38	D2
Niedere Tauern	48	J3
Niefang	86	G4
Nienburg	38	E4
Niesky	38	K5
Nieuw Amsterdam	116	F2
Nieuw Nickerie	116	F2
Nieuwpoort	40	E3
Niğde	54	S7
Niger	84	G5
Niger	86	E2
Nigeria	86	F2
Nigoring Hu	64	B3
Niigata	66	K5
Niihau	110	(2)A2
Nii-jima	66	K6
Nijar	46	H8
Nijmegen	40	H3
Nikolayevsk-na-Amure	62	Q6
Nikol'sk	56	J3
Nikopol'	56	F5
Nik Pey	76	N5
Nikšić	52	F7
Nilande Atoll	72	B8
Nile	82	F3
Niles	106	C2
Nimach	72	B4
Nîmes	44	K10
Nimule	88	E3
Nin	48	L6
Nine Degree Channel	72	B7
9 de Julio	118	J6
Ning'an	66	E1
Ningbo	64	G5
Ningde	64	F5
Ninghai	64	G5
Ninh Hoa	68	D4
Ninohoe	66	L3
Niobrara	104	F2
Niobrara	104	G2
Nioro	84	D5
Nioro du Sahel	86	C1
Niort	44	E7
Nipigon	106	C1
Niquelândia	116	H6
Nirmal	72	C5
Niš	52	J6
Nisa	46	C5
Niscemi	50	J11
Nishinoomote	66	F8
Nisyros	54	K8
Niterói	118	N3
Nitra	36	H9
Nitra	36	H9
Nitsa	56	M3
Niue	92	K7
Nivelles	40	G4
Nizamabad	72	C5
Nizhnekamsk	56	K3
Nizhnekamskoye Vodokhranilishche	56	K3
Nizhneudinsk	62	F5
Nizhnevartovsk	56	Q2
Nizhneyansk	62	P2
Nizhniy Lomov	56	H4
Nizhniy Novgorod	56	H3
Nizhniy Tagil	56	M3
Nizhnyaya Tunguska	62	H4
Nizhyn	56	F4
Nizip	76	G5
Nizza Monferrato	48	D6
Njazidja	90	G2
Njombe	88	E5
Njombe	88	E5
Nkambe	86	G3
Nkhotakota	90	E2
Nkongsamba	86	F4
Noatak	110	(1)F2
Nobeoka	66	F7
Noci	50	M8
Nogales, *Mexico*	110	D2
Nogales, *US*	110	D2
Nogat	36	J3
Nogent-le-Rotrou	44	F5
Noginsk	56	G3
Noginskiy	60	S5
Nogliki	62	Q6
Noheji	66	L3
Noia	46	B2
Noire	68	C2
Nojima-zaki	66	K6
Nok Kundi	74	H4
Nola, *Central African Republic*	88	B3
Nola, *Italy*	50	J8
Nolinsk	56	J3
Noma-misaki	66	F8
Nome	110	(1)D3
Nomoi Islands	92	F5
Nomo-saki	66	E7
Nong'an	66	C1
Nong Khai	68	C3
Noord-Beveland	40	F3
Noord-Oost-Polder	40	H2
Noordwijk aan Zee	40	G2
Norak	74	J2
Noranda	106	E1
Nordaustlandet	120	(1)L1
Norden	38	C3
Nordenham	38	D3
Norderney	38	C3
Norderstedt	38	F3
Nordfriesische Inseln	38	D2
Nordhausen	38	F5
Nordhorn	38	K2
Nordkapp	34	N1
Nordkinn	34	P1
Nordkinnhalvøya	34	P1
Nordkvaløya	34	J1
Nordli	34	G4
Nördlingen	38	F8
Nord-Ostsee-Kanal	38	E2
Nordstrand	38	D2
Nordvik	60	W3
Nore	42	E9
Norfolk, *Nebr., US*	104	G2
Norfolk, *Va., US*	106	E3
Norfolk Island	92	G8
Noril'sk	60	R4
Norman	108	B2
Normanton	94	H3
Norman Wells	100	F3
Nørre Åby	38	E1

Index

Nørre Alslev 38 G2
Norristown 106 E2
Norrköping 34 J7
Norrtälje 34 K7
Norseman 94 D6
Norsk 62 N6
Northallerton 42 L7
Northam 94 C6
North America 92 P2
Northampton 40 B2
North Andaman 68 A4
North Battleford 100 K6
North Bay 106 E1
North Cape 96 D2
North Carolina 108 F2
North Channel 42 G6
North Charleston 108 F3
North Dakota 104 F1
Northeast Providence Channel 108 F4
Northeim 38 F5
Northern Cape 90 C5
Northern Ireland 42 E7
Northern Mariana Islands 92 E4
Northern Territory 94 F4
North Foreland 40 D3
North Horr 88 F3
North Iberia 112 F2
North Island 96 D3
North Korea 66 C4
North Little Rock 108 C3
North Platte 102 F3
North Platte 104 F2
North Ronaldsay 42 K2
North Sea 42 N4
North Stradbroke Island 94 K5
North Taranaki Bight 96 D4
North Uist 42 E4
Northumberland Strait 100 U7
North Vancouver 104 B1
North West 90 C5
North West Basin 94 C4
North West Cape 94 B4
North West Christmas Island Ridge 92 K4
North West Highlands 42 G4
Northwest Territories 100 G4
Norton 108 B2
Norton Sound 110 (1)E3
Norway 34 F5
Norwegian Sea 34 B4
Norwich, *UK* 40 D2
Norwich, *US* 106 F2
Nos 56 H1
Nos Emine 52 Q7
Nosevaya 56 K1
Noshiro 66 K3
Nos Kaliakra 52 R6
Noșratābād 74 G4
Nosy Barren 90 G3
Nosy Bé 90 H2
Nosy Boraha 90 J3
Nosy Mitsio 90 H2
Nosy Radama 90 H2
Nosy-Varika 90 H4
Notec 36 G4
Notia Pindos 54 D5
Notios Evvoïkos Kolpos 54 F6
Notre Dame Bay 100 V7
Notsé 86 E3
Nottingham 40 A2
Nottingham Island 100 R4
Nouâdhibou 84 B4
Nouakchott 84 B5
Nouméa 92 G8
Nouvelle Calédonie 92 G8
Nova Gorica 48 J5
Nova Gradiška 52 E4
Nova Iguaçu 118 N3
Nova Mambone 90 F4
Nova Pazova 52 H5
Novara 48 D5
Nova Scotia 100 T8
Novaya Igirma 62 G5
Novaya Karymkary 56 N2
Novaya Kasanka 56 J5
Novaya Lyalya 56 M3
Novaya Zemlya 60 J3
Nova Zagora 52 P7
Novelda 46 K6
Nové Město 36 F8
Nové Mesto 36 G9
Nové Zámky 36 H10
Novgorod 56 F3
Novi Bečej 52 H4
Novi Iskŭr 52 L7
Novi Ligure 48 D6
Novi Marof 48 M4
Novi Pazar, *Bulgaria* 52 Q6
Novi Pazar, *Serbia* 52 H6
Novi Sad 52 G4
Novi Vinodolski 48 K5
Novoaleksandrovsk 56 H5
Novoalekseyevka 56 L4
Novoanninsky 56 H4
Novocheboksarsk 56 J3
Novocherkassk 56 H5
Novodvinsk 56 H2
Novo Hamburgo 118 L4
Novohrad-Volyns'kyy 56 E4
Novokazalinsk 56 M5
Novokutznetsk 60 R7
Novokuybyshevsk 56 J4
Novo Mesto 48 L5
Novomikhaylovskiy 76 H1
Novomoskovsk 56 G4
Novonazimovo 62 E5
Novorossiysk 76 G1
Novorybnoye 62 H2
Novoselivka 52 S2
Novosergiyevka 56 K4
Novosibirsk 60 Q6
Novosibirskiye Ostrova 62 P1
Novosil' 56 G4
Novotroitsk 56 L4
Novouzensk 56 J4
Novozybkov 56 F4
Nový Bor 38 K6
Nóvý Jičín 36 H8
Novyy Port 60 N4
Novyy Uoyan 62 J5
Novyy Urengoy 60 P4
Novyy Uzen' 60 J9
Nowa Ruda 36 F7
Nowata 108 B2
Nowogard 36 E4
Nowo Warpno 38 K3
Nowra 94 K6
Now Shahr 74 F2
Nowy Dwór Mazowiecki 36 K5
Nowy Sącz 36 K8
Nowy Targ 36 K8
Nowy Tomyśl 36 F5
Noyabr'sk 60 P5
Noyon 40 E5
Nsombo 90 D2
Ntem 86 G4
Ntwetwe Pan 90 C4
Nu 72 G2
Nuasjärvi 34 Q4
Nubian Desert 82 F3
Nudo Coropuna 116 C7
Nueltin Lake 100 M4
Nueva Rosita 110 F3
Nueva San Salvador 112 G6
Nuevo Casas Grandes 110 E2
Nuevo Laredo 110 G3
Nugget Point 96 B8
Nuhaka 96 F4
Nuku'alofa 92 J8
Nuku Hiva 92 M6
Nukumanu Islands 92 F6
Nukunonu 92 J6
Nukus 60 K9
Nullagine 94 D4
Nullarbor Plain 94 E6
Numan 86 G3
Numazu 66 K6
Numbulwar 94 G2
Numfor 70 (2)E3
Numto 56 P2
Nunarsuit 100 X4
Nunavut 100 M3
Nuneaton 40 A2
Nunivak Island 110 (1)D3
Nunligram 62 Y3
Nùoro 50 D8
Nuquí 116 B2
Nura 56 P4
Nurābād 79 D1
Nurata 74 J1
Nurmes 34 Q5
Nürnberg 38 G7
Nürtingen 48 E2
Nurzec 36 M5
Nushki 74 J4
Nutak 100 U5
Nuuk 100 W4
Nuussuaq 100 W2
Nyagan' 56 N2
Nyahururu 88 F3
Nyala 82 D5
Nyalam 72 E3
Nyamlell 88 D2
Nyamtumbo 88 F6
Nyandoma 56 H2
Nyantakara 88 E4
Nyborg 38 F1
Nybro 34 H8
Nyda 60 N4
Nyima 72 E2
Nyingchi 72 F3
Nyírbátor 52 K2
Nyíregyháza 36 L10
Nykarleby 34 M5
Nykøbing 38 G2
Nyköping 34 J7
Nylstroom 90 D4
Nymburk 36 E7
Nynäshamn 34 J7
Nyngan 94 J6
Nyon 48 B4
Nysa 36 D6
Nysa 36 G7
Nyukhcha 56 J2
Nyunzu 88 D5
Nyurba 62 K4
Nyuya 62 K4
Nzega 88 E4
Nzérékoré 86 C3
N'zeto 88 A5
Nzwami 90 G2

O

Oaho 110 (2)D2
Oahu 92 L3
Oakdale 108 C3
Oakham 40 B2
Oak Lake 104 F1
Oakland 104 B3
Oak Lawn 106 C2
Oakley 108 A2
Oak Ridge 106 D3
Oamaru 96 C7
Oaxaca 112 E5
Ob' 56 N2
Obama 66 H6
Oban 42 G5
O Barco 46 D2
Oberdrauburg 48 H4
Oberhausen 40 J3
Oberkirch 38 D8
Oberlin 108 A2
Oberndorf 48 H3
Oberstdorf 48 F3
Oberursel 38 D6
Obervellach 36 C11
Oberwart 48 M3
Obi 70 (2)C3
Obidos 116 F4
Obigarm 74 K2
Obihiro 66 M2
Obluch'ye 62 N7
Obninsk 56 G3
Obo, *Central African Republic* 88 D2
Obo, *China* 64 C3
Oborniki 36 F5
Obouya 86 H5
Oboyan' 56 G4
Obskaya Guba 60 N4
Obuasi 86 D3
Ob'yachevo 56 J2
Ocala 108 E4
Ocaña, *Colombia* 116 C2
Ocaña, *Spain* 46 G5
Ocean City 106 E3
Ocean Falls 100 F6
Oceanside 110 C2
Och'amch'ire 76 J2
Ochsenfurt 38 E7
Oconto 106 C2
Oda 86 D3
Ōda 66 G6
Ōdate 66 L3
Odda 34 D6
Odemira 46 B7
Ödemiș 54 L6
Odense 38 F1
Oder = Odra 36 F6
Oderzo 48 H5
Odesa 56 F5
Odessa = Odesa, *Ukraine* 56 F5
Odessa, *US* 110 F2
Odienné 86 C3
Odorheiu Secuiesc 52 N3
Odra 36 F6
Odžaci 52 G4
Oeiras 116 J5
Oelrichs 104 F2
Oelsnitz 38 H6
Oeno 92 N8
Oestev 118 H7
Ofaqim 78 B5
Offenbach 38 D6
Offenburg 48 C2
Ōgaki 66 J6
Ogasawara-shotō 58 T7
Ogbomosho 86 E3
Ogden 104 D2
Ogdensburg 100 R8
Ogilvie Mountains 100 C4
Oglio 48 E5
Ogosta 52 L6
Ogre 34 N8
Ogre 34 N8
O Grove 46 B2
Ogulin 48 L5
Ohai 96 A7
Ohio 106 C3
Ohio 106 D2
Ohre 38 J6
Ohrid 54 C3
Ohura 96 E4
Oiapoque 116 G3
Oil City 106 E2
Oise 40 E5
Ōita 66 F7
Ojinaga 110 F3
Ojos del Salado 118 H4
Oka 62 G6
Okaba 70 (2)E4
Okahandja 90 B4
Okanagan Lake 102 C2
Okano 86 G4
Okanogan 104 C1
Okara 72 B2
Okarem 74 F2
Okato 96 D4
Okavango Delta 90 C3
Okaya 66 K5
Okayama 66 G6
Okene 86 F3
Oker 38 F4
Okha, *India* 74 J5
Okha, *Russia* 62 Q6
Okhansk 56 L3
Okhotsk 62 Q5
Okhtyrka 56 F4
Okinawa 64 H5
Okinawa 64 H5
Oki-shotō 66 G5
Okitipupa 86 E3
Oklahoma 108 B2
Oklahoma City 108 B2
Okoppe 66 M1
Okoyo 86 H5
Okranger 34 E5
Oksino 56 K1
Oktinden 34 H4
Oktyabr'sk 56 L5
Oktyabr'skiy 56 K4
Okurchan 62 S5
Okushiri-tō 66 K2
Olancha 104 C3
Öland 34 J8
Olanga 34 Q3
Olathe 108 C2
Olava 38 J7
Olavarría 118 J6
Oława 36 G7
Ólbia 50 D8
Olching 48 G2
Old Crow 110 (1)K2
Oldenburg, *Germany* 38 D3
Oldenburg, *Germany* 38 F2
Oldenzaal 40 J2
Oldham 42 L8
Old Head of Kinsale 42 D10
Olean 106 E2
Olekma 62 L5
Olekminsk 62 L4
Oleksandriya 56 F5
Olenegorsk 34 S2
Olenek 62 J3
Olenëk 62 L2
Olenëkskiy Zaliv 62 L2
Olhão 46 C7
Olib 48 K6
Olinda 116 L5
Oliva 46 K6
Olivet 104 G2
Olivia 106 B2
Olmos 116 B5
Olney 108 B3
Olochi 62 K6
Olonets 56 F2
Olongapo 68 G4
Oloron-Ste-Marie 44 E10
Olot 46 N2
Olovyannaya 62 K6
Olpe 40 K3

Name	Page	Grid
Olsztyn	36	K4
Olt.	52	M4
Olten	48	C3
Oltenița	52	P5
Oltu	76	K3
Oluan-pi	68	G2
Olvera	46	E8
Olympia	104	B1
Olympos	54	E4
Olympus	54	Q10
Olyutorskiy	62	W4
Olyutorskiy Zaliv	62	V4
Om'	60	N6
Oma	72	D2
Omae-saki	66	K6
Omagh	42	E7
Omaha	104	G2
Omak	104	C1
Omakau	96	B7
Oman	74	G5
Omapere	96	D2
Omarama	96	B7
Omaruru	90	B4
Omba	72	E2
Ombrone	50	F6
Omdurman = Umm Durman	82	F4
Omegna	48	D5
Omeo	94	J7
Om Hajer	82	G5
Omīdeyeh	79	C1
Omis	48	M7
Ommen	40	J2
Omolon	62	T3
Omoloy	62	N3
Omo Wenz	88	F2
Omsk	60	N6
Omsukchan	62	S4
Ōmū	66	M1
Omulew	36	L4
Omuta	66	F7
Onda	46	K5
Ondangwa	90	B3
Ondjiva	90	B3
Ondo	86	E3
Ondörhaan	64	E1
One and a Half Degree Channel	72	B8
Onega	56	G2
O'Neill	104	G2
Oneonta	106	F2
Onești	52	P3
Onezhskoye Ozero	56	F2
Ongjin	66	C5
Ongole	72	D5
Onguday	60	R7
Oni	76	K2
Onilahy	90	G4
Onitsha	86	F3
Ono	66	J6
Onon	62	J7
Onon	62	J7
Onslow Bay	112	J2
Onsong	66	E2
Ontario	100	N6
Ontinyent	46	K6
Ontonagon	106	C1
Onyx	110	E9
Oodnadatta	94	G5
Oologah Lake	108	B2
Oostburg	40	F3
Oostelijk-Flevoland	40	H2
Oostende	40	E3
Oosterhout	40	G3
Oosterschelde	40	F3
Ootsa Lake	100	F6
Opala	88	C4
Oparino	56	J3
Opava	36	G8
Opelika	108	G3
Opelousas	108	C3
Opheim	104	E1
Opochka	56	E3
Opoczno	36	K6
Opole	36	G7
Opornyy	60	J8
Opotiki	96	F4
Opp	108	D3
Opunake	96	D4
Opuwo	90	A3
Oradea	52	J2
Orahovac	52	H7
Orai	72	C3
Oran	46	K9
Orán	118	C3
Orange	90	C5
Orange, Australia	94	J6
Orange, France	44	K9
Orange, US	108	C3
Orangeburg	108	E3
Orangeville	106	D2
Orango	86	A2
Oranienburg	38	J4
Orapa	90	D4
Orăștie	52	L4
Oravița	52	J4
Orbetello	50	F6
Orco	48	C5
Ordes	46	B1
Ordes Santa Comba	46	B1
Ordu	76	G3
Ordway	104	F3
Öreälven	34	K4
Örebro	34	H7
Oregon	104	B2
Oregon	106	A3
Orekhovo-Zuyevo	56	G3
Orel	56	G4
Orem	104	D2
Orenburg	56	L4
Orestiada	54	J3
Orford Ness	40	D2
Orhei	52	R2
Orihuela	46	K6
Orillia	106	E2
Orinoco	116	D2
Orinoco Delta = Delta del Orinoco	116	E2
Orissaare	34	M7
Oristano	50	C9
Orivesi	34	Q5
Orkla	34	F5
Orkney Islands	42	K3
Orlando	108	E4
Orléans	44	G6
Orlik	62	F6
Orly	40	E6
Ormara	74	H4
Ormoc	68	G4
Ormos Almyrou	54	G9
Ormos Mesara	54	G9
Ornans	44	M6
Orne	34	K7
Örnsköldsvik	34	K5
Orocué	116	C3
Orofino	104	C1
Oromocto	106	G1
Orona	92	J6
Oronoque	116	F3
Oroqen Zizhiqi	62	L6
Orosei	50	D8
Orosháza	52	H3
Oroszlany	36	H10
Orotukan	62	S4
Oroville	104	B3
Orroroo	94	G6
Orsay	44	H5
Orsha	56	F4
Orsk	56	L4
Orșova	52	K5
Ørsta	34	D5
Ortaklar	54	K7
Orthez	44	E10
Ortigueira	46	C1
Ortisei	48	G4
Ortles	48	F4
Ortona	50	J6
Ortonville	106	A1
Orümiyeh	76	L5
Oruro	116	D7
Orvieto	50	G6
Orville	44	L6
Ōsaka	66	H6
Ōsăm	52	M6
Osceola	106	B2
Oschatz	38	J5
Oschersleben	38	G4
Osh	60	N9
Oshamambe	66	L2
Oshawa	106	E2
Oshkosh, Nebr., US	104	F2
Oshkosh, Wis., US	106	C2
Oshogbo	86	E3
Osijek	52	F4
Ōsimo	48	J7
Oskaloosa	106	B2
Oskarshamn	34	J8
Oslo	34	F7
Oslofjorden	34	F7
Osmancık	76	F3
Osnabrück	40	L2
Osor	48	K6
Osorno	118	G7
Osprey Reef	94	J2
Oss	40	H3
Osseo	106	B2
Ossora	62	U5
Ostashkov	56	F3
Oste	38	E3
Osterburg	38	G4
Østerdalen	34	F6
Osterholz-Scharmbeck	38	D3
Osterode	38	F5
Östersund	34	H5
Ostfriesische Inseln	38	C3
Ostiglia	48	G5
Ostrava	36	H8
Ostróda	36	K4
Ostrołęka	36	L4
Ostrov, Czech Republic	38	H6
Ostrov, Russia	56	E3
Ostrova Medvezh'i	62	T2
Ostrov Atlasova	62	S6
Ostrova Vrangelya	98	V4
Ostrov Ayon	62	V2
Ostrov Belyy	60	N3
Ostrov Beringa	62	V6
Ostrov Bol'shevik	60	V2
Ostrov Bol'shoy Begichev	62	J2
Ostrov Bol'shoy Lyakhovskiy	62	Q2
Ostrov Bol'shoy Shantar	62	P6
Ostrov Chechen'	76	M2
Ostrov Iturup	66	P1
Ostrov Kil'din	34	T2
Ostrov Kolguyev	60	H4
Ostrov Komsomolets	60	T1
Ostrov Kotel'nyy	62	P1
Ostrov Kunashir	66	P1
Ostrov Mednyy	62	V6
Ostrov Mezhdusharskiy	60	H3
Ostrov Novaya Sibir'	62	S2
Ostrov Ogurchinskiy	74	F2
Ostrov Oktyabr'skoy	60	S2
Ostrov Onekotan	62	S7
Ostrov Paramushir	62	T6
Ostrov Rasshua	62	S7
Ostrov Shiashkotan	62	S7
Ostrov Shumshu	62	T6
Ostrov Simushir	62	S7
Ostrov Urup	62	S7
Ostrov Ushakova	60	Q1
Ostrov Vaygach	60	K3
Ostrov Vise	60	P2
Ostrov Vosrozhdeniya	60	K9
Ostrov Vrangelya	62	W2
Ostrowiec Świętokrzyski	36	L7
Ostrów Mazowiecka	36	L5
Ostrów Wielkopolski	36	G6
Ostuni	50	M8
Osum	54	C4
Ōsumi-shotō	66	F8
Osuna	46	E7
Oswego	106	E2
Oświęcim	36	J7
Otago Peninsula	96	C7
Otaki	96	E5
Otaru	66	L2
Oțelu Roșu	52	K4
Othonoi	54	B5
Oti	86	E3
Otjiwarongo	90	B4
Otočac	48	L6
Otog Qi	64	D3
Otoineppu	66	M1
Otorohanga	96	E4
Otranto	50	N8
Otrøy	34	D5
Ōtsu	66	H6
Otta	34	E6
Ottawa	106	E1
Ottawa, Canada	106	E1
Ottawa, Ill., US	106	C2
Ottawa, Kans., US	108	B2
Ottawa Islands	100	Q5
Otterøy	34	F4
Ottobrunn	48	G2
Ottumwa	106	B2
Otukpo	86	F3
Ouachita Mountains	108	C3
Ouâdâne	84	C4
Ouadda	88	C2
Ouagadougou	86	D2
Oualàta	84	D5
Ouargla	84	G2
Ouarzazate	84	D2
Oudenaarde	40	F4
Oudenbosch	40	G3
Oudtshoorn	90	C5
Oued Medjerda	50	D12
Oued Meliane	50	D12
Oued Tiélat	46	K9
Oued Zem	84	D2
Ouésso	86	H4
Ouezzane	84	D2
Oujda	84	E2
Oulainen	34	N4
Oulu	34	N4
Oulujärvi	34	P4
Oulujoki	34	P4
Oulx	48	B5
Oum-Chalouba	82	D4
Oum-Hadjer	82	C5
Ounarjoki	34	N3
Our	40	J4
Ouray	104	E3
Ourense	46	C2
Ouricuri	116	J5
Ourthe	40	H4
Oustreham	40	B5
Outer Hebrides	42	D4
Outjo	90	B4
Outokumpu	34	Q5
Out Skerries	42	M1
Ouyen	94	H7
Ovacik	54	R8
Ovada	48	D6
Ovalle	118	G5
Ovareli	76	L3
Overflakkee	40	G3
Overlander Roadhouse	94	B5
Overland Park	108	C2
Overton	104	D3
Övertorneå	34	M3
Ovidiopol	52	T3
Oviedo	46	E1
Owaka	96	B8
Owando	86	H5
Owase	66	J6
Owatonna	106	B2
Owensboro	106	C3
Owens Lake	104	C3
Owen Sound	106	D2
Owerri	86	F3
Owo	86	F3
Owosso	106	D2
Owyhee	104	C2
Owyhee	104	C2
Oxford, New Zealand	96	D6
Oxford, UK	40	A3
Oxnard	110	C2
Oyama	66	K5
Oyapock	116	G3
Oyem	86	G4
Oyen	102	D1
Oyonnax	48	A4
Ozd	36	K9
Ozernovskiy	62	T6
Ozero Alakol'	60	Q8
Ozero Aralsor	56	J5
Ozero Aydarkul'	60	M9
Ozero Balkhash	60	N8
Ozero Baykal	62	H6
Ozero Beloye	56	G2
Ozero Chany	60	P7
Ozero Chernoye	56	N3
Ozero Il'men'	56	F3
Ozero Imandra	34	R2
Ozero Inder	56	J8
Ozero Janis'jarvi	34	R5
Ozero Kamennoje	34	R4
Ozero Kanozero	34	T3
Ozero Karaginskiy	60	U5
Ozero Khanka	66	G1
Ozero Kolvitskoye	34	S3
Ozero Kovdozero	34	S3
Ozero Kulundinskoye	60	P7
Ozero Kushmurun	56	N4
Ozero Lama	62	D2
Ozero Leksozero	34	R5
Ozero Lovozero	34	T2
Ozero Morzhovets	56	H1
Ozero Njuk	34	R4
Ozero Ozhogino	62	R3
Ozero Pirenga	34	R3
Ozero Pyaozero	34	R3
Ozero Saltaim	56	P3
Ozero Sarpa	56	J5
Ozero Segozeroskoye	56	F2
Ozero Seletyteniz	60	N7
Ozero Sredneye Kuyto	34	R4
Ozero Taymyr	60	U3
Ozero Teletskoye	60	R7
Ozero Tengiz	56	N4
Ozero Topozero	34	R4
Ozero Umbozero	34	T3
Ozero Vygozero	56	G2
Ozero Yalpug	52	R4
Ozero Zaysan	60	Q8
Ozero Zhaltyr	56	K5
Ozero Zhamanakkol'	56	M5
Ozersk	36	M3

Name	Page	Grid
Ozhogina	62	R3
Ozhogino	62	R3
Ozieri	50	C8
Ozinki	56	J4
Ozona	110	F2
Ozurgeťi	76	J3

P

Name	Page	Grid
Paamiut	100	X4
Paar	38	G8
Paarl	90	B6
Pabbay	42	G4
Pabianice	36	J6
Pabna	72	E4
Pacasmayo	116	B5
Pachino	50	K12
Pachuca	112	E4
Pacific Ocean	92	M3
Pacitan	70	(1)E4
Packwood	104	B1
Padalere	70	(2)B3
Padang	70	(1)C3
Padangpanjang	70	(1)C3
Padangsidempuan	70	(1)B2
Paderborn	38	D5
Pádova	48	G5
Padre Island	108	B4
Padrón	46	B2
Paducah, *Ky., US*	106	C3
Paducah, *Tex., US*	110	F2
Padum	72	C2
Paekdu San	66	D3
Paeroa	96	E3
Pafos	54	Q10
Pag	48	K6
Pag	48	L6
Pagadian	68	G5
Pagai Selatan	70	(1)B3
Pagai Utara	70	(1)B3
Pagalu = Annobón	86	F5
Pagan	92	E4
Pagatan	70	(1)F3
Page, *Ariz., US*	110	D1
Page, *Okla., US*	108	C3
Pagosa Springs	104	E3
Pagri	72	E3
Pahiatua	96	E5
Paia	110	(2)E3
Paide	34	N7
Päijänne	34	N6
Painan	70	(1)C3
Painesville	106	D2
Paisley	42	H6
Paita	116	A5
Pakaraima Mountains	116	E2
Pakch'ŏn	66	C4
Paki	86	F2
Pakistan	74	J4
Pakokku	68	A2
Pakotai	96	D2
Pakrac	48	N5
Paks	52	F3
Pakxé	68	D3
Pala	82	B6
Palafrugell	46	P3
Palagónia	50	J11
Palagruža	50	L6
Palamós	46	P3
Palana	62	U5
Palanga	36	L2
Palangkaraya	70	(1)E3
Palanpur	72	B4
Palantak	74	H4
Palatka, *Russia*	62	S4
Palatka, *US*	108	E4
Palau	50	D7
Palau	92	D5
Palawan	68	F5
Palazzolo Arcéide	50	J11
Palembang	70	(1)C3
Palencia	46	F2
Paleokastritsa	54	B5
Palermo	50	H10
Palestine	108	B3
Palestrina	50	G7
Paletwa	68	A2
Palghat	72	C6
Pali	72	B3
Palikir	92	F5
Palimbang	68	G5
Palk Strait	72	C7
Palma del Rio	46	N5
Palma di Montechiaro	50	H11
Palmanova	48	J5
Palmares	116	K5
Palmarola	50	G8

Name	Page	Grid
Palmas	116	H6
Palmas	118	L4
Palm Bay	108	E4
Palmdale	110	C2
Palmerston	96	C7
Palmerston Island	92	K7
Palmerston North	96	E5
Palm Harbor	108	E4
Palmi	50	K10
Palmira	116	B3
Palmyra Island	92	K5
Palojärvi	34	M2
Palopo	70	(2)B3
Palu, *Indonesia*	70	(2)A3
Palu, *Turkey*	76	J4
Paluostrov Taymyr	62	R3
Palyavaam	62	W3
Pama	86	E2
Pamhagen	48	M3
Pamiers	44	G10
Pamlico Sound	108	F2
Pampa	110	F1
Pampas	118	J6
Pamplona, *Colombia*	112	K7
Pamplona, *Spain*	46	J2
Pana	106	C3
Panagyurishte	52	M7
Panaji	72	B5
Panama	112	H7
Panama	116	B2
Panama Canal = Canal de Panamá	112	J7
Panama City	108	D3
Panara	48	G6
Panaria	50	K10
Panarik	70	(1)D2
Panay	68	G4
Pančevo	52	H5
Panciu	52	Q4
Pandharpur	72	C5
Panevėžys	36	P2
Pangin	72	F3
Pangkajene	70	(2)A3
Pangkalpinang	70	(1)D3
Pangnirtung	100	T3
Panguitch	104	D3
Pangutaran Group	68	G5
Panhandle	110	F1
Panipat	72	C3
Panjāb	74	J3
Panjgur	74	H4
Pankshin	86	F3
Pantanal	116	F7
Pantar	70	(2)B4
Pantelleria	84	H1
Páola	50	L9
Paoua	88	B2
Pápa	52	E2
Papa	110	(2)F4
Papakura	96	E3
Papantla	112	E4
Paparoa	96	E3
Papa Stour	42	L1
Papa Westray	42	K2
Papenburg	38	C3
Papey	34	(1)F2
Papua	70	(2)E3
Papua New Guinea	92	E6
Papun	68	B3
Pará	116	G5
Para	60	H4
Parabel'	60	Q6
Paracatu	116	H7
Paracel Islands	68	E3
Paracín	52	J6
Pará de Minas	116	J7
Paragould	108	C2
Paragua, *Bolivia*	116	E6
Paragua, *Venezuela*	116	E2
Paraguay	118	J3
Paraíba	116	K5
Parakou	86	E3
Paralimni	78	A1
Paramaribo	116	F2
Paranã	116	H6
Paraná	116	H6
Paraná	118	J5
Paraná	118	K4
Paraná	118	L3
Paranaguá	118	M4
Paranaíba	116	G7
Paranaíba	116	G7
Paranavaí	118	L3
Paranestio	54	G3
Paraparaumu	96	E5
Paray-le Monial	44	K7
Parbhani	72	C5

Name	Page	Grid
Parchim	38	G3
Pardo	116	J7
Pardubice	36	E7
Pareh	76	L4
Parepare	70	(2)A3
Parga	54	C5
Parigi	70	(2)B3
Parika	116	F2
Parintins	116	F4
Paris, *France*	44	H5
Paris, *Tenn., US*	108	D2
Paris, *Tex., US*	108	B3
Parkersburg	106	D3
Park Rapids	106	A1
Parla	46	G4
Parma	48	F6
Parma, *Italy*	48	F6
Parma, *US*	106	D2
Parnaíba	116	J4
Parnassus	96	D6
Pärnu	34	N7
Pärnu	34	N7
Paros	54	H7
Paros	54	H7
Parry Bay	100	Q3
Parry Islands	100	L1
Parry Sound	106	D2
Parsons	108	B2
Parthenay	44	E5
Partinico	50	H10
Partizansk	66	G4
Paru	116	G4
Parvatipuram	72	D5
Paryang	72	D2
Pasadena, *Calif., US*	110	C2
Pasadena, *Tex., US*	108	B4
Pasalimani Adası	54	K4
Pasawng	68	B3
Paşcani	52	P2
Pasco	104	C1
Pasewalk	38	K3
Pasig	68	G4
Pasinler	76	J3
Pasłęk	36	J3
Pasłęk	36	J3
Pasleka	34	L9
Pašman	48	L7
Pasni	74	H4
Paso de Hachado	118	G6
Paso de Indios	118	H7
Paso de la Cumbre	118	H5
Paso de San Francisco	118	H4
Paso Río Mayo	118	G8
Paso Robles	110	B1
Passau	38	J8
Passo Fundo	118	L4
Passos	116	H8
Pastavy	34	P9
Pasto	116	B3
Pastos Bons	116	J5
Pásztó	52	G2
Patagonia	118	G8
Patan, *India*	72	B4
Patan, *Nepal*	72	E3
Patea	96	E4
Pate Island	88	G5
Paterna	46	K5
Paterno	50	J11
Paterson	106	F2
Pathankot	72	C2
Pathein	68	A3
Pathfinder Reservoir	104	E2
Patia	116	B3
Patiala	72	C2
Patmos	54	J7
Patna	72	E3
Patnos	76	K4
Patos de Minas	116	H7
Patra	54	D6
Patraikis Kolpos	54	D6
Patreksfjörður	34	(1)B2
Pattani	68	C5
Pattaya	68	C4
Patti	50	J10
Paturau River	96	D5
Pau	46	K1
Pauini	116	D5
Pauini	116	D5
Paulatuk	110	(1)N2
Paulo Afonso	116	K5
Paul's Valley	108	B3
Pãveh	76	M6
Pavia	48	E5
Pãvilosta	34	L8
Pavlikeni	52	N7
Pavlodar	60	P7
Pavlohrad	56	G5
Pavlovsk	56	H4

Name	Page	Grid
Pavlovskaya	56	G5
Pavullo nel Frignano	48	F6
Paxoi	54	C5
Paxson	110	(1)H3
Payerne	48	B4
Payette	104	C2
Paynes Find	94	C5
Paysandú	118	K5
Payson	110	D2
Payturma	60	S3
Pazar	76	J3
Pazardzhik	52	M7
Pazin	48	J5
Peace	100	H5
Peace River	100	H5
Peach Springs	110	D1
Pearsall	108	B4
Pebane	90	F3
Pebas	116	C5
Peć	52	H7
Pecan Island	108	C4
Pechora	56	K1
Pechora	56	L1
Pechorskoye More	60	J4
Pechory	34	P8
Pecos	110	F2
Pecos	110	F2
Pécs	52	F3
Pedja	34	P7
Pedra Azul	116	J7
Pedra Lume	86	(1)B1
Pedreiras	116	J4
Pedro Afonso	116	H5
Pedro Juan Caballero	118	K3
Pedro Luro	118	J6
Peel Sound	100	M2
Peene	38	J3
Peenemünde	38	J2
Pegasus Bay	96	D6
Pegnitz	38	G7
Pegu	68	B3
Pegunungan Barisan	70	(1)B2
Pegunungan Iban	70	(1)F2
Pegunungan Maoke	70	(2)E3
Pegunungan Meratus	70	(1)F3
Pegunungan Schwaner	70	(1)E3
Pegunungan Van Rees	70	(2)E3
Pehuajó	118	J6
Peine	38	F4
Peißenberg	48	G3
Peixe	116	H6
Pekalongan	70	(1)D4
Pekanbaru	70	(1)C2
Peking = Beijing	64	F3
Peleduy	62	J5
Peleng	70	(2)B3
Pelhřimov	36	E8
Pelješac	50	M6
Pello	34	N3
Pellworm	38	D2
Pelly Bay	100	P3
Peloponnisos	54	D7
Pelotas	118	L5
Pelym	56	M2
Pemangkat	70	(1)D2
Pematangsiantar	70	(1)B2
Pemba	90	G2
Pemba Island	88	F5
Pembina	104	G1
Pembine	106	C1
Pembroke, *Canada*	106	E1
Pembroke, *UK*	42	H10
Pembroke, *US*	108	E3
Peñafiel	46	F3
Peñaranda de Bracamonte	46	E4
Peñarroya-Pueblonuevo	46	E6
Pendleton	104	C1
Pendolo	70	(1)G3
Pend Oreille Lake	104	C1
Pend Hills	106	E2
Peniche	46	A5
Peninsula de Azuero	112	H7
Peninsula de Guajira	112	K6
Peninsula Valdés	118	J7
Péninsule de Gaspé	100	T7
Péninsule d'Ungava	100	A6
Penmarch	44	A6
Penn	50	H6
Pennines	42	K7
Pennsylvania	106	E2
Penrith	42	K7
Pensacola	112	G2
Penticton	104	C1
Penza	56	J4
Penzance	42	G11
Penzhina	62	V4
Penzhinskaya Guba	62	U4
Penzhinskiy Khrebet	62	V4

Index

Name	Page	Grid		Name	Page	Grid		Name	Page	Grid		Name	Page	Grid
Peoria, *Ariz., US*	110	D2		Phoenix Islands	92	J6		Pirmasens	38	C7		Pohnpei	92	F5
Peoria, *Ill., US*	106	C2		Phôngsali	68	C2		Pirna	38	J6		Pohokura	96	F4
Percival Lakes	94	D4		Phuket	68	B5		Pirot	52	K6		Pohořelice	48	M2
Peregrebnoye	56	N2		Piacenza	48	E5		Piru	70	(2)C3		Point Arena	102	B4
Pereira	116	B3		Piădena	48	F5		Pisa	36	L4		Point Barrow	110	(1)F1
Pergamino	118	J5		Pianosa	50	E6		Pisa	48	F7		Point Conception	110	B2
Périgueux	44	F8		Piatra-Neamţ	52	P3		Pisco	116	B6		Point Culver	94	D6
Peristera	54	G5		Piauí	116	J5		Písek	36	D8		Point d'Entrecasteaux	94	B6
Perito Moreno	118	G8		Piazza Armerina	50	J11		Pīshīn	74	H4		Pointe-Noire	86	G5
Perleberg	38	G3		Pibor Post	88	E2		Pishin	74	J3		Point Hope	110	(1)D2
Perm'	56	L3		Picacho del Centinela	110	F3		Piska	36	L4		Point Hope	110	(1)D2
Përmet	54	C4		Picayune	108	D3		Pisticci	50	L8		Point Pedro	72	D7
Pernambuco	116	K5		Pichilemu	118	G5		Pistóia	48	F7		Point Sur	104	B3
Pernik	52	L7		Pico	84	(1)B2		Pisz	36	L4		Poitiers	44	F7
Péronne	40	E5		Pico Almanzor	46	E4		Pitcairn Islands	92	P8		Pokaran	72	B3
Perpignan	44	H11		Pico Cristóbal Colón	112	K6		Piteå	34	L4		Pokhara	72	D3
Perrine	108	E4		Pico da Bandeira	118	N3		Piteälven	56	C1		Poko	88	D3
Perry, *Fla., US*	108	E3		Pico da Neblina	116	D3		Piteşti	52	M5		Pokrovsk	62	M4
Perry, *Ga., US*	108	E3		Pico de Itambé	118	N2		Pithara	94	C6		Pola de Siero	46	E1
Persepolis	79	E2		Pico de Teide	84	B3		Pithiviers	44	H5		Poland	36	G6
Persian Gulf	79	C2		Pico Duarte	112	K5		Pitkyaranta	56	F2		Polar Bluff	112	F1
Perth, *Australia*	94	C6		Picos	116	J5		Pitlochry	42	J5		Polatlı	54	Q5
Perth, *UK*	42	J5		Picton, *New Zealand*	96	D5		Pitlyar	56	N1		Polatsk	56	E3
Pertuis Breton	44	D7		Picton, *US*	106	E2		Pitt Island	96	(1)B2		Police	38	K3
Peru	106	C2		Pic Tousside	82	C3		Pittsburg	108	C2		Polichnitos	54	J5
Peru	116	C6		Piedras Negras	110	F3		Pittsburgh	106	D2		Poligny	44	L7
Peru-Chile Trench	114	D5		Pieksämäki	34	P5		Pitt Strait	96	(1)B2		Poligus	60	S5
Perúgia	50	G5		Pielinen	34	Q5		Piura	116	A5		Polillo Islands	68	G4
Pervomays'k	56	F5		Pierre	104	F2		Pivka	48	K5		Polis	54	Q9
Pervoural'sk	56	L3		Pierrelatte	44	K9		Placer	68	G4		Polistena	50	L10
Pésaro	48	H7		Piers do Rio	116	H7		Placerville	110	B1		Pollachi	72	C6
Pescara	50	J6		Piešťany	36	G9		Plaiamonas	54	E5		Pollença	46	P5
Pescia	48	F7		Pietermaritzburg	90	E5		Plains	110	F2		Polohy	56	G5
Peshawar	72	B2		Pietersburg	90	D4		Plainview	110	F2		Polomoloc	68	H5
Peshkopi	54	C3		Pietrasanta	48	F6		Planalto Central	116	H6		Polonnaruwa	72	D7
Peshtera	54	G2		Piet Retief	90	E5		Planalto da Borborema	116	K5		Poltava	56	F5
Peski Karakumy	74	G2		Pieve di Cadore	48	H4		Planalto do Mato Grosso	116	G6		Poltavka	56	F1
Peski Kzyylkum	60	L9		Pihlájavesi	34	P6		Plankinton	104	G2		Põltsamaa	34	N7
Peski Priaral'skiye Karakumy	60	L8		Pik Aborigen	62	R4		Plano	108	B3		Poluostrov Shmidta	62	Q6
Pesnica	48	L4		Piketberg	90	B6		Plasencia	46	D5		Poluostrov Yamal	60	M3
Pessac	44	E9		Pik Kommunizma	74	K2		Plast	56	M4		Poluy	60	M4
Petah Tiqwa	78	B4		Pik Pobedy	60	P9		Plateau Batéké	86	G5		Põlva	34	P7
Petalioi	54	G7		Piła	36	F4		Plateau du Djado	86	H4		Polyaigos	54	G8
Petaluma	104	B3		Pilaya	118	H3		Plateau du Limousin	44	F8		Polyarnye Zori	34	S3
Pétange	40	H5		Pilcomayo	116	E8		Plateau du Tademait	84	F3		Polyarnyy	62	X3
Petare	112	L6		Pilibhit	72	C3		Plateau of Tibet = Xizang				Polykastro	54	E4
Petauke	90	E2		Pilica	36	J7		Gaoyuan	72	D2		Polynesia	92	J6
Peterborough, *Canada*	106	L2		Pimba	94	G6		Plateaux Batéké	88	A4		Pombal	46	B5
Peterborough, *UK*	42	M9		Pimenta Bueno	116	E6		Platinum	110	(1)E4		Pomeranian Bay	36	D3
Peterhead	42	L4		Pinamalayan	68	G4		Plato	112	K7		Pomeroy	104	C1
Peter I Øy	120	(2)JJ3		Pinamar	118	K6		Plato Ustyurt	60	J9		Pomorie	52	Q7
Petersburg	106	L3		Pinang	68	B5		Platte	108	B1		Pompano Beach	108	E4
Petersfield	40	B3		Pınarbaşı	76	G4		Platteville	106	B2		Pompei	50	J8
Petershagen	38	D4		Pinar del Río	112	H4		Plattling	38	H8		Ponca City	108	B2
Petilia	50	L9		Pinarhisar	54	K3		Plattsburgh	106	F2		Ponce	112	L5
Petit Mécatina	100	U6		Pińczów	36	K7		Plattsmouth	108	B1		Pondicherry	72	C6
Peto	112	G4		Pindaré Mirim	116	H4		Plau	38	H3		Pond Inlet	100	R2
Petre Bay	96	(1)B1		Pine Bluff	106	B4		Plauen	38	H6		Ponferrada	46	D2
Petrich	54	F3		Pine Bluffs	104	F2		Plavnik	48	K6		Poniatowa	36	M6
Petrila	52	L4		Pine City	106	B1		Plavsk	56	G4		Ponoy	56	H1
Petrinja	48	M5		Pine Creek	94	F2		Playas	116	A4		Pons	44	E8
Petrolina	116	J5		Pine Creek Reservoir	106	A4		Plây Cu	68	D4		Ponta Delgada	84	(1)B2
Petropavlovka	62	H6		Pinega	56	H2		Pleasanton	110	G3		Ponta do Podrão	86	G6
Petropavlovsk	56	N4		Pineios	54	E5		Pleiße	38	H5		Ponta do Sol	86	(1)B1
Petropavlovsk-Kamchatskiy	62	T6		Pine Island Bay	120	(2)GG3		Plentywood	104	F1		Ponta Grossa	118	L4
Petrópolis	118	N3		Pineland	108	C3		Plesetsk	56	H2		Ponta Khehuene	90	L5
Petroşani	52	L4		Pinerolo	48	C6		Pleven	52	M6		Pont-à-Mousson	44	M5
Petrovac	52	J5		Pineville, *Ky., US*	106	D3		Pljevlja	52	G6		Ponta Porã	118	K3
Petrovsk-Zabaykal'skiy	62	H6		Pineville, *La., US*	108	C3		Płock	36	J5		Pontarlier	44	M7
Petrozavodsk	56	F2		Pingdingshan	64	E4		Pločno	52	E6		Pontassieve	48	G7
Petrun	56	M1		Pinggu	68	D2		Ploieşti	52	P5		Ponta Zavora	90	F4
Petukhovo	56	N3		Pingle	68	E2		Plomari	54	J6		Pont-d'Alin	44	L7
Pevek	62	W3		Pingliang	64	D3		Plön	38	F2		Ponteareas	46	B2
Pezinok	36	G9		Pingxiang, *China*	68	D2		Płońsk	36	L5		Ponte da Barca	46	B3
Pfaffenhofen	38	G8		Pingxiang, *China*	68	E1		Plovdiv	52	M7		Pontedera	48	F7
Pfarrkirchen	38	H8		Pinhel	46	C4		Plumtree	90	D4		Ponte de Sor	46	C5
Pflach	48	F3		Pini	70	(1)B2		Plunge	36	L2		Pontevedra	46	B2
Pforzheim	38	D8		Pinka	48	M3		Plymouth, *UK*	42	H11		Pontiac	106	C2
Pfunds	48	F4		Pink Mountain	100	G5		Plymouth, *US*	106	C2		Pontianak	70	(1)D3
Pfungstadt	38	D7		Pinneberg	38	E3		Plyussa	34	Q7		Pontivy	44	C5
Phalaborwa	90	E4		Pinsk	56	E4		Plyussa	56	E3		Pontoise	44	E5
Phalodi	72	B3		Pioche	104	D3		Plzeň	36	C8		Pontorson	44	D5
Phan Rang	68	D4		Piombino	50	E6		Po	48	E5		Pontrémoli	48	E6
Phan Thiết	68	D4		Pioneer	110	D2		Pocahontas	112	F1		Ponza	50	G8
Phatthalung	68	C5		Pioneer Mountains	104	D1		Pocatello	104	D2		Poogau	48	J3
Phet Buri	68	C4		Pionerskii	36	K3		Pochet	62	F5		Poole	42	L11
Phichit	68	C3		Pionerskiy	56	M2		Pochinok	56	F4		Poole Bay	42	L11
Philadelphia, *Miss., US*	108	D3		Piotrków Trybunalski	36	J6		Pocking	38	J2		Pooncarie	94	H6
Philadelphia, *Pa., US*	108	F2		Piove di Sacco	48	H5		Pocomoke City	106	E3		Poopó	116	D7
Philippeville	40	G4		Piperi	54	G5		Podgorica	52	G7		Poopó Challapata	118	H2
Philippines	68	G5		Pipestone	106	A2		Podkamennaya Tunguska	62	F4		Popayán	112	J8
Philippine Trench	58	R8		Pipiriki	96	E4		Podol'sk	56	G3		Poperinge	40	E4
Philips	100	K7		Piqua	106	D2		Podravska Slatina	52	E4		Popigay	60	W3
Phillipsburg	104	G3		Piracicaba	118	M3		Poel	38	G2		Poplar Bluff	106	B3
Phitsanulok	68	C3		Pireas	54	F7		Pofadder	90	B5		Poplarville	108	D3
Phnum Penh	68	C4		Pirin	54	F3		Poggibonsi	48	G7		Popocatépetl	112	E5
Phoenix	110	D2		Piripiri	116	J4		Pogradec	54	C4		Popokabaka	86	H6
								P'ohang	66	E5		Popovača	48	M5

Name	Page	Grid
Popovo	52	P6
Poprad	36	K8
Poprad.	36	K8
Porangatu	116	H6
Porbandar	74	J5
Porcupine	110	(1)K2
Pordenone	48	H5
Poreč	48	J5
Poret	50	H3
Pori	34	L6
Porirua	96	E5
Porlamar	112	M6
Poronaysk	62	Q7
Poros	54	F7
Porosozero	56	F2
Porozina	48	K5
Porpoise Bay	120	(2)T3
Porriño	46	B2
Porsangen	34	N1
Porsgrunn	34	E7
Portadown	42	F7
Portage	106	C2
Portage la Prairie	104	G1
Port Alberni	104	B1
Port Albert	94	J7
Portalegre	46	C5
Portales	110	F2
Port Arthur, Australia	94	J8
Port Arthur, US	108	C4
Port Augusta	94	G6
Port-au-Prince	112	K5
Port Austin	106	D2
Port Burwell	100	U4
Port Charlotte	108	E4
Port Douglas	94	J3
Portel, Brazil	116	G4
Portel, Portugal	46	C6
Port Elizabeth	90	D6
Port Ellen	42	F6
Porterville	110	C1
Port Fitzroy	96	E3
Port-Gentil	86	F5
Port Harcourt	86	F4
Port Hardy	100	F6
Port Hawkesbury	100	U7
Port Hedland	94	C4
Port Hope Simpson	100	V6
Port Huron	106	D2
Pórtici	50	J8
Portimão	46	B7
Port Jefferson	106	F2
Portland, Australia	94	H7
Portland, Ind., US	106	D2
Portland, Me., US	106	F2
Portland, Oreg., US	104	B1
Portland Island	96	F4
Port Laoise	42	E8
Port Lavaca	108	B4
Port Lincoln	94	G6
Port Loko	86	B3
Port Louis	90	(1)B2
Port Macquarie	94	K6
Port-Menier	100	U7
Port Moresby	94	J1
Port Nolloth	90	B5
Porto, Corsica	50	C6
Porto, Portugal	46	B3
Porto Alegre	118	L5
Porto Amboim	90	A2
Portocheli	54	F7
Porto do Son	46	A2
Pôrto Esperidião	116	F7
Portoferraio	50	E6
Pôrto Franco	116	H5
Port of Spain	116	E1
Pôrto Grande	116	G3
Portogruaro	48	H5
Porto Inglês	86	(1)B1
Portomaggiore	48	G6
Pôrto Murtinho	118	K3
Pôrto Nacional	116	H6
Porto-Novo	86	E3
Port Orford	104	B2
Pôrto San Giórgio	50	H5
Pôrto Santana	116	G3
Porto Santo	84	B2
Pôrto Seguro	116	K7
Porto Tolle	48	H6
Pôrto Tórres	50	C8
Porto-Vecchio	50	D7
Pôrto Velho	116	E5
Portoviejo	116	A4
Port Pirie	94	G6
Portree	42	F4
Port Renfrew	104	B1
Port Said = Bûr Saʿîd	82	F1
Port St. Johns	90	D6
Port Shepstone	90	E6
Portsmouth, UK	40	A4
Portsmouth, N.H., US	106	F2
Portsmouth, Oh., US	106	D3
Portsmouth, Va., US	106	E3
Port Sudan = Bur Sudan	82	G4
Port Sulphur	108	D4
Port Talbot	42	J10
Portugal	46	B5
Portugalete	46	G1
Port-Vendres	44	J11
Port-Vila	92	G7
Posadas	118	K4
Poschiavo	48	F4
Poshekhon'ye	56	G3
Poso	70	(2)B3
Posŏng	66	D6
Posse	116	H6
Pößneck	38	G6
Post	110	F2
Postmasburg	90	C5
Postojna	48	K5
Posušje	52	E6
Potapovo	60	R4
Poteau	108	C2
Potenza	50	K8
P'ot'i	76	J2
Potiskum	86	G2
Potlatch	104	C1
Potosí	116	D7
Potsdam, Germany	38	J4
Potsdam, US	106	F2
Pottuvil	72	D7
Poughkeepsie	106	F2
Pourerere	96	F5
Pouto	96	E3
Póvoa de Varzim	46	B3
Povorino	56	H4
Powder	104	E1
Powder River	104	E2
Powell River	100	G7
Poyang Hu	64	F5
Požarevac	52	J5
Poza Rica	112	E4
Požega	52	H6
Poznań	36	F5
Pozoblanco	46	F6
Prabumulih	70	(1)C3
Prachatice	36	D8
Prachuap Khiri Khan	68	B4
Prado	116	K7
Præstø	38	H1
Prague = Praha	36	D7
Praha	36	D7
Praia	86	(1)B2
Prainha	116	G4
Prairie du Chien	106	B2
Prapat	70	(1)B2
Praslin Island	90	(2)B1
Pratas = Dongsha Qundao	68	F2
Prato	48	G7
Pratt	104	G3
Prattville	108	D3
Praya	70	(1)F4
Preetz	38	F2
Preiji	34	P8
Premnitz	38	H4
Premuda	48	K6
Prentice	106	B1
Prenzlau	36	C4
Preobrazhenka	62	H4
Preparis Island	68	A4
Preparis North Channel	68	A3
Preparis South Channel	68	A4
Přerov	36	G8
Presa de la Boquilla	110	E3
Presa de las Adjuntas	110	G4
Presa Obregón	110	E3
Prescott	104	D4
Preševo	52	J7
Presidencia Roque Sáenz Peña	118	J4
Presidente Prudente	118	L3
Presidio	110	F3
Preslav	52	P6
Presnogorkovka	56	N4
Prešov	36	L9
Presque Isle	106	G1
Přeštice	38	J7
Preston, UK	42	K8
Preston, Minn., US	106	B2
Preston, Mo., US	106	B3
Pretoria (Tshwane)	90	D5
Preveza	54	C6
Priargunsk	62	K6
Pribilof Islands	110	(1)D4
Priboj	52	G6
Příbram	36	D8
Price	104	D3
Prichard	108	D3
Priego de Córdoba	46	F7
Priekule	34	L8
Prienai	36	N3
Prieska	90	C5
Priest Lake	104	C1
Prievidza	36	H9
Prijedor	52	D5
Prijepolje	52	G6
Prikaspiyskaya Nizmennost'	56	K5
Prilep	54	D3
Primorsk	34	Q6
Primorsko Akhtarsk	56	G5
Prince Albert	100	K6
Prince Albert Peninsula	100	H2
Prince Albert Sound	100	H2
Prince Charles Island	100	R3
Prince Edward Island	80	G10
Prince Edward Island	100	U7
Prince George	100	G6
Prince of Wales Island, Australia	94	H2
Prince of Wales Island, Canada	100	L2
Prince of Wales Island, US	100	E5
Prince of Wales Strait	100	H2
Prince Patrick Island	98	Q2
Prince Regent Inlet	100	N2
Prince Rupert	100	E5
Princess Charlotte Bay	94	H2
Princeton, Canada	100	B1
Princeton, Ill., US	106	C2
Princeton, Ky., US	106	C3
Princeton, Mo., US	106	B2
Prince William Sound	100	B4
Príncipe	86	F4
Prineville	104	B2
Priozersk	34	R6
Priština	52	J7
Pritzwalk	38	H3
Privas	44	K9
Privolzhskaya Vozvyshennost	56	H4
Prizren	52	H7
Probolinggo	70	(1)E4
Proddatur	72	C6
Progreso	112	G4
Prokhladnyy	76	L2
Prokop'yevsk	60	R7
Prokuplje	52	J6
Proletarsk	56	H5
Proliv Longa	62	X2
Proliv Vil'kitskogo	60	U2
Prophet	100	G5
Propriano	50	C7
Prorer Wiek	38	J2
Proserpine	94	J4
Prosna	36	G6
Prosperidad	68	H5
Prostojov	36	G8
Proti	54	D7
Provadiya	52	Q6
Prøven = Kangersuatsiaq	100	W2
Providence	106	F2
Providence Island	90	(2)B2
Provideniya	62	Z4
Provincetown	106	F2
Provins	44	J5
Provo	104	D2
Provost	100	D6
Prudhoe Bay	110	(1)H1
Prudnik	36	G8
Prüm	40	J4
Pruszków	36	K5
Prut	52	R4
Pružany	36	P5
Prvić	48	K6
Pryluky	56	F4
Prypyats'	32	G2
Przasnysz	36	K4
Przemyśl	36	M8
Przeworsk	36	M7
Psara	54	H6
Psebay	76	J1
Pskov	34	P5
Ptolemaida	54	D4
Ptuj	48	L4
Pucallpa	116	C5
Pucheng	64	F5
Puch'ŏn	66	D5
Púchov	36	H8
Pucioasa	52	N4
Puck	36	H3
Pudasjärvi	34	P4
Pudozh	56	G2
Puebla	112	E5
Pueblo	104	F3
Puelches	118	H6
Puelén	118	H6
Puente-Genil	46	F7
Puerto Acosta	116	D7
Puerto Aisén	118	G8
Puerto Alegre	116	E6
Puerto Angel	112	E5
Puerto Ayacucho	112	L7
Puerto Barrios	112	G5
Puerto Berrío	116	C2
Puerto Cabezas	112	H6
Puerto Carreño	112	L7
Puerto del Rosario	84	C3
Puerto de Navacerrada	46	G4
Puerto Guarini	116	F8
Puerto Heath	116	D6
Puerto Inírida	116	D3
Puerto Leguizamo	116	C4
Puerto Libertad	110	D3
Puerto Limón	116	B3
Puertollano	46	F6
Puerto Maldonado	116	D6
Puerto Montt	118	G7
Puerto Nuevo	112	K7
Puerto Peñasco	110	D2
Puerto Princesa	68	F5
Puerto Real	46	D8
Puerto Rico	112	L5
Puerto Rico	116	D6
Puerto Rico Trench	114	E1
Puerto Santa Cruz	118	H9
Puerto Suárez	116	F7
Pukapuka	92	N7
Pukatawagen	100	L5
Pukch'ŏng	66	E3
Puké	52	G7
Pula	48	J6
Pulaski	106	E2
Puławy	36	M6
Pullman	104	C1
Pułtusk	34	L10
Pulu	60	Q10
Pülümür	76	H4
Puncak Jaya	70	(2)E3
Puncak Mandala	70	(2)F3
Pune	72	B5
Punia	88	D4
Puno	116	C7
Punta Albina	90	A3
Punta Alice	50	M9
Punta Angamos	118	G3
Punta Arena	104	B3
Punta Arenas	118	G9
Punta Ballena	118	G4
Punta Dungeness	118	H9
Punta Eugenia	112	A3
Punta Galera	118	G6
Punta Gallinas	112	K6
Punta Gorda	108	E4
Punta La Marmora	50	D8
Punta Lavapié	118	G6
Punta Lengua de Vaca	118	G5
Punta Mala	116	B2
Punta Mariato	112	H7
Punta Medanosa	118	H8
Punta Negra	116	A5
Punta Norte, Argentina	118	J7
Punta Norte, Argentina	118	K6
Punta Pariñas	116	A5
Punta Rasa	118	J7
Puntarenas	112	H6
Punta San Gabriel	110	D3
Punta San Telmo	112	D5
Punta Sarga	84	B4
Puponga	96	D5
Puqi	64	E5
Puquio	72	E5
Purmerend	40	G2
Purpe	62	B4
Purukcahu	70	(1)E3
Purus	116	E5
Puruvesi	34	Q6
Pusan	66	E6
Pushkin	56	F3
Püspökladany	36	L10
Putao	68	B1
Putaruru	96	E3
Putian	64	F5
Putna	52	P4
Putrajaya	70	C2
Puttalam	72	C7
Putten	40	G3
Puttgarden	38	G2
Putumayo	116	C4
Puuwai	110	(2)A2
Puy de Dôme	44	H8
Puy de Sancy	44	H8
Puysegur Point	96	A8

Pweto ●	88	D5
Pwllheli ●	42	H9
Pyal'ma ●	56	G2
Pyatigorsk ●	76	K1
Pyè ●	68	B3
Pyhäjärvi ●	34	M6
Pylos ●	54	D8
Pyŏktong ●	66	C3
P'yŏnggang ●	66	D4
P'yŏngyang ●	66	C4
Pyramid Island ▣	96	(1)B2
Pyramid Lake ✈	104	C2/3
Pyrenees ▲	44	E11
Pyrgos ●	54	D7
Pyrzyce ●	36	D4
Pyshchug ●	56	J3
Pytalovo ●	34	P8

Q

Qadīmah ●	74	C5
Qādub ●	74	F7
Qagan Nur ✈	64	F2
Qal'aikhum ●	74	K2
Qalamat Nadqān ●	79	D5
Qalāt ●	74	J3
Qal'at Bīshah ●	74	D5
Qal'eh-ye Now ●	74	H3
Qamdo ●	64	B4
Qamīnīs ●	82	C1
Qaraaoun ●	76	F7
Qardho ●	88	H2
Qartaba ●	78	C2
Qasr Farafra ●	82	E2
Qaţanā ●	78	D3
Qatar ▣	79	D4
Qatrāna ●	78	D5
Qattâra Depression ●	82	E2
Qāyen ●	74	G3
Qazangöldag ▲	76	M4
Qazax ●	76	L3
Qazimämmäd ●	76	N3
Qazvīn ●	74	E2
Qena ●	82	F2
Qeqertarsuatsiaat ●	100	W4
Qeqertarsuatsiaq ●	100	V2
Qeqertarsuup Tunua ●	100	V3
Qeshm ●	79	F3
Qeshm ●	79	G3
Qeys ●	79	E3
Qezel Owzan ✓	76	N5
Qezi'ot ●	78	B6
Qianshanlaoba ●	60	Q8
Qiaowan ●	64	B2
Qidukou ●	72	G2
Qiemo ●	60	R10
Qijiang ●	64	D5
Qijiaojing ●	60	S9
Qila Saifullah ●	74	J3
Qilian ●	64	C3
Qilian Shan ▲	64	B3
Qingdao ●	64	G3
Qinghai Hu ✈	64	B3
Qinghai Nanshan ▲	64	B3
Qingjiang ●	64	F4
Qingshuihe ●	64	E3
Qingyang ●	64	D3
Qingyuan, China ●	64	E6
Qingyuan, China ●	64	G2
Qinhuangdao ●	64	F3
Qinzhou ●	68	D2
Qionghai ●	68	E3
Qiqian ●	62	L6
Qiqihar ●	62	L7
Qīr ●	79	E2
Qira ●	60	Q10
Qiryat Ata ●	78	C4
Qiryat Motzkin ●	78	C4
Qiryat Shemona ●	78	C3
Qishn ●	74	F6
Qolleh-ye Damāvand ▲	74	F2
Qom ●	74	F3
Qornet es Saouda ▲	78	D2
Qorveh ●	76	M6
Qotūr ●	76	L4
Quang Ngai ●	68	D3
Quangolodougou ●	86	C3
Quang Tri ●	68	D3
Quanzhou ●	68	F2
Quaqtaq ●	100	T4
Quarto Sant'Elena ●	50	D9
Quba ●	76	N3
Quchan ●	74	G2
Québec ▣	106	F1
Quedlinburg ●	38	G5
Queen Charlotte ●	100	E6
Queen Charlotte Islands ●	100	E6
Queen Charlotte Sound ●	100	E6
Queen Charlotte Strait ●	100	F6

Queen Elizabeth Islands ●	98	M2
Queen Maud Gulf ●	100	L3
Queensland ●	94	G4
Queenstown, Australia ●	94	J8
Queenstown, New Zealand ●	96	B7
Queenstown, South Africa ●	90	D6
Queets ●	104	B1
Quelimane ●	90	F3
Quemado ●	110	E2
Querétaro ●	112	D4
Quesnel ●	100	G6
Quetta ●	74	J3
Quezaltenango ●	112	F6
Quezon ●	68	F5
Quezon City ●	68	G4
Qufu ●	64	F3
Quibala ●	90	A2
Quibdó ●	112	J7
Quijotoa ●	110	D2
Quilmes ●	118	K5
Quilpie ●	94	H5
Quimbele ●	88	B5
Quimili ●	118	J4
Quimper ●	44	A5
Quimperlé ●	44	B6
Quincy ●	106	B3
Qui Nhon ●	68	D4
Quionga ●	88	G6
Quirindi ●	94	K6
Quito ●	116	B4
Qujing ●	68	C1
Qumar He ●	72	F1
Qumaryan ●	72	F1
Qurayyāt ●	74	G5
Qurghonteppa ●	74	J2
Qurlurtuuq ●	100	H3
Qus ●	82	F2
Quseir ●	82	F2
Quzhou ●	64	F5

R

Raab ✓	48	L3
Raahe ●	34	N4
Raalte ●	40	J2
Raasay ●	42	G4
Raas Caseyr ●	88	J1
Raas Xaafuun ●	88	J1
Rab ●	48	K6
Rab ●	48	K6
Rába ✓	48	L2
Raba ●	70	(2)A4
Rabak ●	82	F5
Rabat ●	50	J13
Rabat ●	84	D2
Rabca ✓	48	N3
Rābigh ●	74	C5
Rabka ●	36	K8
Rach Gia ●	68	D5
Racine ●	106	C2
Ráckeve ●	52	F2
Rădăuţi ●	52	N2
Radbuza ✓	38	H7
Radeberg ●	38	J5
Radebeul ●	38	J5
Radhanpur ●	72	B4
Radnevo ●	52	N7
Radom ●	36	L6
Radomir ●	52	K7
Radomsko ●	36	J6
Radoviš ●	54	E3
Radstadt ●	36	C10
Raduzhny ●	60	P5
Radviliškis ●	36	N2
Rae-Edzo ●	100	H4
Raevavae ●	92	M8
Rafaela ●	118	J4
Rafah ●	78	B5
Rafaï ●	88	C3
Rafhā ●	74	D4
Rafsanjān ●	79	G1
Raglan ●	96	E3
Ragusa ●	50	J12
Raha ●	70	(2)B3
Rahad el Berdi ●	82	D5
Rahimyar Khan ●	74	K4
Raichur ●	72	C5
Raigani ●	72	E3
Raigarh ●	72	D4
Rainach ✓	48	L4
Rainbow Lake ●	100	H5
Rainier ▲	104	B1
Rainy Lake ✈	106	B1
Rainy River ●	106	B1
Raipur ●	72	D4
Rai Valley ●	96	D5
Rajahmundry ●	72	D5
Raja-Jooseppi ●	34	Q2
Rajapalaiyam ●	72	C7

Rajgarh ●	72	C3
Rajkot ●	74	K5
Rajnandgaon ●	72	D4
Rajshahi ●	72	E4
Rakhiv ●	52	M1
Rakovica ●	48	L6
Rakovník ●	36	C7
Rakovski ●	52	M7
Rakvere ●	34	P7
Raleigh ●	108	F2
Ralik Chain ●	92	G5
Ram ●	78	C7
Rama ●	112	H6
Ramallah ●	78	C5
Rambouillet ●	44	G5
Rameswaram ●	72	C7
Rāmhormoz ●	79	C1
Ramla ●	78	B5
Ramlat Rabyānah ●	82	C3
Râmnicu Sărat ●	52	Q4
Râmnicu Vâlcea ●	52	M4
Rampur, India ●	72	C2
Rampur, India ●	72	C3
Ramree Island ●	68	A3
Ramsgate ●	42	P10
Ramtha ●	78	D4
Ranau ●	70	(1)F1
Rancagua ●	118	G5
Ranchi ●	72	E4
Randazzo ●	50	J11
Randers ●	34	F8
Randijaure ●	34	K3
Randolph ●	104	G2
Rânes ●	40	B6
Rangamati ●	72	F4
Rangiora ●	96	D6
Rangoon = Yangon ●	68	B3
Rankin ●	110	F2
Rankin Inlet ●	100	N4
Ranong ●	68	B5
Ransiki ●	70	(2)D3
Rānya ●	76	L5
Rapa ●	92	M8
Rapalla ●	50	D4
Rapallo ●	48	E6
Rapar ●	74	K5
Raperswil ●	48	D3
Rapid City ●	104	F2
Rapid River ●	106	C1
Rapla ●	34	N7
Rapur ●	74	J5
Raroia ●	92	N7
Rarotonga ●	92	K8
Râs Abu Shagara ●	82	G3
Ra's al Hadd ●	74	G5
Ra's al Haẓrah ●	79	D4
Ra's al Hilāl ●	82	D1
Ra's al Khaji ●	79	C2
Ra's al Khaymah ●	79	F4
Ra's al Kūh ●	79	G4
Ra's al Muraysah ●	82	E1
Ra's al 'Udayd ●	79	D4
Ra's az Zawr ●	79	C3
Ras Banās ●	82	G3
Ras Beddouza ●	84	C1
Ras Bir ●	82	H5
Ras Dashen Terara ▲	82	G5
Ra's-e Barkan ●	79	C2
Raseiniai ●	34	M9
Râs el Nafas ▲	78	B7
Ra's Fartak ●	74	F6
Râs Ghārib ●	82	F2
Rasht ●	76	N5
Rāsk ●	74	H4
Raška ●	52	H6
Ras Kasar ●	82	G4
Ra's Madrakah ●	74	G6
Râs Nouâdhibou ●	84	B4
Rason Lake ✈	94	D5
Rass Jebel ●	50	E11
Rass Mostefa ●	50	F12
Rassokha ✓	62	H2
Rast ●	52	L6
Ras Tannūrah ●	79	D3
Rastatt ●	40	L6
Rastede ●	38	D3
Ratak Chain ●	92	H4
Ratangarh ●	74	K4
Rat Buri ●	68	B4
Rath ●	72	C3
Rathenow ●	38	H4
Rathlin Island ●	42	F6
Ratlam ●	72	C4
Ratnagiri ●	74	K6
Raton ●	104	F3
Ratta ●	62	C4
Ratten ✓	48	D4
Ratzeburg ●	38	F3

Raudhatain ●	79	B1
Raukumara Range ▲	96	F4
Rauma ●	34	L6
Rausu ●	66	N1
Räut ✓	52	R2
Ravalli ●	104	D1
Ravänsar ●	76	M6
Rävar ●	79	G1
Ravenna ●	48	H6
Ravensburg ●	48	E3
Ravensthorpe ●	94	D6
Ravnina ●	74	H2
Rāwah ●	76	J6
Rawaki ●	92	J6
Rawalpindi ●	74	K3
Rawa Mazowiecka ●	36	K6
Rawāndiz ●	76	L5
Rawicz ●	36	F6
Rawlinna ●	94	E6
Rawlins ●	104	E2
Rawson ●	118	J7
Rawu ●	72	G3
Raychikhinsk ●	62	M7
Raymond ●	104	B1
Raymondville ●	110	G3
Rayong ●	68	C2
Razdol'noye ●	66	F2
Razgrad ●	52	P6
Razlog ●	52	L8
Reading, UK ●	42	M10
Reading, US ●	106	E2
Realicó ●	118	J6
Rebbenesøya ●	34	J1
Rebun-tō ●	64	L1
Rechytsa ●	56	F4
Recife ●	116	L5
Recklinghausen ●	40	K3
Recknitz ✓	38	H3
Reconquista ●	118	K4
Recreo ●	118	H4
Red, Canada/US ✓	104	G1
Red, US ✓	108	B3
Reda ●	36	H3
Red Bluff ●	110	B1
Red Cloud ●	108	B1
Red Deer ●	100	J6
Redding ●	104	B2
Redditch ●	40	A2
Red Lake ●	100	N6
Red Lakes ✈	102	H2
Red Lodge ●	104	E1
Red Oak ●	106	A2
Redon ●	44	C6
Redondela ●	46	B2
Red River = Song Hông ✓	68	C2
Red Sea ●	82	G3
Redwater ●	100	J6
Red Wing ●	106	B2
Redwood City ●	104	B3
Redwood Falls ●	106	A2
Reed City ●	106	C2
Reedsport ●	104	B2
Reefton ●	96	C6
Rega ✓	36	E4
Regen ●	38	H7
Regen ✓	38	J8
Regensburg ●	38	H7
Regenstauf ●	38	H7
Reggane ●	84	F3
Réggio di Calabria ●	50	K10
Réggio nell'Emilia ●	48	F6
Reghin ●	52	M3
Regina ●	102	F1
Rehau ●	38	H6
Rehoboth ●	90	B4
Rehovot ●	78	B5
Reichenbach ●	38	H6
Reigate ●	42	M10
Reims ●	40	G5
Reinach Bad ●	48	C3
Reindeer Lake ✈	100	L5
Reinosa ●	46	F4
Reisi ●	50	J11
Reliance ●	100	K4
Relizane ●	84	F1
Remada ●	84	H2
Remagen ●	40	K4
Rembang ●	70	(1)E4
Remeshk ●	79	H3
Remiremont ●	44	M6
Remscheid ●	40	K3
Rena ●	34	F6
Rendína ●	54	F4
Rendsburg ●	38	F2
Reni ●	52	R4
Renmark ●	94	H6

Name	Page	Grid
Rennes	44	D5
Reno	48	G6
Reno	104	C3
Rentería	46	J1
Renton	104	B1
Renukut	72	D4
Reo	70	(2)B4
Replot	34	L5
Reprêsa de Balbina	116	F4
Represa de Samuel	116	E5
Represa de Sao Simao	116	G7
Represa Ilha Solteíra	116	G7
Represa Tucuruí	116	H4
Republic	104	C1
Repulse Bay	94	J4
Requena	116	C5
Reşadiye	76	G3
Resen	52	J8
Réservoir Cabonga	106	E1
Réservoir Caniapiscau	100	T6
Réservoir de La Grande 2	100	R6
Réservoir de La Grande 3	100	R6
Réservoir de La Grande 4	100	S6
Réservoir Gouin	106	F1
Réservoir Manicouagan	100	T6
Réservoir Opinaca	100	R6
Réservoir Pipmuacan	106	G1
Reshteh-ye Kūhhā-ye Alborz	74	F2
Resistencia	118	K4
Reşiţa	52	J4
Resolute	100	N2
Resolution Island, Canada	100	U4
Resolution Island, New Zealand	96	A7
Resovo	54	K3
Rethel	40	G5
Rethymno	54	G9
Réunion	90	(1)B2
Reus	46	M3
Reutlingen	38	E8
Revda	56	L3
Revillagigedo Island	110	(1)L4
Revin	40	G5
Revivim	78	B5
Revúca	36	K9
Rewa	72	D4
Rexburg	104	D2
Reykjanes	34	(1)B3
Reykjavik	34	(1)C2
Reynosa	108	B4
Rezat	38	F7
Rezé	44	D6
Rēzekne	34	P8
Rezina	52	R2
Rezovo	52	R8
Rheda-Wiedenbrück	38	D5
Rhein = Rhine	48	C2
Rheinbach	40	K4
Rheine	40	K2
Rheinfelden	48	C3
Rhin = Rhine	48	C2
Rhine	48	C2
Rhinelander	106	C1
Rho	48	E5
Rhode Island	106	F2
Rhodes = Rodos	54	L8
Rhondda	42	J10
Rhône	44	K9
Rhyl	42	J8
Ribadeo	46	C1
Ribas do Rio Pardo	118	L3
Ribe	34	E9
Ribeauville	44	N5
Ribeirão Prêto	118	M3
Ribeiria = Santa Eugenia	46	A2
Ribera	50	H11
Riberalta	116	D6
Ribnica	50	J3
Rîbniţa	52	S2
Ribnitz-Damgarten	38	H2
Ríčany	38	K6
Riccione	48	H7
Richardson Mountains	110	(1)K2
Richfield	104	D3
Richland	104	C1
Richlands	106	D3
Richmond, Australia	94	H4
Richmond, New Zealand	96	D5
Richmond, Ky., US	106	D3
Richmond, Va., US	106	E3
Ridgecrest	110	C1
Ridgway	106	E2
Ried	48	J2
Riesa	38	J5
Rieti	50	G6
Rifle	104	E3
Rīga	34	N8
Riggins	104	C1
Rigolet	100	V6
Rijeka	48	K5
Riley	104	C2
Rimava	36	J9
Rimavská Sobota	36	K9
Rimini	48	H6
Rimouski	106	G1
Rineia	54	H7
Ringe	38	F1
Ringkøbing	34	E8
Ringkøbing Fjord	34	D9
Ringsted	38	G1
Ringvassøya	34	J1
Rinteln	38	E4
Rio Branco	116	D5
Rio Colorado	118	J6
Rio Cuarto	118	J5
Rio de Janeiro	118	N3
Rio de Janeiro	118	N3
Rio de la Plata	118	K6
Rio Gallegos	118	H9
Rio Grande	110	E2
Rio Grande, Argentina	118	H9
Rio Grande, Mexico	110	F4
Rio Grande	118	L5
Rio Grande City	108	B4
Rio Grande do Norte	116	K5
Rio Grande do Sul	118	L4
Riohacha	112	K6
Río Largartos	112	G4
Riom	44	J8
Rio Mulatos	116	D7
Rionero	50	K8
Rionero in Vulture	52	C9
Río Tigre	116	B4
Rio Verde	116	G7
Rio Verde de Mato Grosso	116	G7
Ripley, Oh., US	106	D3
Ripley, Tenn., US	106	C3
Ripley, W.Va., US	106	D3
Ripoll	46	N2
Ripon	42	L7
Rishiri-tō	62	Q7
Rishon le Ziyyon	78	B5
Ritchie's Archipelago	68	A4
Ritzville	104	C1
Rivadavia	118	G4
Riva del Garda	48	F5
Rivarolo	48	C5
Rivas	112	G6
Rivera, Argentina	118	J6
Rivera, Uruguay	118	K5
Riversdale	90	C6
Riversdale Beach	96	E5
Riverton, Canada	100	M6
Riverton, New Zealand	96	A8
Rivesaltes	44	H11
Rivière-du-Loup	106	G1
Rivne	56	E4
Rivoli	48	C5
Riwoqê	72	G2
Riyadh = Ar Riyāḍ	79	B4
Rize	76	J3
Rizhao	104	F3
Roanne	44	K7
Roanoke	106	D3
Roanoke Rapids	108	F2
Robe	94	G7
Robertsfors	34	L4
Robertval	106	F1
Roboré	116	F7
Robstown	108	B4
Roccastrada	50	F6
Rochefort, Belgium	40	H4
Rochefort, France	44	E8
Rochelle	106	C2
Rocher River	100	J4
Rochester, UK	40	C3
Rochester, Minn., US	106	B2
Rochester, N.H., US	106	F2
Rochester, N.Y., US	106	E2
Rockall	32	C2
Rockefeller Plateau	120	(2)EE2
Rockford	106	C2
Rockhampton	94	K4
Rock Hill	106	D4
Rock Island	106	B2
Rocklake	104	G1
Rockport	104	B1
Rock Rapids	104	A2
Rock Springs	104	E2
Rocksprings	110	F3
Rocky Mount	106	E3
Rocky Mountains	100	F5
Rødby Havn	38	G2
Roddickton	100	V6
Rodez	44	H9
Rodi Gargánico	50	K7
Roding	38	H7
Rodney	106	D2
Rodopi Planina	52	M7
Rodos	54	L8
Rodos	54	L8
Roebourne	94	C4
Roermond	40	J3
Roeselare	40	F4
Roes Welcome Sound	100	P4
Rogers City	106	D1
Rogerson	104	D2
Rogliano	50	D6
Rogue	104	B2
Rohrbach	48	K2
Rohtak	72	C3
Roi Et	68	C3
Roja	34	M8
Rokiškis	34	N9
Rokycany	36	C8
Rolla	106	B3
Rolleston	96	D6
Rolvsøya	34	M1
Roma	70	(2)C4
Roma, Australia	94	J5
Roma, Italy	50	G7
Roman	52	P3
Romania	52	L4
Romans-sur-Isère	44	L8
Rombas	40	J5
Rome = Roma	50	G7
Rome, Ga., US	108	D3
Rome, N.Y., US	106	E2
Romney	106	E3
Romny	56	F4
Rømø	38	D1
Romorantin-Lanthenay	44	G6
Rona	42	G2
Ronan	102	D2
Roncesvalles	46	J2
Ronda	46	E8
Rondônia	116	E6
Rondônia	116	E6
Rondonópolis	116	G7
Rondu	74	L2
Rongcheng	64	G3
Rønne	36	D2
Ronneby	34	H8
Ronne Entrance	120	(2)JJ3
Ronne Ice Shelf	120	(2)MM2
Ronse	40	F4
Roosendaal	40	G3
Roper Bar	94	F2
Roraima	116	E3
Røros	34	F5
Rosário	116	J4
Rosario, Argentina	118	J5
Rosario, Mexico	102	C4
Rosario, Mexico	102	E7
Rosario, Paraguay	118	K3
Rosário Oeste	116	F6
Rosarito	102	C6
Rosarno	50	K10
Roscommon	42	D8
Roseau	112	M6
Roseburg	104	B2
Roseires Reservoir	82	F5
Rose Island	92	K7
Rosenburg	110	G3
Rosenheim	48	H3
Roses	46	P2
Rosetown	100	K6
Rosica	52	N6
Rosignano Solvay	48	F7
Roşiori de Vede	52	N5
Roskilde	34	G9
Roslavl	56	F4
Rossano	52	L9
Ross Ice Shelf	120	(2)Z1
Ross Lake	104	B1
Roßlau	38	H5
Rosso	84	B5
Rossosh'	56	G4
Ross River	100	E4
Ross Sea	120	(2)AA2
Røssvatnet	34	G4
Røst	34	F4
Rostâq	79	E3
Rosthern	100	K6
Rostock	38	H2
Rostov	56	G3
Rostov-na-Donu	56	G5
Rostrenen	44	B5
Roswell	110	F2
Rota	92	E4
Rotarua	96	F4
Rote	70	(2)B5
Rotenburg, Germany	38	E3
Rotenburg, Germany	38	E5
Roth	38	G7
Rothenburg	38	F7
Roto	94	J6
Rott	48	H2
Rotterdam	44	K2
Rottnen	36	E1
Rottumeroog	40	J1
Rottumerplaat	40	J1
Rottweil	48	D2
Rotuma	92	H7
Roubaix	40	F4
Rouen	40	D5
Rouiba	46	P8
Round Mountain	94	K6
Round Rock	108	B3
Roundup	104	E1
Rousay	42	J2
Rovaniemi	34	N3
Rovereto	48	G5
Rovigo	48	G5
Rovinj	48	J5
Rovuma	88	F6
Rowley Island	100	R3
Rowley Shoals	94	C3
Roxas	68	G4
Roxburgh	96	B7
Royal Leamington Spa	40	A2
Royal Tunbridge Wells	40	C3
Royan	44	D8
Roye	40	E5
Royston	40	C2
Rozdil'na	52	T3
Rožňava	36	K9
Rrëshen	54	B3
Rtishchevo	56	H4
Ruacana	90	A3
Ruahine Range	96	E5
Ruapehu	96	E4
Ruapuke Island	96	B8
Ruarkela	72	D4
Ruatahuna	96	F4
Ruatoria	96	G3
Ruawai	96	D3
Rub' al Khālī	74	E6
Rubi	88	C3
Rubtsovsk	60	Q7
Ruby	110	(1)F3
Rudan	79	E3
Ruda Śląska	36	H7
Rudbar	74	H3
Rüdersdorf	38	J4
Rudkøbing	38	F2
Rudnaya Pristan'	66	H2
Rudny	56	M4
Rudolstadt	38	G6
Rüdsar	76	P5
Rue	40	D4
Ruffec	44	F7
Rufiji	88	F5
Rugby, UK	40	A2
Rugby, US	102	G2
Rügen	36	C3
Ruhnu	34	M8
Ruhr	44	L3
Ruma	42	F5
Rumah	52	G4
Rumāh	79	B4
Rumbek	88	D2
Rum Cay	112	K4
Rumigny	40	G5
Runanga	96	C6
Runaway	90	B3
Ruoqiang	60	R10
Ruo Shui	64	C2
Rupa	48	K5
Rupat	70	(1)C2
Rupert	100	R6
Rupert	104	D2
Rurutu	92	L8
Ruse	52	N6
Rushon	72	G3
Rushville, Ill., US	106	B2
Rushville, Ind., US	106	C3
Rushville, Nebr., US	104	F2
Russell	104	G3
Russellville, Ark., US	108	C2
Russellville, Ky., US	108	C2
Rüsselsheim	38	D7
Russia	34	L9
Russia	58	M3
Rust'avi	76	L3
Ruston	108	C3
Rutana	88	D4
Rute	46	F7

Index

Entry	Page	Ref
Ruteng	70	(2)B4
Rutland	106	F2
Rutog	72	C2
Ruvo di Puglia	50	L7
Ruvuma	88	F6
Ruzayevka	56	H4
Ružomberok	36	J8
Rwanda	88	D4
R-Warnemünde	38	H2
Ryazan'	56	G4
Ryazhsk	56	H4
Rybinsk	56	G3
Rybinskoye Vodokhranilishche	56	G3
Rybnik	36	H7
Rychnov	36	F7
Ryde	40	A4
Rye Patch Reservoir	104	C2
Ryki	36	L6
Ryl'sk	56	F4
Ryn-Peski	56	J5
Ryōtsu	66	K4
Rypin	36	J4
Ryukyu Islands = Nansei-shotō	64	H5
Rzeszów	36	M7
Rzhev	56	F3

S

Entry	Page	Ref
Sa'ādatābād, *Iran*	79	E1
Sa'ādatābād, *Iran*	79	F2
Saale	38	G6
Saalfeld	38	G6
Saalfelden	48	H3
Saanen	50	B2
Saar	40	J5
Saarbrücken	40	J5
Saarburg	40	J5
Saaremaa	34	L7
Saarlouis	40	J5
Saatli	76	N4
Saatly	74	E2
Saba	112	M5
Sab' Ābār	78	E3
Šabac	52	G5
Sabadell	46	N3
Sabah	70	(1)F1
Sabang	68	B5
Sabhā	84	H3
Sabiñánigo	46	K2
Sabinas	110	F3
Sabinas Hidalgo	110	F3
Sabine	108	B3
Sabine Lake	108	C3
Sabinov	36	L8
Sabkhet el Bardawil	78	A5
Sable Island	100	V8
Sablé-sur-Sarthe	44	E6
Sabôr	46	D3
Sabun	60	Q5
Sabzevār	74	G2
Săcele	52	N4
Sachanga	90	B2
Sachs Harbour	100	H4
Säckingen	48	C3
Sacramento	104	B3
Sacramento	104	B3
Şad'ah	74	D6
Sadiqabad	74	K4
Sadiya	72	G3
Sado	46	B6
Sadoga-shima	66	K4
Sadon	76	K2
Sado-shima	64	K3
Sa Dragonera	46	N5
Säffle	34	G7
Safford	110	E2
Safi, *Jordan*	78	C5
Safi, *Morocco*	84	D2
Safonovo, *Russia*	56	F3
Safonovo, *Russia*	56	J1
Safranbolu	54	Q3
Saga, *China*	72	E3
Saga, *Japan*	66	F7
Sagami-nada	66	K6
Sagar	72	C4
Sagastyr	60	Z3
Sage	104	D2
Saginaw	106	D2
Sagiz	56	K5
Sagiz	56	K5
Saguache	104	E3
Sagua la Grande	112	H4
Sagunt	46	K5
Sahāb	78	D5
Sahagún	46	E2
Sahara	80	C3
Saharah el Gharbïya	82	E4
Saharanpur	72	C3
Saharsa	72	E3
Şahbuz	76	L4
Sahel	80	C4
Sahiwal	74	K3
Sahuaripa	110	E3
Šahy	52	F1
Saïda, *Algeria*	84	F2
Saïda, *Lebanon*	78	C3
Sa'idābād	79	F2
Saidpur	72	E3
Saigo	66	G5
Saigon = Hồ Chi Minh	68	D4
Saiha	72	F4
Saihan Toroi	64	C2
Saiki	66	F7
Saimaa	34	P6
Saimbeyli	76	G4
Sā'in	79	F1
Saindak	74	H4
St. Albans	40	B3
St.-Amand-Montrond	44	H7
St. Andrä	48	K4
St. Andrews	42	K5
St. Anthony	100	V6
St. Arnaud	96	D5
St. Augustin	40	K4
St. Augustine	108	E4
St. Austell	42	H11
St.-Avold	40	J5
St. Barthélémy	112	M5
St-Brieuc	44	C5
St. Catharines	102	L3
St-Chamond	44	K8
St-Claude	44	L7
St. Cloud	106	B1
St. David's	42	G10
St-Denis, *France*	40	E6
St-Denis, *Réunion*	90	(1)B2
St-Dié	48	B2
St-Dizier	44	K5
Ste-Anne-de-Beaupré	106	F1
Ste-Menehould	40	G5
Saintes	44	E8
Stes-Maries-de-la-Mer	44	K10
St-Étienne	44	K8
St-Étienne-du-Rouvray	40	D5
St-Félicien	106	F1
St-Florentin	44	J5
St-Flour	44	J8
St. Francis	104	F3
St. Gallen	48	E3
St-Gaudens	44	F10
St. George, *Australia*	94	J5
St. George, *US*	104	D3
St. Georgen	48	D2
St. Georges	106	F1
St. George's	112	M6
St. George's Channel	42	F10
St-Germain-en-Laye	40	E6
St-Girons	44	G11
St. Helena	80	C7
St. Helena Bay	90	B6
St. Helens, *UK*	42	K8
St. Helens, *US*	104	B1
St. Helier	44	C4
St-Hubert	40	H4
St. Ignace	106	D1
St. Ives	42	G11
St-Jean-d'Angely	44	E8
St-Jean-de-Luz	44	D10
St-Jean-de-Maurienne	48	B5
St-Jean-sur-Richelieu	106	F1
St. John	100	T7
St. John's	100	W7
St. Johnsbury	106	F2
St. Joseph	106	B3
St-Jovité	106	F1
St. Kilda	42	D4
St. Kitts-Nevis	112	M5
St-Laurent-en-Grandvaux	48	A4
St-Laurent	116	G2
St. Lawrence	106	G1
St. Lawrence Island	110	(1)C3
St-Léonard	106	G1
St-Lô	40	A5
St. Louis, *Senegal*	84	B5
St. Louis, *US*	106	B3
St. Lucia	112	M6
St. Maarten	112	M5
St-Malo	44	D5
St. Marys	106	D2
St. Matthew Island	110	(1)C3
St-Mihiel	40	H6
St. Moritz	48	E4
St-Nazaire	44	C6
St-Nicolas-de-Port	48	B2
St. Niklaas	40	G3
St-Omer	40	E4
St-Palais	44	D10
St-Pamphile	106	G1
St. Paul	48	B6
St. Paul	104	G2
St. Paul	106	B2
St. Peter	106	B2
St. Peter Ording	38	D2
St. Peter-Port	44	C4
St. Petersburg = Sankt-Peterburg	56	F3
St. Petersburg	108	E4
St-Pierre-et-Miquelon	100	V7
St. Pierre Island	90	(2)A2
St-Pol-de-Léon	44	A5
St-Pol-sur-Ternoise	40	E4
St. Pölten	48	L2
St-Quentin	40	F5
St-Raphaël	48	B7
St. Siméon	106	G1
St. Stephen	106	G1
St. Thomas	106	D2
St-Tropez	48	B7
St. Truiden	40	H4
St-Valéry-sur-Somme	40	D4
St. Veit	48	K4
St. Veit an der Glan	52	B3
St. Vincent and the Grenadines	112	M6
St-Vincent-les-Forts	48	B6
St-Vith	40	J4
Saipan	92	E4
Sajószentpéter	36	K9
Sākākah	74	D4
Sakaraha	90	G4
Sakarya	54	N4
Sakarya	54	N4
Sakata	66	K4
Sakchu	66	C3
Sakha	62	N3
Sakhalin	62	Q6
Sakhalinskiy Zaliv	62	Q6
Sakhon Nakhon	68	C3
Şaki	76	M3
Sakishima-shotō	64	H6
Sakskøbing	38	G2
Sal	56	H5
Sal	86	(1)B1
Sala	34	J7
Šal'a	36	G9
Salacgrïva	34	N8
Sala Consilina	50	K8
Saladillo	118	K6
Salado	118	J4
Salālah	74	F6
Salamanca, *Mexico*	112	D4
Salamanca, *Spain*	46	E4
Salamanca, *US*	106	E2
Salamina	54	F7
Salamïyah	78	E1
Salar de Uyuni	118	H3
Salawati	70	(2)D3
Salayar	70	(2)B4
Salbris	44	H6
Saldus	34	M8
Sale	94	J7
Salekhard	60	M4
Salem	104	B2
Salem, *India*	72	C6
Salem, *US*	106	C3
Salerno	50	J8
Salgótarján	36	J9
Salida	104	E3
Salihli	54	L6
Salihorsk	56	E4
Salima	90	E2
Salina	50	J10
Salina, *Kans., US*	104	G3
Salina, *Ut., US*	104	D3
Salinas, *Brazil*	116	J7
Salinas, *Ecuador*	116	A4
Salinas, *Mexico*	110	F4
Salinas, *US*	110	B1
Salinas Grandes	118	J4
Salinópolis	116	H4
Salisbury, *UK*	40	A3
Salisbury, *Md., US*	106	E3
Salisbury, *N.C., US*	106	D3
Salisbury Island	100	R4
Şalkhad	78	D4
Salla	34	Q3
Salluit	100	R4
Salmās	76	K4
Salmon	104	C1/D1
Salmon	104	D1
Salmon Arm	100	H6
Salmon River Mountains	104	C1
Salo	34	M6
Salon-de-Provence	44	L10
Salonta	52	J3
Sal'sk	56	H5
Salsomaggiore Terme	48	E6
Salt	78	C4
Salta	118	H3
Saltee Islands	42	F9
Saltillo	110	F3
Salt Lake City	104	D2
Salto	118	K5
Salton Sea	110	C2
Saluda	108	E3
Salûm	82	E1
Saluzzo	48	C6
Salvador	116	K6
Salvadore	114	H5
Salween	68	B2
Salyan	76	N4
Salyersville	106	D3
Salym	56	P3
Salzach	48	H2
Salzburg	48	J3
Salzgitter	38	F4
Salzwedel	38	G4
Samaipata	116	E7
Samar	68	H4
Samara	56	K4
Samarinda	70	(1)F3
Samarkand	74	J2
Sāmarrā'	76	K6
Şamaxı	76	N3
Sambalpur	72	D4
Sambas	70	(1)D2
Sambava	90	J2
Sambhal	72	C3
Sambir	36	N8
Sambre	40	F4
Same	88	F4
Sami	54	C6
Sämkir	76	M3
Samoa	92	J7
Samobor	48	L5
Samoded	56	H2
Samokov	52	L7
Šamorín	36	G9
Samos	54	J7
Samos	54	J7
Samothraki	54	H4
Samothraki	54	H4
Sam Rayburn Reservoir	108	C3
Samsang	72	D2
Samsø	34	F9
Samsun	76	G3
Samtredia	76	K2
Samut Songkhram	68	B4
San	36	L7
San	86	D2
San'ā	82	H4
Sanaga	86	G4
San Ambrosio	118	F4
Sanana	70	(2)C3
Sanana	70	(2)C3
Sanandaj	76	M6
San Angelo	110	F2
San Antonia Abad	46	M6
San Antonio, *Chile*	118	G5
San Antonio, *US*	112	E3
San Antonio de los Cobres	118	H3
San Antonio-Oeste	118	H7
Sanāw	74	F6
San Benedetto del Tronto	50	H6
San Bernardino	110	C2
San Bernardo	118	H5
San Borja	116	D6
San Carlos, *Chile*	118	G6
San Carlos, *Philippines*	68	G3
San Carlos, *Venezuela*	116	D3
San Carlos de Bolívar	118	J6
San Carlos del Zulia	116	C2
San Carlos Lake	110	D2
San Cataldo	50	H11
Sanchahe	66	C1
Sanchakou	60	P10
Sanchor	72	B4
Sanchursk	56	J3
San Clemente Island	110	C2
San Cristóbal	92	G7
San Cristóbal, *Argentina*	118	J5
San Cristóbal, *Venezuela*	116	C2
San Cristóbal de las Casas	112	F5
Sancti Spiritus	112	J4
Sandakan	70	(1)F1
Sandane	34	D6
Sandanski	54	F3
Sanday	42	K2
Sandefjord	34	F7
Sanders	110	E1
Sanderson	110	F2

Place	Pg	Grid
Sandfire Roadhouse	94	D3
San Diego	110	C2
Sandıklı	54	N6
Sandnes	34	C7
Sandnessjøen	34	G4
Sandoa	88	C5
Sandomierz	36	L7
San Donà di Piave	48	H5
Sandoway	72	F5
Sandpoint	104	C1
Sandray	42	E5
Sandviken	34	J6
Sandy	104	D2
Sandy Cape	94	K4
Sandy Island	94	D2
Sandy Lake	100	N6
Sandy Lake	100	N6
Sandy Springs	108	E3
San Felipe	102	D5
San Félix	118	E4
San Fernando, Chile	118	G5
San Fernando, Mexico	108	B5
San Fernando, Philippines	68	G3
San Fernando, Spain	46	D8
San Fernando de Apure	116	D2
Sanford, Fla., US	108	E4
Sanford, N.C., US	108	F2
San Francis	108	A2
San Francisco, Argentina	118	J5
San Francisco, US	104	B3
Sangamner	72	B5
Sangān	74	H3
Sangar	62	M4
Sangāreddi	72	C5
Sângeorz-Bāi	52	M2
Sangerhausen	38	G5
Sangha	86	H4
Sanghar	74	J4
San Gimignano	48	G7
San Giovanni in Fiore	50	L9
San Giovanni Valdarno	48	G7
Sangir	70	(2)C2
Sangkhla Buri	68	B3
Sangkulirang	70	(1)F2
Sangli	72	B5
Sangmélima	86	G4
Sangre de Cristo Range	110	E1
Sangsang	72	E3
Sangue	116	F6
Sangüesa	46	J2
Sanjō	66	K5
San Joaquin Valley	104	B3
San Jose	104	B3
San José	112	H7
San José	112	H7
San Jose de Buenavista	68	G4
San José de Chiquitos	116	E7
San José de Jáchal	118	H5
San José del Cabo	112	C4
San José de Ocuné	116	C3
San Juan	112	H4
San Juan, Argentina	112	H4
San Juan, Argentina	118	H5
San Juan, Costa Rica	112	H6
San Juan, Puerto Rico	112	L5
San Juan, US	110	E1
San Juan Bautista	118	K4
San Juan de los Cayos	116	D1
San Juan de los Morros	116	D2
San Juan Mountains	104	E3
San Julián	118	H8
Sankt-Peterburg	56	F3
Sankuru	88	C4
Sanlıurfa	76	H5
San Lorenzo	110	D3
Sanlúcar de Barrameda	46	D8
San Lucas	112	C4
San Luis	118	H5
San Luis Obispo	110	B1
San Luis Potosí	112	D4
San Luis Rio Colorado	110	D2
San Marcos	108	B4
San Marino	48	H7
San Marino	48	H7
San Martín	116	E6
Sanmenxia	64	E4
San Miguel	112	G6
San Miguel	116	E7
San Miguel de Tucumán	118	H4
San Miguel Island	110	B2
San Miniato	48	F7
San Nicolas de los Arroyos	118	J5
San Nicolás de los Garzas	108	A4
San Nicolas Island	110	C2
Sânnicolau Mare	52	H3
Sanok	36	M8
San Pedro, Philippines	68	G4
San Pablo	68	G4
San-Pédro	86	C4
San Pedro, Argentina	118	J3
San Pedro, Bolivia	116	E7
San Pedro de las Colonias	110	F3
San Pedro Sula	112	G5
San Pellegrino Terme	48	E5
San Pietro	50	C9
Sanqaçal	76	N3
San Rafael	118	H5
San Remo	48	C7
San Roque	46	E8
San Salvador	108	G5
San Salvador	112	G6
San Salvador de Jujuy	118	H3
Sansar	72	C4
San Sebastián = Donostia	46	J1
San Sebastian de los Reyes	46	G4
Sansepolcro	48	H7
San Severo	50	K7
Sanski Most	48	M6
San Stéfano	50	H8
Santa Ana, Bolivia	116	D7
Santa Ana, El Salvador	112	G6
Santa Ana, Mexico	110	D2
Santa Ana, US	110	C2
Santa Bárbara	102	E6
Santa Barbara	110	C2
Santa Barbara Island	110	C2
Santa Catalina	118	H4
Santa Catalina Island	110	C2
Santa Catarina	118	L4
Santa Clara, Columbia	116	D4
Santa Clara, Cuba	102	K7
Santa Clarita	110	C2
Santa Comba Dão	46	B4
Santa Cruz	118	G9
Santa Cruz, Bolivia	116	E7
Santa Cruz, US	110	B1
Santa Cruz de Tenerife	84	B3
Santa Cruz Island	110	B2
Santa Cruz Islands	92	G7
Santa Eugenia	46	A2
Santa Fe	104	E3
Santa Fé	118	J5
Sant'Agata di Militello	50	J10
Santa Isabel	92	F6
Santa Isabel	118	H6
Santa la Grande	102	K7
Santa Margarita	102	D7
Santa Maria, Brazil	118	L4
Santa Maria, US	110	B2
Santa Maria das Barreiras	116	H5
Santa Marta	112	K6
Santana do Livramento	118	K5
Santander	46	G1
Sant'Antíoco	50	C9
Santa Pola	46	K6
Santarém, Brazil	116	G4
Santarém, Spain	46	B5
Santa Rosa, Argentina	118	J6
Santa Rosa, R.G.S., Brazil	118	L4
Santa Rosa, Acre, Brazil	116	C5
Santa Rosa, Calif., US	104	B3
Santa Rosa, N.Mex., US	110	F2
Santa Rosa Island	110	B2
Santa Vitória do Palmar	118	L5
Sant Boi	46	N3
Sant Carlos de la Ràpita	46	L4
Sant Celoni	46	N3
Sant Feliu de Guixols	46	P3
Santiago	118	G5
Santiago, Brazil	118	L4
Santiago, Dominican Republic	112	K5
Santiago, Philippines	68	G3
Santiago, Spain	46	B2
Santiago de Cuba	112	J5
Santiago del Estero	118	J4
Santo André	118	M3
Santo Antão	86	(1)A1
Santos	118	M3
San Vicente	68	G3
San Vincenzo	50	E5
Sanya	68	D3
Sao Bernardo do Campo	118	E4
São Borja	118	K4
São Carlos	118	M3
São Félix, M.G., Brazil	116	G6
São Félix, Pará, Brazil	116	H5
São Filipe	86	(1)B2
São Francisco	116	J6
São João de Madeira	46	B4
São Jorge	84	(1)B2
São José do Rio Prêto	118	L3
São Luís	116	J4
São Miguel	84	(1)B2
Saône	44	K7
São Nicolau	86	(1)B1
São Paulo	118	L3
São Paulo	118	M3
São Paulo de Olivença	116	D4
São Raimundo Nonato	116	J5
São Tiago	86	(1)B1
São Tomé	86	F4
São Tomé	86	F4
São Tomé and Príncipe	86	F4
São Vicente	86	(1)A1
São Vicente	118	M3
Saparua	70	(2)C3
Sapele	86	F3
Sapes	54	H4
Sapientza	54	D8
Sa Pobla	46	P5
Sapporo	66	L2
Sapri	50	K8
Sapudi	70	(1)E4
Sapulpa	108	B2
Saqqez	76	M5
Sarāb	76	M5
Sara Buri	68	C4
Sarajevo	52	F6
Sarakhs	74	H2
Saraktash	56	L4
Saramati	72	G3
Saran	60	N8
Saranac Lake	106	F2
Sarandë	54	C5
Sarangani Islands	70	(2)C1
Saranpul	56	M2
Saransk	56	J4
Sarapul	56	K3
Sarapul'skoye	62	P7
Sarasota	108	E4
Sarata	52	S3
Saratoga	104	E2
Saratoga Springs	106	F2
Saratov	56	J4
Saravan	74	H4
Sarawak	70	(1)E2
Saray	54	K3
Sarayköy	54	L4
Sarayönü	54	Q6
Sarbāz	74	H4
Sarbīsheh	74	G3
Sárbogárd	52	F3
Sar Dasht	76	L5
Sardegna	50	E8
Sardinia = Sardegna	50	E8
Sardis Lake	108	B3
Sar-e Pol	74	J2
Sargodha	74	K3
Sarh	86	H3
Sārī	74	F2
Saria	54	K9
Sarıkamış	76	K3
Sarıkaya	76	F4
Sarikei	70	(1)E2
Sarina	94	J4
Sariñena	46	K3
Sarīr Tibesti	82	C3
Sariwŏn	66	C4
Sark	44	C4
Sarkad	52	J3
Sarkand	60	P8
Sarkıkaraağaç	54	P6
Sarkışla	76	G4
Sárköy	54	K4
Sarmi	70	(2)E3
Sārna	34	G6
Sarny	56	E4
Sarolangun	70	(1)C3
Saronno	48	E5
Saros Körfezi	54	J4
Sárospatak	36	L9
Sarre	44	N5
Sarrebourg	44	N5
Sarreguemines	44	N4
Sarria	46	C2
Sartène	50	C7
Sartyn'ya	56	M2
Saruhanlı	54	K6
Sārur	76	L4
Sárvár	48	M3
Sarvestān	79	E2
Sárviz	52	F2
Sarykamyshskoye Ozero	60	K9
Saryozek	60	P8
Saryshagan	60	N8
Sarysu	60	M8
Sarzana	48	E6
Sasaram	72	D4
Sasebo	66	E7
Saskatchewan	100	K6
Saskatchewan	100	L6
Saskatoon	100	K6
Saskylakh	60	W3
Sassandra	86	C4
Sassari	50	C8
Sassnitz	38	J2
Sassuolo	48	F6
Satadougou	86	B2
Satara	72	B5
Satna	72	D4
Sátoraljaújhely	36	L9
Satti	72	C2
Sättna	34	J5
Satu Mare	52	K2
Satun	70	(1)B1
Sauce	118	K5
Saudi Arabia	74	D4
Sauk Center	106	B1
Saulgau	48	E2
Saulieu	44	K6
Sault Ste. Marie, Canada	106	D1
Sault Ste. Marie, US	106	D1
Saumlakki	70	(2)D4
Saumur	44	E6
Saunders Island	114	J9
Saurimo	88	C5
Sauðarkrókur	34	(1)D2
Sava	48	L5
Savaii	92	J7
Savalou	86	E3
Savannah	98	K6
Savannah, Ga., US	108	E3
Savannah, Tenn., US	108	D2
Savannakhet	68	C3
Savaştepe	54	K5
Save	86	E3
Save	90	E4
Sāveh	74	F2
Saverne	44	C8
Savigliano	48	C6
Savona	48	D6
Savonlinna	34	Q6
Savu	70	(2)B5
Sawahlunto	70	(1)C3
Sawai Madhopur	72	C3
Sawqirah	74	G6
Sayanogorsk	60	S7
Sayansk	62	G6
Sayhūt	74	F6
Sāylac	82	H5
Saynshand	64	E2
Sayram Hu	60	Q9
Say'ūn	74	E6
Say-Utes	60	J9
Sazan	54	B4
Sazin	74	K2
Scafell Pike	42	J7
Scalea	50	K9
Scarborough	42	M7
Scarp	42	E3
Schaalsee	38	F3
Schaffhausen	48	D3
Schagen	40	G2
Scharbeutz	38	F2
Schärding	48	J2
Scharhörn	38	D3
Scheeßel	38	E3
Schefferville	100	T6
Scheibbs	48	L3
Schelde	40	F3
Schenectady	106	F2
Scheveningen	40	G2
Schiedam	40	G3
Schiermonnikoog	40	H1
Schio	48	G5
Schiza	54	D8
Schkeuditz	38	H5
Schlei	38	E2
Schleiden	40	J4
Schleswig	38	E2
Schlieben	38	J5
Schlüchtern	38	E6
Schneeberg	38	G6
Schneeberg	38	H6
Schönebeck	38	G4
Schöningen	38	F4
Schouwen	40	F3
Schramberg	48	D2
Schreiber	106	C1
Schrems	48	L2
Schull	42	C10
Schwabach	38	G7
Schwäbische Alb	48	E2
Schwäbisch-Gmünd	48	E2

Schwäbisch-Hall — 38 E7
Schwalmstadt — 38 E6
Schwandorf — 38 H7
Schwarzenbek — 38 F3
Schwarzenberg — 38 H6
Schwarzwald — 48 D3
Schwaz — 48 G3
Schwechat — 36 F9
Schwedt — 36 D4
Schweich — 40 J5
Schweinfurt — 38 F6
Schwenningen — 48 D2
Schwerin — 38 G3
Schweriner See — 38 G3
Schwetzingen — 38 D7
Schwyz — 48 D3
Sciacca — 50 H11
Scicli — 50 J12
Scobey — 104 E1
Scotia Ridge — 118 K9
Scotia Sea — 120 (2)A4
Scotland — 42 H5
Scott City — 104 F3
Scott Inlet — 100 T2
Scott Island — 120 (2)Z3
Scott Reef — 94 D2
Scottsbluff — 104 F2
Scottsboro — 106 C4
Scotty's Junction — 110 C1
Scranton — 106 E2
Scunthorpe — 42 M8
Seal — 100 M5
Sea of Azov — 56 G5
Sea of Galilee — 78 C4
Sea of Marmara = Marmara Denizi — 54 L4
Sea of Okhotsk — 62 Q5
Sea of the Hebrides — 42 E4
Searchlight — 110 D1
Searcy — 106 B3
Seaside — 104 B1
Seattle — 104 B1
Sebeş — 52 L4
Sebkha Azzel Matti — 84 F3
Sebkha de Timimoun — 84 E3
Sebkha de Tindouf — 84 D3
Sebkha Mekerrhane — 84 F3
Sebkha Oum el Drouss Telli — 84 C4
Sebkhet de Chemchâm — 84 C4
Sebnitz — 38 K6
Sebring — 108 E4
Secchia — 48 F6
Sechura — 116 A5
Secretary Island — 96 A7
Secunderabad — 72 C5
Sécure — 116 D7
Sedalia — 106 B3
Sedan — 40 G5
Sedano — 46 G2
Sede Boqer — 78 B6
Sedeh — 74 G3
Séderon — 78 B5
Sédico — 48 H4
Sedom — 78 C5
Seeheim — 90 B5
Seelow — 38 K4
Seesen — 38 F5
Seevetal — 38 E3
Séez — 48 B5
Seferihisar — 54 J6
Segamat — 70 (1)C2
Segezha — 56 F2
Seghnān — 74 K2
Ségou — 86 C2
Segovia — 46 F4
Segré — 44 E6
Séguédine — 84 H4
Seguin — 108 B4
Segura — 46 H6
Sehithwa — 90 C4
Sehnde — 38 E4
Seiland — 34 M1
Seiling — 108 B2
Seinäjoki — 34 M5
Seine — 44 F4
Sekondi — 86 D3
Selassi — 70 (2)D3
Selat Bangka — 70 (1)D3
Selat Berhala — 70 (1)C3
Selat Dampir — 70 (2)D3
Selat Karimata — 70 (1)D3
Selat Makassar — 70 (1)F3
Selat Mentawai — 70 (1)B3
Selat Sunda — 70 (1)D4
Selawik — 110 (1)F2
Selb — 38 H6
Selby — 104 G1
Selçuk — 54 K7

Selebi-Phikwe — 90 D4
Sélestat — 48 C2
Selfoss — 34 (1)C3
Seligman — 110 D1
Seljord — 34 E7
Selkirk — 102 G1
Selkirk Mountains — 102 C1
Sells — 110 D2
Selm — 40 K3
Selmer — 106 C3
Selpele — 70 (2)D3
Selvas — 116 C5
Selwyn Lake — 100 L5
Selwyn Mountains — 110 (1)L3
Semanit — 54 B4
Semarang — 70 (1)E4
Sematan — 70 (1)D2
Sembé — 86 G4
Seminoe Reservoir — 104 E2
Seminole, Okla., US — 104 G3
Seminole, Tex., US — 110 F2
Semiozernoye — 60 L7
Semipalatinsk — 60 Q7
Semiyarka — 60 P7
Semois — 40 H5
Semporna — 70 (1)F2
Sena Madureira — 116 D5
Senanga — 90 C3
Senatobia — 108 D3
Sendai — 66 L4
Senec — 48 N2
Seneca — 108 E3
Senegal — 86 A2
Sénégal — 86 B1
Senftenberg — 38 J5
Senhor do Bonfim — 116 J6
Senica — 36 G9
Senigallia — 48 J7
Senj — 48 K6
Senja — 34 J2
Senlis — 40 E5
Sennar — 74 B7
Senneterre — 106 E1
Sens — 44 J5
Senta — 52 H4
Seoni — 72 C4
Seoul = Sôul — 66 D5
Separation Point — 96 D5
Sept-Îles — 100 T6
Seraing — 40 H4
Serakhs — 74 H2
Seram — 70 (2)D3
Serang — 70 (1)D4
Serbia = Srbija — 52 H6
Serbia — 52 H6
Serdobsk — 56 H4
Serebryansk — 60 Q8
Sered' — 52 E1
Şereflikoçhisar — 54 R6
Seregno — 48 E5
Serein — 44 J5
Seremban — 70 (1)C2
Sergeevka — 90 E2
Sergelen — 64 E1
Sergeyevka — 56 N4
Sergipe — 116 K6
Sergiyev Posad — 56 G3
Seria — 70 (1)E2
Serifos — 54 G7
Serik — 54 P8
Seringapatam Reef — 94 D2
Sermata — 70 (2)C4
Seronga — 90 C3
Serov — 56 M3
Serowe — 90 D4
Serpa — 46 C7
Serpukhov — 56 G4
Serra Acari — 116 F3
Serra Curupira — 116 E3
Serra da Chela — 90 A3
Serra da Espinhaço — 116 J7
Serra da Ibiapaba — 116 J4
Serra da Mantiqueira — 118 M3
Serra de Maracaju — 118 K3
Serra do Cachimbo — 116 F5
Serra do Caiapó — 116 G7
Serra do Roncador — 116 G6
Serra dos Carajás — 116 G5
Serra dos Dois Irmãos — 116 J5
Serra dos Parecis — 116 E6
Serra do Tiracambu — 116 H4
Serra Estrondo — 116 H5
Serra Formosa — 116 F6
Serra Geral de Goiás — 116 H6
Serra Geral do Paraná — 116 H7
Serra Lombarda — 116 G3
Serra Pacaraima — 116 E3
Serra Parima — 116 E3

Serra Tumucumaque — 116 F3
Serre da Estrela — 46 C4
Serres, France — 44 L9
Serres, Greece — 54 F3
Serrinha — 116 K6
Sertã — 46 B5
Serui — 70 (2)E3
Servia — 54 D4
Sêrxü — 64 B4
Sese Islands — 88 E4
Sesfontein — 90 A3
Sesheke — 90 C3
Sessa Aurunca — 50 H7
Sestri Levante — 48 E6
Sestroretsk — 34 Q6
Sestrunj — 48 K6
Sesvete — 48 M5
Setana — 66 K2
Sète — 44 J10
Sete Lagoas — 116 J7
Setesdal — 34 D7
Sétif — 84 G1
Settat — 84 D2
Setúbal — 46 B6
Sôul — 92 C2
Seurre — 44 L7
Sevana Lich — 76 L3
Sevastopol' — 76 E1
Seven Lakes — 110 E1
Sevenoaks — 40 C3
Severn, Canada — 100 P5
Severn, UK — 42 K10
Severnaya Dvina — 56 H2
Severnaya Osetiya — 76 L2
Severnaya Zemlya — 60 U1
Severn Estuary — 42 J10
Severnoye — 56 K4
Severnyy — 60 L4
Severobaykal'sk — 62 H5
Severodvinsk — 56 G2
Severomorsk — 34 S2
Severoural'sk — 56 M2
Severo-Yeniseyskiy — 60 S5
Sevier Lake — 104 D3
Sevilla — 46 E7
Sevlievo — 52 N7
Seward Peninsula — 110 (1)E2
Seyakha — 60 N3
Seychelles — 90 (2)B2
Seychelles Islands — 80 J6
Seydişehir — 54 P7
Seydisfjöður — 34 (1)G2
Seyhan — 76 F5
Seymchan — 62 S4
Seymour, Ind., US — 108 D2
Seymour, Tex., US — 108 B3
Sézanne — 44 J5
Sezze — 50 H7
Sfakia — 54 G9
Sfântu Gheorghe — 52 N4
Sfax — 84 H2
s-Gravenhage — 40 G2
Sha'am — 79 G3
Shabunda — 88 D4
Shabwah — 74 E6
Shache — 60 P10
Shādegān — 79 C1
Shadehill Reservoir — 104 F1
Shagamu — 86 E3
Shagonar — 60 S7
Shag Rocks — 118 N9
Shahbā' — 78 D4
Shahdāb — 79 G1
Shahdol — 72 D4
Shah Fuladi — 74 J3
Shahjahanpur — 74 C3
Shahrak — 74 H3
Shahr-e Bābāk — 79 F1
Shahreza — 74 F3
Shahrtuz — 74 J2
Shakhrisabz — 74 J2
Shakhtërsk — 62 Q7
Shakhty — 56 H5
Shakhun'ya — 56 J3
Shaki — 86 E3
Shakotan-misaki — 66 L2
Shama — 88 E5
Shamattawa — 100 N5
Shamrock — 110 F1
Shand — 74 H3
Shandong Bandao — 64 G3
Shangani — 90 D3
Shangdu — 64 E2
Shanghai — 64 G4
Shangqui — 64 F4
Shangrao — 64 F5
Shangzhi — 64 H1
Shangzhou — 64 D4

Shantarskiye Ostrova — 62 P5
Shantou — 64 F6
Shanwei — 68 F2
Shanyin — 64 E3
Shaoguan — 64 E6
Shaoxing — 64 G5
Shaoyang — 64 E5
Shapkina — 56 K1
Shaqrā' — 79 A4
Sharga — 60 T8
Sharjah = Ash Shāriqah — 79 F4
Shark Bay — 92 B8
Shark Reef — 94 J2
Sharm el Sheikh — 82 F2
Sharūrah — 74 E6
Shashe — 90 D4
Shashi — 64 E4
Shasta Lake — 104 B2
Shats'k — 36 N6
Shatsk — 56 H4
Shaubak — 78 C6
Shawano — 106 C2
Shcherbakove — 62 U3
Shchigry — 56 G4
Shchuch'ye — 60 L6
Shchuchyn — 34 N10
Sheberghān — 74 J2
Sheboygan — 106 C2
Sheffield, New Zealand — 96 D6
Sheffield, UK — 42 L8
Sheffield, Al., US — 106 C4
Sheffield, Tex., US — 110 F2
Shegmas — 56 J2
Shelburne — 100 T8
Shelby — 104 D1
Shelbyville — 106 C3
Shelikof Strait — 110 (1)F4
Shenandoah — 106 A2
Shendam — 86 F3
Shendi — 82 F4
Shenkursk — 56 H2
Shenyang — 66 B3
Shenzhen — 64 E6
Shepetivka — 56 E4
Shepparton — 94 J7
Sherbro Island — 86 B3
Sherbrooke — 106 F1
Sheridan — 104 E2
Sherkaly — 56 N2
Sherlovaya Gora — 62 K6
Sherman — 108 B3
s-Hertogenbosch — 40 H3
Shetland Islands — 42 M1
Shetpe — 60 J9
Sheyenne — 104 G1
Sheykh Sho'eyb — 79 F4
Shiant Islands — 42 F4
Shibata — 66 K5
Shibetsu, Japan — 66 M1
Shibetsu, Japan — 66 N2
Shibotsu-jima — 66 P2
Shiderty — 60 N7
Shihezi — 60 R9
Shijiazhuang — 64 E3
Shikarpur — 74 J4
Shikoku — 66 G7
Shikoku-sanchi — 66 G7
Shikotan-tō — 66 P2
Shikotsu-ko — 66 L2
Shiliguri — 72 E3
Shilka — 62 K6
Shilka — 62 K6
Shillong — 72 F3
Shilovo — 56 H4
Shimabara — 66 F7
Shimla — 72 C2
Shimoda — 66 K6
Shimoga — 72 C6
Shimo-Koshiki-jima — 66 E8
Shimoni — 88 F4
Shimonoseki — 66 F7
Shinās — 79 G4
Shīndan — 74 H3
Shingū — 66 H7
Shinjō — 66 L4
Shinyanga — 88 E4
Shiono-misaki — 66 H7
Shiprock — 104 E3
Shiquan — 64 D4
Shirakawa — 66 L5
Shīrāz — 79 E2
Shire — 90 E3
Shiretoko-misaki — 66 N1
Shiriya-zaki — 66 L3
Shir Kūh — 74 F3
Shivpuri — 72 C3
Shiyan — 64 E4
Shizuishan — 64 D3

Name	Page	Grid
Shizuoka	66	K6
Shkodër	52	G7
Shomishko	60	K8
Shorap	74	J4
Shoreham	40	B4
Shoshone, *Calif., US*	104	C3
Shoshone, *Id., US*	104	D2
Shoshoni	104	E2
Shostka	56	F4
Show Low	110	E2
Shoyna	56	H1
Shreveport	108	C3
Shrewsbury	42	K9
Shuangliao	66	B2
Shuangyashan	62	N7
Shubarkuduk	60	K8
Shulan	66	D1
Shumagin Islands	110	(1)E5
Shumen	52	P6
Shumikha	56	M3
Shuqrah	74	E7
Shurchi	74	J2
Shūr Gaz	79	H2
Shurinda	62	J5
Shuryshkary	56	N1
Shuya	56	H3
Shuyang	64	F4
Shwebo	68	B2
Shymkent	60	M9
Sialkot	74	K3
Siatista	54	D4
Šiauliai	36	N2
Sibay	56	L4
Šibenik	52	C6
Siberia = Sibir	58	N3
Siberut	70	(1)B3
Sibi	74	J4
Sibigo	70	(1)B2
Sibir	58	N3
Sibiu	52	M4
Sibolga	70	(1)B2
Sibu	70	(1)E2
Sibuco	68	G5
Sibut	88	B2
Sicilia	50	G11
Sicilian Channel	50	F11
Sicily = Sicilia	50	G11
Šid	52	G4
Siddipet	72	C5
Siderno	50	L10
Sidi Barrani	82	E1
Sidi Bel Abbès	84	E1
Sidi Kacem	84	D2
Sidirokastro	54	F3
Sidney	104	F2
Sidoan	70	(2)B2
Sidorovsk	60	Q4
Sieburg	40	K4
Siedlce	36	M5
Sieg	40	K4
Siegen	40	L4
Siemiatycze	36	M5
Siĕmréab	68	C4
Siena	48	G7
Sierpc	36	J5
Sierra Blanca	110	E2
Sierra Colorada	118	H7
Sierra de Calalasteo	118	H4
Sierra de Córdoba	118	H5
Sierra de Gata	46	D4
Sierra de Gúdar	46	K4
Sierra del Nevado	118	H6
Sierra de Perija	112	K7
Sierra Grande	118	H7
Sierra Leone	86	B3
Sierra Madre	112	F5
Sierra Madre del Sur	112	E5
Sierra Madre Occidental	102	E6
Sierra Madre Oriental	110	F3
Sierra Morena	46	E6
Sierra Nevada, *Spain*	46	G7
Sierra Nevada, *US*	110	B1
Sierra Vizcaino	102	D6
Sierre	48	C4
Sifnos	54	G8
Sig	46	K9
Sigean	44	H10
Sighetu Marmaţiei	52	L2
Sighişoara	52	M3
Siglufjörður	34	(1)D1
Sigmaringen	48	E2
Signal Mountain	106	C3
Siguiri	86	C2
Sihanoukville	68	C4
Siilinjärvi	34	P5
Siirt	76	J5
Sikar	72	C3
Sikasso	86	C2
Sikea	54	F4
Sikeston	106	C3
Sikhote Alin	66	H1
Sikinos	54	G8
Siklós	52	F4
Siktyakh	62	L3
Šil	46	C2
Šilalė	36	M2
Silandro	48	F4
Silba	48	K6
Silchar	72	F4
Šile	54	M3
Silhouette Island	90	(2)B1
Siliana	50	D12
Silifke	76	E5
Siling Co	72	E2
Silistra	52	Q5
Silivri	54	L3
Siljan	34	H6
Sillamäe	34	P7
Silsbee	108	C3
Siluas	70	(1)D2
Šilutė	36	L2
Silvan	76	J4
Silver Bay	106	B1
Silver City	110	E2
Silver Lake	104	B2
Silver Plains	94	H2
Simanggang	70	(1)E2
Simao	64	C6
Simav	76	C4
Simcoe	106	D2
Simeonovgrad	52	N7
Simeria	52	N12
Simeulué	70	(1)A2
Simferopol'	76	F1
Šimleu Silvaniei	52	K2
Simmerath	40	J4
Simojärvi	34	P3
Simpang	70	(1)C3
Simpson Desert	94	G4
Sinabang	70	(1)B2
Sinai	82	F2
Sinaia	52	N4
Šinak	76	K5
Sinalunga	50	F5
Sinanju	66	C4
Sincelejo	116	B2
Sinclair's Bay	42	J3
Sindangbarang	70	(1)D4
Sindelfingen	38	E8
Sines	46	B7
Singa	82	F5
Singapore	70	(1)C2
Singapore	70	(1)C2
Singaraja	70	(1)E4
Singen	48	D3
Šingerei	52	R2
Singida	88	E4
Singkawang	70	(1)D2
Singkep	70	(1)C3
Singkilbaru	70	(1)B2
Singleton	94	K6
Siniscóla	50	D8
Sinj	52	D6
Sinjär	76	J5
Sinkat	82	G4
Sinni	50	L8
Sinop	76	F2
Sinsheim	38	D7
Sinton	108	B4
Sinŭiju	66	C3
Sinyaya	62	L4
Sió	52	F3
Siófok	52	F3
Sion	48	C4
Sioux City	106	A2
Sioux Falls	106	A2
Sioux Lookout	102	H2
Siping	66	C2
Sipiwesk	100	M5
Sipura	70	(1)B3
Sira	34	D7
Siracusa	50	K11
Sir Banī 'Yās	79	E4
Sir Edward Pellew Group	94	G3
Siret	52	P2
Siret	52	Q4
Sīrgān	76	H4
Širia	36	L11
Siri Kit Dam	68	B3
Sirk	79	G3
Sirohi	72	B4
Sirsa	72	C3
Sirsi	72	B6
Sisak	52	D4
Sisian	76	L4
Sisimiut	100	W3
Sisŏphŏn	68	C4
Sisseton	104	G1
Sistema Central	46	E4
Sistema Ibérico	46	H3
Sisteron	48	A6
Sitapur	72	D3
Sitasjaure	34	J3
Siteia	54	J9
Sitges	46	M3
Sithonia	54	F4
Sitka	100	D5
Sittard	40	H4
Sittwe	72	F4
Sivand	79	E1
Sivas	76	G4
Siverek	76	H5
Sivrihisar	54	P5
Siwa	82	E1
Siyäzän	76	N3
Sjælland	34	F9
Sjenica	52	H6
Sjenica Jezero	52	G6
Sjöbo	36	C2
Skädlderviken	36	B1
Skaerbaek	38	D1
Skagen	34	F8
Skagerrak	34	D8
Skantzoura	54	G5
Skardu	74	L2
Skaulo	34	L3
Skawina	36	J8
Skegness	40	C1
Skellefteå	34	L4
Ski	34	F7
Skiathos	54	F5
Skidal'	36	P4
Skien	34	E7
Skikda	84	G1
Skipton	42	L8
Skjern	34	E9
Škofja Loka	48	K4
Skopelos	54	F5
Skopje	52	J7
Skövde	34	G7
Skovorodino	62	L6
Skowhegan	106	G2
Skuodas	34	L8
Skye	42	F4
Skyros	54	G6
Skyros	54	G6
Slagelse	38	G1
Slaney	42	F9
Slano	52	E7
Slantsy	34	Q7
Slaný	38	K6
Slatina	52	M5
Slave	98	N3
Slave Lake	100	J5
Slavonska Požega	52	E4
Slavonski Brod	52	F4
Slavyanka	66	F2
Slavyansk-na-Kubani	76	H1
Sławno	36	F3
Sleaford	40	B1
Sleeper Islands	100	S4
Slidell	108	D3
Sligo	42	D7
Sligo Bay	42	D7
Sliven	52	P7
Slobozia, *Moldova*	52	S3
Slobozia, *Romania*	52	Q5
Slonim	34	N10
Slough	40	B3
Slovakia	36	H9
Slovenia	48	K4
Slovenj Gradec	48	L4
Slovenska Bistrica	48	L4
Slov''yans'k	56	G5
Słubice	36	D5
Slunj	48	L5
Słupca	36	G5
Słupsk	36	G3
Slutsk	56	E4
Slyudyanka	62	G6
Smålandsfarvandet	38	G1
Smallwood Reservoir	100	U6
Smargon'	34	P9
Smederevo	52	H5
Smila	56	F5
Smirnykh	62	Q7
Smiths Falls	106	E2
Smokey Hills	108	B2
Smoky	100	H6
Smøla	34	D5
Smolensk	56	F4
Smolyan	54	G3
Smooth Rock Falls	106	D1
Smyrna	108	E3
Snæfell	34	(1)F2
Snake	104	C1
Snake River Plain	104	D2
Snåsavatnet	34	F4
Sneek	40	H1
Sneznohogorsk	60	R4
Snežnik	48	K5
Snina	36	M9
Snøhetta	34	E5
Snøtinden	34	G3
Snowdon	42	H8
Snowdrift	100	J4
Snowville	104	D2
Snyder	110	F2
Soalala	90	H3
Soanierana-Ivongo	90	H3
Soa-Siu	70	(2)C2
Sobral	116	J4
Sochaczew	36	K5
Sochaux	48	B3
Sochi	76	H2
Socorro	110	E2
Socotra = Suqutrā	74	F7
Socuéllamos	46	H5
Sodankylä	34	P3
Söderhamn	34	J6
Södertälje	34	J7
Sodo	88	F2
Soe	70	(2)B4
Soest	40	L3
Sofia = Sofiya	52	L7
Sofiya	52	L7
Sofiysk, *Russia*	62	N6
Sofiysk, *Russia*	62	P6
Soporog	34	R4
Sōfu-gan	64	L5
Sogamoso	116	C2
Sognefjorden	34	C6
Sogod	68	G4
Sog Xian	72	F2
Sohâg	82	F2
Soignies	40	G4
Soissons	40	F5
Sokch'o	66	E4
Söke	54	K7
Sokhumi	76	J2
Sokode	86	E3
Sokol	56	H3
Sokółka	34	M10
Sokolo	86	C2
Sokolov	38	H6
Sokołów Podlaski	36	M5
Sokoto	86	F2
Sokoto	86	F2
Sokyryany	52	Q1
Solander Island	96	A8
Solapur	72	C5
Sölden	48	F4
Solenzara	50	D7
Solikamsk	56	L3
Sol'-Iletsk	56	L4
Soliman	50	E12
Solingen	40	K3
Sollefteå	34	J5
Soller	46	N5
Solna	34	J7
Solomon Islands	92	F6
Solothurn	48	C3
Solov'yevsk	62	K6
Šolta	52	D6
Soltau	38	E4
Solway Firth	42	J7
Solwezi	90	D4
Soma	54	K5
Sõma	66	L5
Somalia	88	H2
Sombor	52	G4
Sombrerete	110	F4
Somerset, *Australia*	94	H2
Somerset, *Ky., US*	106	C3
Somerset, *Pa., US*	106	E2
Somerset Island	100	N2
Someş	52	K2
Somme	40	E4
Sommen	34	H8
Sömmerda	38	G5
Sømna	34	F4
Sondags	90	D6
Sønderborg Ærø	38	E7
Sondershausen	38	F5
Sóndrio	48	E4
Songavatn	34	D7
Songea	88	F6
Song Hông	68	C2
Songhua Hu	66	D2
Songhua Jiang	66	D1

Songkan 64 D5
Songkhla 68 C5
Songnam 66 D5
Songnim 66 C4
Songo 90 E3
Songololo 86 G6
Songpan 64 C4
Sonid Yuoqi 64 E2
Sonid Zuoqi 64 E2
Son La 68 C2
Sonneberg 38 G6
Sono 116 H6
Sonora 110 B1
Sonora 110 D3
Sonoyta 110 D2
Sonsorol Islands 70 (2)D1
Sonthofen 48 F3
Sopot 34 K9
Sopron 48 M3
Sora 50 H7
Soracaba 118 M3
Sorel 106 F1
Sorgun 76 F4
Soria 46 H3
Sorø 38 G1
Soroca 52 R1
Sorochinsk 56 K4
Sorong 70 (2)D3
Soroti 88 E3
Sørøya 34 L1
Sorrento 50 J8
Sorsele 34 J4
Sorso 50 C8
Sort 46 M2
Sortavala 34 R6
Sørvagen 34 G3
Sosnogorsk 60 J5
Sosnovo 34 R6
Sosnowiec 36 J7
Sos'va 56 M3
Sos'vinskaya 56 M2
Soto la Marina 110 G4
Soubré 86 C3
Soufli 54 J3
Souilly 40 H5
Souk Ahras 50 B12
Soul 66 D5
Soulac-sur-Mer 44 D8
Soumussalmi 34 Q4
Soûr 78 C3
Soure 46 B5
Sour el Ghozlane 46 P8
Souris 102 F2
Souris 102 G2
Sousa 116 K5
Sousse 84 H1
South Africa 90 C6
South America 98 J9
Southampton, Canada 106 D2
Southampton, UK 40 A4
Southampton Island 100 Q4
South Andaman 72 F6
South Atlantic Ocean 118 P6
South Australia 94 F5
South Baymouth 106 D1
South Bend 106 C2
South Boston 106 E3
South Carolina 108 E3
South Charleston 108 E2
South China Sea 68 E4
South Dakota 104 F2
South Downs 40 B4
South East Cape 94 J8
South East Point 94 J7
Southend-on-Sea 40 C3
Southern Alps 96 B6
Southern Cross 94 C6
Southern Indian Lake 100 M5
South Georgia 118 P9
South Harris 42 F4
South Haven 106 C2
South Hill 106 E3
South Island 96 B6
South Korea 66 D5
South Lake Tahoe 104 B3
South Orkney Islands 120 (2)A3
South Pacific Ocean 118 P6
South Platte 104 F2
Southport 42 J8
South Ronaldsay 42 K3
South Sandwich Islands 120 (2)C4
South Sandwich Trench 114 H9
South Saskatchewan 102 D1
South Shetland Islands 120 (2)MM4
South Shields 42 L7
South Taranaki Bight 96 D4
South Uist 42 E4
South West Cape,
 Auckland Island 96 (2)A1

South West Cape, Australia 94 H8
Southwest Cape 96 A8
South West Pacific Basin 92 L9
Southwold 40 D2
Sovata 52 N3
Sovetsk, Russia 34 L9
Sovetsk, Russia 56 J3
Soweto 90 D5
Sōya-misaki 66 L1
Sozopol 52 Q7
Spa 40 H4
Spain 46 F5
Spalding 40 B2
Sparks 110 C1
Spartanburg 108 E3
Sparti 54 E7
Sparwood 104 D1
Spassk-Dal'niy 66 G1
Spearfish 104 F2
Spencer 106 A2
Spencer Gulf 94 G6
Spetses 54 F7
Spey 42 J4
Speyer 40 L5
Spiekeroog 38 C3
Spiez 48 C4
Spišská Nová Ves 36 K9
Spitsbergen 120 (1)P2
Spittal 48 J4
Split 52 D6
Spokane 104 C1
Spoleto 50 G6
Spooner 106 B1
Sprague 104 C1
Spratly Islands 68 E4
Spray 104 C2
Spree 38 K4
Spremberg 38 K5
Spring 108 B3
Springbok 90 B5
Springe 38 E4
Springer 110 F1
Springerville 110 E2
Springfield, Colo., US 110 F1
Springfield, Ill., US 106 C3
Springfield, Mass., US 106 F2
Springfield, Mo., US 106 B3
Springfield, Oh., US 106 D3
Springfield, Oreg., US 104 B2
Springfield, Vt., US 106 F2
Spring Hill 108 E4
Springs 90 D5
Springs Junction 96 D6
Springsure 94 J4
Springville, Al., US 108 D3
Springville, N.Y., US 106 E2
Squamish 104 B1
Squinzano 50 N8
Srbija 52 H6
Srbobran 52 G4
Sredenekolymsk 62 S3
Sredinnyy Khrebet 62 T6
Srednesibirskoye
 Ploskogor'ye 62 F3
Srednogorie 54 G2
Šrem 36 G5
Sretensk 62 K6
Sri Jayewardenepura Kotte 72 D7
Srikakulam 72 D5
Sri Lanka 72 D7
Srinagar 72 B2
Stack Skerry 42 H2
Stade 34 E10
Stadlandet 34 C5
Stadskanaal 40 J2
Stadtallendorf 38 E6
Stadthagen 38 E4
Staffa 42 F5
Staffelstein 38 F6
Stafford 42 K9
Staines 40 B3
Stainz 48 L4
Stakhanov 56 G5
Stalowa Wola 36 M7
Stambolijski 54 G2
Stamford, UK 40 B2
Stamford, US 106 F2
Standish 106 D2
Stanhope 106 D3
Stanke Dimitrov 54 F2
Stanley, Australia 94 J8
Stanley, Falkland Islands 118 K9
Stanley, US 104 F1
Stanovaya 62 T3
Stanovoye Nagor'ye 62 J5
Stanovoy Khrebet 62 L5
Staphorst 40 J2
Stapleton 104 F2

Starachowice 36 L6
Stara L'ubovňa 36 K8
Stara Pazova 52 H5
Stara Planina 54 F1
Staraya Russa 56 F3
Stara Zagora 52 N7
Starbuck Island 92 L6
Stargard Szczeciński 34 H10
Starkville 108 D3
Starnberg 48 G2
Starnberger See 48 G3
Start Point 44 B3
Staryy Oskol 56 G4
Staszów 36 L7
Statesboro 108 E3
Statesville 108 E2
Staunton 108 F2
Stavanger 34 C7
Stavoron 40 H2
Stavropol' 76 J1
Stavropol'skaya
 Vovyshennost' 56 H5
Steamboat Springs 104 E2
Steens Mountains 104 C2
Stefansson Island 100 L2
Stege 38 H1
Stei 52 K3
Stein 38 G7
Steinach 48 G3
Steinfurt 40 K2
Steinjker 34 F4
Stenay 40 H5
Stendal 38 G4
Steno Antikythiro 54 F9
Stephenville 108 B3
Sterling 104 F2
Sterling City 110 F2
Sterling Heights 106 D2
Sterlitamak 56 L4
Sternberk 36 G8
Stettiner Haff 34 G10
Stevenage 40 B3
Stevens Point 106 C2
Stevens Village 100 (1)H2
Stewart 100 F5
Stewart 110 (1)K3
Stewart Island 96 A8
Steyr 48 K2
Stillwater 108 B2
Stinnett 110 F1
Štip 54 E3
Stirling 42 J5
Stjørdal 34 F5
Stockach 48 E3
Stockerau 48 M2
Stockholm 34 K7
Stockport 42 K8
Stockton, Calif., US 110 B1
Stockton, Kans., US 110 G1
Stockton-on-Tees 42 L7
Stœng Trêng 68 D4
Stoke-on-Trent 42 K8
Stokksnes 34 (1)F2
Stolac 52 F6
Stolberg 40 J4
Stolin 56 E4
Stollberg 38 H6
Stonehaven 42 K5
Stony Rapids 100 K5
Stör 38 E2
Stora Lulevatten 34 K3
Store Bælt 38 F1
Støren 34 F5
Store Sotra 34 B6
Storlien 34 G5
Storm Bay 94 J8
Storm Lake 106 A2
Stornoway 42 F3
Storozhevsk 56 K2
Storozhynets' 52 N1
Storsjøen 34 F6
Storsjön, Sweden 34 G5
Storsjön, Sweden 34 J6
Storuman 34 J4
Storuman 34 J4
Stour 40 C2
Stowmarket 40 D2
Strabane 42 E7
Stradella 48 E5
Strait of Belle Isle 100 V6
Strait of Bonifacio 50 D7
Strait of Dover 40 D4
Strait of Georgia 104 B1
Strait of Gibraltar 46 E9
Strait of Hormuz 79 G3
Strait of Juan de Fuca 104 B1
Strait of Malacca 70 (1)C2

Straits of Florida 108 E5
Strakonice 38 J7
Stralsund 34 G9
Strand 90 B6
Stranda 34 D5
Strandavatn 34 D6
Stranraer 42 H7
Strasbourg 48 C2
Strasburg 110 F1
Stråsjeni 52 R2
Stratford, Canada 106 D2
Stratford, US 104 F3
Stratford-upon-Avon 40 A2
Strathroy 106 D2
Stratoni 54 F4
Stratton 106 F1
Straubing 48 H2
Straumnes 34 (1)B1
Strausberg 38 J4
Streaky Bay 94 F6
Streator 106 C2
Strehaia 52 L5
Strelka, Russia 62 E5
Strelka, Russia 62 S4
Strezhevoy 56 Q2
Strimonas 54 F4
Strofades 54 C7
Stromboli 50 K10
Strömsund 34 H5
Stronsay 42 K2
Stroud 42 K10
Struga 54 C3
Strugi-Krasnyye 34 Q7
Strumica 54 E3
Stryjama 52 M7
Stryy 36 N8
Stryy 36 N8
Strzegom 36 F7
Strzelce Opolskie 36 H7
Strzelin 36 G7
Sturgeon Bay 106 C2
Sturgeon Falls 106 E1
Sturgis, Ky., US 106 C3
Sturgis, S.D., US 104 F2
Sturkö 36 E1
Šturova 36 H10
Sturt Stony Desert 94 G5
Stuttgart, Germany 48 E2
Stuttgart, US 108 C3
Stykkishólmur 34 (1)B2
Suai 70 (2)C4
Suakin 82 G4
Subcule 82 H5
Subi Besar 70 (1)D2
Sublette 110 F1
Subotica 52 G3
Suceava 52 P2
Suck 42 D8
Sucre 116 D7
Sudak 76 F1
Sudan 82 E5
Sudan 86 D2
Suday 56 H3
Sudbury, Canada 106 D1
Sudbury, UK 40 C2
Sudd 88 E2
Sudová Vyshnya 36 N8
Suez = El Suweis 82 F2
Suez Canal 82 F1
Suffolk 108 F2
Sugun 74 L2
Suhär 79 G4
Suhl 38 F6
Suide 64 E3
Suifenhe 66 F1
Suihua 62 M7
Suippes 40 G5
Suir 42 E9
Suixi 64 E6
Suizhong 64 G2
Suizhou 64 E4
Sukabumi 70 (1)D4
Sukadana 70 (1)D3
Sukhinichi 56 G4
Sukhona 56 H3
Sukkertoppen = Maniitsoq 100 W3
Sukkur 74 J4
Sula 56 K1
Sula 56 K1
Sula Sgeir 42 F2
Sulawesi 70 (2)A3
Sulejówek 36 L5
Sule Skerry 42 H2
Sulgachi 62 N4
Sulina 52 S4
Sulingen 40 L2
Sullana 116 A4
Sullivan 108 C2

Place	Page	Ref
Sulmona	50	H6
Sulphur Springs	108	B3
Sultanhanı	54	R6
Sultanpur	72	D3
Sulu Archipelago	68	G5
Sulu Sea	68	F5
Sulzbach	40	K5
Sulzbach-Rosenberg	38	G7
Sulzberger Bay	120	(2)CC2
Sumatera	70	(1)C2
Sumatra = Sumatera	70	(1)C2
Sumba	70	(2)A5
Sumbawa	70	(2)A4
Sumbawabesar	70	(2)A4
Sumbawanga	88	E5
Sumbe	90	A2
Sumen	76	B2
Sumenep	70	(1)E4
Sumisu-jima	66	L8
Sumkino	56	N3
Summer Lake	104	B2
Summerville	108	E3
Summit	100	B4
Šumperk	36	G8
Sumqayıt	76	N3
Sumter	108	E3
Sumy	56	F4
Sunbury	106	E2
Sunch'ŏn	66	D6
Sun City	90	D5
Sundance	104	F2
Sundarbans	72	E4
Sunday Strait	94	D3
Sunderland	42	L7
Sundridge	106	E1
Sundsvall	34	J5
Sundsvallsbukten	34	J5
Sungaipenuh	70	(1)C3
Sungei Petani	68	C5
Sunnyvale	104	B3
Sun Prairie	106	C2
Suntar	62	K4
Suntsar	74	H4
Sunwu	62	M7
Sunyani	86	D3
Suomussalmi	56	E2
Suô-nada	66	F7
Suonenjoki	34	P5
Suordakh	62	P3
Suoyarvi	56	F2
Superior	102	H2
Supetar	52	D6
Süphan Daği	76	K4
Sūqash Shuyūkh	79	B1
Suqian	64	F4
Suquṭrā	74	F7
Sūr	74	G5
Sura	56	J4
Surab	74	J4
Surabaya	70	(1)E4
Sūrak	79	H4
Surakarta	70	(1)E4
Šurany	52	F1
Surat	72	B4
Surat Thani	68	B5
Surdulica	52	K7
Süre	40	H5
Surfers Paradise	94	K5
Surgut	60	N5
Surgutikha	60	R5
Surigao	68	H5
Surin	68	C4
Suriname	116	F3
Surkhet	72	D3
Sürmaq	79	E1
Surovikino	56	H5
Surskoye	56	J4
Surt	84	J2
Surtsey	34	(1)C3
Susa	48	C5
Suşa	76	M4
Sušac	52	D7
Susak	48	K6
Susanville	104	B2
Suşehri	76	H3
Sušice	38	J7
Susitma	110	(1)G3
Susuman	62	R4
Susurluk	54	L5
Sutherland	90	C6
Sutlej	72	B3
Suusamyr	60	N9
Suva	92	H7
Suvorov Island	92	K7
Suwałki	36	M3
Suwannaphum	68	C3
Suweilih	78	C4
Suweima	78	C5
Suwŏn	66	D5
Suzak	56	N6
Suzhou, China	64	F4
Suzhou, China	64	G4
Suzuka	66	J6
Suzu-misaki	66	J5
Svalbard	120	(1)Q2
Svalyaya	52	L1
Svartenhuk Halvø	100	V2
Svatove	56	G5
Sveg	34	H5
Šventoji	34	N9
Sverdrup Islands	120	(1)DD2
Svetac	52	C6
Sveti Nikole	54	D3
Svetlaya	62	P7
Svetlogorsk	36	K3
Svetlograd	56	K1
Svetlyy, Russia	36	K3
Svetlyy, Russia	60	L7
Svidník	36	L8
Svilengrad	54	J3
Svishtov	52	N6
Svitava	36	F8
Svitovy	36	F8
Svobodnyy	62	M6
Svratka	36	F8
Svyetlahorsk	56	E4
Swain Reefs	94	K4
Swains Island	92	J7
Swakopmund	90	A4
Swale	42	K7
Swan	114	C2
SwanHill	94	H7
Swan Islands	112	H5
Swan River	94	L6
Swansea, Australia	94	J8
Swansea, UK	42	J10
Swaziland	90	E5
Sweden	34	H6
Sweetwater	110	F2
Swider	36	L5
Swidnica	36	F7
Świdnik	36	M6
Świdwin	36	E4
Świebodzin	36	E5
Swift Current	102	E1
Swindon	40	A3
Świnoujście	36	H10
Switzerland	48	C4
Syalakh	62	L3
Syamzha	56	H2
Sydney, Australia	94	K6
Sydney, Canada	100	U7
Syke	40	L2
Syktyvkar	56	K2
Sylacauga	108	D3
Sylhet	72	F4
Sylt	34	E9
Sylvania	106	D2
Sym	60	R5
Sym	60	R5
Symi	54	K8
Synya	56	L1
Syracuse, Kans., US	110	F1
Syracuse, N.Y., US	106	E2
Syrdar'ya	60	L8
Syrdar'ya	74	J1
Syria	74	C3
Syrian Desert = Bādiyat ash Shām	78	D4
Syrna	54	J8
Syros	54	G7
Sytomino	60	P2
Syzran'	56	J4
Szamos	52	K1
Szamotuły	36	E1
Szarvas	36	K11
Szczecin	36	D4
Szczecinek	36	F4
Szczytno	36	K4
Szeged	52	H3
Szeghalom	52	J2
Székesfehérvár	52	F2
Szekszárd	52	F3
Szentendre	52	G2
Szentes	52	H3
Szerencs	36	L9
Szigetvár	52	E3
Szolnok	52	H2
Szombathely	52	D2
Szprotawa	36	E6

T

Place	Page	Ref
Tab	52	F3
Tabarka	50	C12
Tabas	74	G3
Taber	104	D1
Table Cape	96	G4
Tabong	72	G3
Tábor	36	D8
Tabor	62	R2
Tabora	88	E5
Tabou	86	C4
Tabrīz	76	M4
Tabuaeran	92	K5
Tabūk	74	C4
Tacheng	60	Q8
Tachov	38	H7
Tacloban	68	H4
Tacna	116	C7
Tacoma	102	B2
Tacuarembó	118	K5
Tacurong	70	(2)B1
Tadjoura	82	H5
Tadmur	76	H6
Tadoussac	106	G1
Taech'ŏn	66	D5
Taegu	66	E6
Taejŏn	64	H3
Tafahi	92	J7
Tafalla	46	J2
Tafila	78	C6
Tafi Viejo	118	H4
Taganrog	56	G5
Taganrogskiy Zaliv	56	G5
Tagul	62	F6
Tagum	68	H5
Tagus	46	B5
Taharoa	96	E4
Tahiti	92	M7
Tahoe Lake	100	K2
Tahoka	110	F2
Tahoua	86	F2
Tahrūd	79	G2
Tai'an	64	F3
Tai-chung	64	G6
Taihape	96	E4
Taihe	64	E5
Taikeng	64	E4
Tailem Bend	94	G7
Tain	42	H4
T'ai-nan	64	G6
T'ai-Pei	64	G6
Taiping	70	(1)C1
Taipingchuan	66	B1
T'ai-tung	68	G2
Taivalkoski	34	Q4
Taiwan	68	G2
Taiwan Strait	68	F2
Taiyuan	64	E3
Taizhou	64	F4
Ta'izz	74	D7
Tajikistan	74	J2
Tajima	66	K5
Tajo	32	C3
Tak	68	B3
Takaka	96	D5
Takamatsu	66	H6
Takaoka	66	J5
Takapuna	96	E3
Takasaki	66	K5
Takayama	66	J5
Takefui	66	J5
Takengon	70	(1)B2
Takestān	74	E2
Takht	62	P6
Takhta-Bazar	74	H2
Takhtabrod	60	M7
Takhtakupyr	60	L9
Takijuq Lake	100	J3
Takikawa	66	L2
Takoradi	86	D4
Taksimo	62	J5
Takua Pa	68	B5
Takum	86	G3
Talak	84	F5
Talara	116	A4
Talas	60	N9
Tal'at Mūsá	76	G6
Talavera de la Reina	46	F5
Talaya	62	S4
Talbotton	108	E3
Talca	118	G6
Talcahuano	118	G6
Taldykorgan	60	P9
Tālesh	74	E2
Taliabu	70	(2)B3
Talibon	68	G4
Talitsa	56	M3
Tall 'Afar	76	K5
Tallahassee	108	E3
Tallaimanari	72	C7
Tall al Laḥm	79	B1
Tallinn	34	N7
Tall Kalakh	78	D2
Tallulah	102	H5
Tall 'Uwaynāt	76	K5
Tālmaciu	52	M4
Tal'menka	60	Q7
Talon	62	R5
Tāloqān	60	N10
Taloyoak	100	N3
Talsi	34	M8
Taltal	118	G4
Tama	106	B2
Tamale	86	D3
Tamanrasset	84	G4
Tamanthi	72	G3
Tamási	52	F3
Tamazunchale	102	G7
Tambacounda	86	B2
Tambey	60	N3
Tambo	94	J4
Tambov	56	H4
Tambora	70	(2)A3
Tambura	88	D2
Tame	108	E4
Tampere	34	M6
Tampico	112	E1
Tamsagbulag	64	F1
Tamsweg	48	J3
Tamworth, Australia	94	K6
Tamworth, UK	40	A2
Tana, Kenya	88	G4
Tana, Norway	34	P2
Tanabe	66	H7
Tanacross	110	(1)J3
Tanafjorden	34	Q1
Tanaga Island	110	(3)C1
T'ana Häyk'	82	G5
Tanahgrogot	70	(1)F3
Tanahjampea	70	(2)A4
Tanahmerah	70	(2)F4
Tanami Desert	94	F3
Tanami Mine	94	E4
Tánaro	48	C6
Tandag	68	H5
Țāndărei	52	Q5
Tandil	118	K6
Tanega-shima	66	F8
Tanew	36	M7
Tanezrouft	84	E4
Tanga, Russia	62	J6
Tanga, Tanzania	88	F5
Tanger	84	D1
Tangermünde	38	G4
Tanggu	64	F3
Tangmai	72	G2
Tangra Yumco	72	E2
Tangshan	64	F3
Tanimbar	92	D6
Tanjona Ankaboa	90	G2
Tanjona Bobaomby	90	H2
Tanjona Masoala	90	J3
Tanjona Vilanandro	90	G3
Tanjona Vohimena	90	H5
Tanjung	70	(1)F3
Tanjungbalai	70	(1)B2
Tanjung Cangkuang	70	(1)C4
Tanjung Datu	70	(1)D2
Tanjung d'Urville	70	(2)E3
Tanjung Libobo	70	(2)C3
Tanjung Mengkalihat	70	(1)F3
Tanjungpandan	70	(1)D3
Tanjung Puting	70	(1)F2
Tanjungredeb	70	(1)F2
Tanjung Selatan	70	(1)E3
Tanjung Selor	70	(1)F2
Tanjung Vals	70	(2)E4
Tankovo	60	R5
Tankse	72	C2
Tanlovo	56	P1
Tanney	40	G5
Tanout	86	F2
Tanta	82	F1
Tan-Tan	84	C3
Tanzania	88	E5
Tao'an	64	G1
Taomasina	90	H3
Taongi	92	J4
Taormina	50	K11
Taos	110	E1
Taoudenni	84	E5
Taourirt	84	E2
T'ao-yuan	68	G2
Tapa	34	N7
Tapachula	112	F6
Tapajós	116	F4
Tapauá	116	E5
Tapolca	52	E3
Tappahannock	108	F2
Tapsuy	56	M2

Index

Name	Page	Grid
Tapuaenuku	96	D6
Taquarí	116	F7
Tara	56	Q3
Tara	60	N6
Tarābulus	84	H2
Taracua	116	D3
Tarāghin	84	H3
Tarakan	68	F6
Taran	60	N3
Taranaki = Mount Egmont	96	E4
Tarancón	46	H5
Taranto	50	M8
Tarapoto	116	B5
Tarare	44	K8
Tarascon	44	K10
Tarauacá	116	C5
Tarauacá	116	C5
Tarawa	92	H5
Tarawera Lake	96	F4
Tarazona	46	J3
Tarbes	44	F10
Tarbet	42	F4
Tarcoola	94	F6
Taree	94	K6
Tarfaya	84	C3
Târgoviște	52	N5
Târgu Frumos	52	Q2
Târgu Jiu	52	L4
Târgu Lăpuș	52	L2
Târgu Mureș	52	M3
Târgu-Neamț	52	P2
Târgu Ocna	52	P3
Târgu Secuiesc	52	P3
Tarhunah	84	H2
Tarif	79	E4
Tarifa	46	E8
Tarija	118	J3
Tarim	60	Q9
Tarim	74	E6
Tarim Pendi	60	Q10
Tarin Kowt	74	J3
Tariskay Shan	60	Q9
Taritatu	70	(2)E3
Tarkio	108	B1
Tarko Sale	60	P5
Tarlac	68	G3
Tarn	44	H10
Tarn	36	K10
Tarnaby	34	H4
Tārnăveni	52	M3
Tarnogskiy Gorodok	56	H2
Tárnovo	54	K2
Tarnów	36	K7
Tarnowskie Góry	36	H7
Taro	48	E6
Taroom	94	J5
Taroudannt	84	D2
Tarquínia	50	F6
Tarragona	46	M3
Tarras	96	B7
Tàrrega	46	M3
Tarso Emissi	82	C3
Tarsus	76	F5
Tartagal	118	J3
Tartu	34	P7
Ţarţūs	78	C2
Tarutyne	52	S3
Tarvisio	48	J4
Tasbuget	56	N6
Tashigang	72	F3
Tashir	76	L3
Tashkent	60	M9
Tash-Kömür	60	N9
Tashtagol	60	R7
Tasiilaq	100	Z3
Tasikmalaya	70	(1)D4
Taskesken	60	Q8
Tasman Bay	96	D5
Tasmania	92	E10
Tasmania	94	H8
Tasman Mountains	96	D5
Tasman Sea	96	B3
Tașnad	52	K2
Tașova	76	G3
Tassili du Hoggar	84	F4
Tassili-n'-Ajjer	84	G3
Tasty	60	M9
Tata, Hungary	52	F2
Tata, Morocco	84	D3
Tatabánya	52	F2
Tatarbunary	52	S4
Tatariya	56	J3
Tatarsk	60	P6
Tatarskiy Proliv	62	P7
Tateyama	64	K6
Tathlina Lake	100	H4
Tatta	74	J5
Tatvan	76	K4
Tauá	116	J5
Tauberbischofsheim	38	E7
Tauern	48	J4
Taumarunui	96	E4
Taungdwingyi	68	B2
Taung-gyi	72	G4
Taungup	72	F5
Taunsa	72	B2
Taunton, UK	42	J10
Taunton, US	106	F2
Taunus	40	L4
Taunusstein	40	L4
Taupo	96	F4
Tauragė	36	M2
Tauranga	96	F3
Tauroa Point	96	D2
Tavda	56	N3
Tavda	56	N3
Tavira	46	C7
Tavoy	68	B4
Tavșanli	76	C4
Taw	42	J11
Tawas City	106	D2
Tawau	70	(1)F2
Tawitawi	70	(1)F1
Taxkorgan	60	P10
Tay	42	J5
Tayga	60	R6
Taylorville	108	D2
Taym	74	C4
Taymă'	82	G2
Taymura	62	F4
Taymylyr	62	L2
Tay Ninh	68	D4
Tayshet	62	F5
Taytay	62	L2
Tayyebād	74	H3
Taza	84	E2
Tazeh Kand	76	M4
Tazenakht	84	D2
Tāzirbū	82	D2
Tazovskiy	60	P4
Tazovsky Poluostrov	60	N4
Tazungdam	68	B1
T'bilisi	76	L3
Tchamba	86	G3
Tchibanga	86	G5
Tchin Tabaradene	84	G5
Tczew	36	H3
Te Anau	96	A7
Te Araroa	96	G3
Te Aroha	96	E3
Te Awamutu	96	E4
Teberda	76	J2
Tébessa	84	G1
Tebingtinggi	70	(1)B2
Téboursouk	50	D12
Techa	56	M3
Techiman	86	D3
Tecuala	110	D4
Tecuci	52	Q4
Tedzhen	74	H2
Tefé	42	F5
Tegal	70	(1)D4
Tegernsee	48	G3
Tegina	86	F2
Tegucigalpa	112	G6
Tegul'det	60	R6
Te Hapua	96	D2
Te Haroto	96	F4
Tehek Lake	100	M3
Teheran = Tehrān	74	F2
Tehrān	74	F2
Teignmouth	42	J11
Tejo = Tagus	46	B5
Te Kaha	96	F3
Tekirda	54	K4
Tekirdağ	76	B3
Teknaf	72	F4
Teku	70	(2)B3
Te Kuiti	96	E4
T'elavi	76	L3
Tel Aviv-Yafo	78	B4
Telegraph Creek	110	(1)L4
Telén	118	H6
Teles Pires	116	F5
Telford	42	K9
Telfs	48	G3
Teller	110	(1)D2
Telsen	118	H7
Telšiai	36	M2
Teltow	38	J4
Teluk Berau	70	(2)D3
Teluk Bone	70	(2)B3
Teluk Cenderawasih	70	(2)E3
Telukdalem	70	(1)B2
Teluk Kumai	70	(1)E3
Teluk Sampit	70	(1)E3
Teluk Sukadana	70	(1)D3
Teluk Tomini	70	(2)B2
Tema	86	D3
Tembenchi	60	T4
Temerin	52	G4
Temerloh	68	C6
Teminabuan	70	(2)D3
Temochic	110	E3
Tempe	110	D2
Témpio Pausária	50	D8
Temple	110	G2
Temryuk	76	G1
Temuco	118	G6
Tenali	72	D5
Tendaho	82	H5
Ten Degree Channel	72	F7
Tendrara	84	E2
Ténéré	84	G5
Ténéré du Tafassasset	84	G4
Tenerife	84	B3
Ténès	84	F1
Tenggarong	70	(1)F3
Tenke	90	D2
Tenkodogo	86	D2
Tennant Creek	94	F3
Tennessee	98	K6
Tennessee	102	J4
Tenojoki	34	P2
Tenteno	70	(2)B3
Tenterfield	94	K5
Teo	46	B2
Teófilo Otoni	116	J7
Tepehuanes	102	E6
Tepic	102	F7
Teplice	36	C7
Ter	46	N2
Terceira	84	(1)B2
Terek	76	L2
Teresina	116	J5
Tergnier	40	F5
Termez	74	J2
Términi Imerese	50	H11
Térmoli	52	C8
Ternate	70	(2)C2
Terneuzen	40	F3
Terni	50	G6
Ternitz	48	M3
Ternopil'	56	E5
Ternuka	96	C7
Terracina	50	H7
Terrassa	46	N3
Terre Haute	108	D2
Terry	104	E1
Tersa	56	H4
Terschelling	40	H1
Teruel	46	J4
Tervel	76	B2
Tervola	34	N3
Teseney	82	G4
Teshekpuk Lake	110	(1)F1
Teshio	66	L1
Teslin	110	(1)L3
Teslin	110	(1)L3
Tessalit	84	F4
Têt	44	H11
Tete	90	E3
Teterow	38	H3
Teteven	54	G2
Tétouan	84	D1
Tetovo	52	H8
Teuco	118	J3
Teulada	50	C10
Teulon	50	G6
Teverya	78	C4
Tevriz	56	P3
Te Waewae Bay	96	A8
Texarkana	108	C3
Texas	102	F5
Texel	40	G1
Teya	60	S5
Teykovo	56	H3
Thaba Putsoa	90	D5
Thabazimbi	90	D4
Thailand	68	C4
Thai Nguyên	68	D2
Thal	72	B2
Thale Luang	68	C5
Thamarît	74	F6
Thames	42	L10
Thamūd	74	E6
Thane	72	B5
Thanh Hoa	68	D3
Thanjavur	72	C6
Thann	44	C3
Tharad	72	B4
Thar Desert	72	B3
Thargomindah	94	H5
Tharwāniyyah	79	E5
Thasos	54	G4
Thasos	54	G4
Thaton	68	B3
Thaya	36	E9
The Bahamas	108	F4
The Bluff	108	F4
The Dalles	104	B1
Thedford	104	F2
The Fens	40	B2
The Gambia	86	A2
The Granites	94	E4
Thelon	100	L4
The Minch	42	F3
The Naze	40	D3
Thenia	46	P8
Theniet el Had	46	N9
Theodore Roosevelt	116	E5
Theodore Roosevelt Lake	110	D2
The Pas	100	L6
Thermaikos Kolpos	54	E4
Thermopolis	104	E2
The Sisters	96	(1)B1
The Solent	40	A4
Thessalon	106	D1
Thessaloniki	54	E4
Thetford	42	N9
Thetford Mines	106	F1
The Twins	96	D5
The Wash	40	N9
The Weald	40	B3
The Whitsundays	94	J4
Thief River Falls	106	A1
Thiers	44	J8
Thiès	86	A2
Thika	88	F4
Thimphu	72	E3
Þingvallavatn	34	(1)C2
Thionville	40	J5
Thira	54	H8
Thira	54	H8
Thirasia	54	H8
Thiruvananthapuram	72	C7
Thisted	34	E8
Þistilfjöður	34	(1)F1
Thiva	54	F6
Thiviers	44	F8
Þjórsá	34	(1)D2
Tholen	40	G3
Thomasville	108	E3
Thompson	100	H6
Thompson	100	M5
Thompson Falls	104	C1
Thomson	108	E3
Thonon-les-Bains	48	B4
Þórisvatn	34	(1)D2
Þorlákshöfn	34	(1)C3
Þorshöfn	34	(1)F1
Thouars	44	E7
Thrakiko Pelagos	54	H4
Three Forks	104	D1
Three Kings Island	96	C2
Three Rivers	106	C2
Throckmorton	108	B3
Thuin	40	G4
Thun	48	C4
Thunder Bay	106	C1
Thuner See	48	C4
Thung Song	68	B5
Thüringer Wald	38	F6
Thurso	42	J3
Tiāb	79	G3
Tianjin	64	F3
Tianmen	64	E4
Tianqiaoling	66	E2
Tianshifu	66	C3
Tianshui	64	D4
Tianshuihai	74	L2
Tiaret	84	F1
Tibati	86	G3
Tibesti	82	C3
Tibet = Xizang	72	E2
Tibooburra	94	H5
Tiburón	112	B3
Tichît	84	D5
Tichla	84	C4
Ticino	48	D4
Ticul	112	G4
Tidjikdja	84	C5
Tieling	66	B2
Tielongtan	72	C1
Tielt	40	F3
Tienen	40	G4
Tien Shan	60	Q9
Tien Yen	68	D2
Tierra Amarilla	104	E3
Tiétar	46	E4
Tiflis = T'bilisi	80	H1

Name	Page	Grid
Tifton	108	E3
Tifu	70	(2)C3
Tighina	52	S3
Tignère	86	G3
Tigre	116	B4
Tigris	76	K6
Tijuana	102	C5
Tikanlik	60	R9
Tikhoretsk	56	H5
Tikhvin	56	F3
Tikrīt	76	K6
Tiksi	62	M2
Tilburg	40	H3
Tilichiki	62	V4
Tillabéri	86	E2
Tillamook	104	B1
Tilos	54	K8
Timanskiy Kryazh	56	K2
Timaru	96	C7
Timashevsk	56	G5
Timber Creek	94	F3
Timerloh	70	(1)C2
Timimoun	84	F3
Timișoara	52	J4
Timmins	106	D1
Timon	116	J5
Timor	70	(2)C4
Timor Sea	94	E2
Tinaca Point	92	C5
Tindivanam	72	C6
Tindouf	84	D3
Tineo	46	D1
Tinglev	38	E2
Tingo Maria	116	B5
Tingri	72	E3
Tingsryd	36	E1
Tiniroto	96	F4
Tinnsjø	34	E7
Tinogasta	118	H4
Tinos	54	H7
Tinos	54	H7
Tinsukia	72	G3
T'i'o	82	H5
Tipperary	42	D9
Tirana = Tiranë	54	B3
Tiranë	54	B3
Tirari Desert	94	G5
Tiraspol	52	S3
Tire	54	K6
Tiree	42	F5
Tirschenreuth	38	H7
Tirso	50	C9
Tiruchchirāppalli	72	C6
Tirunelveli	72	C7
Tirupati	72	C6
Tiruppur	72	C6
Tiruvannamalai	72	C6
Tisa	52	H4
Tišnov	36	F8
Tisza	36	M9
Tiszaföldvár	52	H3
Tiszafüred	52	H2
Tiszaújváros	36	L10
Tit-Ary	60	Z3
Titel	52	H4
Titova Korenica	48	L6
Titovo Velenje	50	K2
Titu	52	N5
Titusville	108	E4
Tivaouane	84	B6
Tiverton	42	J11
Tivoli	50	G7
Tiyās	78	E2
Tizi Ouzou	84	F1
Tiznit	84	D3
Tjeldøya	34	H2
Tjørkolm	34	D7
Tlemcen	84	E2
Tmassah	82	C2
Toad River	100	F5
Tobago	112	M6
Tobelo	70	(2)C2
Tobermory, UK	42	F5
Tobermory, US	106	D1
Tobi	70	(2)D2
Toblach	48	H4
Toboali	70	(1)D3
Tobol	56	M4
Tobol	56	M4
Tobol'sk	56	N3
Tobseda	56	K1
Tocantins	116	H5
Tocantins	116	H5
Tocopilla	118	G3
Todi	50	G6
Tofino	104	A1
Togo	86	E3
Toimin	50	H2
Toi-misaki	66	F8
Tōjō	66	G6
Tok	110	(1)J3
Tokar	82	G4
Tokat, Sudan	74	C6
Tokat, Turkey	74	C1
Tokelau	92	J6
Tokmak	60	P9
Tokoroa	96	E4
Toksun	60	R9
Tok-tō	64	J3
Toktogul	60	N9
Tokushima	66	H6
Tokuyama	66	F6
Tōkyō	66	K6
Tolaga Bay	96	G4
Tôlañaro	90	H4
Tolbo	60	S8
Toledo, Brazil	118	L3
Toledo, Spain	46	F5
Toledo, US	106	D2
Toliara	90	G4
Tolitoli	70	(2)B2
Tol'ka	60	Q5
Tol'ka	60	Q5
Tollense	38	J3
Tolmezzo	48	J4
Tolmin	48	J4
Tolna	52	F3
Tolosa	46	H1
Tol'yatti	56	J4
Tolybay	60	L7
Tom'	60	R6
Tomah	106	B2
Tomakomai	66	L2
Tomar	46	B5
Tomari	62	Q7
Tomaszów Lubelski	36	N7
Tomaszów Mazowiecki	36	K6
Tombouctou	84	E5
Tombua	90	A3
Tomé	118	G6
Tomelloso	46	H5
Tomini	70	(2)B2
Tommot	62	M5
Tomo	116	D2
Tompo	62	P4
Tom Price	94	C4
Tomra	72	E2
Tomsk	60	Q6
Tomtor	62	Q4
Tomu	70	(2)D3
Tonalá	112	F5
Tondano	70	(2)B2
Tønder	38	D2
Tonga	92	J7
Tonga Islands	92	J8
Tongareva	92	K6
Tonga Trench	92	J8
Tongbai	64	E4
Tongchuan	64	D4
Tongduch'ŏn	66	D5
Tongeren	40	H4
Tonghae	66	E5
Tonghua	66	C3
Tongliao	64	G2
Tongling	64	F4
Tongshan	64	F4
Tongshi	64	D3
Tongue	104	E1
Tongyu	64	G2
Tōnichi	98	E6
Tonj	88	D2
Tonk	72	C3
Tonkābon	74	F2
Tônlé Sab	68	C4
Tonnay-Charente	44	E8
Tönning	38	D2
Tonopah	104	C3
Tooele	104	D2
Toora-Khem	60	T7
Toowoomba	94	K5
Topeka	100	G4
Topki	60	R6
Topliţa	52	N3
Topock	110	D2
Topol'čany	36	H9
Topolobampo	102	E6
Torbali	54	K6
Torbat-e Heydarīyeh	74	G2
Torbat-e Jām	74	H2
Tordesillas	46	F3
Torells	46	N2
Torgau	38	H5
Torgelow	38	C4
Torhout	40	F3
Torino	48	C5
Tori-shima	66	L8
Tornealven	34	L3
Torneträsk	34	K2
Tornio	34	N4
Toro	46	E3
Toronto	106	E2
Tororo	88	E3
Toros Dağları	76	E5
Torquay	42	J11
Torrance	110	C2
Torreblanca	46	L4
Torre de Moncorvo	46	C3
Torrejón de Ardoz	46	G4
Torrelavega	46	F1
Torremolinos	46	F8
Torrent	46	K5
Torreón	110	F3
Torres Strait	94	H2
Torres Vedras	46	A5
Torrevieja	46	K6
Torrington	104	F2
Tortol	50	D9
Tortona	48	D6
Tortosa	46	L4
Tortum	76	J3
Torūd	74	G2
Toruń	36	H4
Tory Island	42	D6
Torzhok	56	G3
Tosa-wan	66	G7
Tostedt	38	E3
Tosya	54	S3
Totaranui	96	D5
Tôtes	40	D5
Tot'ma	56	H3
Totora	116	D7
Tottori	66	H6
Touba, Côte D'Ivoire	86	C3
Touba, Senegal	86	A2
Tougan	86	D2
Touggourt	84	G2
Toul	44	L5
Toulépleu	86	C3
Toulon	44	L10
Toulouse	44	G10
Toummo	84	H4
Toungoo	68	B3
Tourcoing	40	F4
Tournai	40	F4
Tours	44	F6
Touws River	90	C6
Tovuz	76	L3
Towanda	106	E2
Towari	70	(2)B3
Towcester	40	B2
Towner	104	F1
Townsend	104	D1
Townshend Island	94	K4
Townsville	94	J3
Toxkan	60	P9
Toyama	66	J5
Toyohashi	66	J6
Toyooka	66	H6
Toyota	66	J6
Tozeur	84	G2
Trâblous	78	C2
Trabzon	76	H3
Tracy	106	A2
Trail	104	C1
Traiskirchen	48	M2
Trakai	34	N9
Tralee	42	C9
Tralee Bay	42	B9
Tramán Tepuí	116	E2
Tranås	34	H7
Trancoso	46	C4
Trang	68	B5
Trangan	70	(2)D4
Transantarctic Mountains	120	(2)B1
Trapani	50	G11
Trappes	40	E2
Traunreut	48	K2
Traunsee	48	J3
Traversay Islands	114	H9
Traverse City	106	C2
Travnik	52	E5
Trbovlje	48	L4
Trébbia	48	E6
Třebíč	36	E8
Trebinje	52	F7
Trebišov	36	L9
Trebnje	48	L5
Trebon	48	K1
Tregosse Islets	94	K3
Trelew	118	H7
Trelleborg	34	G9
Tremonton	104	D2
Tremp	46	L2
Trenčín	36	H9
Trent	42	M8
Trento	48	G4
Trenton, Canada	106	E2
Trenton, US	106	F2
Trepassey	100	W7
Tres Arroyos	118	J6
Três Corações	116	H8
Tres Esquinas	116	B3
Tres Lagos	118	G8
Trespaderne	46	G2
Treuchtlingen	48	F2
Treviglio	48	E5
Treviso	48	H5
Triangle	90	E4
Tricase	50	N9
Trichur	72	C6
Trier	40	J5
Trieste	48	J5
Triglav	48	J4
Trikala	54	D5
Trikomon	78	A1
Trilj	48	M7
Trincomalee	72	D7
Trinidad	116	E1
Trinidad, Bolivia	116	E6
Trinidad, US	110	F1
Trinidad, Uruguay	118	K5
Trinidad and Tobago	116	E1
Trinity Islands	110	(1)G4
Trino	48	D5
Trion	108	D3
Tripoli = Trâblous, Greece	54	E7
Tripoli = Trâblous, Lebanon	78	C2
Tripoli = Tarābulus, Libya	84	H2
Trischen	38	D2
Tristan da Cunha	80	B9
Trivandrum = Thiruvananthapuram	72	C7
Trjavna	76	A2
Trnava	52	E1
Trogir	52	D6
Troina	50	J11
Troisdorf	38	C6
Trois Rivières	106	F1
Troitsk	56	M4
Troitsko-Pechorsk	56	L2
Trojan	54	G2
Trollhättan	34	G7
Trombetas	116	F4
Tromsø	34	K2
Trona	104	C3
Trondheim	34	F5
Trondheimsfjörden	34	F5
Troodos	76	E6
Trotuş	52	P3
Trout Lake, N.W.T., Canada	100	G4
Trout Lake, Ont., Canada	100	N6
Troy, Al., US	108	D3
Troy, N.Y., US	106	F2
Troyan	52	M7
Troyes	44	K5
Trstenik	52	J6
Trudovoye	66	G2
Trujillo, Peru	116	B5
Trujillo, Spain	46	E5
Truro, Canada	100	U7
Truro, UK	42	G11
Trusovo	60	J4
Truth or Consequences	110	E2
Trutnov	36	E7
Tryavana	54	H2
Trzcianka	36	F4
Trzebnica	36	G6
Tsetserleg	62	G7
Tshabong	90	C5
Tshane	90	C4
Tshikapa	88	C5
Tshuapa	88	C4
Tsiafajavona	90	H3
Tsimlyanskoye Vodokhranilishche	56	H5
Tsiroanomandidy	90	H3
Ts'khinvali	76	K2
Tsuchiura	66	L5
Tsugaru-kaikyō	66	L3
Tsumeb	90	B3
Tsumkwe	90	C3
Tsuruga	66	J6
Tsushima	66	K4
Tsushima	66	E6
Tsuyama	66	H6
Tua	46	C3
Tual	70	(2)D4
Tuan Giao	68	C2

Tuapse	76	H1	Tuscola	108	D2	Uil	56	K5	Ural'skiy Khrebet	32	L1
Tubarão	118	M4	Tuticorin	72	C7	Uinta Mountains	104	D2	Urambo	88	E5
Tübingen	48	E2	Tutonchany	62	E4	Uitenhage	90	D6	Uranium City	100	K5
Tubize	40	G4	Tutrakan	52	P5	Újfehértó	52	J2	Uraricoera	116	E3
Tubruq	82	D1	Tuttle Creek Reservoir	108	B2	Ujiji	88	D4	Uray	56	M2
Tubuai	92	M8	Tuttlingen	48	D3	Ujjain	72	C4	Urbana, Ill., US	106	C2
Tubuai Islands	92	L8	Tutuila	92	K7	Ukerewe Island	88	E4	Urbana, Oh., US	106	D2
Tucano	116	K6	Tuvalu	92	H6	Ukhta	60	J5	Urbania	48	H7
Tuchola	36	G4	Tuxpan, Mexico	102	E7	Ukiah	104	B3	Urbino	48	H7
Tucson	110	D2	Tuxpan, Mexico	102	G7	Ukkusissat	100	W2	Urdzhar	60	Q8
Tucumcari	110	F1	Tuxtla Gutiérrez	112	F5	Ukmergė	36	P2	Uren'	56	J3
Tucupita	116	E2	Tuyên Quang	68	D2	Ukraine	32	G3	Urengoy	60	P4
Tucuruí	116	H4	Tuy Hoa	68	D4	Ulaanbaatar	62	H7	Urgench	74	H1
Tudela	46	J2	Tuymazy	56	K4	Ulaangom	60	S8	Urho	60	R8
Tuguegarao	68	G3	Tuz Gölü	76	E4	Ulan	64	B3	Uritskiy	56	N4
Tugur	62	P6	Tuz Khurmātū	76	L6	Ulan Bator = Ulaanbaatar	64	D1	Urla	54	J6
Tui	46	B2	Tver'	56	G3	Ulan-Ude	62	H6	Urlaţi	52	P5
Tuktoyaktuk	110	(1)L2	Tweed	42	K6	Ulchin	66	E5	Uroševac	52	J7
Tula, Mexico	110	G4	Twentynine Palms	110	C2	Uldz	62	J7	Uro-teppa	74	J2
Tula, Russia	56	G4	Twilight Cove	94	E6	Ulety	62	J6	Urt	64	C2
Tulare	104	C4	Twin Buttes Reservoir	110	F2	Ulhasnagar	72	B5	Uruacu	116	H6
Tulcea	52	R4	Twin Falls	104	D2	Uliastay	60	T8	Uruapan	112	D5
Tulkarm	78	B4	Twizel	96	C7	Ulindi	88	D4	Urucurituba	116	F4
Tullamore	42	E8	Two Harbors	106	B1	Ullapool	42	G4	Uruguaiana	118	K4
Tulle	44	G8	Tyachiv	52	L1	Ullŭng do	66	F5	Uruguay	118	K4
Tulln	48	M2	Tygda	62	M6	Ulm	48	F2	Uruguay	118	K5
Tuloma	34	S2	Tyler	102	G5	Ulog	52	F6	Ürümqi	60	R9
Tulsa	102	G4	Tylkhoy	62	U4	Ulongue	90	E2	Urus Martan	76	L2
Tulsequah	110	(1)L4	Tym	60	Q6	Ulsan	66	E6	Uryupino	62	L6
Tulun	62	G6	Tynda	62	L5	Ulu	62	M4	Uryupinsk	56	H4
Tulung La	72	F3	Tyne	42	K6	Ulubat Gölü	54	L4	Urzhum	56	K3
Tulu Welel	88	E2	Tynemouth	42	L6	Ulugqat	74	K2	Urziceni	52	P5
Tumaco	116	B3	Tynset	34	F5	Ulukışla	76	F5	Usa	60	L4
Tumān	74	H2	Tyra	60	S7	Ulungur Hu	60	R8	Uşak	76	C4
Tumen	66	E2	Tyrifjorden	34	F6	Ulunkhan	62	J5	Usedom	38	J3
Tumereng	116	E2	Tyrnavos	54	E5	Uluru	94	F5	Useless Loop	94	B5
Tumkur	72	C6	Tyrrhenian Sea	50	F8	Ulu-Yul	62	D5	Usfān	74	C5
Tumut	94	J7	Tyry	62	P4	Ulva	42	F5	Ushtobe	60	P8
Tunca	54	J3	Tysa	36	N9	Ulverston	42	J7	Usingen	38	D6
Tunceli	76	H4	Tyukyan	62	K4	Ulya	62	Q5	Usk	42	J10
Tunduru	90	F2	Tyumen'	60	M6	Ul'yanovsk	56	J4	Usman'	56	G4
Tundzha	52	P8	Tyung	62	K3	Ulytau	60	M8	Usol'ye Sibirskoye	62	G6
Tungir	62	L5	Tyva	62	F6	Uman'	56	F5	Ussel	44	H8
Tungku	70	(1)F1				Umarkot	74	J4	Ussuri	62	G1
Tungsten	110	(1)M3	**U**			Umba	56	F1	Ussuriysk	64	J2
Tungusk	60	S5	Uaupés	116	D3	Umeå	34	L5	Usta	56	J3
Tunis	84	H1	Ubá	116	J8	Umeälven	34	J4	Ust'-Alekseyevo	56	J2
Tunisia	84	G1	Ubaitaba	116	K6	Umfolozi	90	E5	Ust'-Barguzin	62	H6
Tunja	116	C2	Ubangi	88	B3	Ummal Arānib	84	H3	Ust' Chaun	62	W3
Tupelo	108	D3	Ube	66	F7	Umm al Jamājim	79	A3	Ústí	36	F8
Tupik	62	L6	Úbeda	46	G6	Umm Durman	82	F4	Ústica	50	H10
Tupiza	118	H3	Uberaba	116	H7	Umm Keddada	82	E5	Ust'-Ilimsk	62	G5
Tupper Lake	106	F2	Uberlândia	116	H7	Umm Lajj	82	G3	Ústí nad Labem	36	D7
Tuquan	64	G1	Überlingen	48	E3	Umm Qaşr	79	B1	Ust'-Ishim	60	N6
Tura, India	72	F3	Ubon Ratchathani	68	C3	Umm Ruwaba	82	F5	Ustka	36	F3
Tura, Russia	62	G4	Ubrique	46	E8	Umnak Island	110	(1)E5	Ust'-Kamchatsk	62	U5
Turan	60	S7	Ucayali	116	B5	Umtata	90	D6	Ust'-Kamenogorsk	60	Q8
Turangi	96	E4	Uchami	60	T5	Umuarama	118	L3	Ust'-Kamo	60	T5
Turayf	82	G1	Ucharal	60	Q8	Unalakleet	110	(1)E3	Ust'-Karenga	62	K6
Turbat	74	H4	Uchiura-wan	66	L2	Unalaska Island	110	(1)E5	Ust'-Khayryuzovo	62	T5
Turbo	116	B2	Uchkuduk	60	L9	Unayzah	78	C6	Ust'-Kulom	56	K2
Turda	52	L3	Uckermark	38	J3	Underberg	90	D5	Ust'-Kut	62	G5
Turek	36	H5	Ucluelet	104	A1	Ungava Bay	100	T5	Ust'-Kuyga	62	P3
Turgay	60	L8	Uda, Russia	62	F5	Ungheni	52	Q2	Ust'-Labinsk	76	H1
Turgay	60	L8	Uda, Russia	62	N6	Ungwana Bay	88	G4	Ust'-Maya	62	N4
Turgayskaya Stolovaya Strana	60	L7	Udachnyy	62	J3	União da Vitória	118	L4	Ust'-Mukduyka	60	R4
Türgovishte	52	P6	Udagamandalam	72	C6	Unije	48	K6	Ust'-Muya	62	K5
Turgutlu	54	K6	Udaipur	72	B4	Unimak Island	110	(1)D5	Ust' Nem	56	K2
Turhal	76	G3	Uddevalla	34	F7	Unim Bāb	79	D4	Ust'-Nera	62	Q4
Turin = Torino	48	C5	Uddjaure	56	C1	Unini	116	E4	Ust'-Nyukzha	62	L5
Turinsk	56	M3	Uddjaure Storavan	34	K4	Union	106	B3	Ust'-Olenek	62	K2
Turiy Rog	66	F1	Udine	48	J4	Union City	112	G1	Ust'-Omchug	62	R4
Turka	62	H6	Udmurtiya	56	K3	Union Springs	108	D3	Ust' Ozernoye	62	D5
Türkeli Adası	54	K4	Udon Thani	68	C3	United Arab Emirates	74	F5	Ust' Penzhino	62	V4
Turkestan	60	M9	Udupi	72	B6	United Kingdom	42	G6	Ust'-Pit	62	E5
Turkey	76	D4	Uecker	38	J3	United States	98	M5	Ustrem	56	N2
Turkmenbashi	74	F1	Ueckermünde	38	J3	Unna	40	K3	Ust'-Sopochnoye	62	T5
Turkmenistan	74	G2	Ueda	66	K5	Unraven	110	E1	Ust' Tapsuy	56	M2
Turks and Caicos Islands	112	K4	Uele	88	C3	Unst	42	M1	Ust'-Tarka	60	P6
Turks Islands	112	K4	Uelen	62	AA3	Unstrut	38	G5	Ust'-Tatta	62	N4
Turku	34	M6	Uel'kal	62	Y3	Unzha	56	H3	Ust'-Tsil'ma	60	J4
Turma	62	N6	Uelzen	38	F4	Upernavik	100	W2	Ust' Un'ya	56	L2
Turnhout	40	G3	Ufa	56	L3	Upernavik Kujalleq	100	V2	Ust'-Urkima	62	L5
Turnov	36	E7	Ufa	56	L4	Upington	90	C5	Ust' Usa	56	L1
Turnu Măgurele	52	M6	Uganda	88	E3	Upolu	92	J7	Ust'-Uyskoye	60	L7
Turpan	60	R9	Ugep	86	F3	Upper Hutt	96	E5	Usu	60	Q9
Turpan Pendi	60	S9	Ugine	48	B5	Upper Klamath Lake	104	B2	Usuki	66	F7
Turquino	114	D2	Uglegorsk	62	Q7	Upper Lake	104	C2	Utah	102	D4
Turtas	56	N3	Uglich	56	G3	Upper Lough Erne	42	E7	Utah Lake	104	D2
Turtkul'	74	H1	Uglijan	48	L6	Upper Sandusky	106	D2	Utata	62	G6
Turtle Island	94	K3	Ugol'nyye Kopi	62	X4	Uppsala	34	J7	Utena	34	N9
Turu	60	U5	Ugulan	62	S6	Uppsala	106	B1	Uthal	74	J4
Turugart Pass	60	P9	Uh	52	K1	Uqlat al 'Udhaybah	79	B2	Utica	106	E2
Turukhan	62	C3	Uherské Hradiště	36	G8	Urad Houqi	64	D2	Utiel	46	J5
Turukhansk	60	R4	Uhersky Brod	36	G8	Urakawa	66	M2	Utrecht	40	H2
Turukta	62	K4	Uiju	66	C3	Ural	56	K5	Utrera	46	E7
Tuscaloosa	108	D3	Uil	56	K5	Ural Mountains = Ural'skiy Khrebet	32	L1	Utsjoki	34	P2
						Ural'sk	56	K4	Utsunomiya	66	K5

Name		Pg	Grid
Uttaradit	●	68	C3
Utva	◹	56	K4
Uummannaq Fjord	◿	100	V2
Uummannarsuaq	◿	100	Y5
Uusikaupunki	●	34	L6
Uvalde	●	112	E3
Uvargin	●	62	X3
Uvat	●	56	N3
Uvinza	●	88	E5
Uvira	●	88	D4
Uvs Nuur	◹	60	S7
Uwajima	●	66	G7
Uy	◹	56	M4
Uyar	●	60	S6
Uyuk	●	60	N9
Uyuni	●	118	H3
Uzbekistan	Ⓐ	60	L9
Uzhhorod	●	52	K1
Užice	●	52	G6
Uzunköprü	●	52	P8

V

Name		Pg	Grid
Vaal	◹	90	D5
Vaasa	●	34	L5
Vác	●	52	G2
Vacaria	●	118	M4
Vachi	●	74	E1
Vadodara	●	72	B4
Vado Ligure	●	48	D6
Vadsø	●	34	Q1
Vaduz	■	48	E3
Værøy	◿	34	G3
Vaganski Vhr	▲	48	L6
Vagay	◹	56	N3
Váh	◹	36	H8
Vakh	◹	56	Q2
Valbonnais	●	48	A6
Valcheta	●	118	H7
Valdagno	●	48	G5
Valday	●	56	F3
Val-de-Meuse	●	48	A2
Valdemoro	●	46	G4
Valdepeñas	●	46	G6
Valdez	●	100	B4
Valdivia	●	118	G6
Val-d'Or	●	106	E1
Valdosta	●	102	K5
Valdres	●	34	E6
Valea lui Mihai	●	52	K2
Valence	●	44	K9
Valencia, *Spain*	●	46	K5
Valencia, *Venezuela*	●	116	D1
Valencia de Alcántara	●	46	C5
Valenciennes	●	40	F4
Vălenii de Munte	●	52	P4
Valentia Island	◿	42	B10
Valentine	●	104	F2
Valenza	●	48	D5
Valera	●	116	C2
Valga	●	56	E3
Val Horn	●	102	F5
Valjevo	●	52	G5
Valka	●	34	N8
Val'karay	●	62	X3
Valkeakoski	●	34	N6
Valkenswaard	●	40	H3
Valladolid, *Mexico*	●	112	G4
Valladolid, *Spain*	●	46	F3
Valledupar	●	116	C1
Vallée de Azaouagh	◿	84	F5
Vallée du Tîlemsi	◿	84	F5
Vallée-Jonction	●	106	F1
Vallejo	●	104	B3
Vallentuna	●	34	K7
Valletta	■	50	J13
Valley City	●	104	G1
Valley Falls	●	104	B2
Valley of the Kings	✳	82	F2
Valli di Comacchio	●	48	H6
Vallorbe	●	48	B4
Valls	●	46	M3
Valmiera	●	34	N8
Valognes	●	40	A5
Val-Paradis	●	106	E1
Valparai	●	72	C6
Valparaíso, *Chile*	◹	118	G5
Valparaíso, *Mexico*	●	110	F4
Valsad	●	72	B4
Val'tevo	●	56	H2
Valuyki	●	56	G4
Valverde del Camino	●	46	D7
Vammala	●	34	M6
Van	●	76	K4
Vanadzor	●	76	L3
Vanavara	●	62	G4
Van Buren	●	106	G1
Vancouver, *Canada*	●	104	B1
Vancouver, *US*	●	104	B1
Vancouver Island	◿	100	F7
Vandalia	●	108	D2
Vanderbijlpark	●	90	D5
Vanderhoof	●	100	G6
Van Diemen Gulf	◿	94	F2
Vänern	●	34	G7
Vangaindrano	●	90	H4
Van Gölü	●	76	K4
Van Horn	●	110	F2
Vanimo	●	70	(2)F3
Vanino	●	62	Q7
Vankarem	●	62	Y3
Vanna	●	34	K1
Vännäs	●	34	K5
Vannes	●	44	C6
Vanrhynsdorp	●	90	B6
Vantaa	●	34	N6
Vanua Levu	◿	92	H7
Vanuatu	Ⓐ	92	G7
Van Wert	●	106	D2
Vanzevat	●	56	N2
Vanzhil'kynak	●	62	C4
Varämïn	●	74	F2
Varanasi	●	72	D3
Varangerfjorden	◿	34	R2
Varaždin	●	52	D3
Varazze	●	48	D6
Varberg	●	34	G8
Vardar	◹	54	E3
Varde	●	34	E9
Vardenis	●	76	L3
Vardø	●	34	R1
Varel	●	38	D3
Varéna	●	36	P3
Varese	●	48	D5
Vârful Moldoveanu	▲	52	M4
Vârfurile	●	52	K3
Varginha	●	118	M3
Varkaus	●	34	P5
Varna	●	76	B2
Värnamo	●	34	H8
Varnsdorf	●	38	K6
Várpalota	●	52	F2
Varto	●	76	J4
Varzi	●	48	E6
Varzy	●	44	J6
Vásárosnamény	●	52	K1
Vasilikos	●	78	A2
Vaslui	●	52	Q3
Västerås	●	34	J7
Västervik	●	34	J8
Vasto	●	50	J6
Vasvár	●	48	M3
Vatan	●	44	G6
Vathia	●	54	E8
Vatican City	Ⓐ	50	F7
Vatnajökull	◿	34	(1)E2
Vatomandry	●	90	H3
Vatra Dornei	●	52	N2
Vättern	◹	34	H7
Vaughn	●	110	E2
Vawkavysk	●	36	P4
Växjö	●	34	H8
Vayuniya	●	72	D7
Vazhgort	●	56	J2
Vecht	◹	40	J2
Vechta	●	40	L2
Vecsés	●	52	G2
Vedaranniyam	●	72	C6
Vedea	◹	52	N6
Veendam	●	40	J1
Veenendaal	●	40	H2
Vega	◿	34	F4
Vega	●	110	F1
Vegreville	●	100	J6
Vejen	●	38	E1
Vejer de la Frontera	●	46	E8
Vejle	●	34	E9
Vel'	◹	60	G5
Vela Luka	●	52	D7
Velenje	●	48	L4
Véles	●	54	D3
Vélez-Málaga	●	46	F8
Velika Gorica	●	48	M5
Velika Plana	●	52	J5
Velikaya	◹	62	W4
Velikiye Luki	●	56	F3
Velikiy Ustyug	●	56	J2
Veliko Tŭrnovo	●	52	N6
Vélingara	●	86	B2
Velingrad	●	52	L7
Velita Kladuša	●	48	L5
Velké Meziříčí	●	36	F8
Velký Krtíš	●	36	J9
Velletri	●	50	G7
Vellinge	●	36	C2
Vellore	●	72	C6
Velopoula	◿	54	F8
Vel'sk	●	56	H2
Velten	●	38	J4
Velva	●	104	F1
Venaria	●	48	C5
Vence	●	48	C7
Venda Nova	●	46	C3
Vendôme	●	44	G6
Venev	●	56	G4
Venézia	●	48	H5
Venezuela	Ⓐ	116	D2
Vengurla	●	72	B5
Veniaminof Volcano	▲	110	(1)F4
Venice = Venézia	●	48	H5
Venice	●	108	D4
Venlo	●	40	J3
Venray	●	40	H3
Venta	◹	56	D3
Ventimiglia	●	48	C7
Ventotene	●	50	H8
Ventspils	●	34	L8
Vera, *Argentina*	●	118	J4
Vera, *Spain*	●	46	J7
Veracruz	●	112	E5
Veraval	●	72	B4
Verbania	●	48	D5
Vercelli	●	48	D5
Verdalsøra	●	34	F5
Verde	◹	116	G8
Verden	●	38	E4
Verdun	●	40	H5
Vereeniging	●	90	D5
Vereshchagino	●	62	E6
Verín	●	46	C3
Verkhneimbatsk	●	62	D4
Verkhnetulomskoe Vodokhranilishche	◹	34	R2
Verkhneural'sk	●	56	L4
Verkhniy Baskunchak	●	56	J4
Verkhnyaya Amga	●	62	M5
Verkhnyaya Toyma	●	56	J2
Verkhnyaya Tura	●	56	L3
Verkhovyna	●	52	M1
Verkhoyansk	●	62	N3
Verkhoyanskiy Khrebet	⛰	62	M3
Vermillion	●	104	G2
Vermont	●	102	M3
Vernal	●	104	E2
Verneuil	●	40	C6
Vernon, *France*	●	40	D5
Vernon, *US*	●	108	B3
Vero Beach	●	108	E4
Veroia	●	54	E4
Verona	●	48	F5
Versailles	●	40	E6
Verviers	●	40	H4
Veselí	●	48	N2
Vesijarvi	◹	34	N6
Vesoul	●	38	B9
Vesterålen	◿	34	G2
Vestfjorden	◿	34	G2
Vestmannaeyjar	●	34	(1)C3
Vestvagøy	◿	34	G2
Vesuvio	▲	50	J8
Veszprém	●	52	E2
Vet	◹	90	D5
Vetluga	●	56	J3
Vetluga	◹	56	J3
Veurne	●	40	E3
Vevey	●	48	B4
Vezirköprü	●	76	F3
Viana do Castelo	●	46	B3
Vianden	●	40	J5
Viangchan	●	68	C3
Viareggio	●	48	F7
Viaréggio	●	50	E5
Viborg	●	34	E8
Vibraye	●	44	F5
Vic	●	46	N3
Vicenza	●	48	G5
Vichuga	●	56	H3
Vichy	●	44	J7
Vicksburg	●	108	C3
Victor Harbor	●	94	G7
Victoria	●	58	J10
Victoria	●	94	H7
Victoria, *Argentina*	●	118	J5
Victoria, *Canada*	●	104	B1
Victoria, *Chile*	●	118	G6
Victoria, *Malta*	●	50	J12
Victoria, *Romania*	●	52	M4
Victoria, *Seychelles*	●	90	(2)C1
Victoria, *US*	●	112	B4
Victoria de las Tunas	●	112	J4
Victoria Falls	◿	90	D3
Victoria Island	◿	100	J2
Victoria Land	●	120	(2)W2
Victoria Strait	◿	100	M3
Victoriaville	●	106	F1
Victoria West	●	90	C6
Vidalia	●	102	K5
Vidamlja	●	36	N5
Videle	●	52	N5
Vidin	●	52	K6
Viedma	●	118	J7
Vienna = Wien	■	48	M2
Vienna	●	106	C3
Vienne	◹	44	F7
Vienne	●	44	K8
Vientiane = Viangchan	●	68	C3
Vierzon	●	44	H6
Vieste	●	50	L7
Vietnam	Ⓐ	68	D3
Viêt Tri	●	68	D2
Vigan	●	68	G3
Vigévano	●	48	D5
Vigia	●	116	H4
Vigo	●	46	B2
Viho Valentia	●	50	L10
Vijaywada	●	72	D5
Vik	●	34	(1)D3
Vikna	◿	34	E4
Vila de Conde	●	46	B3
Vilafranca del Penedäs	●	46	M3
Vila Franca de Xira	●	46	A6
Vila Nova de Gaia	●	46	B3
Vilanova y la Geltru	●	46	M3
Vila Real	●	46	C3
Vila-real	●	46	K5
Vilhelmina	●	34	J4
Vilhena	●	116	E6
Vilija	◹	34	N9
Viljandi	●	34	N7
Vilkaviškis	●	36	N3
Villa Ahumada	●	112	C2
Villablino	●	46	D2
Villacarrillo	●	46	G6
Villach	●	48	J4
Villacidro	●	50	C9
Villa Constitución	●	102	D7
Villa de Cos	●	112	D4
Villafranca	●	48	F5
Villafranca de los Barros	●	46	D6
Villagarcia	●	46	B2
Villagrán	●	110	G4
Villahermosa	●	112	F5
Villa Huidobro	●	118	J5
Villalba	●	46	C1
Villaldama	●	110	F3
Villalpando	●	46	E3
Villamartín	●	46	E8
Villa Montes	●	118	J3
Villanueva	●	110	F4
Villanueva de Cordoba	●	46	F6
Villa Ocampo	●	110	C3
Villaputzu	●	50	D9
Villarrobledo	●	46	H5
Villa San Giovanni	●	50	K10
Villavelayo	●	46	H2
Villavicencio	●	116	C3
Villaviciosa	●	46	E1
Villedieu-les-Poêles	●	40	A6
Villefranche-de-Rouergue	●	44	H9
Villefranche-sur-Saône	●	44	K8
Villena	●	46	K6
Villeneuve-sur-Lot	●	44	F9
Villers-Bocage	●	40	B5
Villers-Cotterêts	●	40	F5
Villerupt	●	40	H5
Villeurbanne	●	44	K8
Villingen	●	48	D2
Vilnius	■	34	N9
Vilsbiburg	●	48	H2
Vilshofen	●	48	J2
Vilvoorde	●	40	G4
Vilyuy	◹	62	L4
Vilyuysk	●	62	L4
Vilyuyskoye Vodokhranilishche	◹	62	J4
Vimoutiers	●	40	C6
Vimperk	●	48	J1
Viña del Mar	●	118	G5
Vinarös	●	46	L4
Vincennes	●	108	D2
Vineland	●	106	F3
Vinh	●	68	D3
Vinkovci	●	52	F4
Vinnytsya	●	56	E5
Vinson Massif	▲	120	(2)JJ2
Vinstri	◹	34	E6
Vinzili	●	56	N3
Vioolsdrift	●	90	B5
Vipava	●	48	J5
Vipiteno	●	48	G4
Vir	◿	48	L6
Virac	●	68	G4
Viranşehir	●	76	H5

Name	Page	Grid
Virawah	72	B4
Virden	104	F1
Vire	40	B6
Virginia	102	L4
Virginia	106	B1
Virginia Beach	106	E3
Virgin Islands, *UK*	114	E2
Virgin Islands, *US*	114	E2
Virihaure	34	J3
Virôchey	68	D4
Virovitica	52	E4
Virton	40	H5
Virtsu	34	M7
Virudunagar	72	C7
Vis	52	D6
Visalia	104	C3
Visby	34	K8
Viscount Melville Sound	100	J2
Viseu, *Brazil*	116	H4
Viseu, *Portugal*	46	C4
Vişeu de Sus	52	M2
Vishakhapatnam	72	D5
Vishera	60	K5
Vishnevka	60	N7
Visoko	52	F6
Visp	48	C4
Visselhövede	38	E4
Vistula = Wisła	32	F2
Viterbo	50	G6
Viti Levu	92	H7
Vitim	62	J5
Vitolište	54	D3
Vitória	118	N3
Vitória da Conquista	116	J6
Vitoria-Gasteiz	46	H2
Vitré	44	D5
Vitry-le-François	40	G6
Vitsyebsk	56	F3
Vitteaux	44	K6
Vittel	48	A2
Vittória	50	J12
Vittório Véneto	48	H5
Viveiro	46	C1
Vivi	60	T4
Vize	54	K3
Vizhas	56	J1
Vizianagaram	72	D5
Vizinga	60	H5
Vizzini	50	J11
Vjosë	54	C4
Vladikavkaz	76	L2
Vladimir	56	H3
Vladivostok	66	F2
Vlasotince	52	K7
Vlasovo	62	N2
Vlieland	40	G1
Vlissingen	40	F3
Vlorë	54	B4
Vltava	36	D8
Vöcklabruck	48	J2
Vodice	48	L7
Vodnjan	48	J6
Vogelsberg	38	E6
Voghera	48	D6
Vohipeno	90	H4
Vöhringen	48	F2
Voi	88	F4
Voinjama	86	C3
Voiron	44	L8
Voitsberg	48	L3
Vojens	38	E1
Vojmsjön	34	J4
Vojvodina	52	G4
Volary	38	J8
Volcán Antofalla	118	H4
Volcán Barú	112	H7
Volcán Cayambe	116	B3
Volcán Citlaltépetl	98	L7
Volcán Corcovado	118	G7
Volcán Cotopaxi	116	B4
Volcán Domuyo	118	G6
Volcán Lanin	118	G6
Volcán Llullaillaco	118	H3
Volcán San Pedro	118	H3
Volcán Tajumulco	112	F5
Volga	56	J5
Volgodonsk	56	H5
Volgograd	56	H5
Völkermarkt	48	K4
Volkhov	56	F3
Völklingen	40	J5
Volksrust	90	D5
Volochanka	60	S3
Volodarskoye	56	N4
Vologda	56	H3
Volonga	56	J1
Volos	54	E4
Volosovo	34	Q7
Volta Redonda	116	J8
Volterra	48	F7
Volti	48	D6
Volzhskiy	56	H5
Voorne	40	F3
Voranava	34	N9
Vorderrhein	48	E4
Vordingborg	38	G1
Voreios Evvoïkos Kolpos	54	E6
Voreria Pindos	54	C4
Vorkuta	56	M1
Vormsi	34	M7
Vorona	56	H4
Voronezh	56	G4
Vorstershoop	90	C5
Võru	34	P8
Vosges	48	C2
Voss	34	D6
Vostochno-Sibirskoye More	62	U2
Vostochnyy Sayan	60	T7
Vostok Island	92	L6
Votkinsk	60	J6
Vozhgora	56	J2
Vranje	52	J7
Vranov	36	L9
Vranov nad Toplau	52	J1
Vratsa	52	L6
Vrbas	52	E5
Vrbas	52	G4
Vrbovsko	48	L5
Vrendenburg	90	B6
Vršac	52	J4
Vryburg	90	C5
Vryheid	90	E5
Vsetín	36	G8
Vučitrn	52	J7
Vukovar	52	G4
Vuktyl'	56	L2
Vulcăneşti	52	R4
Vulcano	50	J10
Vung Tau	68	D4
Vuollerim	34	L3
Vuotso	34	P2
Vyatka	56	K3
Vyazemskiy	62	N7
Vyaz'ma	56	F3
Vyborg	34	Q6
Vychegda	56	K2
Vyksa	56	H3
Vylkove	52	S4
Vynohradiv	36	N9
Vyshniy Volochek	56	F3
Vyškov	36	G8
Vytegra	56	G2

W

Name	Page	Grid
Wa	86	D3
Waal	40	H3
Waalwijk	40	H3
Wabē Shebelē Wenz	88	G2
Waco	108	B3
Wad Banda	82	E5
Waddān	82	C2
Waddeneilanden	40	G1
Waddenzee	40	H1
Wadena	106	A1
Wādī al Fārigh	82	C1
Wādī al Hamīm	82	D1
Wadi Halfa	82	F3
Wādī Mūsā	78	C6
Wad Medani	82	F5
Wadsworth	110	C1
Wafangdian	64	G3
Wafangdian	66	A4
Wagga Wagga	94	J7
Wahai	70	(2)C3
Wahiawa	110	(2)C2
Wahpeton	104	G1
Waiau	96	D6
Waiblingen	48	E2
Waidhofen	48	K3
Waidhofen an der Ybbs	52	B2
Waigeo	70	(2)D3
Waiheke Island	96	E3
Waihi	96	E3
Waikabubak	70	(2)A4
Waikaia	96	B7
Waikaremoana	96	F4
Waikato	96	E3
Waikawa	96	B8
Wailuku	110	(2)E3
Waimate	96	C7
Waingapu	94	B1
Wainwright	110	(1)F1
Waiouru	96	E4
Waipara	96	D6
Waipawa	96	F4
Waipiro	96	G4
Waipukurau	96	F5
Wairoa	96	F4
Waitakaruru	96	E3
Waitaki	96	C7
Waitangi	96	(1)B1
Waitara	96	E4
Waiuku	96	E3
Wajima	66	J5
Wajir	88	G3
Wakasa-wan	66	H6
Wakayama	66	H6
Wakeeney	110	G1
Wakefield	42	L8
Wake Island	92	G4
Wakkanai	66	L1
Waku-Kungo	90	B2
Wałbrzych	36	F7
Walcheren	40	F3
Wałcz	36	F4
Waldmünchen	38	H7
Waldshut-Tiengen	48	D3
Walen See	48	E3
Wales	42	J9
Wales Island	100	P3
Walgett	94	J6
Walker Lake	110	C1
Walkerville	94	J7
Wall	104	F2
Wallaceburg	106	D2
Walla Walla	104	C1
Wallis et Futuna	92	J7
Walpole	94	C6
Walsall	42	L9
Walsenburg	104	F3
Walsrode	38	E4
Waltershausen	38	F6
Walvis Bay	90	A4
Wamba	88	D3
Wana	74	J3
Wanaaring	94	H5
Wanaka	96	B7
Wandel Sea	88	A1
Wandingzhen	68	B2
Wanganui	96	E4
Wanganui	96	E4
Wangen	48	E3
Wangerooge	38	D3
Wangiwangi	70	(2)B4
Wan Hsa-la	68	B2
Wanxian	64	D4
Wanyuan	64	D4
Warangal	72	C5
Warburg	38	D5
Ward	72	C4
Waregem	40	F4
Waremme	40	H4
Waren	38	H3
Warendorf	40	K3
Warka	36	L6
Warla	36	H6
Warmandi	70	(2)D3
Warminster	42	K10
Warm Springs	104	C3
Warren, *Mich., US*	106	D2
Warren, *Oh., US*	106	D2
Warren, *Pa., US*	106	E2
Warrensburg	106	B3
Warrenton	90	C5
Warri	86	F3
Warrington, *UK*	42	K8
Warrington, *US*	108	D3
Warrnambool	94	H7
Warroad	106	A1
Warsaw = Warszawa	36	K5
Warstein	38	D5
Warszawa	36	K5
Warta	36	F5
Warwick	42	L9
Wasatch Range	110	D1
Wasco	110	C1
Washap	74	H4
Washburn Lake	100	K2
Washington	104	B1
Washington, *N.C., US*	106	E3
Washington, *Pa., US*	106	D2
Washington, *Ut., US*	104	D3
Washington D.C.	98	J6
Wassenaar	40	G2
Wasserburg	48	H2
Watampone	70	(2)B3
Waterbury	106	F2
Waterford	42	E9
Waterloo	106	B2
Watersmeet	106	C1
Watertown, *N.Y., US*	106	E2
Watertown, *S.D., US*	104	G1
Watertown, *Wis., US*	106	C2
Waterville	106	G2
Watford	40	B3
Watford City	104	F1
Watmuri	70	(2)D4
Watrous	100	K6
Watsa	88	D3
Watseka	108	D1
Watson Lake	110	(1)M3
Wau	88	D2
Waubay Lake	104	G1
Waukegan	106	C2
Waukesha	106	C2
Waurika	108	B3
Wausau	102	J3
Waverly	106	C3
Wavre	40	G4
Wawa	106	D1
Wāw al Kabīr	82	C2
Waxxari	60	R10
Waycross	108	E3
Waynesboro, *Ga., US*	108	E3
Waynesboro, *Miss., US*	108	D3
Waynesville	106	D3
Weaverville	104	B2
Weber	96	F5
Webi Shaabeelle	88	G3
Webster	104	G1
Weddell Island	118	J9
Weddell Sea	120	(2)A2
Wedel	38	E3
Weed	104	B2
Weert	40	H3
Wei	64	D4
Weichang	64	F2
Weida	38	H6
Weiden	38	H7
Weifang	64	F3
Weihai	64	G3
Weilburg	38	D6
Weilheim	48	G3
Weimar	38	G6
Weinan	64	D4
Weinheim	38	D7
Weining	64	C5
Weipa	94	H2
Weiser	104	C2
Weißenburg	38	F7
Weißenfels	38	G5
Weißwasser	38	K5
Weixi	68	B1
Wejherowo	36	H3
Welkom	90	D5
Welland	40	B2
Wellesley Islands	94	G3
Wellingborough	44	E1
Wellington, *New Zealand*	96	E5
Wellington, *Colo., US.*	104	F2
Wellington, *Kans., US*	108	B2
Wells	104	C2
Wellsboro	106	E2
Wellsford	96	E3
Wellton	110	D2
Wels	48	K2
Welwyn Garden City	40	B3
Wenatchee	104	B1
Wenchang	68	E3
Wenga	88	B3
Wenman	116	(1)A1
Wen Xian	64	C4
Wenzhou	64	G5
Werder	38	H4
Werdēr	88	H2
Werl	40	K3
Werneck	38	F6
Wernigerode	38	F5
Werra	38	F6
Wertheim	38	E7
Wesel	40	J3
Wesel Dorsten	38	B5
Weser	38	E4
Wessel Islands	94	G2
West Antarctica	120	(2)GG2
West Bank	78	C4
West Branch	106	D2
West Cape	92	G10
West End	108	F4
Western Australia	94	D5
Western Cape	90	B6
Western Ghats	72	B5
Western Reef	96	(1)B5
Western Sahara	84	C4
Wester Ross	42	G4
Westerschelde	40	F3
Westerstede	40	K1
Westerwald	40	K4
West Falkland	118	J9
West Frankfort	108	D2
West Glacier	104	D1

Name	Page	Grid
West Lunga	90	C2
West Memphis	108	C2
Weston	106	D3
Weston-super-Mare	42	K10
West Palm Beach	108	E4
West Plains	106	B3
Westport, *New Zealand*	96	C5
Westport, *Republic of Ireland*	42	C8
Westray	42	J2
West Siberian Plain = Zapadno-Sibirskaya Ravnina	58	L3
West Virginia	106	D3
West Wendover	104	D2
West Yellowstone	104	D2
Wetar	70	(2)C4
Wetaskiwin	100	J6
Wete	88	F5
Wetumpka	108	D3
Wetzlar	38	D6
Wewak	70	(2)F3
Wexford	42	F9
Wexford Harbour	42	F9
Weyburn	102	F2
Weymouth	42	K11
Whakatane	96	F3
Whale Cove	100	N4
Whalsay	42	M1
Whangarei	96	E2
Wharfe	42	L7
Wheeler Peak	110	E1
Wheeler Ridge	110	C2
Wheeling	108	E1
Whitby	42	M7
White, *Nev., US*	104	C3
White, *S.D., US.*	100	L8
White Bay	100	V6
White Cliffs	94	H6
Whitecourt	100	H6
Whitefish Point	106	C1
Whitehaven	42	J7
Whitehorse	110	(1)L3
White Island	96	F3
Whitemark	94	J8
White Mountain Peak	104	C3
White Mountains	100	S8
Whitemouth	104	G1
White Nile = Bahr el Abiad	82	F5
White River, *Canada*	106	C1
White River, *US.*	104	F2
White Sea = Beloye More	56	G1
White Sulphur Springs	104	D1
Whiteville	108	F3
White Volta	86	D3
Whitney	106	E1
Whyalla	94	G6
Wichita	108	B2
Wichita Falls	108	B3
Wick	42	J3
Wickenburg	110	D2
Wicklow Mountains	42	F8
Widawka	36	J6
Wieluń	36	H6
Wien	48	M2
Wiener Neustadt	48	M3
Wieringermeer Polder	40	G2
Wiesbaden	38	D6
Wiesloch	38	D7
Wiesmoor	38	C3
Wigan	42	K8
Wiggins	104	F2
Wil.	48	E3
Wilbur	104	C1
Wilcannia	94	H6
Wildeshausen	38	D4
Wilhelmshaven	38	D3
Wilkes-Barre	106	E2
Wilkes Land	120	(2)U2
Willapa Bay	104	B1
Willemstad	116	D1
Williams, *Australia*	94	C6
Williams, *Ariz., US.*	104	D3
Williams, *Calif., US*	104	B3
Williamsburg	106	E3
Williams Lake	100	G6
Williamson	108	E2
Williamsport	106	E2
Willis Group	94	K3
Williston, *Fla., US*	108	E4
Williston, *N.D., US.*	104	F1
Williston Lake	100	G5
Willmar	106	A1
Willow	110	(1)H3
Willowmore	90	C6
Willow River	106	B1
Willow Springs	106	B3
Wilmington, *Del., US*	106	E3
Wilmington, *N.C., US.*	108	F3
Wilson	106	E3
Wilson Reservoir	108	B2
Wilson's Promontory	94	J7
Wiluna	94	D5
Winamac	106	C2
Winchester, *UK*	42	L10
Winchester, *Ky., US*	106	D3
Winchester, *Va., US*	106	E3
Windhoek	90	B4
Windischgarsten	48	K3
Windom	106	A2
Windorah	94	H5
Windsor, *Canada*	106	D2
Windsor, *UK*	40	B3
Windsor, *US*	108	F2
Windward Islands	112	N6
Windward Passage	114	D2
Winfield, *Al., US*	108	D3
Winfield, *Kans., US*	110	G1
Wingate Mountains	94	E2
Winisk	100	P5
Winisk	100	P6
Winisk Lake	100	P6
Winnemucca	104	C2
Winner	104	G2
Winfield	102	H5
Winnipeg	100	M7
Winona, *Minn., US.*	106	B2
Winona, *Miss., US.*	108	D3
Winschoten	40	K1
Winsen	38	F3
Winslow	110	D1
Winston-Salem	106	D3
Winterberg	38	D5
Winter Harbour	100	J2
Winterswijk	40	J3
Winterthur	48	D3
Winton, *Australia*	94	H4
Winton, *New Zealand*	96	B8
Wisbech	40	C2
Wisconsin	102	H2
Wisconsin	106	B2
Wisconsin Dells	106	C2
Wisconsin Rapids	106	C2
Wisła	36	H4
Wisła	36	H8
Wisłoka	36	L8
Wismar	38	G3
Wissembourg	38	C7
Witney	40	A3
Witten	40	K3
Wittenberge	38	G3
Wittenoom	94	C4
Wittingen	38	F4
Wittlich	40	J5
Wittmund	38	C3
Wittstock	38	H3
Witzenhausen	38	E5
W. J. van Blommesteinmeer	116	G2
Wkra	36	K5
Władysławowo	36	H3
Włocławek	36	J5
Włodawa	36	N6
Wodzisław Śląski	36	H7
Wohlen	48	D3
Wokam	70	(2)D4
Woking	42	M10
Wolf Creek	104	D1
Wolfen	38	H5
Wolfenbüttel	38	F4
Wolf Point	104	E1
Wolfratshausen	48	G3
Wolfsberg	48	K4
Wolfsburg	38	F4
Wolgast	38	J2
Wollaston Lake	100	K5
Wollaston Peninsula	100	H3
Wollongong	94	K6
Wołomin	36	L5
Wolsztyn	36	F5
Wolverhampton	42	K9
Wŏnju	66	D5
Wŏnsan	66	D4
Woodbridge	40	D2
Woodburn	104	B1
Woodland	104	B3
Woodstock, *Canada*	106	G1
Woodstock, *UK*	40	A3
Woodstock, *US*	106	C2
Woodville, *New Zealand*	96	E5
Woodville, *Miss., US*	108	C3
Woodville, *Tex., US.*	108	C3
Woodward	104	G3
Woody Head	96	E3
Woonsocket, *R.I., US*	106	F2
Woonsocket, *S.D., US.*	104	G2
Worcester, *South Africa*	90	B6
Worcester, *UK*	42	K9
Worcester, *US*	102	M3
Wörgl	48	H3
Workington	42	J7
Worksop	40	A1
Worland	104	E2
Worms	38	D7
Wörth	38	D7
Worthing	42	M11
Worthington	102	G3
Wosu	70	(2)B3
Wotu	70	(2)B3
Wowoni	70	(2)B3
Wrangell	100	E5
Wrangell Mountains	100	C4
Wray	102	F3
Wrexham	42	K8
Wrigley	100	G4
Wrocław	36	G6
Września	36	G5
Wu	64	D5
Wubin	94	C6
Wubu	64	E3
Wuchang	64	H2
Wuchuan	64	E2
Wuday'ah	74	E6
Wudu	64	C4
Wuhai	64	D3
Wuhan	64	E4
Wuhu	64	F4
Wüjang	72	C2
Wukari	86	F3
Wuli	72	F2
Wunsiedel	38	G6
Wunstorf	38	E4
Wuppertal	38	C5
Würzburg	38	E7
Wurzen	38	H5
Wushi	60	P9
Wusuli	64	J1
Wutach	48	D3
Wuwei	64	C3
Wuxi	64	G4
Wuxu	68	D2
Wuyuan	64	D2
Wuzhong	64	D3
Wuzhou	68	E2
Wye	42	J9
Wyndham	94	E3
Wynniatt Bay	100	J2
Wyoming	102	E3
Wyszków	36	L5
Wytheville	108	E2

X

Name	Page	Grid
Xaafuun	88	J1
Xàbia	46	L6
Xaçmaz	76	N3
Xaidulla	60	P10
Xainza	72	E2
Xai-Xai	90	E4
Xam Nua	68	C2
Xankändi	76	M4
Xanten	40	J3
Xanthi	54	G3
Xapuri	116	D6
Xar Moron	62	K8
Xàtiva	46	K6
Xiahe	64	C3
Xiamen	68	F2
Xi'an	64	D4
Xiangcheng	64	E4
Xiangfan	64	E4
Xianghoang	68	C2
Xianghuang Qi	64	E2
Xiangtan	64	E5
Xianning	64	E5
Xianyang	64	D4
Xiaogan	64	E4
Xiao Hinggan Ling	62	M7
Xiaonanchuan	72	F1
Xichang	68	C1
Xigazê	72	E3
Xi Jiang	64	E6
Xilinhot	64	F2
Xincai	64	E4
Xingcheng	64	G2
Xinghua	64	F4
Xingtai	64	F3
Xingu	116	G5
Xingyi	68	C1
Xinhe	60	Q9
Xining	64	C3
Xinjin	64	G3
Xinmin	66	B2
Xintai	64	F3
Xinxiang	64	E3
Xinyang	64	E4
Xinyu	64	F5
Xinyuan	60	Q9
Xinzhou	64	E3
Xinzo de Limia	46	C2
Xique Xique	116	J6
Xi Ujimqin Qi.	64	F2
Xiushu	64	E5
Xiwu	72	G2
Xixia	64	E4
Xi Xiang	64	D4
Xizang	72	E2
Xizang Gaoyuan	72	D2
Xuanhua.	64	E2
Xuchang	64	E4
Xuddur	88	G3
Xuwen	68	E2

Y

Name	Page	Grid
Ya'an	64	D3
Yabassi	86	F4
Yabêlo	88	F3
Yablonovyy Khrebet	62	J6
Yabrūd	78	D3
Yabuli	66	E1
Yacuma	116	D6
Yadgir	72	D5
Yagodnyy	56	N3
Yahk	100	H7
Yakima	104	B1
Yako	86	D2
Yakoma	88	C3
Yaksha	56	L2
Yakumo	66	L2
Yaku-shima	66	F8
Yakutat	110	(1)K4
Yakutsk	62	M4
Yala	68	C5
Yalova	54	M4
Yalta	76	F1
Yalu	66	D3
Yalutorovsk	56	N3
Yamagata	66	L4
Yamaguchi	66	F6
Yamarovka	62	J6
Yambio	88	D3
Yambol	52	P7
Yamburg	60	P4
Yamdena	70	(2)D4
Yamoussoukro	86	C3
Yampa	104	E2
Yampil'	52	R1
Yamsk	62	S5
Yan'an	64	D3
Yanbu'al Bahr	74	C5
Yancheng	64	G4
Yandun	64	A2
Yangambi	88	C3
Yangbajain	72	F2
Yangdok.	66	D4
Yangi Kand.	76	N5
Yangjiang	68	E2
Yangon	68	B3
Yangquan	64	E3
Yangshuo	68	E2
Yangtze = Chang Jiang	64	D4
Yangzhou	64	F4
Yanhuqu	72	D2
Yani-Kurgan	60	M9
Yanji	66	C2
Yankton	104	G2
Yano-Indigirskaya Nizmennost'	62	N2
Yanqi	60	R9
Yanqing	64	F2
Yanshan	68	C2
Yanskiy Zaliv.	62	N2
Yantai	64	G3
Yaoundé	86	G4
Yap	92	D5
Yapen	70	(2)E3
Yaqui	102	E6
Yaransk	56	J3
Yardımcı Burnu	54	E8
Yare	40	D2
Yaren	92	G6
Yarensk	56	J2
Yari	116	C3
Yarkant	74	L2
Yarkovo	56	N3
Yarlung Zangbo.	72	F3
Yarmouth	100	T8
Yaroslavl'	56	G3
Yar Sale	56	P1
Yartsevo	56	F3
Yashkul'	56	J5
Yasnyy	56	L4
Yāsūj	79	D1

Name	Page	Grid
Yatağan	54	L7
Yathkyed Lake	100	M4
Yatsushiro	66	F7
Yavari	116	C5
Yawatongguzlangar	60	Q10
Yaya	60	R6
Yayladağı	76	F6
Yazd	74	F3
Yazdān	74	H3
Yazd-e Khvāst	79	E1
Yazoo City	108	C3
Ydra	54	F7
Ye	68	B3
Yea	94	J7
Yecheng	74	L2
Yecla	46	J6
Yefremov	56	G4
Yegendybulak	60	P8
Yei	88	E3
Yekaterinburg	56	M3
Yelets	56	G4
Yell	42	L1
Yellowknife	100	J4
Yellow River = Huang He	64	C3
Yellow Sea	64	G3
Yellowstone	104	E1
Yellowstone Lake	104	D2
Yeloten	74	H2
Yelva	60	J5
Yelwa	86	E2
Yemen	74	D7
Yemetsk	56	H2
Yenakiyeve	56	G5
Yengisar	74	L2
Yenihisar	54	K7
Yenisey	60	S6
Yeniseysk	60	S6
Yeniseyskiy Kryazh	60	S5
Yeo Lake	94	D5
Yeovil	42	K11
Yeppoon	94	K4
Yeraliyev	60	J9
Yerbogachen	62	H4
Yerevan	76	L3
Yerington	104	C3
Yerkov	54	S5
Yerkoy	76	F4
Yermak	60	P7
Yermitsa	56	K1
Yernva	60	J5
Yershov	56	J4
Yerupaja	116	B6
Yerushalayim	78	C5
Yesil'	56	N4
Yeşilhisar	76	F4
Yeşilköy	54	L4
Yessey	60	U4
Yevlax	76	M3
Yevpatoriya	56	F5
Yeyik	60	Q10
Yeysk	56	G5
Yibin	64	C5
Yichang	64	E4
Yichun, *China*	64	E5
Yichun, *China*	64	H1
Yilan	64	H1
Yıldız Dağları	54	K2
Yıldızeli	76	G4
Yinchuan	64	D3
Yingcheng	64	E4
Yingkou	64	G2
Yining	60	Q9
Yirga Alem	88	F2
Yitomio	34	M3
Yitulihe	62	L6
Yiyang	64	E5
Yli-Kitka	34	Q3
Ylivieska	34	N4
Ylöjärvi	34	M6
Yoakum	108	B4
Yoboki	82	H5
Yogyakarta	70	(1)E4
Yokadouma	86	G4
Yoko	86	G3
Yokohama, *Japan*	66	K6
Yokohama, *Japan*	66	L3
Yokosuka	66	K6
Yokote	66	L4
Yola	86	G3
Yonago	66	G6
Yonezawa	66	L5
Yong'an	68	F1
Yongdeng	64	C3
Yŏnghŭng	66	D4
Yongren	68	C1
Yongxiu	64	F5
Yonkers	106	F2
York, *UK*	42	L8
York, *Nebr., US*	104	G2
York, *Pa., US*	106	E3
Yorkton	100	L6
Yoshkar Ola	56	J3
Yōsu	66	D6
Yotvata	78	C7
You	68	D2
Youghal	42	E10
Youghal Bay	42	E10
Youngstown	106	D2
Yozgat	76	F4
Yreka	104	B2
Ystad	36	C2
Ysyk-Köl	60	P9
Ytre Sula	34	B6
Ytyk-Kyuyel'	62	N4
Yu	68	D2
Yuan	68	C2
Yuanjiang	68	C2
Yuanmou	68	C1
Yuanping	64	E3
Yucatán	112	F5
Yucatan Channel	112	G4
Yuci	64	E3
Yudoma	62	Q4
Yuendumu	94	F4
Yueyang	64	E5
Yugorenok	62	P5
Yugo-Tala	62	S3
Yukagirskoye Ploskogor'ye	62	S3
Yukon	110	(1)E3
Yukon Territory	110	(1)K2
Yukorskiy Poluostrov	60	L4
Yüksekova	76	L5
Yukta	62	H4
Yuli	60	R9
Yulin, *China*	64	D3
Yulin, *China*	68	E2
Yuma	110	C2
Yumen	64	B3
Yumin	60	Q8
Yuncheng	64	E3
Yun Xian	64	E2
Yuogi Feng	60	R8
Yurga	60	Q6
Yurimaguas	116	B5
Yurla	56	K3
Yuroma	56	J1
Yur'yevets	56	H3
Yu Shan	68	G2
Yushkozero	34	S4
Yushu, *China*	64	B4
Yushu, *China*	64	H2
Yusufeli	76	J3
Yutian	60	Q10
Yuyao	64	G4
Yuzhno Kuril'sk	66	N1
Yuzhno-Sakhalinsk	62	Q7
Yuzhno-Sukhokumsk	76	L1
Yuzhnoural'sk	56	M4
Yverdon-les-Bains	48	B4
Yvetot	40	C5

Z

Name	Page	Grid
Zaanstad	40	G2
Ząbkowice Śląskie	36	F7
Zabok	48	L4
Zābol	74	H3
Zabrze	36	H7
Zacatecas	110	F4
Zadar	48	L6
Zadonsk	56	G4
Zafora	54	J8
Zafra	46	D6
Zāgheh-ye-Bālā	76	M6
Zagora	84	D2
Zagreb	48	L5
Zagyva	36	K10
Zāhedān	74	H4
Zahirabad	72	C5
Zahlé	78	C3
Zahrān	74	D6
Zaječar	52	K6
Zakamensk	62	G6
Zākhō	76	K5
Zakopane	36	J8
Zakynthos	54	C7
Zakynthos	54	C7
Zala	48	M4
Zalaegerszeg	48	M4
Zalaszentgrót	48	N4
Zalău	36	L2
Zalim	74	D5
Zaliv Aniva	62	Q7
Zaliv Kara-Bogaz Gol	74	F1
Zaliv Kresta	62	Y3
Zaliv Paskevicha	56	L5
Zaliv Shelikhova	62	T5
Zaliv Terpeniya	62	Q7
Zamakh	74	E6
Zambezi	90	C2
Zambezi	90	E3
Zambia	90	D2
Zamboanga	68	G5
Zambrów	36	M5
Zamora	46	E3
Zamość	36	N7
Zanda	72	C2
Zandvoort	40	G2
Zanesville	108	E2
Zangguy	74	L2
Zanjān	76	N5
Zannone	50	H8
Zanzibar	88	F5
Zanzibar Island	88	F5
Zaozernyy	60	S6
Zapadnaya Dvina	56	E3
Zapadno-Sibirskaya Ravnina	60	L5
Zapadnyy Sayan	60	S7
Zapata	110	G3
Zaporizhzhya	56	G5
Zaprešić	48	L5
Zaqatala	76	M3
Zara	76	G4
Zarafshan	60	L9
Zaragoza	46	K3
Zarand	74	G1
Zaranj	74	H3
Zarasai	34	P9
Zaraza	116	D2
Zarechensk	34	R3
Zaria	86	F2
Zărnești	52	N4
Zarqā'	78	D4
Zarqān	79	E2
Žary	36	E6
Zarzadilla de Totana	46	J7
Žatec	36	C7
Zavetnoye	56	H5
Zavidovići	52	F5
Zavitinsk	62	M6
Zayarsk	60	U6
Zaysan	60	Q8
Zayū	68	B1
Zbraslav	36	D8
Žebák	76	K2
Žebār	76	L5
Zeebrugge	40	F3
Zefat	78	C4
Zeilona Góra	36	E6
Zeist	40	H2
Zeitz	38	H5
Zelenoborskiy	34	S3
Zelenograd	56	G3
Zelenogradsk	36	K3
Zelenokumsk	76	K1
Zella-Mehlis	38	F6
Zell am See	48	H3
Zémio	88	D2
Zemlya Alexsandry	60	G1
Zemlya Frantsa-Iosifa	60	J2
Zemlya Vil'cheka	60	L1
Zempoalteptl	112	E5
Zenica	52	E5
Zerbst	38	H5
Zermatt	48	C4
Zeta Lake	100	K2
Zeulenroda	38	G6
Zeven	38	E3
Zevenaar	40	J3
Zeya	62	M6
Zeya	62	M6
Zeydābād	79	F2
Zeyskoye Vodokhranilishche	62	M5
Zgharta	78	C2
Zgierz	36	J6
Zgorzelec	36	E6
Zhailma	56	M4
Zhaksy	56	N4
Zhaksykon	56	N5
Zhaltyr	56	N4
Zhambyl	60	N9
Zhanatas	60	M9
Zhangbei	64	E2
Zhangguangcai Ling	64	H2
Zhangjiakou	64	E2
Zhangling	62	L6
Zhangwu	64	G2
Zhangye	64	B3
Zhangzhou	68	F2
Zhanjiang	68	E2
Zhaodong	62	M7
Zhaoqing	68	E2
Zhaosu	60	Q9
Zhaoyuan	64	H1
Zharkamys	60	K8
Zharkent	60	P9
Zharma	60	Q8
Zharyk	60	N8
Zhaxigang	72	C2
Zheleznogorsk	56	G4
Zhengzhou	64	E4
Zhenjiang	64	F4
Zherdevka	56	H4
Zhetybay	60	J9
Zhezkazgan	60	M8
Zhigalovo	62	H5
Zhigansk	62	L3
Zhilinda	62	J2
Zhob	74	J3
Zholymbet	60	N7
Zhongba	72	D3
Zhongdian	64	B5
Zhongning	64	D3
Zhongshan	68	E2
Zhongze	64	G5
Zhoukou	64	E4
Zhuanghe	64	G3
Zhucheng	64	F3
Zhumadian	64	E4
Zhuo Xian	64	F3
Zhytomyr	56	E4
Žiar	36	H9
Zibo	64	F3
Zichang	64	D3
Zieriksee	40	F3
Ziesar	38	H4
Zigong	64	C5
Ziguinchor	84	B6
Zikhron Ya'aqov	78	B4
Žilina	36	H8
Zillah	82	C2
Zima	62	G6
Zimbabwe	90	D3
Zimmi	86	B3
Zimnicea	52	N6
Zinder	86	F2
Zinjibār	82	J5
Zirc	36	G10
Žirje	50	K5
Zistersdorf	48	M2
Zitava	36	H9
Zittau	38	K6
Ziway Hāyk'	88	F2
Zixing	68	E1
Zlaté Moravce	36	H9
Zlatoust	56	L3
Zlín	36	G8
Zľtan	84	H2
Złotów	36	G4
Zmeinogorsk	60	Q7
Znamenskoye	56	N6
Žnin	36	G5
Znojmo	48	M2
Zoigê	64	C4
Zomba	90	F3
Zongo	88	B3
Zonguldak	54	P3
Zouar	82	C3
Zouérat	84	C4
Zovka	36	N7
Zrenjanin	52	H4
Zschopau	38	J6
Zug	48	D3
Zugdidi	76	J2
Zuger See	48	D3
Zugspitze	38	F9
Zuid-Beveland	40	F3
Zuni	110	E1
Zunyi	64	D5
Županja	52	F4
Zürich	48	D3
Zuru	86	F2
Žut	50	K5
Zutphen	40	G2
Zuwārah	82	B1
Zuyevka	56	J6
Zvishavane	90	E4
Zvolen	36	J9
Zvornik	52	G5
Zwedru	86	C3
Zweibrücken	40	K5
Zwettl	48	L2
Zwickau	38	H6
Zwiesel	38	J7
Zwolle	40	G2
Zyryanka	62	S3
Zyryanovsk	60	Q8
Żywiec	36	J8